# Le livre Adobe® Photoshop Lightroom pour les photographes du numérique

Scott Kelby

Publié par Pearson Education France
47 bis, rue des Vinaigriers
75010 PARIS
Tél. : 01 72 74 90 00
www.pearson.fr

Réalisation p.a.o. : Léa B.

ISBN : 978-2-7440-9344-9


Titre original : *The Adobe® Photoshop® Lightroom® 3 book for digital photographers*

Traduction : Philip Escartin

ISBN original -13 : 978-0-321-70091-9
ISBN original -10 : 0-321-70091-0


Édition originale publiée par New Riders

**www.kelbytraining.com**

*À mon incroyable, hilarant,*
*adorable, aimant et aimé fils, Jordan.*
*Je suis le papa le plus heureux du monde !*

# REMERCIEMENTS

Chaque fois que j'entame la rédaction des remerciements d'un ouvrage, ma première pensée va à ma femme, Kalebra. si vous la connaissiez, vous comprendriez ce qu'il y a d'extraordinaire en elle. La plus petite de mes attentions est récompensée par le plus merveilleux des sourires qu'un mari puisse obtenir de son épouse. Lorsque vous recevez quotidiennement pareil témoignage d'affection pendant vingt ans de mariage, vous savez que vous êtes l'homme le plus chanceux de la terre. Merci, mon amour. Merci pour ta gentillesse, tes étreintes, ta compréhension, tes conseils, ta patience et ta générosité. Merci d'être cette merveilleuse maman et cette tendre épouse.

J'adresse également un grand merci à mon fils, Jordan. J'ai écrit mon premier livre pendant la grossesse de ma femme, il y a de cela treize ans. Il a grandi au milieu de mes ouvrages. C'est sans doute cela qui le rend si patient lorsque je lui demande de me laisser finir la rédaction d'une page avant d'aller jouer avec lui à Call of Duty : Modern Warfare 2. C'est pour moi un extraordinaire « petit pote » qui a grandi dans la tendresse et l'amour de ses parents.

Merci à ma splendide petite fille, Kira, qui incarne à mes yeux le vrai miracle de la vie. Tu es le portrait craché de ta maman et, crois-moi, c'est le plus beau compliment que je puisse te faire. Tu es ma petite puce adorée.

Je tiens à remercier mon frère aîné, Jeff. Tu as joué un rôle si positif dans mon existence, incarnant une sorte de modèle qui m'a permis de grandir le plus harmonieusement possible. Tu es le meilleur frère et le meilleur homme que j'aie jamais rencontré. Même si je te l'ai dit des millions de fois, laisse-moi le répéter encore une fois : je t'aime !

Je remercie chaleureusement toute l'équipe de Kelby Media Group. Je suis si fier de votre travail, stupéfait de voir avec quelle détermination vous parvenez à exécuter vos tâches quotidiennes. Je suis toujours impressionné de vous voir travailler avec autant de passion.

Je remercie mon éditrice, Kim Doty, pour son attitude exemplaire, sa passion, son assurance et toute son attention. La rédaction d'un livre vous renvoie souvent à votre solitude d'auteur. Grâce à Kim, je sais que je ne marche jamais seul. Je sais qu'une équipe m'entoure. Ses encouragements et ses mots m'ont toujours aidé dans les moments où j'avais l'impression de stagner. Pour cela, Kim, je ne te remercierai jamais assez. Tu es la meilleure !

Je suis également chanceux de bénéficier des talents de Jessica Maldonado pour le design de mes livres. J'aime la manière dont elle aborde mes sujets, et toutes les petites choses intelligentes qu'elle sait ajouter dans la mise en page et la conception de la couverture. À son incontestable talent s'ajoutent une merveilleuse joie de vivre, une intelligence aiguë, et une anticipation à vous couper le souffle. Je suis réellement enthousiasmé de te compter parmi les membres de mon équipe.

J'adresse de très vifs remerciements à mon éditrice technique, Cindy Snyder, qui m'a aidé à tester toutes les procédures présentées dans ce livre. Elle a su mettre en évidence un grand nombre de petites choses que je n'avais pas remarquées.

Merci au « grand Dave » Damstra et à son équipe. Vous avez fait un travail de mise en page absolument exceptionnel, capable de respecter un timing très serré et de produire un ouvrage d'une incroyable clarté qui ravit chacun de mes lecteurs.

L'homme qui conduit cette équipe de main de maître n'est autre que la superstar de la création, je veux parler de mon ami Felix Nelson. L'ensemble de ses remarquables compétences hisse mes livres à un niveau inégalable. Respect, Monsieur !

Merci à mon meilleur pote et éditeur de talent, Dave Moser, qui a toujours placé très haut la barre des exigences afin que nous sortions tous le meilleur de nous-mêmes.

Merci à mon amie et associée, Jean A. Kendra, pour son soutien et son amitié exprimés durant toutes ces années. Tu représentes tant pour moi, pour Kalebra, et pour notre entreprise.

Un remerciement affirmé à mon assistante, une femme extraordinaire, Kathy Siler. Elle a remis en jeu tellement de ballons pour moi et m'a si souvent soutenu dans les exigences qui étaient les miennes que sans son sens de l'organisation je n'aurais jamais trouvé le temps d'écrire le moindre livre. Elle représente pour moi le Mac Gyver de l'édition, et sa bonne humeur contagieuse est une aide appréciable au quotidien.

Merci à Ted Waitt, mon éditeur chez Peachpit Press. Il abat un travail démentiel afin de publier les livres qui font vraiment la différence auprès des lecteurs. Ce qui m'amène tout naturellement à remercier mon éditrice, Nancy Aldrich-Ruenzel, et les membres de son équipe, Sara Jane Todd, Scott Cowlin et Gary-Paul.

Merci à Tom Hogarty, chef de produit Lightroom, pour avoir répondu à mes e-mails envoyés tard dans la nuit, et à Bryan O'Neil Hughes pour m'avoir aidé d'une manière aussi précise. J'adresse des remerciements tout personnels à Kevin Connor, de chez Adobe, pour son assistance, son soutien et sa compétence.

Je tiens à exprimer toute ma gratitude à mon vieux copain Matt Kloskowski pour ses observations techniques avisées qui ont su améliorer cette nouvelle version de mon livre.

Merci à mes amis d'Adobe Systems : John Loiacono, Terry White, Cari Gushiken, Julieanne Kost et Russell Preston Brown.

Enfin, à ces personnes qui ne travaillent plus avec moi mais que je ne peux oublier : Barbara Rice, Rye Livingston, Bryan Lamkin, Addy Roff et Karen Gauthier.

Je veux également remercier tous les photographes talentueux avec qui je me suis entretenu à travers ces années : Moose Peterson, Joe McNally, Bill Fortney, George Lepp, Anne Cahill, Vincent Versace, David Ziser, Jim DiVitale, Helene Glassman et Monte Zucker.

Enfin, j'exprime une éternelle reconnaissance à mes mentors John Graden, Jack Lee, Dave Gales, Judy Farmer et Douglas Poole.

## LES AUTRES LIVRES DE SCOTT KELBY AUX ÉDITIONS PEARSON

*Le livre Adobe Photoshop Lightroom 3 pour les photographes du numérique*

*Le livre Adobe Photoshop Lightroom 2 pour les photographes du numérique*

*Le livre Adobe Photoshop Lightroom pour les photographes numériques*

*Le livre Photoshop CS5 pour les photographes du numérique*

*Le livre Photoshop CS4 pour les photographes du numérique*

*Le livre Photoshop CS3 pour les photographes du numérique*

*Photoshop CS4, astuces et secrets inédits*

*La Photographie numérique 3 en 1*

*La Photographie numérique volume 1*

*La Photographie numérique volume 2*

*La Photographie numérique volume 3*

*Ma méthode en 7 points avec Adobe Photoshop CS3*

*Le secret des masques et des couches dans Photoshop*

*iPhone 4*

*iPod & iTunes*

# À PROPOS DE L'AUTEUR

Scott Kelby est rédacteur, éditeur et cofondateur du magazine *Photoshop User.* Il est rédacteur en chef du magazine *Layers* et présente le videocast *D-Town TV,* destiné aux utilisateurs de reflex numériques. Il s'occupe également du podcast vidéo *Photoshop User TV.*

Scott est président de la National Association of Photoshop Professionals (NAPP), de l'association des utilisateurs d'Adobe Photoshop, et il est président de la société Kelby Media Group Inc, spécialisée dans la formation et la publication.

Il est aussi un photographe, un designer et l'auteur de plus de cinquante livres très souvent récompensés, dont le Livre *Adobe Photoshop pour les photographes numériques, Photoshop Astuces et secrets inédits, Ma méthode en 7 points avec Adobe Photoshop, le Secret des masques et des couches dans Photoshop, Zoom sur iPhone, Zoom sur iPod et iTunes* et *Zoom sur la photo numérique, volumes 1, 2 & 3.*

Depuis six années d'affilée, Scott est honoré du prix de l'auteur le plus acheté dans le monde toutes catégories informatiques confondues. Son ouvrage Zoom sur la photo numérique, volume 1, est le livre le plus vendu de l'histoire de la photo numérique.

Les livres de Scott ont été traduits dans des dizaines de langues dont le chinois, le russe, l'espagnol, le polonais, le taïwanais, le français, l'allemand, l'italien, le japonais, le hollandais, le suédois, le turc et le portugais, pour ne citer qu'elles. Scott a reçu le prestigieux prix Benjamin-Franklin.

Scott est directeur de formation à l'Adobe Photoshop Seminar Tour et possède une chaire de conférencier au Photoshop World Conference & Expo. Il apparaît dans une série de DVD de formation à Photoshop et dans des cours en ligne à KelbyTraining.com. Enfin, Scott enseigne Photoshop depuis 1993.

Pour plus d'informations sur Scott, visitez son blog Photoshop Insider à l'adresse **www.scottkelby.com**.

# TABLE DES MATIÈRES

# TABLE DES MATIÈRES

# Sept choses que vous devez savoir avant de lire ce livre

Je veux être certain que vous avez toutes les cartes en main pour utiliser Lightroom 3 avec succès. Passer deux minutes à lire ces sept points particuliers fera la différence dans votre maîtrise de ce programme. Les illustrations de cette section ne sont là que pour faire joli. Eh oui ! N'oubliez pas que nous sommes des photographes et que la représentation des choses est d'une grande importance pour nous.

**(1) Commencez par aller sur le site www.kelbytraining.com/books/LR3** et regardez la courte vidéo expliquant en détail les sept considérations qui suivent. C'est rapide, détaillé, mais avec un tout petit inconvénient. Lequel ? Il faut comprendre l'anglais. (Désolé, je n'ai pas pu faire une vidéo sous-titrée dans toutes les langues !)

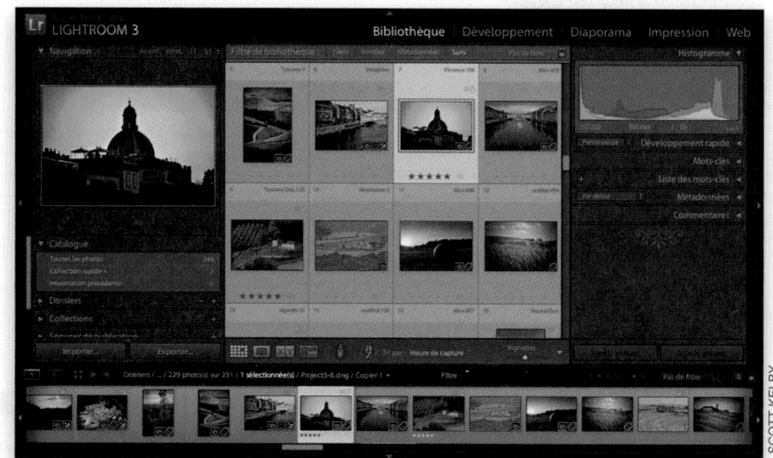


SCOTT KELBY

**(2) Vous pouvez télécharger les photos essentielles** utilisées dans ce livre. Rendez-vous à l'adresse **www.kelbytraining.com/books/LR3**. Vous voyez qu'en occultant cette intro vous seriez passé à côté d'une information fondamentale.

**(3) Si vous avez lu mes autres livres**, vous savez que vous pouvez commencer votre apprentissage là où vous le souhaitez. Toutefois, pour Ligthroom, j'ai écrit un livre qui répond à une chronologie classique d'utilisation du logiciel. Je conseille donc de commencer logiquement au Chapitre 1.

**(4) Le nom officiel de ce programme** est « Adobe Photoshop Lightroom 3 ». Bien qu'il fasse partie de la famille Adobe Photoshop, j'utiliserai les termes « Lightroom » ou « Lightroom 3 ». Vous voici prévenu.

**(5) La page d'introduction qui commence** chaque chapitre est destinée à vider votre esprit. C'est une tradition chez moi. Vous y trouverez peu d'éléments en rapport avec le contenu du chapitre. si vous n'aimez pas mon humour, dispensez-vous de la lire. Je sais pouvoir être très crispant.

**(6) À la fin du livre, vous trouverez deux chapitres spéciaux** où je présente mon flux de production personnel. Ne les lisez qu'après avoir ingurgité tout l'ouvrage. Je ne les ai pas mis à la fin par hasard !

**(7) Il y a un troisième supplément** qui explique en vidéo le flux de production de la création d'une plaque d'identité graphique utilisant la transparence (voir aussi les Chapitres 10, 11 et 12). Vous découvrirez aussi une autre vidéo étudiant mon flux de production de la retouche initiale des images (Chapitre 13). Vous trouverez ces vidéos à l'adresse **www.kelbytraining.com/books/LR3**. Maintenant, tournez la page et foncez !

Photo Scott Kelby | Exposition : 1/160e | Focale : 175 mm | Ouverture : ƒ/14.0

# Importer
## Répertorier vos photos dans Photoshop Lightroom

Bien ! Si vous lisez cette introduction, sachez qu'il ne faut pas en attendre monts et merveilles. Il s'agit en effet pour moi de vous vider le cerveau afin de le rendre disponible à mon propos. Toutefois, avez-vous besoin de vous vider l'esprit alors que nous commençons tout juste l'étude de Lightroom 3 ? Soit ! Mais, sans cette petite introduction, n'auriez-vous pas le réflexe de passer directement au Chapitre 2. Eh oui, il faut bien réfléchir dans la vie avant renoncer à certaines opportunités qui se présentent à vous. De plus, pensez-vous qu'il eût été plus raisonnable que ce chapitre commence par une page blanche ? Eh bien, non ! Personne n'aime les pages blanches. et il m'aurait été très désagréable que vous puissiez imaginer une seule seconde qu'une erreur d'impression aurait pu se glisser dans un livre aussi formidable. Je vous comprends, cher lecteur. Vous ne désirez pas payer des pages blanches ! Bien ! Tout ceci étant dit, je pense que mon introduction est suffisante pour calmer votre esprit vindicatif. Vous êtes rassuré sur mes capacités à remplir des pages même si je n'ai absolument rien à dire. *LOL*, comme disent les jeunes.

# Choisir l'emplacement de stockage des photos

Avant de procéder à l'importation de vos images, vous devez choisir l'emplacement de stockage de votre photothèque (ou bibliothèque de photos). La décision n'est pas simple à prendre. Vous devez anticiper le nombre de photos à gérer au présent et surtout dans le futur. Comment disposer d'assez d'espace disque pour stocker des milliers de clichés ? Allez-vous privilégier le disque dur interne de votre ordinateur ou un disque dur externe ? Voici quelques éléments de réflexion.

SCOTT KELBY

SCOTT KELBY

**Pour les utilisateurs d'un ordinateur de bureau**
Lightroom suppose que vous stockez vos photos sur le disque dur interne de votre ordinateur. Par conséquent, il choisit les dossiers Images de Mac OS ou de Windows. Tant que vous disposez d'un espace disque suffisant, ce choix par défaut vous semblera judicieux.

INFO Qu'est-ce qu'un « espace disque suffisant » ? Envisagez ceci : si vous ne photographiez que pendant vos week-ends et que vous remplissiez chaque semaine une carte mémoire de 4 Go, vous aurez utilisé plus de 200 Go d'espace disque en un an. Donc, dès qu'il s'agit de stocker des photos, pensez toujours à des volumes de stockage gigantesques !

Si vous ne disposez pas d'un espace disque suffisant sur votre ordinateur, investissez dans un disque dur externe. Vous le réserverez à vos photos. Il suffira de l'indiquer à Lightroom comme cela est expliqué un peu plus loin dans ce chapitre.

**Pour les utilisateurs d'un ordinateur portable**
Si vous utilisez un portable pour gérer vos photos, je vous conseille fortement d'investir dans un disque dur externe. En effet, le disque interne de ces ordinateurs n'a pas une capacité de stockage suffisante. Très rapidement, votre portable ne pourra plus accueillir vos milliers de clichés. Croyez-moi, le nombre de photos à prendre en charge augmente bien plus vite que vous ne le pensez. Le disque dur externe est devenu le choix du roi pour de nombreux photographes. (Vous trouverez aujourd'hui des disques durs externes d'une capacité de 500 Go pour moins de 80 euros et des disques de 1 To (1 000 Go) pour moins de 100 euros.)

# Organiser votre emplacement de stockage

Lightroom organisera correctement vos photos si vous êtes préalablement bien organisé. Cela signifie que vous devez respecter une règle fondamentale : stockez toutes vos images dans un dossier principal. Peu importe le nombre de sous-dossiers que vous y créerez. C'est la clé d'une bonne gestion de vos clichés par Lightroom. Si vous utilisez plusieurs supports, vous risquez de ne plus savoir où se trouvent telles et telles images. Voici comment bien configurer votre espace de stockage.

## Étape 1

Votre objectif est de stocker toutes vos photos dans un dossier principal. Si vous choisissez de stocker toutes vos photos sur votre ordinateur, leur gestion sera relativement simple. Par défaut, Lightroom choisit le dossier Images de votre ordinateur. Donc, lorsque vous importez des photos depuis une carte mémoire, il les place automatiquement dans ce dossier. Toutefois, pour faciliter la gestion de vos images, je vous conseille de créer, dans ce dossier Images, un dossier supplémentaire que vous nommerez « Mes photos Lightroom » (ou tout autre nom qui vous convient). Ainsi, lorsque le disque dur interne de votre ordinateur arrivera à saturation, vous n'aurez qu'à copier ou à déplacer ce dossier sur/vers un autre disque. Ce geste vous évitera de passer des jours et des jours à tenter de reconstituer votre photothèque lorsque vous changerez de disque dur.

**Étape 2**

Si vous avez déjà un dossier rempli de photos, glissez-déposez-le dans le dossier Mes photos Lightroom avant une première utilisation du programme. Ainsi, toutes vos images seront regroupées dans ce dossier principal avant d'être importées dans Lightroom. Ce réflexe organisationnel vous épargnera bien des tracas. Si vous optez pour un disque dur externe, il vous reste une petite chose à accomplir.

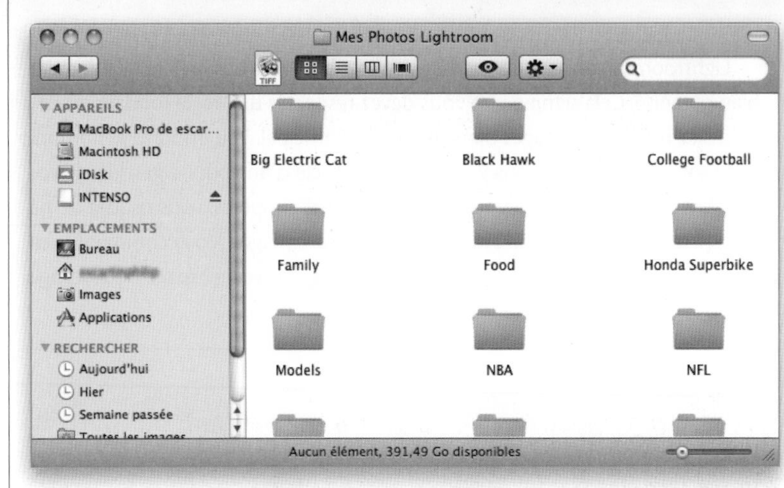

**Étape 3**

Sur votre disque dur externe, créez simplement un nouveau dossier que vous nommerez Mes photos Lightroom. Ensuite, glissez-déposez-y toutes les photos stockées sur votre ordinateur que vous souhaitez gérer avec Lightroom. Bien entendu, conservez une copie de ces photos dans leur dossier d'origine. Effectuez cette opération avant d'importer vos photos dans Lightroom. (Nous allons bientôt voir comment indiquer à Lightroom qu'il doit utiliser ce nouveau dossier.)

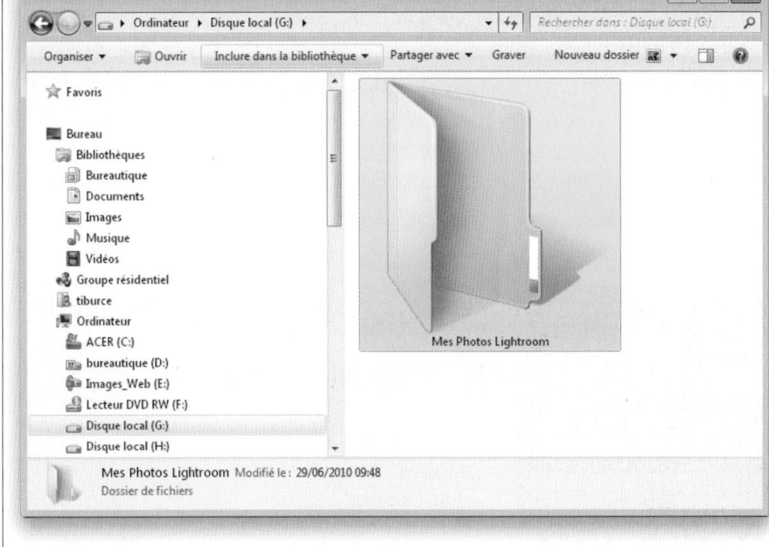

# Importer vos photos dans Photoshop Lightroom

Les photos que vous importez dans Lightroom proviennent généralement de votre appareil photo numérique (ou de sa carte mémoire), ou bien elles sont déjà présentes sur votre ordinateur. Voyons comment importer depuis la carte mémoire de votre appareil photo numérique (l'importation depuis un dossier de votre ordinateur est traitée page 16).

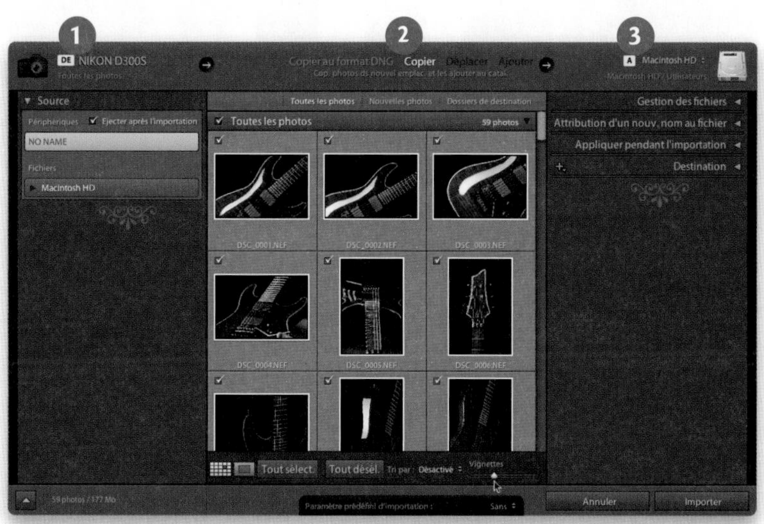


## Étape 1

Si Lightroom est ouvert et que vous insériez la carte dans un lecteur approprié, la boîte de dialogue Importer les photos apparaît. Si vous ne désirez pas effectuer cette importation, cliquez sur le bouton Annuler. (À la fin de ce chapitre, j'explique comment empêcher l'ouverture systématique de cette boîte de dialogue.) Si vous fermez cette boîte de dialogue, il est possible d'importer vos images en cliquant sur le bouton éponyme du volet inférieur gauche de l'interface. Si votre appareil ou votre lecteur de carte mémoire est connecté, une petite boîte de dialogue d'importation s'affiche (voir ci-contre). Vous choisissez entre Appareil photo ou Lecteur de carte, ou bien cliquez sur le bouton du bas pour choisir des fichiers déjà stockés sur votre ordinateur. Dans notre hypothèse, cliquez sur le bouton supérieur.

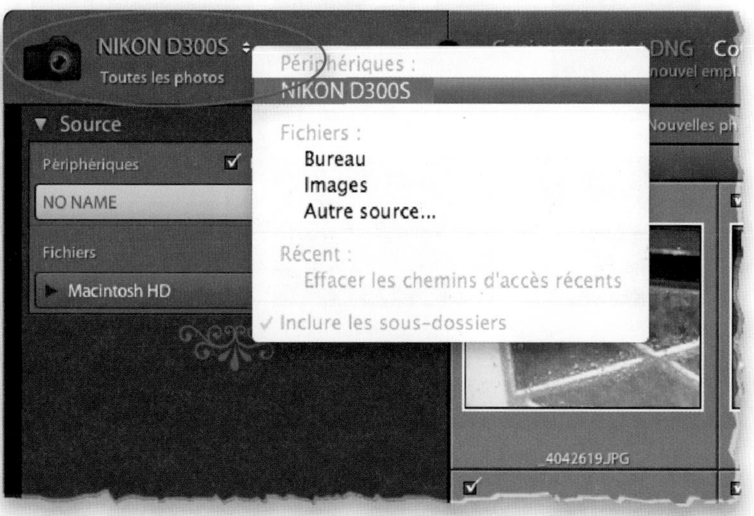


## Étape 2

Si votre appareil ou votre lecteur de carte est encore connecté, Lightroom suppose que vous désirez importer les images qu'il contient. Le périphérique d'importation est listé dans le coin supérieur gauche. Cliquez sur De. Un menu local apparaît. Choisissez le périphérique contenant vos images, ou bien sélectionnez un emplacement de votre ordinateur où elles sont déjà stockées.

**Étape 3**

Un curseur Vignettes est présent dans la partie inférieure de la zone d'aperçu. Pour afficher des vignettes plus grandes, glissez ce curseur vers la droite.

**Astuce** Pour afficher une seule photo à importer dans l'aperçu, double-cliquez simplement sur sa vignette ou bien sélectionnez-la et appuyez sur E. Pour faire un zoom arrière, double-cliquez de nouveau dessus, ou bien appuyez sur G.

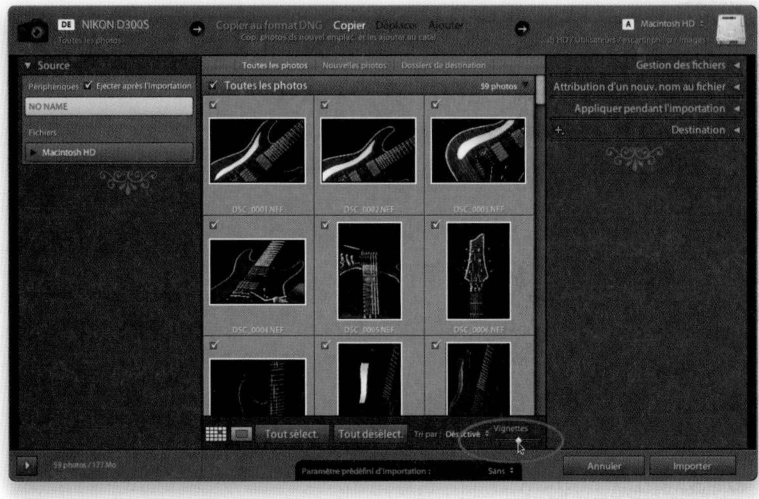


**Étape 4**

L'intérêt d'un aperçu en grande taille est qu'il vous permet de bien voir si les photos valent la peine d'être importées. Par défaut, toutes les images sont cochées. Cela indique que, si vous n'intervenez pas, elles seront toutes transférées vers le disque dur de votre ordinateur ou répertoriées dans Lightroom si elles sont déjà stockées sur ce disque. Pour ne pas importer une image, décochez sa case.

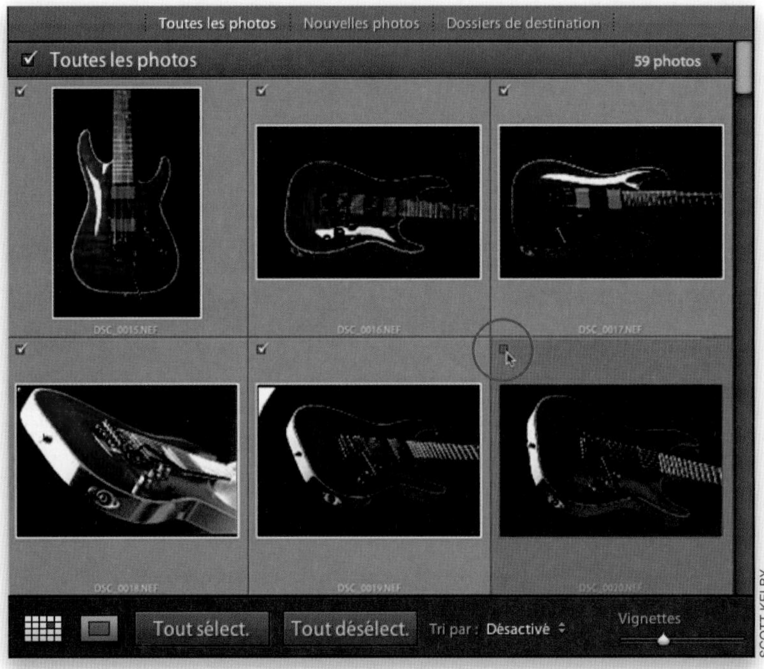

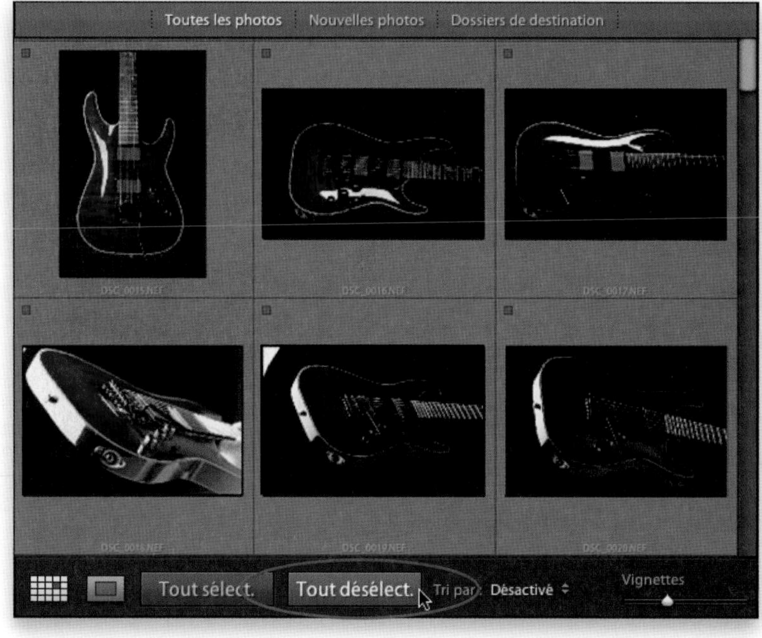


## Étape 5

Si votre carte mémoire contient plus de trois cents photos et que vous ne désiriez en importer que trois ou quatre, commencez par cliquer sur le bouton Tout désélectionner. Ensuite, faites un Cmd+Clic (Ctrl+Clic) sur les photos qui vous intéressent. Cochez la case d'une des photos ainsi sélectionnées. Toutes les photos sélectionnées sont cochées, prêtes à être importées. Si vous ouvrez le menu local Tri par (en bas à droite) et que vous choisissiez État vérifié, les photos cochées sont regroupées en haut de l'aperçu.

**Astuce : Sélectionner plusieurs photos**
Si les photos à importer se suivent dans l'aperçu, cliquez sur la première d'entre elles, maintenez la touche Maj enfoncée, et cliquez sur la dernière. Toutes les vignettes situées entre les deux photos cliquées seront sélectionnées.

SCOTT KELBY

## Étape 6

Au-dessus de la zone des vignettes, vous disposez d'une commande Copier au format DNG. Elle permet d'obtenir une copie de vos images au format DNG d'Adobe. Si vous désirez simplement copier vos images sans conversion DNG, activez l'option Copier. Ne choisissez jamais Déplacer car vous ne pourriez plus effectuer une importation de vos images au cas où celle-ci rencontrerait des problèmes. Avec Copier, vous êtes sûr que les originaux restent sur votre carte mémoire.

## Étape 7

Sous les boutons de copie, vous disposez d'options d'affichage. Par défaut, Lightroom affiche toutes les images de la carte. Si vous importez quelques photos puis que vous fassiez une nouvelle séance de prises de vue et que vous affichiez de nouveau le contenu de la carte dans Lightroom, vous pouvez cliquer sur Nouvelles photos. Alors, Lightroom n'affichera que les images que vous n'avez pas importées. L'option Dossiers de destination permet de masquer des photos portant le même nom que des clichés déjà importés. Ces deux derniers boutons servent à réduire le nombre de vignettes en affichant uniquement celles qui vous sont utiles.

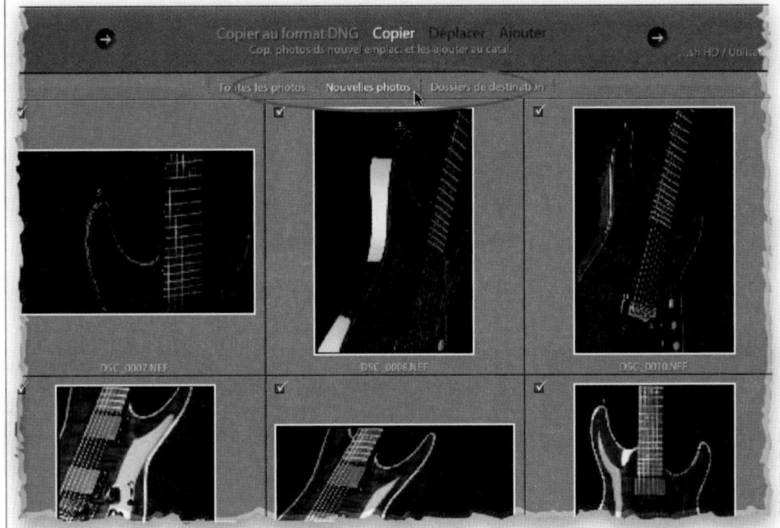


SCOTT KELBY

## Étape 8

Vous devez maintenant indiquer à Lightroom où stocker vos photos. Dans la partie supérieure droite, vous remarquez que, par défaut, les images sont stockées dans le dossier Images du disque dur principal. Cliquez sur A et maintenez le bouton de la souris enfoncé. Dans le menu local, choisissez un emplacement de stockage récent, ou bien cliquez sur Autre destination. Votre choix s'affiche dans le panneau Destination. à cet instant de la procédure, vous connaissez trois choses :

1. Les photos proviennent de la carte mémoire.
2. Elles seront copiées et non pas déplacées.
3. Elles seront stockées dans un dossier choisi *via* le menu local A.

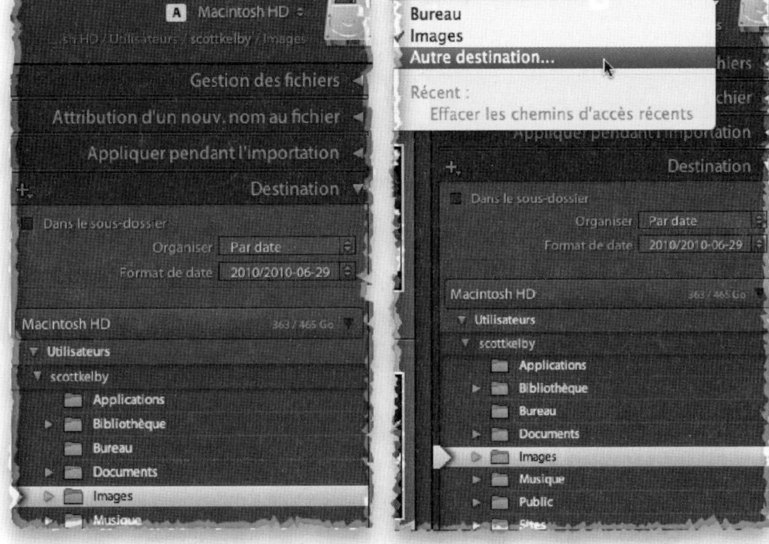

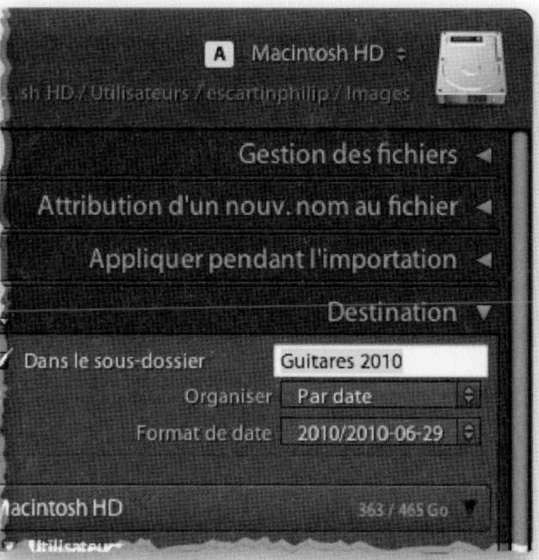


### Étape 9

Si vous choisissez le dossier Images, vos photos seront regroupées dans un même dossier mais réparties dans des sous-dossiers triés par date. Vous pouvez également créer un dossier spécifique et lui donner un nom significatif. Affichez le panneau Destination. Cochez-y la case Dans le sous-dossier. Cliquez dans le champ vide qui apparaît à sa droite, et nommez votre dossier (ici Guitares 2010). Placez-le dans le dossier Mes photos Lightroom en cliquant dessus dans le panneau Destination.

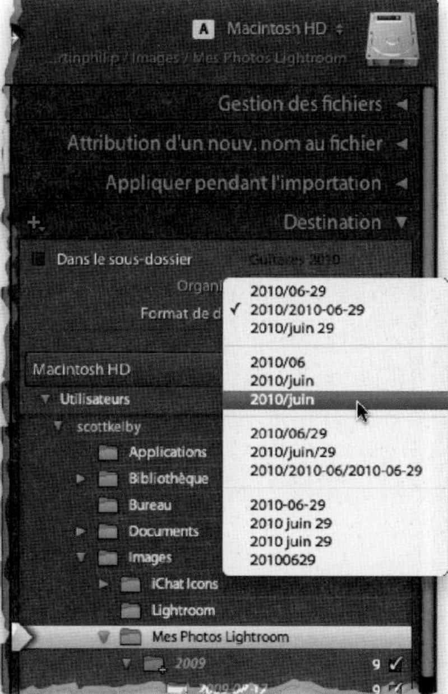


### Étape 10

Le second choix d'organisation permet de ranger vos photos dans des dossiers en fonction de la date de prise de vue. Décochez la case Dans le sous-dossier. Dans le menu local Organiser, veillez à sélectionner Par date. Dans le menu local Format de date, choisissez le type de date que vous préférez. Si vous choisissez un format de date comme celui sélectionné ci-contre, le dossier Mes photos Lightroom contiendra un dossier 2010 qui lui-même proposera un sous-dossier Juin. Si vous choisissez un format de date ne comprenant pas de barre oblique (/), un seul dossier sera créé. Il portera le nom exact du format choisi comme 2010 juin 29.

**Étape 11**

Maintenant que vous connaissez la destination de l'importation, voyons ce qu'il va advenir de vos images dans le panneau Gestion des fichiers. Dans le menu local Rendu des aperçus, vous disposez de quatre choix.

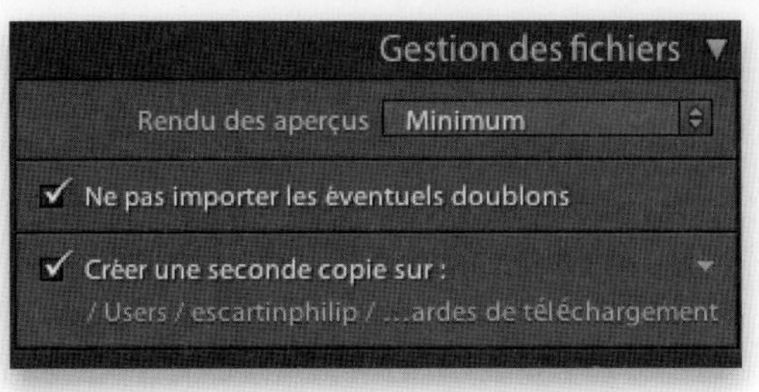


**1. Minimum**

Ne gère pas le rendu des aperçus. Les photos sont répertoriées dans Lightroom très rapidement, et il suffit de double-cliquer sur une photo pour qu'elle s'affiche en intégralité. C'est à cet instant que l'aperçu est généré. Pour cette raison, quelques secondes s'écoulent avant que vous ne voyiez ce type d'aperçu, qui est d'excellente qualité. Si vous affichez l'image à 100 %, vous devez de nouveau attendre quelques secondes. Un message vous indique que le chargement est en cours.

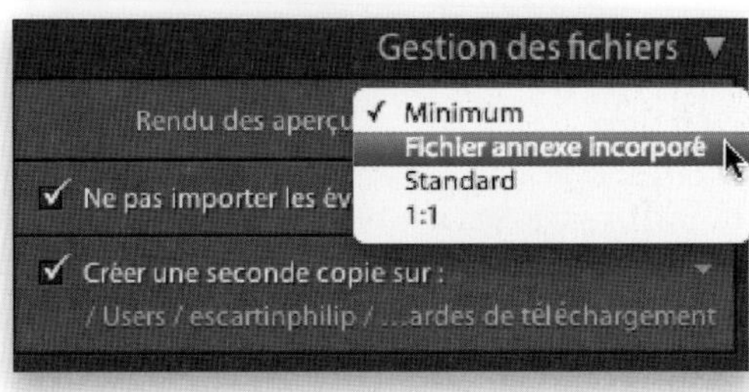


**2. Fichier annexe incorporé**

Cette méthode récupère les vignettes JPEG basse résolution qui sont incorporées aux fichiers que vous importez (il s'agit de l'image que vous voyez sur l'écran LCD de votre appareil photo numérique). Une fois celles-ci chargées, des vignettes d'une résolution supérieure sont générées.

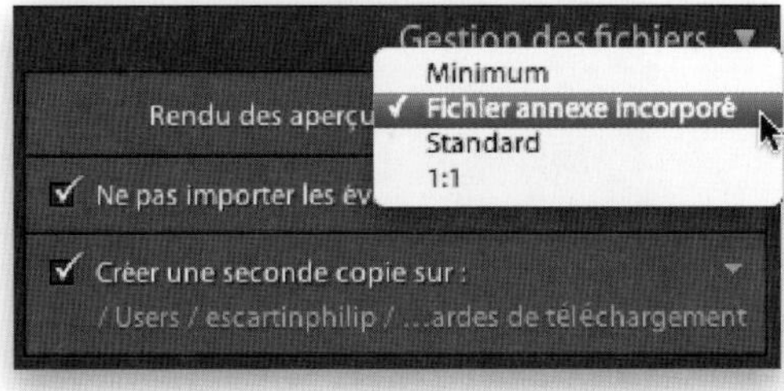

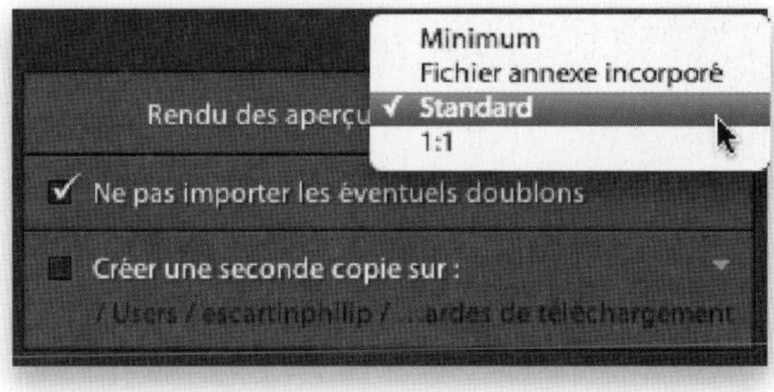


### 3. Standard

Ce type d'aperçu est long à générer car il effectue un rendu en haute résolution dès que les aperçus JPEG basse résolution ont été importés. En revanche, vous n'avez pas besoin d'attendre un autre rendu lorsque vous affichez ces images à 100 %. Mais, au-delà de 100 %, un message de rendu apparaît. Vous devez attendre quelques secondes.

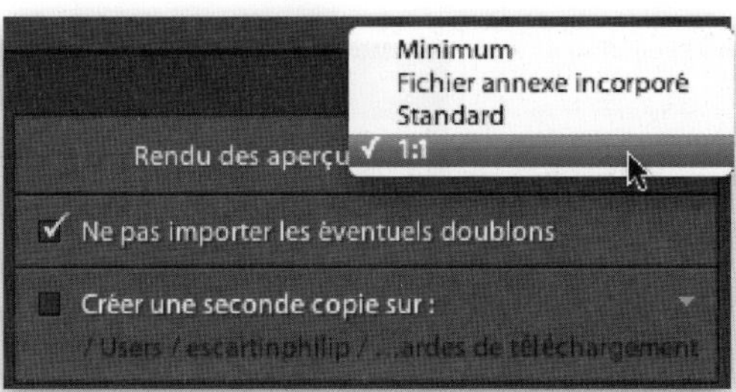


### 4. 1:1

Le rendu des vignettes se fait en basse résolution. Dès que vous zoomez dessus, vous déclenchez un rendu dans une qualité supérieure. Toutefois, il y a deux inconvénients :

1. Une lenteur notoire. Vous devez cliquer sur le bouton Importer. Là, vous avez le temps d'aller prendre un café (voire deux). En revanche, dès que vous cliquerez sur une photo, elle s'affichera instantanément.

2. Ces aperçus en haute qualité occupent un espace important dans la base de données de Lightroom. Pour cette raison, Lightroom vous permet de les supprimer après l'écoulement d'un certain laps de temps. Ainsi, si vous ne consultez pas ce jeu de photos pendant trente jours, Lightroom suppose que les aperçus haute résolution ne vous servent plus à rien. Pour paramétrer cette option, cliquez sur le menu Lightroom (Édition), puis sur Paramètres du catalogue. Là, cliquez sur Gestion des fichiers.

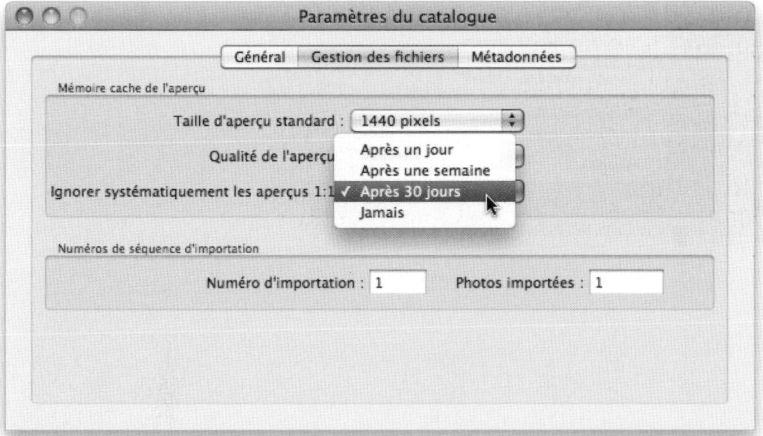


INFO Quelle méthode utiliser ? Minimum ! Je ne suis pas du genre à attendre que des aperçus soient générés. Je préfère attendre quelques secondes quand je l'ai décidé par un double-clic sur une image qui m'intéresse vraiment.

**Étape 12**

Sous le menu local Rendu des aperçus, vous avez une option qui évite d'importer accidentellement des doublons, c'est-à-dire des fichiers qui portent exactement le même nom. Mais, sous cette option, vous en trouverez une seconde qui est bien plus importante : créer une seconde copie. Elle permet d'effectuer une sauvegarde, sur un disque dur autonome, des images que vous importez. Ainsi, vous aurez toujours des originaux intacts sur un disque indépendant de celui de votre système. Il est impératif de faire une telle sauvegarde. Personnellement, j'ai toujours au moins deux copies de mes photos : une sur un disque dur externe connecté à mon ordinateur, et une autre sur un disque indépendant. Une fois que vous avez coché cette option, cliquez sur le chemin d'accès affiché juste en dessous. Dans la boîte de dialogue qui apparaît, choisissez le disque dur et le dossier de cette sauvegarde.

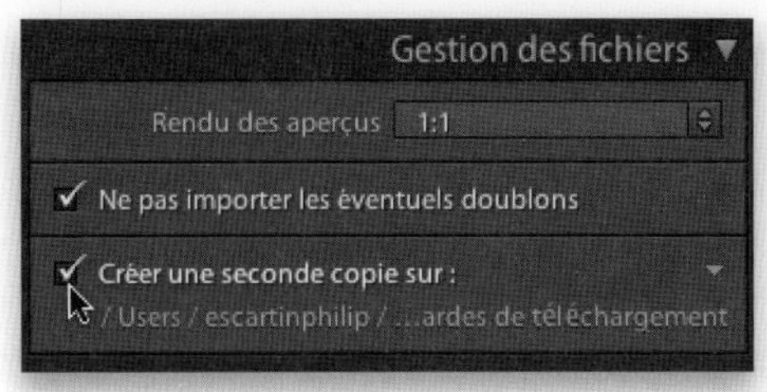


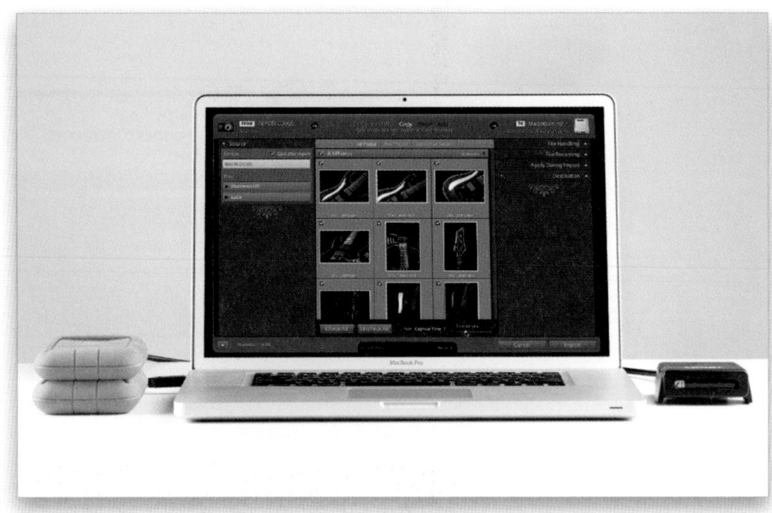

**Étape 13**

Le panneau suivant se nomme Attribution d'un nouveau nom de fichier. Il permet de renommer automatiquement vos fichiers pendant l'importation. J'aime que ces noms soient compréhensibles. Un fichier nommé _DSC0399.NEF ne veut rien dire. Cochez la case Renommer les fichiers. Dans le menu local Modèle, choisissez un type de dénomination comme Nom du fichier Séquence. Ainsi, vos fichiers seront par exemple renommés Guitare Rouge 001, Guitare Rouge 002, etc. La liste des noms permet de bien comprendre comment seront automatiquement renommées vos images importées. Vous pouvez créer votre propre modèle *via* le menu Édition, comme cela est expliqué page 26.

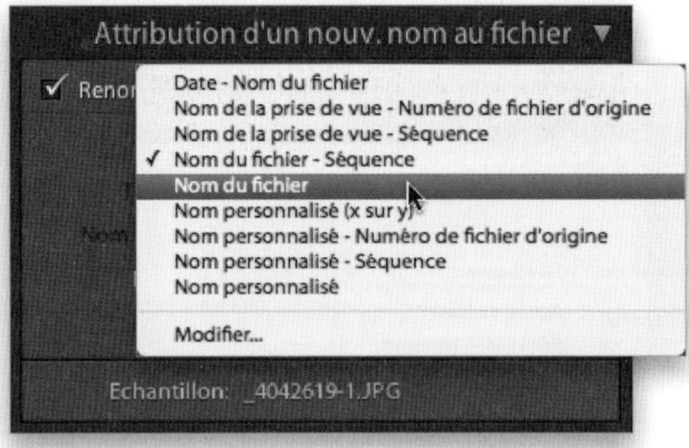

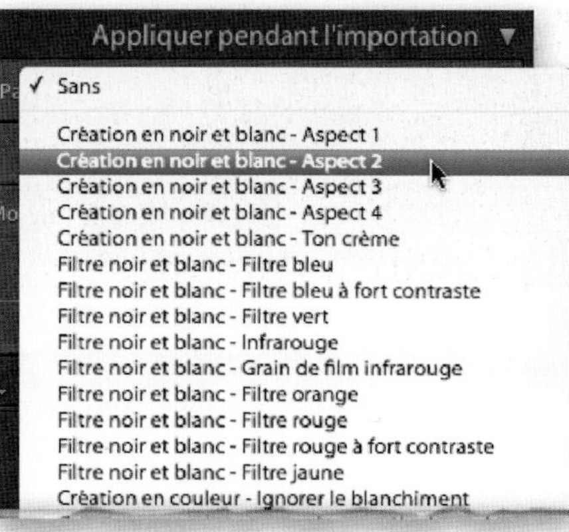


### Étape 14

Sous ce panneau se trouve le panneau Appliquer pendant l'importation. Dans le menu local Paramètres de développement, vous pouvez appliquer des effets spéciaux et des corrections automatiques aux images importées. Par exemple, toutes vos images peuvent être converties en noir et blanc durant l'importation. Vous comprenez que l'option sélectionnée dans le menu local s'appliquera à toutes les images pendant cette phase de transfert sur le disque dur de votre ordinateur. Le Chapitre 4 explique comment créer vos propres paramètres de développement automatique.

### Étape 15

Le menu local Métadonnées permet d'ajouter des informations pendant l'importation de vos images, comme le copyright ou vos coordonnées. Commencez par entrer toutes vos informations dans un modèle de métadonnées que vous sauvegardez. Son nom s'affichera dans le menu local Métadonnées (comme ci-contre). Vous n'êtes pas limité à un seul modèle. Différents modèles couvriront différents besoins d'insertion de métadonnées. Ainsi, vous pouvez créer un modèle pour le copyright et un autre avec vos coordonnées. Page 34, vous apprendrez à créer un tel modèle. Consultez cette procédure, créez votre modèle, puis revenez ici pour constater qu'il figure bien dans le menu local Métadonnées du panneau Appliquer pendant l'importation.

**Étape 16**

En bas du panneau Appliquer pendant l'importation, vous découvrez un champ de saisie de vos mots-clés. Vous y entrez des termes qui faciliteront la recherche et donc l'identification de vos photos. Lightroom intègre ces mots-clés lors de l'importation de vos images. à cet instant de l'import, tapez des mots-clés génériques comme Guitares, photos de produits, Rouge, Fond noir et Schecter (fabricant de guitares). Séparez vos mots-clés par une virgule. Pensez vraiment à n'utiliser que des mots-clés génériques.

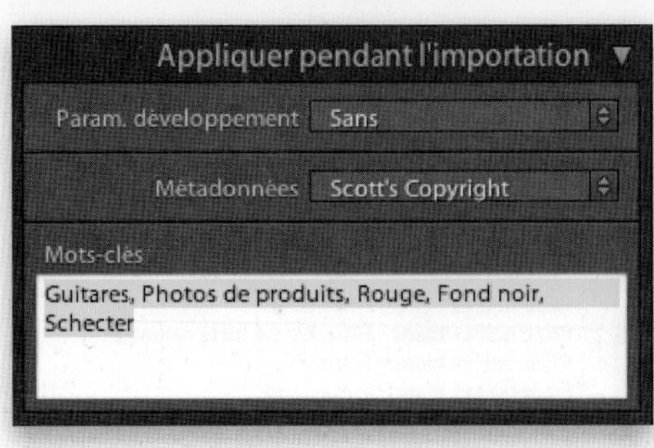


**Étape 17**

Enfin, le dernier panneau, Destination, permet d'indiquer exactement où vos photos vont être stockées. En haut de ce panneau, vous remarquez la présence d'un signe +. Cliquez dessus pour ouvrir un menu local où vous pouvez choisir la commande Nouveau dossier. Testez la commande Dossiers affectés uniquement. Vous affichez alors le chemin d'accès simplifié au dossier que vous avez choisi, comme ici le dossier Mes photos Lightroom.

**Étape 18**

Maintenant que tous vos paramètres sont déterminés, cliquez sur le bouton Importer, situé dans le coin inférieur droit de l'interface. Cette action lance la procédure d'importation de vos images depuis la carte mémoire de votre appareil photo numérique vers le disque dur de votre ordinateur. Cette procédure peut sembler fastidieuse. Toutefois, ne vous inquiétez pas car l'élaboration de modèles va considérablement accélérer ce processus.

# Importer des photos déjà stockées sur votre ordinateur

Ce type d'import est très facile car de nombreuses informations sont déjà incorporées à vos images. Ceci est normal puisqu'une importation antérieure a déjà été réalisée. N'oubliez pas aussi que l'import depuis un disque dur est bien plus rapide que depuis une carte mémoire.

### Étape 1

Pour importer des photos déjà stockées sur votre ordinateur, ouvrez le menu Fichier de Lightroom et choisissez Importer des photos, ou appuyez sur Cmd+Maj+I (Ctrl+Maj+I). Ceci ouvre la fenêtre d'importation. Dans le panneau Source, localisez le dossier de votre ordinateur contenant les images à répertorier dans Lightroom. Les vignettes des photos qui y sont présentes s'affichent. Pour modifier la taille des vignettes, faites glisser le curseur éponyme situé en bas à droite de la zone d'aperçu. Par défaut, toutes les photos du dossier sont cochées, c'est-à-dire qu'elles sont prêtes à être répertoriées dans Lightroom. Décochez celles que vous ne désirez pas importer.

### Étape 2

Lightroom suppose que vous ne déplacerez jamais vos photos vers un autre support de stockage. Donc, il vous suffit pour le moment de cliquer sur le bouton Ajouter. Au début de ce chapitre, j'ai indiqué qu'il était important de placer toutes vos photos dans un seul dossier principal. Donc, si certaines de vos photos ne sont pas dans ce dossier, il suffit de les y copier en cliquant sur Déplacer. Ensuite, dans le panneau Destination, sélectionnez le dossier Mes photos Lightroom.

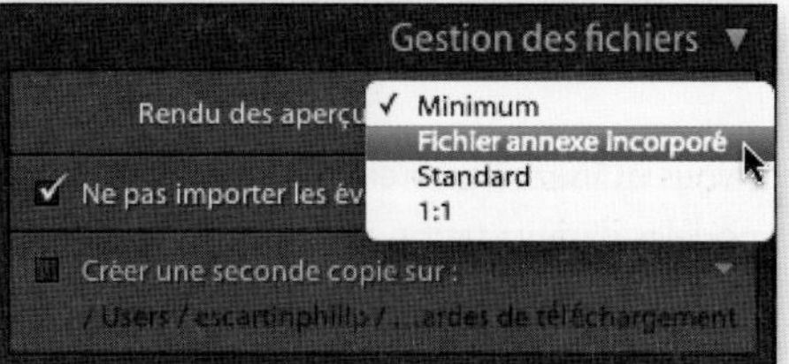


**Étape 3**

Comme vos photos sont déjà sur votre ordinateur, il ne vous reste que très peu de choses à accomplir. Dans le menu local Rendu des aperçus du panneau Gestion des fichiers, sélectionnez la manière dont les images s'afficheront dans Lightroom, que vous zoomiez ou non dessus. Pour plus d'informations à ce sujet, reportez-vous à la page 10. Je vous conseille de cocher l'option Ne pas importer les éventuels doublons pour éviter de copier deux fois la même image.

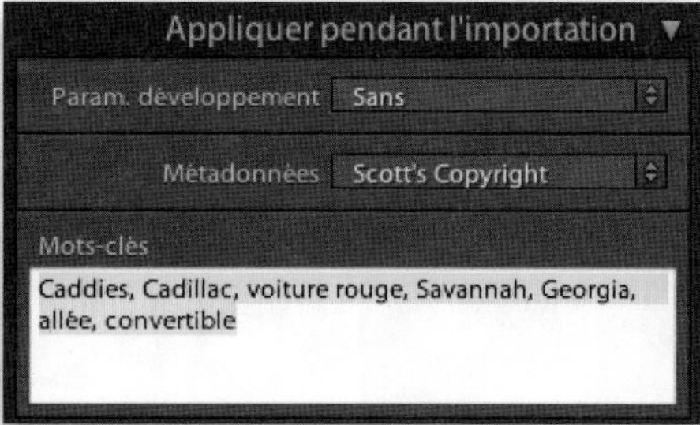


**Étape 4**

Il y a un autre ensemble d'options que vous devez connaître. Elles sont localisées dans le panneau Appliquer pendant l'importation. Je les étudie à la page 13 à partir de l'Étape 14. Effectuez-y vos choix, puis cliquez sur Importer.

# Paramètre prédéfini d'importation

Si vous utilisez régulièrement les mêmes paramètres d'importation, créez des modèles d'importation pour gagner un temps précieux. Il suffit alors de choisir parmi tous vos modèles d'importation pour appliquer, en un simple clic de souris, l'ensemble de vos paramètres préférés. Voici comment procéder.

**Étape 1**

Commencez par définir vos paramètres d'importation. Par exemple, vous effectuez régulièrement les tâches suivantes : vous importez des images depuis une carte mémoire connectée à votre ordinateur, et vous les copiez dans un sous-dossier de votre dossier Images, puis vous en réalisez une sauvegarde sur un disque dur externe. Vous ajoutez vos informations de copyright et optez pour un rendu des aperçus Minimum. Donc, commencez par définir tous ces paramètres.

SCOTT KELBY

**Étape 2**

Focalisez votre attention dans la partie inférieure centrale de l'interface. Vous y voyez une section nommée Paramètres prédéfinis d'importation. Cliquez sur Sans et ne relâchez pas le bouton de la souris. Exécutez la commande Enregistrer les paramètres actuels en tant que nouveau paramètre prédéfini. Définir les paramètres est la plus fastidieuse partie de cette procédure. Mais, au final, que de temps gagné !

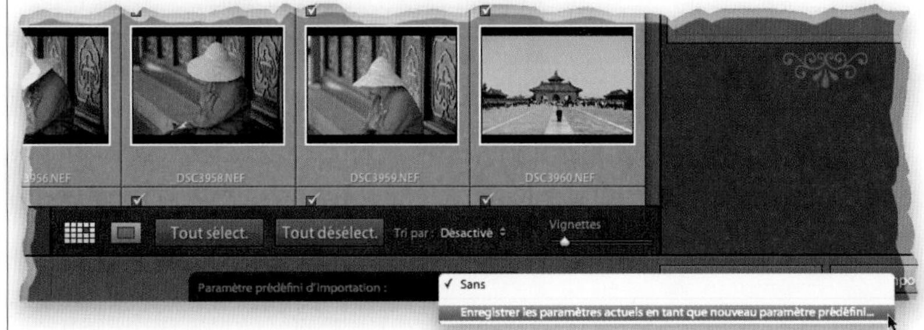

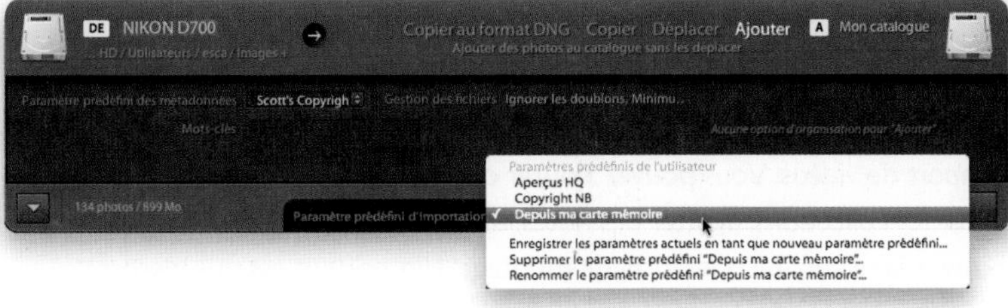


## Étape 3

Dans le coin inférieur gauche de la fenêtre d'importation, cliquez sur le bouton Afficher moins d'options. La fenêtre bascule en mode compact, ce qui est largement suffisant pour importer des images à partir d'un paramètre prédéfini. Ici, je choisis Depuis ma carte mémoire. Il suffit de préciser quelques informations pour qu'elles correspondent aux photos à importer.

**INFO** À n'importe quel moment de la procédure, vous pouvez basculer vers la fenêtre d'importation intégrale en cliquant sur le bouton Afficher plus d'option.

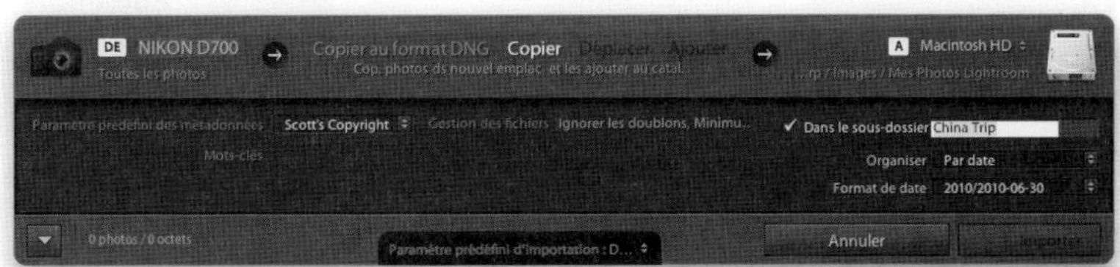


## Étape 4

Dans la partie supérieure de cette vue compacte, vous voyez l'ensemble des informations et chemins d'accès décrits à la page 5. Voici ce que vous déduisez :

1. Les images viennent d'une carte mémoire.
2. Elles sont ensuite copiées.
3. Ces copies sont stockées dans un dossier de votre disque dur.

Dans la section centrale, ajoutez si besoin des mots-clés. Vous prenez également connaissance de vos options d'importation, et de la sauvegarde d'une seconde copie de vos photos. Sur la droite, nommez le sous-dossier de stockage de cette importation. Tapez quelques mots-clés, et cliquez sur le bouton Importer. Rapide et facile !

# Importer des vidéos depuis votre reflex numérique

Les nouveaux appareils reflex numériques permettent d'enregistrer des vidéos HD. Lightroom 3 est la première version du programme à prendre en charge l'import de vidéos. Vous pouvez ajouter des métadonnées, organiser vos vidéos dans des collections, ajouter des notes, des étiquettes, etc., mais vous ne pouvez faire aucune opération de montage. L'important est que, désormais, vos fichiers vidéo font aussi partie de votre flux de production.

**Étape 1**

Dans la fenêtre d'importation, vous identifiez les fichiers vidéo grâce à une petite icône de caméra localisée dans le coin inférieur gauche de chaque vignette. Lorsque vous cliquez sur Importer, ces clips vidéo sont importés dans Lightroom et y sont répertoriés aux côtés de vos photos. Ne cochez que les vignettes des vidéos que vous désirez transférer sur votre ordinateur.

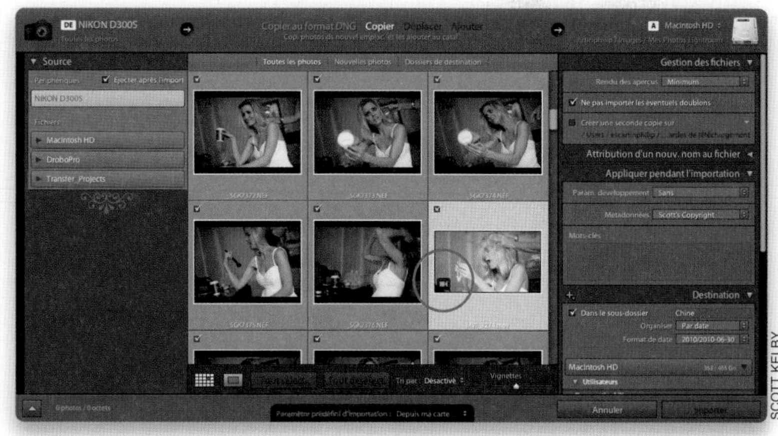


SCOTT KELBY

**Étape 2**

Une fois le clip importé dans Lightroom, le mode Grille permet de bien identifier ce qui est vidéo et ce qui ne l'est pas grâce à la petite icône de la caméra. Sur le côté droit des vignettes, vous prenez connaissance de la durée de chaque film. Pour afficher la première image dans un aperçu de plus grande dimension, sélectionnez-la, puis appuyez sur la barre d'espace de votre clavier.

### Étape 3

Pour regarder la vidéo, cliquez sur la petite icône de la caméra. Votre lecteur vidéo par défaut démarre et diffuse le film. Il est également possible d'exporter vos vidéos depuis Lightroom. Il suffit d'activer l'option Inclure la vidéo de la boîte de dialogue Exporter. Vous exportez la vidéo d'origine puisque vous ne pouvez procéder à aucun montage dans Lightroom 3.

**Astuce : Monter vos vidéos** La dernière version du programme Adobe Premiere permet de monter les vidéos tournées avec votre reflex numérique. Vous pouvez en télécharger une version d'évaluation sur le site www.adobe.fr.

### Étape 4

Pour centraliser vos vidéos, je vous conseille de créer une Collection dynamique. Dans le panneau Collections de Lightroom 3, cliquez sur le signe + et choisissez Créer collection dynamique. Dans la boîte de dialogue qui apparaît, ouvrez le premier menu local (qui affiche Note), et optez pour Type de fichier. Dans le menu local situé à droite, choisissez est et, dans le troisième, spécifiez Vidéo. Donnez un nom à la collection, et cliquez sur Créer. Cette collection regroupe alors tous les fichiers vidéo importés dans Lightroom. Cerise sur le gâteau : chaque fois que vous importez un clip vidéo, il est ajouté à votre Collection dynamique.

# De l'appareil à Lightroom sans détour

Une de mes fonctions préférées de Lightroom 3 est la possibilité de photographier directement depuis le programme. Si vous travaillez en studio, je vous invite à essayer ceci : photographiez sans passer par votre carte mémoire pour envoyer directement vos photos dans Lightroom. Cette fonction présente deux avantages : (1) vous appréciez vos images sur le moniteur de votre ordinateur et non plus sur le minuscule écran LCD de l'appareil ; (2) toute procédure d'importation est inutile car les photos sont déjà dans Lightroom. Essayer cette technique, c'est l'adopter !

### Étape 1

Connectez votre appareil à votre ordinateur *via* un câble USB. En studio et sur site, j'utilise l'installation que vous voyez ici. Il s'agit d'un support Manfrotto 131DDB avec un support écran Gitzo G-065.

### Étape 2

Ouvrez le menu Fichier, et cliquez sur la commande Capture en mode connecté. Dans le sous-menu, choisissez Démarrer la capture en mode connecté. Dans la boîte de dialogue qui apparaît, tapez un nom dans le champ Nom de la session. Indiquez si les images auront ou pas un nom personnalisé. Choisissez le disque dur sur lequel stocker vos captures et, si vous le désirez, choisissez un modèle de métadonnée et saisissez des mots-clés. Il reste une fonction importante – Découper les photos en prises de vue. Elle peut se révéler incroyablement utile.

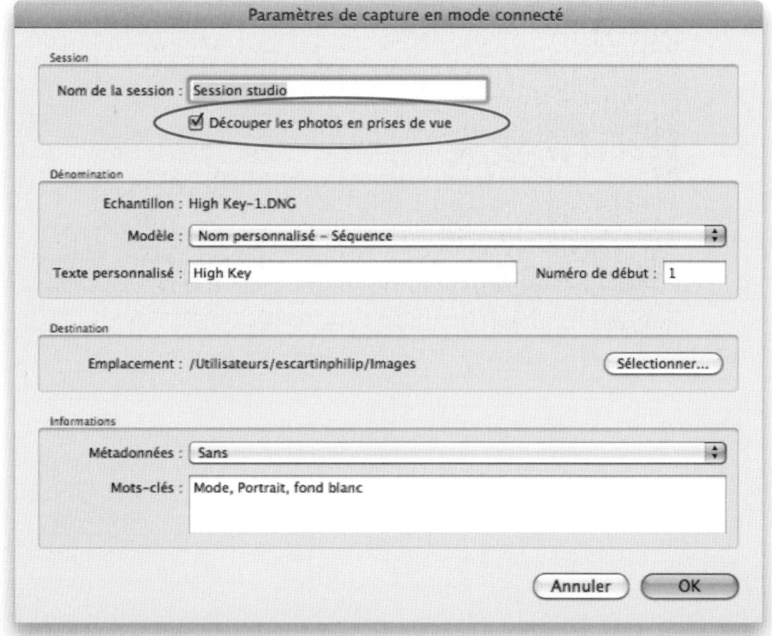

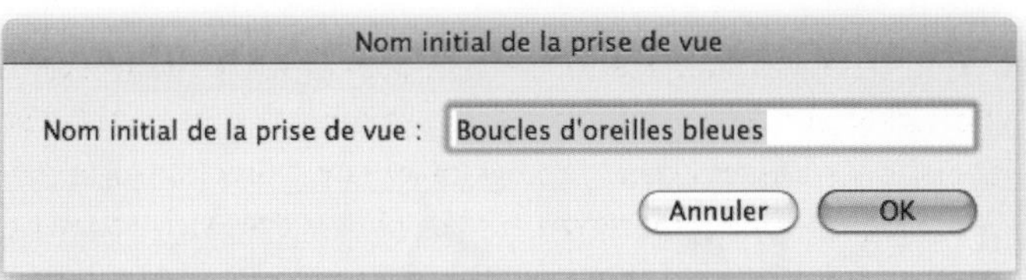


### Étape 3

La fonction Découper les segments en prises de vue permet d'organiser toutes vos captures. Par exemple, si je fais des photos de mode et que mon modèle change de tenue, je peux répartir chacun de ses looks dans des dossiers différents en cliquant sur le nom de la prise de vue. Quand vous cochez cette option, la boîte de dialogue Nom initial de la prise de vue apparaît. Tapez-y un nom identifiant le premier cliché de votre session de travail.

### Étape 4

Dès que vous cliquez sur OK, la barre de capture apparaît, et, si Lightroom détecte votre appareil photo numérique, la séance va pouvoir commencer. Sinon il mentionne : Aucun appareil photo n'a été détecté, comme ci-contre. Dans ce cas, vérifiez que votre câble USB est correctement inséré. Vérifiez aussi que Lightroom prend en charge la marque et le modèle de votre appareil. Lorsque tout est correct, la barre de capture indique tous les réglages de l'appareil. Sur le côté droit, vous avez la possibilité d'appliquer des paramètres prédéfinis du module Développement (voir Chapitre 4).

**Astuce : Masquer la barre de capture**

Appuyez sur Cmd+T (Ctrl+T) pour afficher/masquer la barre de capture.

## Étape 5

Le bouton rond situé sur la droite correspond à l'obturateur. Cliquez dessus pour prendre une photo. La photo s'affiche dans Lightroom. L'affichage de cette image est moins rapide que sur l'écran LCD de votre appareil car vous transférez la photo de votre appareil à Lightroom *via* le câble USB le reliant à votre ordinateur. Si vous photographiez en JPEG, ce transfert sera plus rapide que si vous utilisez le format Raw. Ci-contre, vous voyez des photos prises durant une même session de capture en mode connecté. L'affichage en mode Grille ne permet pas d'obtenir un aperçu de qualité supérieure à celui de l'écran LCD de l'appareil.

**INFO** Canon et Nikon réagissent différemment à ce type de capture. Par exemple, Canon enregistre la photo sur votre disque dur et sur la carte mémoire de l'appareil, tandis que Nikon ne l'enregistre que sur votre disque dur.

## Étape 6

L'avantage de la capture en mode connecté est de voir la photo en grande taille. Vous pouvez ainsi vérifier la lumière et la netteté, et vos clients sont ravis d'assister à de telles séances en studio car ils voient les photos dans des dimensions appréciables. Double-cliquez sur n'importe quelle image pour l'afficher en mode Loupe. L'image s'affiche dans de bonnes dimensions.

**INFO** Si vous photographiez en mode Grille, augmentez simplement la taille des vignettes. Dans la barre d'outils, cliquez sur le bouton a-z situé à gauche du paramètre Tri par. Ainsi, les clichés les plus récents seront toujours affichés en haut de la grille.

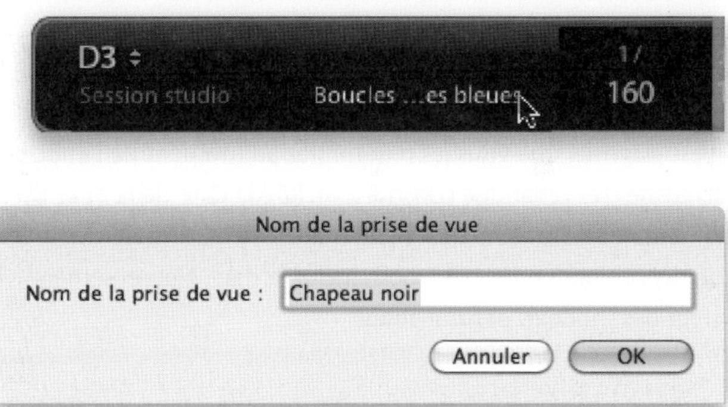


**Étape 7**

Imaginons que vous en ayez terminé avec ces photos où le modèle porte des boucles d'oreilles bleues. Pour la prochaine session il portera un chapeau noir. Cliquez simplement sur le nom de votre session en cours, c'est-à-dire Boucles d'oreilles bleues. Ceci ouvre la boîte de dialogue Nom de la prise de vue. Donnez à cette nouvelle session le nom de Chapeau noir. Ces nouvelles photos apparaîtront dans leur propre dossier placé dans le dossier principal Session Studio.

**Étape 8**

Lorsque je capture en mode connecté, j'utilise généralement le module Développement. Ainsi, si je dois appliquer quelques réglages, je suis dans l'emplacement le mieux adapté. L'intérêt de cette capture est de voir les photos en grande taille. Par conséquent, je masque les panneaux de Lightroom afin de libérer de l'espace pour l'aperçu principal de l'image. Pour cela, il suffit d'appuyer sur Maj+Tab. Ensuite, j'appuie deux fois sur L pour basculer en mode d'éclairage réduit. L'image apparaît en plein écran sans aucun élément d'arrière-plan pour vous distraire. Pour appliquer des réglages, j'appuie deux fois sur L, puis sur Maj+Tab pour afficher les panneaux.

# Créer vos modèles de dénomination

L'organisation est primordiale en matière de photo numérique. Comme les appareils photo numériques génèrent des noms de fichiers incompréhensibles, il est essentiel que vous les renommiez au moment de l'importation. Une stratégie très répandue consiste à inclure la date de la prise de vue dans le nouveau nom du fichier. Malheureusement, un seul des modèles de dénomination de Lightroom inclut la date. Heureusement, vous pouvez créer des modèles personnalisés.

## Étape 1

Partez du module Bibliothèque. Cliquez sur le bouton Importer (ou appuyez sur Cmd+Maj+I (Ctrl+Maj+I). Quand la fenêtre d'importation apparaît, cliquez sur Copier au format DNG ou sur Copier. Le panneau Attribution d'un nouveau nom de fichier apparaît. Cochez la case Renommer les fichiers. Cliquez sur le menu local Modèle, et choisissez Modifier. Ceci ouvre la boîte de dialogue Éditeur de modèles de nom de fichier.

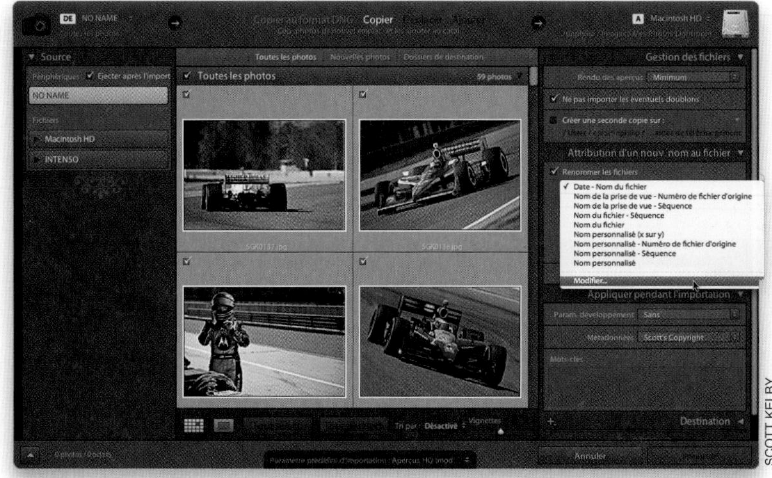


SCOTT KELBY

## Étape 2

Dans le menu local situé en haut de la boîte de dialogue, choisissez un paramètre prédéfini qui servira de point de départ à votre modèle personnalisé. Par exemple, optez pour Nom personnalisé – Séquence. Le premier texte qui apparaît alors symbolise le nom du fichier, et le second indique qu'une numérotation automatique sera appliquée aux fichiers. Pour supprimer n'importe quelle mention de ce type, cliquez dessus et appuyer sur la touche Retour arrière de votre clavier. Pour partir de zéro, effacez toutes ces mentions, et sélectionnez vos options dans tous les menus locaux de la boîte de dialogue. Une fois que vous avez effectué un choix, cliquez sur le bouton Insérer pour le faire apparaître dans le champ principal.

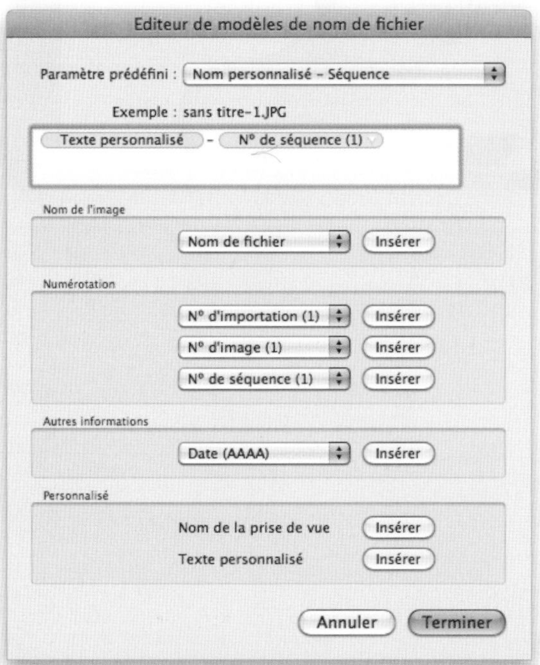

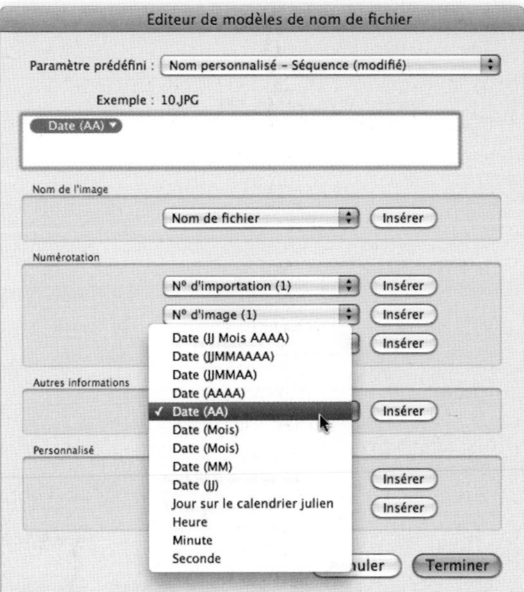


## Étape 3

Créons un modèle de dénomination très répandu. Prenez cela comme un simple exemple. Commencez par ajouter l'année. Ici, je choisis le format Date (AA). Il indique que l'année se limitera aux deux derniers chiffres. D'ailleurs, la zone Exemple montre le nom que nous obtiendrions, c'est-à-dire 10.jpg, 10 pour l'année 2010.

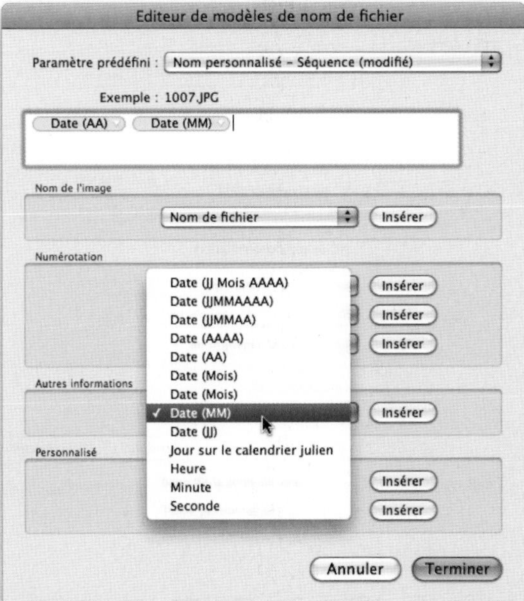


## Étape 4

Ensuite, ajoutons les deux chiffres du mois de la prise de vue. Cette fois, ouvrons le même menu local, et choisissons Date (MM). Cette information est également récupérée dans les métadonnées de vos images. La zone Exemple montre le format complet de la date, c'est-à-dire 1007.jpg, qui correspond au mois de juillet 2010.

**Étape 5**

Avant de poursuivre, sachez qu'il ne faut pas d'espace entre les mots. Donc, après la date, insérez un séparateur visuel. Il s'agit d'un signe de soulignement (underscore). Cliquez juste après l'indicateur du mois. Le point d'insertion clignote. Appuyez sur Maj et tapez le signe de soulignement. Après le mois, j'ai inclus un nom personnalisé qui décrira le contenu de la photo. Pour cela, je clique simplement sur le bouton Insérer situé à droite de la mention Texte personnalisé en bas de la boîte de dialogue. Une fois l'indicateur présent en haut de la boîte de dialogue, je tape un autre signe de soulignement. Vous obtenez une dénomination comme celle illustrée ci-contre.

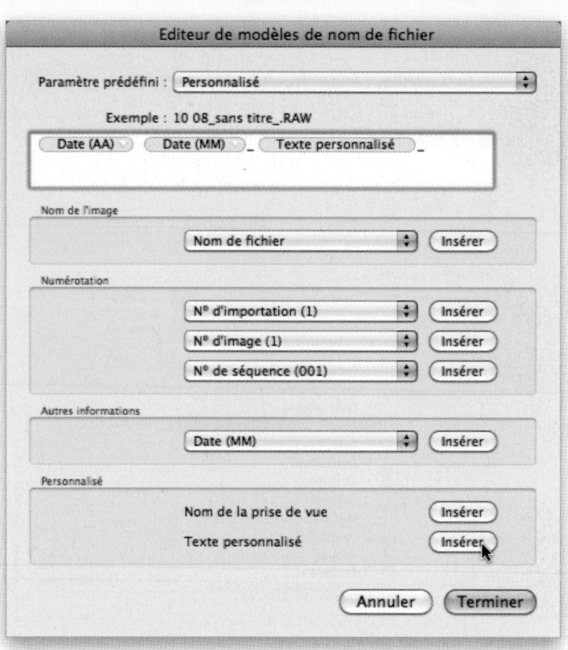


**Étape 6**

Nous allons demander à Lightroom de numéroter automatiquement ces images. Dans le troisième menu local de la section Numérotation, choisissez votre format de numérotation. Ici, j'opte pour N° de séquence (001), qui ajoute trois chiffres à la fin du nom de fichier.

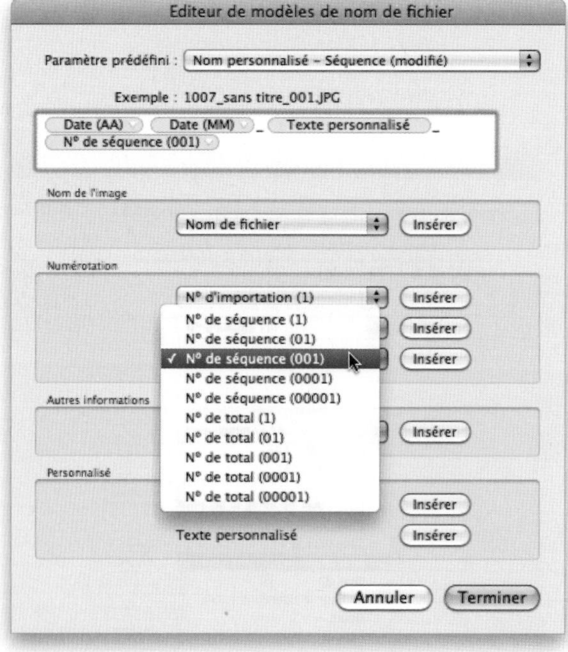

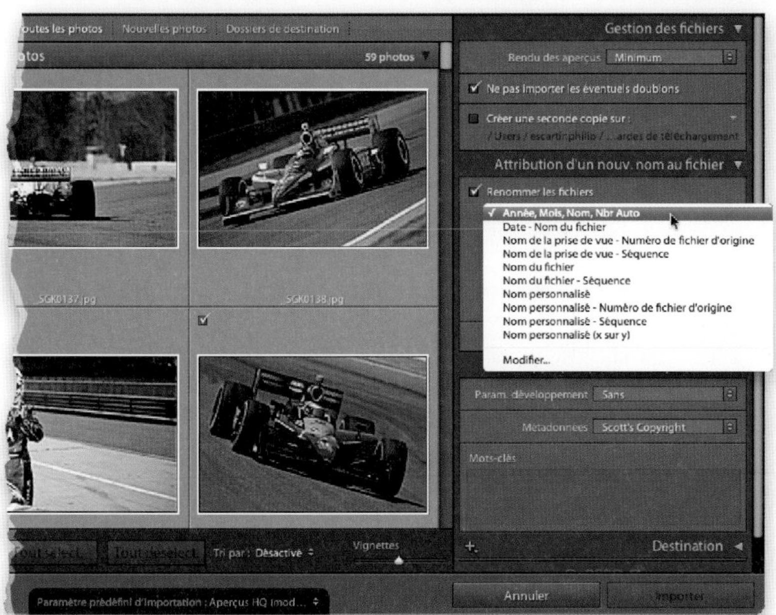

**Étape 7**

Une fois votre format de dénomination défini, ouvrez le menu local Paramètre prédéfini, et cliquez sur Enregistrer les paramètres actuels en tant que nouveau paramètre prédéfini. Dans la boîte de dialogue qui s'affiche, tapez le nom du paramètre comme « Année, Mois, Nom, Nbr Auto ». Cliquez sur Créer, puis sur Terminer. Dans le volet Attribution d'un nouveau nom de fichier, ouvrez le menu local Modèle et choisissez votre paramètre prédéfini.

**Étape 8**

Une fois ce modèle sélectionné, vous devez personnaliser le nom de vos fichiers. Cliquez dans le champ Texte personnalisé, et tapez le nom en question. Dans cet exemple, j'ai saisi IndyTestShot sans espace. La zone échantillon montre le format de nom qui sera appliqué à vos fichiers lors de l'importation. Cliquez sur le bouton Importer.

# Paramétrer vos préférences d'importation

Je traite des préférences d'importation en fin de chapitre car vous connaissez désormais la procédure de transfert des images. Vous comprendrez mieux alors l'impact de la personnalisation des préférences liées à cette phase.

**Étape 1**

Commencez par ouvrir le menu Lightroom sur Mac et Édition sur PC. Là, cliquez sur Préférences.

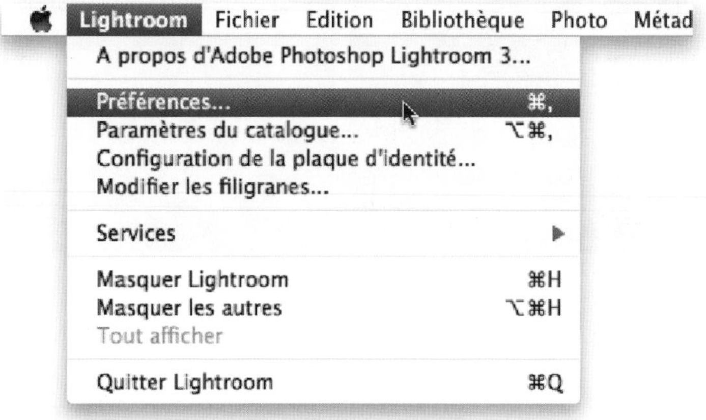


**Étape 2**

Dans la boîte de dialogue Préférences, cliquez sur l'onglet Général. Dans la section Options d'importation, spécifiez le comportement que doit adopter Lightroom quand vous connectez une carte mémoire à votre ordinateur. Par défaut, Lightroom ouvre la boîte de dialogue d'importation. Si vous ne le souhaitez pas, décochez simplement cette option.

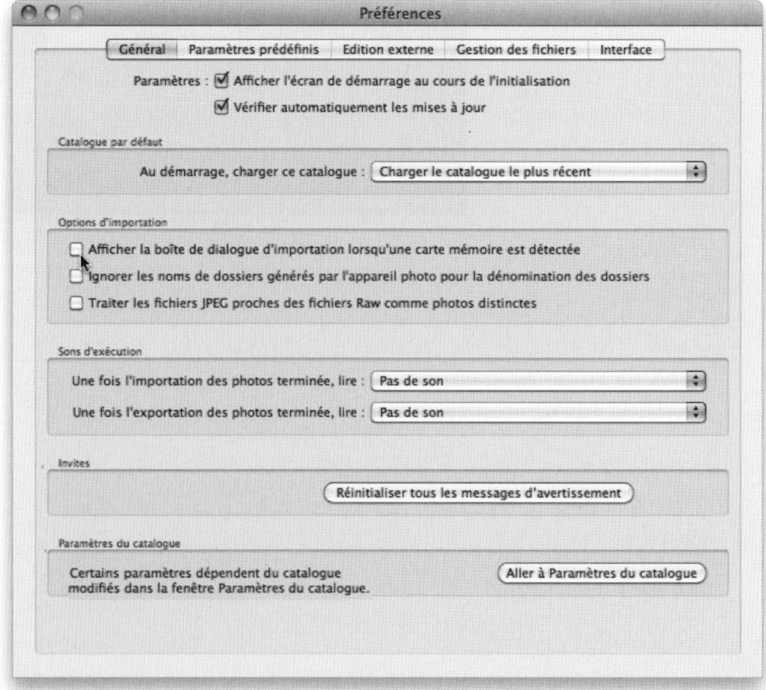

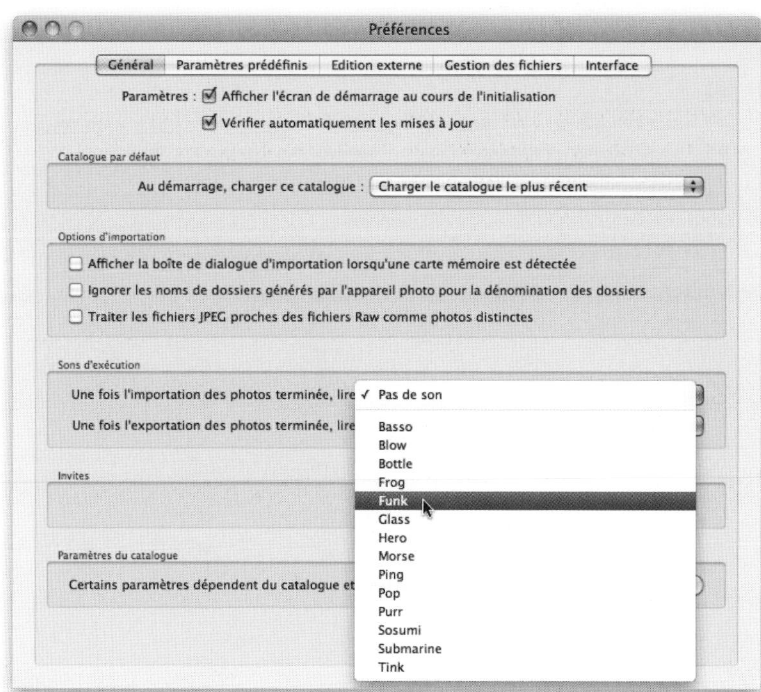


## Étape 3

Deux autres paramètres sont essentiels. Dans la section Sons d'exécution de l'onglet Général, indiquez si Lightroom doit ou non émettre un son une fois l'importation terminée. Vous pouvez également choisir le son qui sera joué.

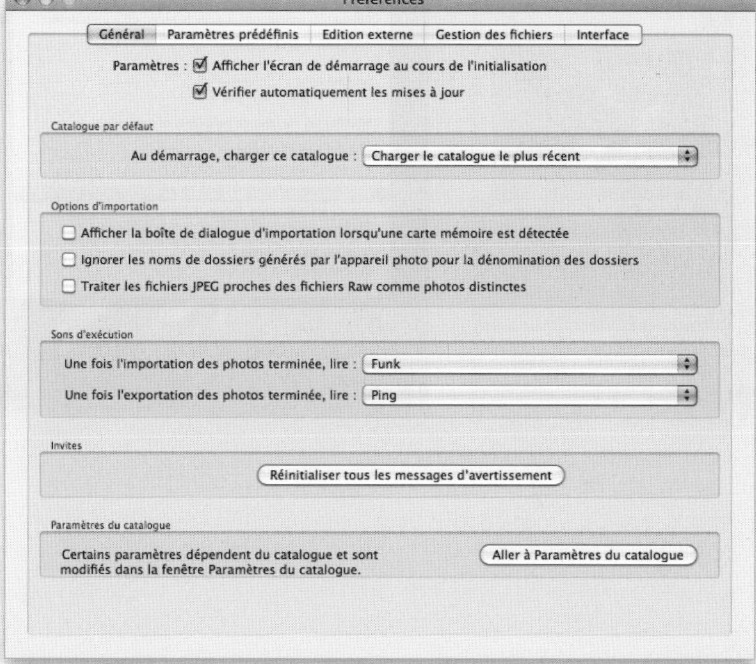


## Étape 4

Choisissez le son dans le menu local. Une fois l'importation des photos terminées, lire :. Faites de même pour l'exportation de vos photos. Je traiterai d'autres préférences plus loin dans ce livre. Ici, je me limite aux préférences d'importation puisque ce chapitre y est consacré.

### Étape 5

En bas de l'onglet Général, cliquez sur le bouton Aller à Paramètres du catalogue. Dans la boîte de dialogue éponyme, cliquez sur l'onglet Métadonnées. Vous déterminez ici les métadonnées à ajouter à vos photos Raw (copyright, mots-clés, etc.) et s'il faut les écrire ou non dans un fichier séparé appelé fichier « annexe XMP ». Pour cela, cochez l'option Écrire automatiquement les modifications en XMP. Pourquoi activer cette option ? Eh bien, normalement, Lightroom stocke dans une base de données les métadonnées que vous ajoutez. Il ne les incorpore à vos fichiers qu'au moment de leur exportation. Cependant, certains programmes ne savent pas lire les métadonnées. Pour y accéder, elles doivent être consignées dans un fichier annexe XMP.

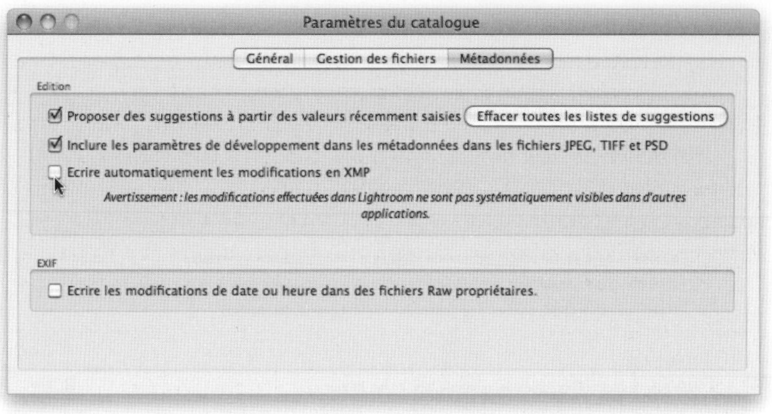


### Étape 6

Pourtant, je déconseille d'activer cette option car l'écriture des fichiers XMP demande beaucoup de temps. Cela ralentit Lightroom. Il est préférable de générer un fichier annexe XMP au moment où vous en avez besoin. Pour cela, il suffit de sélectionner votre image dans le module Bibliothèque et d'appuyer sur Cmd+S (Ctrl+S) pour exécuter la commande Enregistrer les métadonnées dans le fichier du menu Métadonnées. Cette action écrit les métadonnées du fichier dans un fichier annexe XMP. Vous devrez envoyer alors à votre client la photo et ce fichier XMP.

# Les avantages du format Adobe DNG

Je vous ai déjà dit qu'il était possible de convertir vos photos au format DNG (Digital Negative) lors de l'importation. Ce format a été créé par Adobe car chaque constructeur d'appareil photo numérique a développé son propre format de fichier Raw. Adobe pense qu'un jour ou l'autre certains constructeurs abandonneront leur format Raw actuel pour un autre, pénalisant ainsi ses anciens utilisateurs. Le format DNG n'est pas propriétaire. Il s'agit de ce que l'on appelle un Open Source, c'est-à-dire un format dans lequel tout le monde peut écrire ses spécifications. Par conséquent, vos « négatifs numériques » pourront toujours être ouverts. Évidemment, ce format procure d'autres avantages.

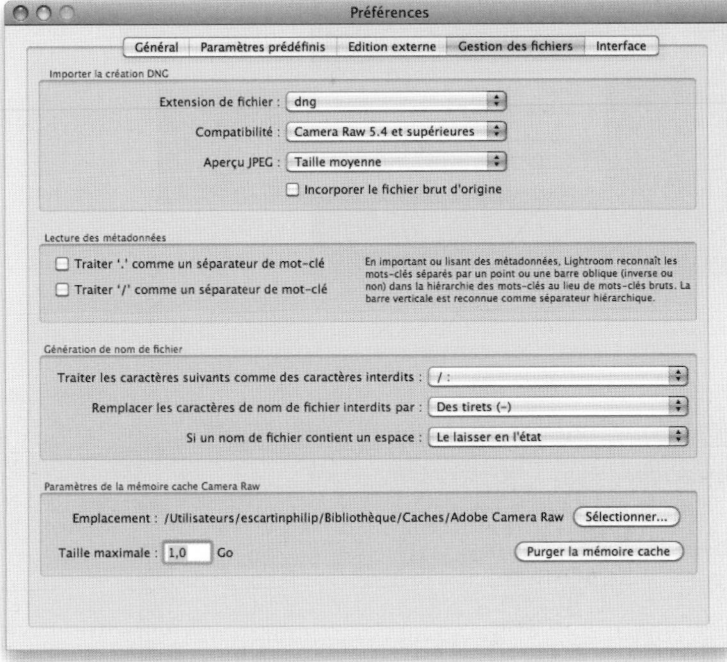

**Paramétrer vos préférences DNG**

Appuyez sur Cmd+, (virgule ; PC : Ctrl+,) pour ouvrir la boîte de dialogue Préférences de Lightroom. Cliquez sur l'onglet Gestion des fichiers. Dans la section Importer la création DNG, vous voyez les paramètres que j'utilise lors de la conversion DNG. Bien que l'on puisse incorporer le fichier Raw d'origine, je m'en dispense. Ensuite, dans la fenêtre d'importation des photos, choisissez Copier au format DNG.

**Avantage 1**

**Les fichiers DNG sont plus petits** que les fichiers Raw. Ils occupent environ 20 % d'espace disque en moins.

**Avantage 2**

**Les fichiers DNG n'ont pas besoin d'un fichier annexe.** Lorsque vous modifiez un fichier Raw, les métadonnées sont stockées dans un fichier annexe XMP. Pour qu'une personne profite de ces métadonnées, vous devez lui envoyer deux fichiers : le Raw et le XMP. Ces informations sont incorporées au fichier DNG lui-même. Vous n'avez donc qu'un seul fichier à gérer. Si vous désirez donner vos fichiers Raw à quelqu'un et que vous deviez y inclure les métadonnées et les modifications appliquées dans Lightroom, vous devez fournir deux fichiers : le fichier Raw lui-même, et le fichier annexe XMP qui contient les métadonnées et les informations de modifications. Mais, avec le format DNG, si vous appuyez sur Cmd+S (Ctrl+S), ces informations seront directement incorporées au fichier. Donc, avant d'envoyer un fichier DNG, n'oubliez pas d'exécuter ce raccourci clavier pour écrire les métadonnées dans le fichier.

# Créer votre modèle de métadonnées de copyright

Au début de ce chapitre, j'ai précisé que vous pouviez créer un modèle de métadonnées personnalisé pour incorporer facilement et automatiquement vos coordonnées et vos informations de copyright lors de l'importation des photos. Sachez qu'il est possible de créer plusieurs modèles. Ainsi, vous pouvez définir un modèle contenant de nombreuses informations personnelles et un autre ne proposant que des données rudimentaires. Enfin, pourquoi ne pas créer un modèle de métadonnées destiné aux images que vous exportez vers une agence de collection de photographies en ligne.

### Étape 1

Vous pouvez créer un modèle de métadonnées directement depuis la fenêtre d'importation. Donc, appuyez sur Cmd+Maj+I (PC : Ctrl+Maj+I) pour ouvrir cette boîte de dialogue. Affichez le panneau Appliquer pendant l'importation. Ouvrez le menu local Métadonnées, et choisissez Nouveau.

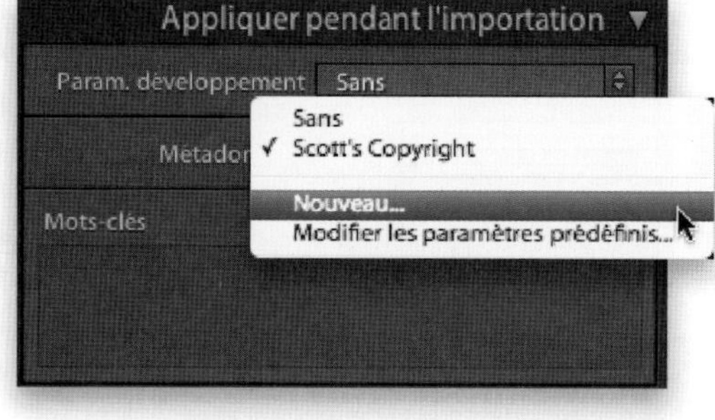


### Étape 2

Une boîte de dialogue Nouveau paramètre prédéfini de métadonnées apparaît. Cliquez sur le bouton Ne rien sélectionner, situé en bas de la boîte de dialogue. Ainsi, aucune métadonnée initiale (s'il y en a) ne sera appliquée.

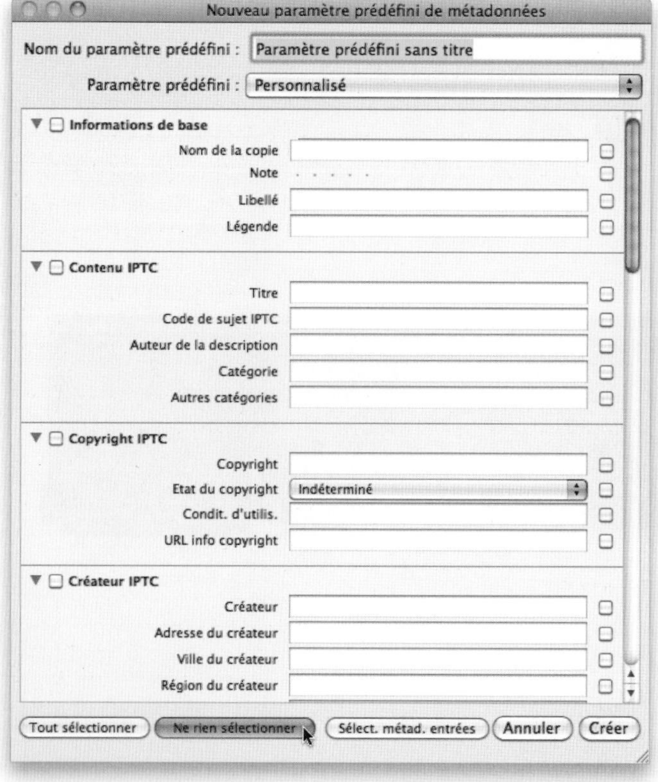

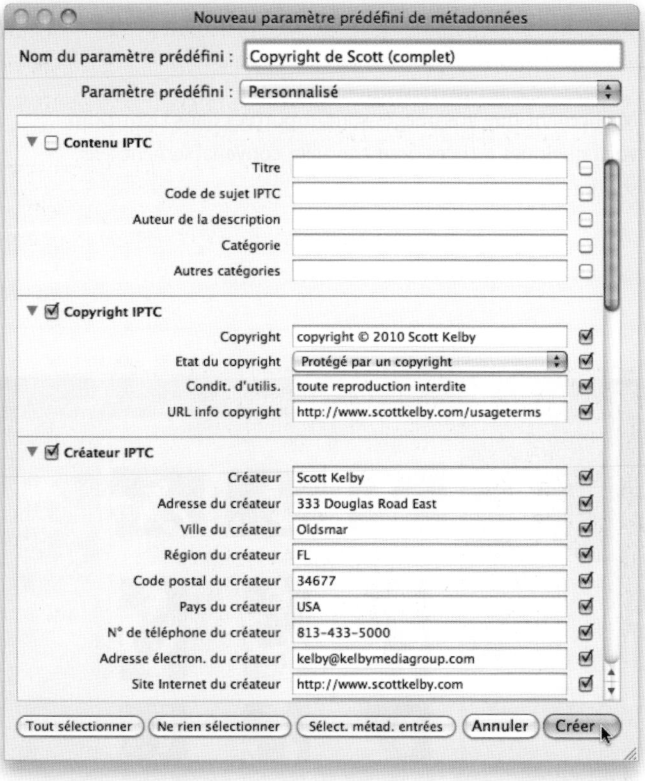

## Étape 3

Dans la section Copyright IPTC, entrez les données concernant le copyright. Ensuite, dans la section Créateur IPTC, tapez vos coordonnées. Elles permettent de vous contacter pour discuter des conditions d'utilisation de vos images. Choisissez les informations que vous souhaitez communiquer. Ce paramètre prédéfini de métadonnées est fait pour permettre à vos clients potentiels de savoir que vos travaux sont protégés, et de vous contacter directement pour recourir à vos services. Une fois que vous avez spécifié toutes les informations nécessaires, donnez un nom à votre modèle – j'ai opté pour « Copyright de Scott (complet) » – puis cliquez sur le bouton Créer.

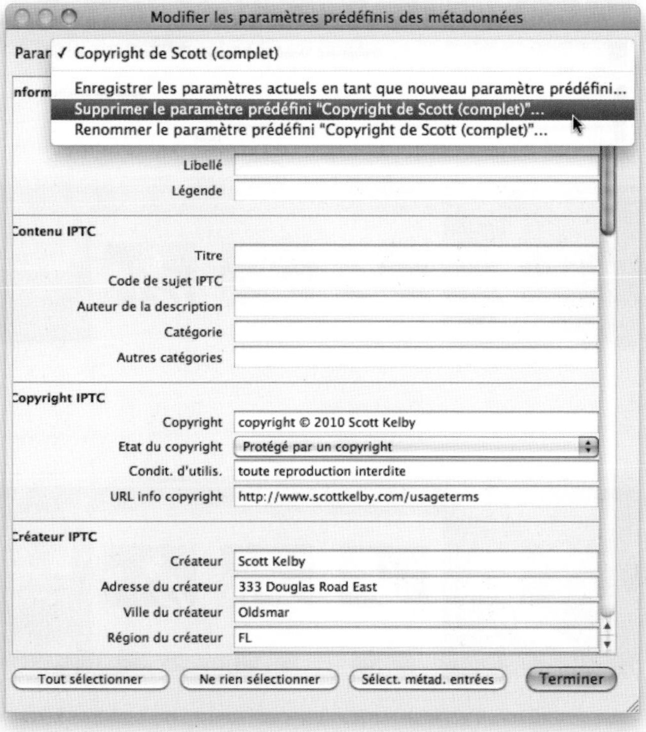

## Étape 4

Il est plus difficile de supprimer un modèle de métadonnées que d'en créer un. Revenez au panneau Appliquer pendant l'importation. Ouvrez le menu local Métadonnées, et cliquez sur Modifier les paramètres prédéfinis. Ceci ouvre la boîte de dialogue éponyme. Dans le menu local Paramètre prédéfini, choisissez un modèle à effacer. Une fois les métadonnées de ce modèle affichées dans la boîte de dialogue, cliquez sur son nom, et exécutez la commande Supprimer le paramètre prédéfini. Une boîte de dialogue demande confirmation. Si vous êtes sûr de vous, cliquez sur Supprimer.

# Quatre choses à savoir sur Lightroom

Maintenant que vos images sont importées dans Lightroom, voici quelques astuces pour travailler convenablement avec son interface.

### Étape 1

Lightroom se compose de cinq modules. Une fois que vos photos sont importées, elles s'affichent dans le module Bibliothèque de Lightroom. C'est ici que vous les triez, effectuez des recherches, assignez des mots-clés, etc. Le module Développement permet de modifier les photos en réglant par exemple l'exposition, la balance des blancs, les couleurs, etc. Les trois derniers modules ont un nom qui signifie les tâches qu'ils accomplissent. Passez d'un module à l'autre en cliquant sur son nom. Vous pouvez aussi utiliser les raccourcis Cmd+Option+1 pour le module Bibliothèque, Cmd+Option+2 pour Développement et ainsi de suite (Sur PC utilisez Ctrl+Alt).

### Étape 2

L'interface de Lightroom se divise en cinq sections principales : la barre des tâches en haut, les panneaux à gauche et à droite, un film fixe en bas, et une zone d'aperçu. Vous pouvez masquer n'importe quel panneau en cliquant sur le petit triangle gris situé au centre et au bord de chacun d'eux. Le panneau disparaît. Cliquez de nouveau sur ce triangle pour le faire reparaître.

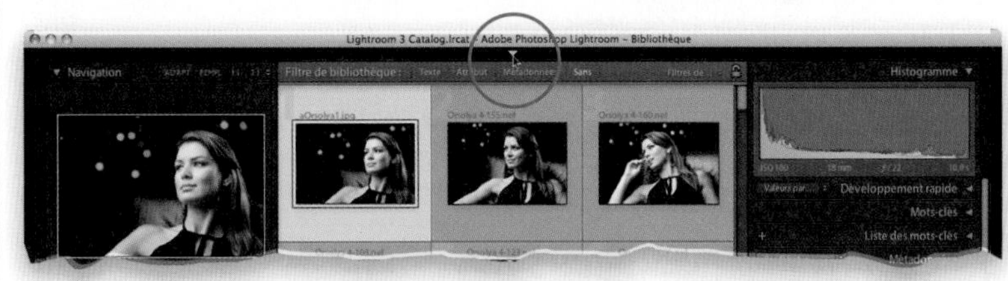


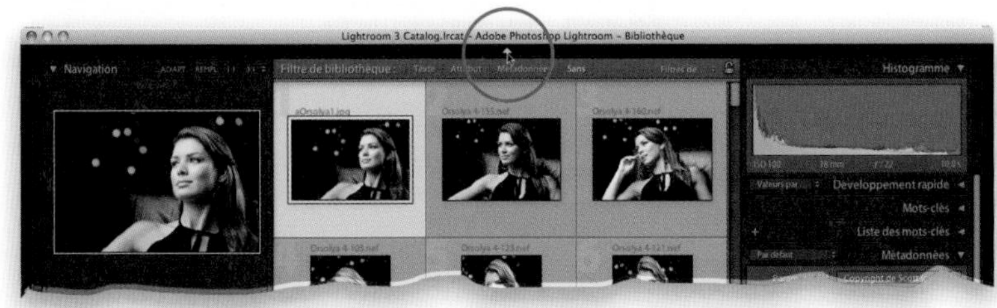

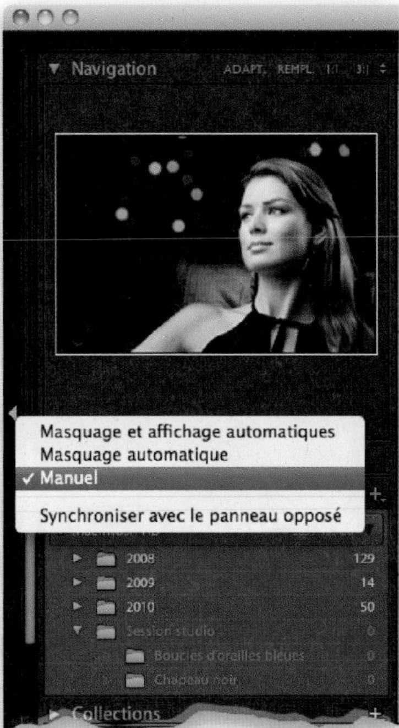


## Étape 3

La plupart des utilisateurs de Lightroom ne supportent pas la fonction de masquage automatique des panneaux. L'idée est pourtant sympathique : lorsque vous ne travaillez pas dans un panneau, il se ferme. Il suffit d'approcher le pointeur de la souris sur le bord de l'interface où se situe un panneau pour le voir s'ouvrir de nouveau. Le problème est que, dès que vous approchez le pointeur d'un bord, un panneau surgit. Très vite, vous ne supportez plus cette fonction. Donc, pour la désactiver, faites un clic-droit sur un des petits triangles, et choisissez Manuel dans le menu contextuel qui s'affiche. Recommencez cette opération pour chaque panneau.

## Étape 4

J'utilise le mode Manuel. J'ouvre et je ferme donc les panneaux selon mes besoins par un simple clic de souris. Il est possible d'utiliser des raccourcis clavier : F5 ouvre/ferme la barre des tâches, F6 s'intéresse au film fixe, F7 s'occupe des panneaux de gauche et F8, de ceux de droite. Si vous utilisez un portable Mac, n'oubliez pas que les touches de fonction sont conditionnées à l'utilisation de la touche fn. La combinaison Maj+Tab permet de masquer tous les panneaux en même temps. Vous n'affichez alors que les vignettes de vos photos. Voyons ce que nous trouvons dans les panneaux : ceux de gauche permettent d'appliquer des paramètres prédéfinis et des modèles, ou bien des modèles avec lesquels vous désirez travailler. Tout le reste, dont les réglages, se fait dans les panneaux de droite. à la page suivante, vous découvrirez des astuces d'affichage.

# Afficher vos photos importées

Avant de classer vos photos afin de séparer les vainqueurs des perdants, voyons comment Lightroom peut afficher vos images. L'affichage va faciliter vos prises de décision sur l'avenir de chacun de vos clichés.

**Étape 1**

Les photos importées dans Lightroom se présentent sous la forme de petites vignettes. Pour modifier la taille de ces aperçus, faites glisser le curseur Vignettes, situé dans la partie inférieure droite de l'interface. Le glisser vers la droite augmente la taille des aperçus, et le glisser vers la gauche la diminue.

SCOTT KELBY

**Étape 2**

Pour agrandir une vignette, double-cliquez dessus, appuyez sur la touche E, ou bien sur la barre d'espace. Ce mode se nomme Loupe. Il effectue un zoom par défaut, ce qui permet d'afficher une seule vignette dans la zone d'aperçu. Vous pouvez également passer par le panneau Navigation. à droite de son nom, trois petits boutons permettent de varier la dimension de l'aperçu. Par exemple, Remplir agrandit la vignette jusqu'à ce qu'elle occupe la totalité de la zone d'aperçu. Si vous cliquez sur 1:1, vous affichez l'image en taille réelle. Dans ce cas, la résolution de votre moniteur ne vous permettra probablement pas de voir la totalité de l'image.

SCOTT KELBY

## Étape 3

Dans le panneau Navigation, je clique sur Adapter. Ensuite, je double-clique sur la photo pour qu'elle occupe tout l'espace d'aperçu. Si vous désirez agrandir davantage l'image pour vérifier sa netteté, vous remarquez qu'en plaçant le pointeur de la souris dans l'aperçu il se transforme en une loupe +. Cliquez une fois pour passer en mode 1:1. Pour effectuer un zoom arrière, cliquez une nouvelle fois. Pour revenir en mode Grille, appuyez simplement sur la touche G du clavier. Voici les raccourcis à mémoriser : Maj+Tab pour masquer tous les panneaux, et G pour revenir en mode Grille. Ce raccourci est essentiel. En effet, si vous êtes dans un autre module de Lightroom, appuyez sur G pour revenir directement dans la Bibliothèque affichée en mode Grille.

1 Ohio State Game-212 | 2 Ohio State Game-312 | 3 Ohio State Game-473 | 4 Ohio State Game-311

*Le mode Cellules agrandies par défaut communique un maximum d'informations.*

*Le mode Cellules réduites diminue la taille des cellules et limite la quantité d'informations. Chaque cellule porte un numéro.*

*Appuyez sur J pour n'afficher que les photos.*

## Étape 4

La zone qui entoure vos vignettes est appelée cellule. Les cellules contiennent des informations sur les photos, comme le nom de fichier, son format, ses dimensions, etc.

Au Chapitre 3, vous apprendrez à personnaliser cet affichage. Mémorisez aussi ce raccourci : J. Chaque fois que vous appuyez dessus, vous parcourez les trois affichages de cellules. Enfin, en appuyant sur T vous masquez ou affichez la barre d'outils située sous la zone d'aperçu. Si vous maintenez enfoncée cette touche, vous masquez temporairement cette barre d'outils.

# Les éclairages de fond et autres modes

Une de mes fonctions préférées est la possibilité de donner la vedette aux photos. Grâce aux éclairages de fond, vous estompez tout ou partie de l'interface. Voici comment.

**Étape 1**

Appuyez sur L pour basculer en mode d'éclairage estompé. La photo est parfaitement visible et l'interface, plongée dans une obscurité avancée. Un cadre blanc très fin entoure la vignette. Bien qu'atténuée, toute l'interface de Lightroom reste opérationnelle. Vous pouvez également appliquer des modifications à vos images.

**Étape 2**

Le mode suivant se nomme Éteint. Vous l'activez en appuyant une seconde fois sur L. L'interface devient noire. Seule la vignette reste parfaitement visible. Pour revenir en mode normal, appuyez encore sur L. Pour afficher la photo dans une dimension maximale en éteignant l'interface, appuyez sur Maj+Tab, puis deux fois sur L. Vous pouvez également commencer par appuyer deux fois sur L, puis sur Maj+Tab.

# Monsieur BA

**GRAND VOYANT HÉRÉDITAIRE - MÉDIUM INTE**

Fidélité entre époux - Mariage - Chance - Protection contre les mauvais sorts - Désenvoûtement - Affaire - Bonheur - Vie renforcée - Retour immédiat au foyer de la personne que vous aimez: il (e derrière vous comme un chien derrière son maître. Attraction de cli pour commerce et entreprise - Réussir dans le sport - Impuissance sexuelle - Abandon de l'alcool et de la cigarette etc...

Résultat satisfaisant, très sérieux et garanti avec 100% de réussite. Déplacement possible. N'ayez aucune gêne à me parler. Donc faites votre vie au lieu de la subir. Si vous ne voulez plus souffrir, contactez-moi le plus rapidement possible. FACILITÉS DE PAIEMENT.

***Reçoit tous les jours de 8h à 20h***

35, Rue Montolieu - 13002 MARSEILLE

**✆ 04 91 33 75 47 - 06 21 54 56 79**

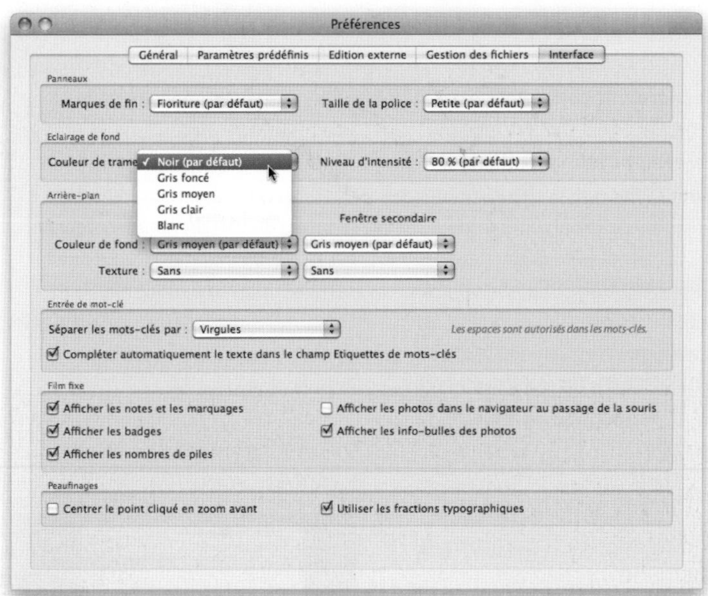


**Astuce : Paramétrer l'éclairage de fond**

Vous avez bien plus de pouvoir sur l'éclairage de fond que vous ne l'imaginez. Ouvrez les Préférences de Lightroom. Cliquez sur l'onglet Interface. Effectuez vos réglages dans les menus locaux Couleur de trame et Niveau d'intensité de la section Éclairage de fond.

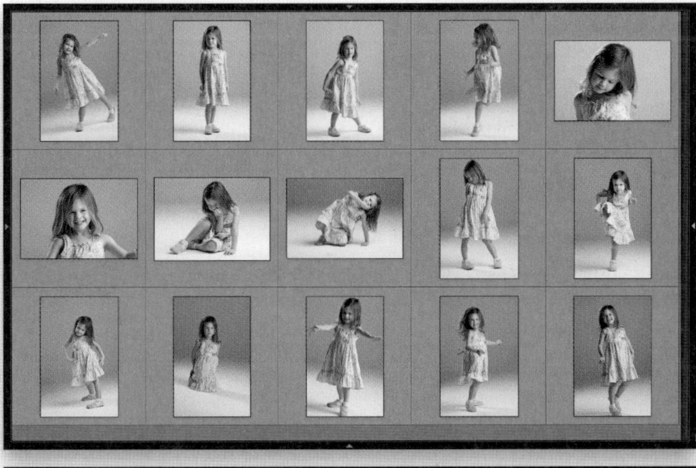

SCOTT KELBY

### Étape 3

Pour voir les photos en mode Grille sans être distrait par quoi que ce soit, appuyez deux fois sur F. Lightroom s'affiche alors en mode Plein écran. Si vous appuyez ensuite sur Maj+Tab, vous n'affichez plus que l'image et la barre d'outils. Appuyez alors sur T, et la barre d'outils disparaît. Seule reste la photo, qui repose sur un arrière-plan gris. Il vous suffit alors d'appuyer deux fois sur L pour afficher l'image sur un fond noir.

# Les petits trucs de Lightroom > >

### ▼ Glisser-déposer directement dans Lightroom 3

Vous pouvez directement glisser-déposer sur l'icône de Lightroom (si vous en avez placé une dans le Dock) des photos stockées sur votre bureau ou dans un dossier (voire un dossier rempli de photos) afin de les importer dans l'application. Ceci exécute Lightroom (s'il n'est pas déjà ouvert) et affiche immédiatement la fenêtre d'importation des photos.

### ▼ Lightroom ne vous laisse pas importer des doublons

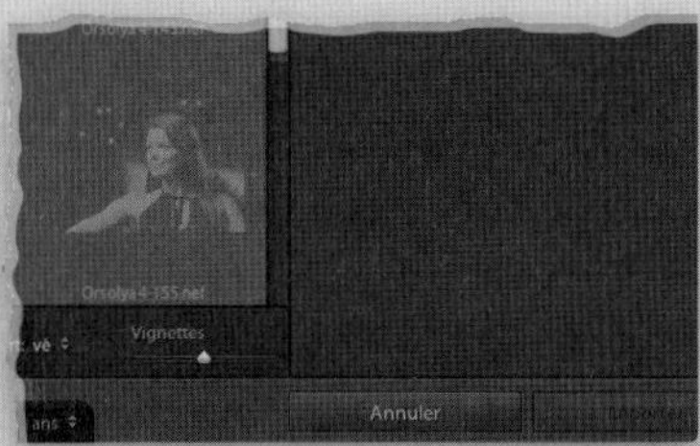


Si vous importez des photos et que certaines d'entre elles soient déjà dans le catalogue de Lightroom, une boîte de dialogue vous indique les clichés déjà répertoriés dans la Bibliothèque. Ces images sont grisées dans la fenêtre d'importation. Si toutes les images sont des doublons, vous n'avez pas accès au bouton Importer.

### ▼ Utiliser des catalogues indépendants pour une meilleure performance de Lightroom

Certains utilisateurs de Lightroom définissent un catalogue pour chaque événement. Ainsi, un de mes amis qui est spécialisé dans les photos de mariages crée un catalogue par mariage. Pour cela, il ouvre le menu Fichier et exécute la commande Nouveau catalogue. À chaque mariage, il prend plus de 1 000 photos, et il travaille souvent avec un ou deux autres photographes. Lightroom est à la limite de ses possibilités quand un seul catalogue contient de 30 000 à 40 000 photos. En les répartissant dans différents catalogues, Lightroom reprend vie !

### ▼ Lorsque la fenêtre d'importation ne s'ouvre pas automatiquement

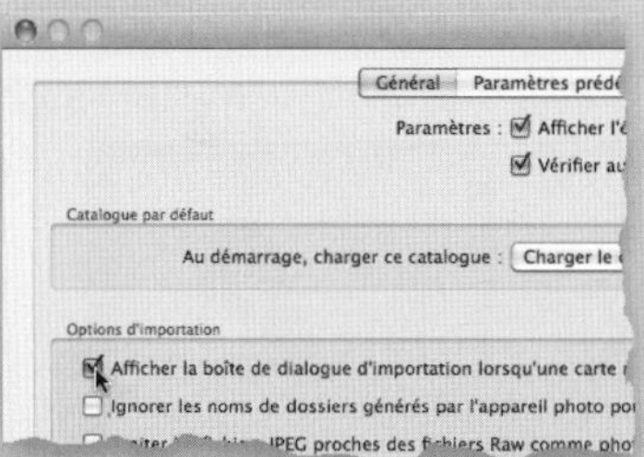


Si la fenêtre d'importation ne s'ouvre pas quand vous connectez un appareil photo numérique ou un lecteur de carte mémoire à votre ordinateur, appuyez sur Cmd+, (virgule ; PC : Ctrl+,), pour afficher les Préférences de Lightroom. Ensuite, cliquez sur l'onglet Général. Cochez l'option Afficher la boîte de dialogue d'importation quand une carte mémoire est détectée.

### ▼ Pourquoi ne pas renommer immédiatement vos fichiers ?

Comme nous l'avons vu dans ce chapitre, vous pouvez renommer vos fichiers pendant la procédure d'importation. Toutefois, il est possible d'y procéder ultérieurement, par exemple une fois que vous aurez trié les photos. En effet, Lightroom numérote séquentiellement les images à votre place. Donc, si vous en supprimez certaines, la numérotation des clichés n'est plus logique. Il en manque un certain nombre. Ceci ne me perturbe pas, mais je sais que certains utilisateurs sont maniaques. Donc, qu'ils sachent que renommer les photos est possible après leur importation.

### ▼ Récupérer vos dernières photos importées

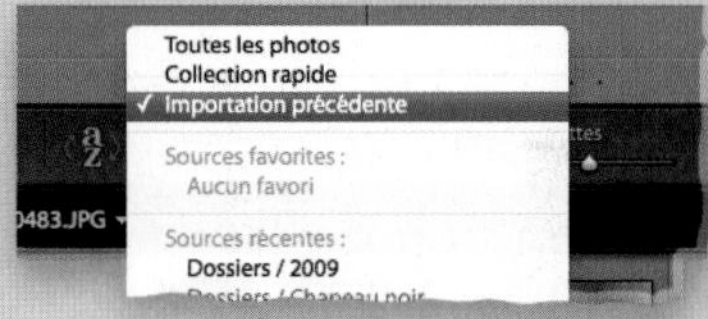


Lightroom garde en mémoire le dernier jeu de photos que vous avez importé. Vous pouvez les retrouver à tout moment dans le panneau Catalogue du module Bibliothèque. Il suffit de cliquer sur Importation précédente. Toutefois, je pense qu'il est plus rapide et plus pratique de cliquer sur le nom de la collection affiché juste au-dessus du film fixe. Dans le menu qui apparaît, choisissez Importation précédente.

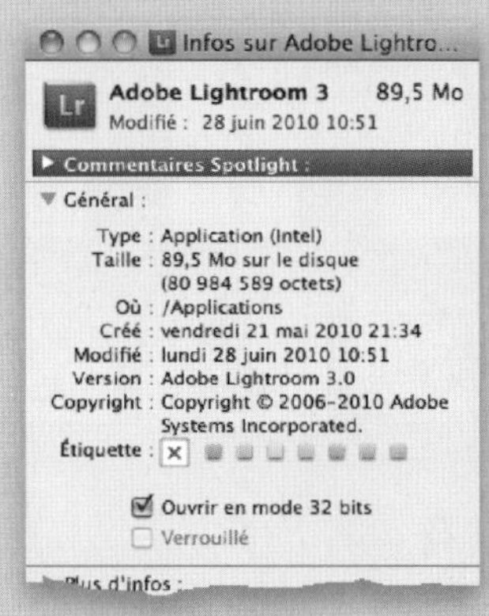

# Les petits trucs de Lightroom > >

## ▼ Utiliser Lightroom en 32 bits

Lightroom 3 est une application 64 bits. Toutefois, si vous avez besoin de l'exécuter en 32 bits, ouvrez le dossier Applications, et cliquez sur l'icône Lightroom 3. Appuyez sur Cmd+I pour ouvrir la fenêtre d'informations. Là, cochez la case Ouvrir en mode 32 bits. Sous Windows 7 et Windows Vista, seule la version 64 bits est installée.

## ▼ Organiser vos clichés par date

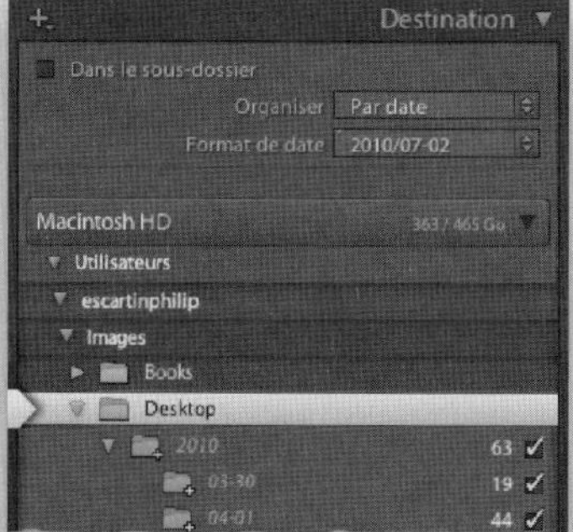


Si vous êtes comme moi, votre carte mémoire doit certainement contenir des images prises à des dates différentes. Dans ce cas, profitez de la fonction d'importation par date du panneau Destination. Les dossiers varieront légèrement selon le format de date que vous choisirez. Seules les prises de vue cochées seront importées dans Lightroom. Donc, pour n'importer que des images prises à une date précise, décochez simplement les cases situées à côté des dates que vous ne souhaitez pas importer.

## ▼ Plusieurs cartes pour une seule session de prise de vue

Si, lors d'une seule session de prises de vue, vous utilisez plusieurs cartes mémoire, choisissez le modèle de dénomination Nom personnalisé – Séquence du panneau Attribution d'un nouveau nom de fichier de la fenêtre d'importation. Dans le champ Numéro de début, tapez le premier chiffre devant être utilisé pour la numérotation. Par exemple, si vous importez 236 photos de votre première carte, vous assignerez le numéro 237 à la première photo de la deuxième carte. Si cette carte contient 244 clichés, vous aurez importé au total 480 photos. Donc, logiquement, vous assignerez à la première photo de la troisième carte le numéro 481.

## ▼ Votre Bibliothèque Elements

Si vous achetez Lightroom et que vous possédiez un catalogue de photos définies avec l'application Elements 5 ou supérieur, vous pouvez l'importer dans Lightroom. Dans ce programme, cliquez sur Fichier, et exécutez la commande de mise à jour du catalogue Photoshop Elements. Ensuite, sélectionnez votre catalogue Elements dans le sous-menu qui apparaît. Il vous sera peut-être demandé de mettre à jour votre catalogue Elements pour Lightroom. Dans ce cas, cliquez sur l'option de mise à niveau. Lightroom se fermera, puis se rouvrira. Le catalogue Elements y sera importé.

## ▼ L'espace disque est un problème ? Convertissez en DNG à l'importation

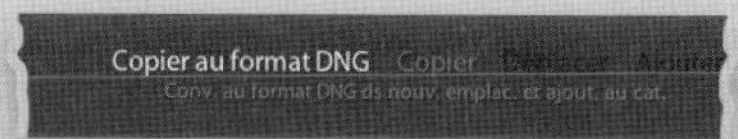


Si vous travaillez avec un ordinateur portable et qu'il ne vous reste plus que 15 à 20 % d'espace disque libre, n'importez pas les fichiers en Raw. Convertissez-les au format DNG en choisissant l'option Copier au format DNG de la fenêtre d'importation.

## ▼ Sauvegarder sur un disque dur externe

Pour que la fonction Créer une seconde copie du panneau Gestion des fichiers fonctionne correctement, utilisez un disque dur externe. Vous êtes alors certain de conserver des originaux impeccables en cas de problème technique de votre disque dur interne. Une sauvegarde ne doit jamais se faire sur un disque dur de l'ordinateur !

## ▼ Utiliser deux disques durs externes

Si vous stockez déjà vos photos sur un disque dur externe, il est important d'en posséder un second pour vos sauvegardes. Beaucoup de photographes utilisent deux petits disques durs empilables. L'un est connecté à l'ordinateur par un câble Firewire, et l'autre *via* un câble USB 2. Certes, cela exige un investissement financier de départ. Mais ce coût n'est rien à côté des risques de perte définitive de vos clichés si vous n'avez pas de sauvegarde.

# Les petits trucs de Lightroom > >

## ▼ Modifier la taille des vignettes de la grille

Vous n'êtes pas obligé de garder la barre d'outils affichée sous vos vignettes pour en modifier la taille. Il suffit d'appuyer sur la touche + de votre clavier pour augmenter la taille des vignettes, et sur la touche – pour la réduire.

## ▼ Gagner du temps en important dans un dossier existant

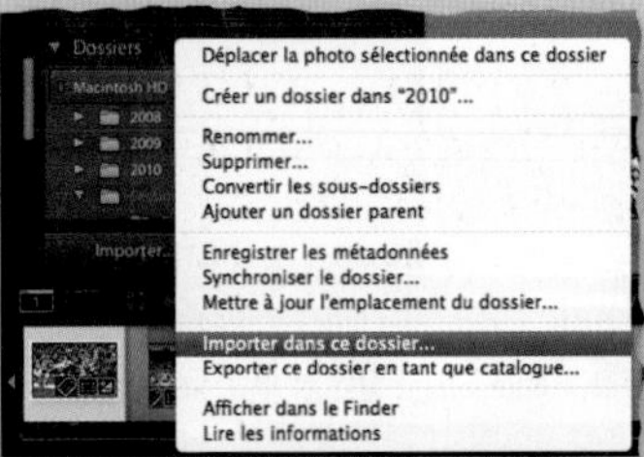


Pour importer des photos dans un dossier antérieurement créé, ouvrez le panneau Dossiers de la Bibliothèque. Faites un clic-droit sur le dossier de destination. Dans le menu contextuel, choisissez Importer dans ce dossier. Ceci ouvre la fenêtre d'importation, où le dossier de destination est déjà défini.

## ▼ Convertir en DNG

Si vous ne convertissez pas en DNG au moment de l'importation, il est toujours possible de convertir ultérieurement des images à ce format.

Pour cela, sélectionnez une image, et cliquez sur le menu Bibliothèque. Exécutez-y la commande Convertir la photo au format DNG. Cette version DNG remplace alors le fichier Raw dans Lightroom. Toutefois, ce fichier est toujours présent sur votre ordinateur au côté du fichier DNG.

## ▼ Organiser vos images dans des dossiers

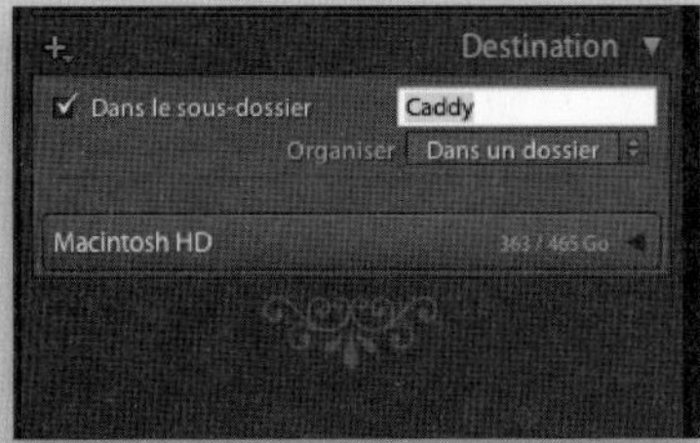


Vous pouvez organiser vos fichiers dans des dossiers lors de l'importation. Dans le panneau Destination, cochez Dans le sous-dossier. Dans le menu local Organiser, choisissez Dans un dossier. Donnez un nom à votre dossier. Ainsi, l'importation se déroulera dans ce dossier. Cela permet de créer autant de sous-dossiers que nécessaire dans votre dossier principal Mes photos Lightroom.

## ▼ Lightroom 3 gère mieux vos sauvegardes

Dans les précédentes versions de Lightroom, les images sauvegardées vers un disque dur externe n'incluaient pas vos noms de fichiers personnalisés, vos métadonnées, ou vos mots-clés. Désormais, ces copies sont conformes aux originaux stockés dans Lightroom, et vous conservez la structure de vos fichiers.

## ▼ Choisir des mots-clés

Voici comment je définis mes mots-clés. Je me pose la question suivante : « Dans quelques mois, quels mots utiliserai-je pour retrouver rapidement mes images ? » Dès que j'ai dressé une petite liste, je la reporte comme mots-clés.

## ▼ Vous pouvez importer et modifier des PSD (et plus encore !)

Dans la précédente version de Lightroom, vous ne pouviez importer et modifier que des images Raw, TIFF et JPEG. Maintenant, dans Lightroom 3, vous pouvez importer des fichiers Photoshop PSD, ainsi que des images en mode CMJN et en mode Niveaux de gris.

## ▼ Éjecter votre carte mémoire

Si vous décidez de ne rien importer et que vous souhaitiez éjecter votre carte mémoire, faites un clic-droit sur son nom dans le panneau Source de la fenêtre d'importation. Dans le menu contextuel, exécutez la commande Éjecter.

# Les petits trucs de Lightroom > >

### ▼ Nombre d'images et espace disponible

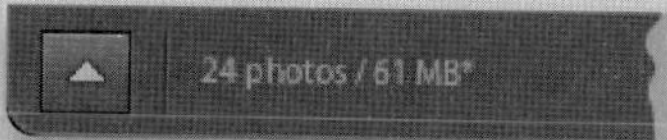


Si vous regardez dans le coin inférieur gauche de la fenêtre d'importation, vous verrez le nombre total d'images à importer, ainsi que l'espace disponible nécessaire pour les stocker sur votre disque dur.

### ▼ Choisir le rendu des aperçus

Voici les chronométrages que j'ai réalisés en important 14 images Raw avec différentes options de rendu des aperçus :

- **Fichiers annexes incorporés :** 19 s
- **Minimum :** 21 s
- **Standard :** 1min 15 s
- **1:1 :** 2 min 14 s

Le rendu des aperçus 1:1 est sept fois plus lent que celui des fichiers annexes incorporés. Cela est supportable pour 14 photos, mais qu'en sera-t-il pour 340 clichés ? Grâce à ces informations, vous déciderez du type de rendu en toute connaissance de cause. Le choix dépend de votre flux de production.

Si vous aimez zoomer sur vos photos pour les détailler, il est préférable que vous optiez pour le rendu 1:1 de manière à travailler sur un affichage précis. Si vous êtes comme moi, c'est-à-dire que vous souhaitez effectuer simplement des recherches rapides, vous opterez pour le rendu des aperçus le plus rapide. Si vous regardez systématiquement vos images en plein écran mais sans zoomer dessus, vous choisirez le rendu Standard. Enfin, si vous désirez que vos vignettes permettent de voir à quoi ressembleront vos photos quand elles seront rendues en haute qualité, choisissez Minimum.

### ▼ Masquer les dossiers inutiles

Si vous importez des photos déjà

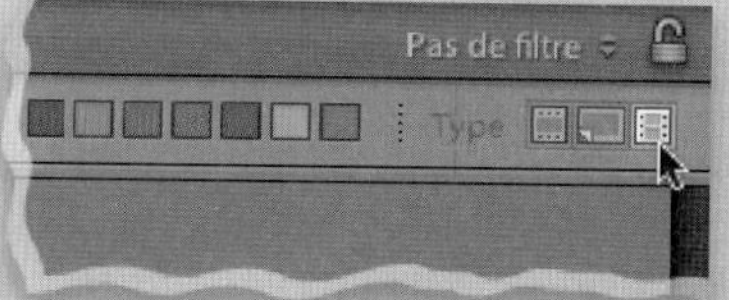


stockées sur votre ordinateur, une très longue liste de dossiers risque d'encombrer le panneau Source. Heureusement, vous pouvez aérer cet espace en masquant les dossiers inutiles. Comment ? Tout simplement en double-cliquant sur le dossier puis les sous-dossiers qui vous intéressent.

### ▼ Si votre Nikon ne peut pas capturer en mode connecté

Si votre appareil Nikon ne peut pas utiliser la fonction de capture en mode connecté de Lightroom, la faute en revient probablement aux paramètres USB de votre appareil. Accédez aux menus de configuration de votre appareil, cliquez sur USB, et optez pour MTP/PTP.

### ▼ N'afficher que vos clips vidéo

Activez l'option Toutes les photos du menu local situé à droite du chemin d'accès qui est affiché au-dessus du film fixe. Dans le module Bibliothèque, localisez la section Filtre de bibliothèque, et cliquez sur Attribut. À l'extrême droite de la barre d'outils située juste au-dessus des vignettes, localisez la section Type. Cliquez sur la troisième icône (vidéos).

### ▼ Avance automatique ou non

Lorsque je capture en mode connecté,

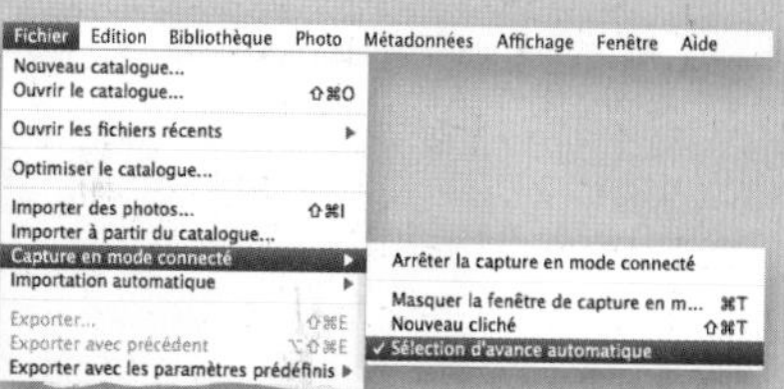


j'aime regarder immédiatement le résultat de la prise de vue sur l'écran de mon portable. Cependant, si vous préférez analyser vos clichés plus longtemps que ce simple affichage qui ne dure que quelques secondes, ouvrez le menu Fichier. Cliquez sur Capture en mode connecté, et choisissez Sélection d'avance automatique. Ensuite, appuyez sur les flèches directionnelles droite/gauche de votre clavier pour parcourir vos photos.

MOTOROLA
HONDA
Danica

# Bibliothèque
## Organiser vos photos

Il est de tradition d'attribuer à mes chapitres des titres de chansons. En règle générale, j'ajoute un sous-titre afin que le lecteur puisse connaître le sujet que je traite. En effet, je n'écris pas des encyclopédies du rock, mais bien des ouvrages sur le traitement des images numériques. Il m'arrive aussi de recourir à des titres de film. Ainsi, je pourrais très bien titrer « L'amour extra large » un chapitre consacré au redimensionnement des images. Je vous avais bien dit que je n'étais pas un homme très sérieux. Dans Lightroom 3, la tâche est un peu plus ardue. J'ai eu beau chercher des titres de films ou de chansons qui pouvaient s'accorder avec le propos de chaque chapitre, je suis resté un peu le bec dans l'eau. Diantre ! Que faire !... Réfléchir ! et n'est-ce pas en réfléchissant que l'on devient… euh, « réfléchisseur » ? (Décidément, pourquoi n'ai-je pas écrit un livre sur la ferronnerie, et titré « C'est en forgeant que l'on devient forgeron » ; ou bien encore sur l'auteur de la Joconde et que j'aurais pu intituler « C'est en sciant que Léonard devint scie (ou de Vinci) »… Pardon.) Donc, en réfléchissant, disais-je, je me suis aperçu que mes lecteurs étaient principalement des… photographes. Quelle chance inouïe, non ?! Peut-être alors n'est-il pas nécessaire de les induire potentiellement en erreur avec des titres plus ou moins tirés par les cheveux. J'ai donc décidé de faire fi de mes références en tout genre pour me concentrer davantage sur le propos qui nous intéresse tous ici, c'est-à-dire la photo numérique traitée avec Lightroom 3. Sachez que c'est avec beaucoup de peine que je vais renoncer, tout au long de ce livre (à moins que), à mes délires obsessionnels consistant à « titrer » sur tout ce qui bouge. (Et en plus il fait de l'humour, ce Scott Kelby !)

# De l'importance des dossiers

Lorsque vous importez des photos, vous devez choisir le dossier de votre disque dur où elles seront stockées. Envisagez le dossier comme la boîte d ans laquelle vous aviez l'habitude de ranger vos films. En général, vous les conservez dans un lieu sécurisé, et très souvent vous n'y touchez plus jamais. Avec Lightroom, je réfléchis exactement de la même manière. Je n'utilise pas réellement le panneau Dossier, auquel je préfère les collections, qui me paraissent bien plus sûres. Je vais donc très brièvement expliquer cette notion de dossiers de Lightroom.

### Étape 1

Si vous quittez Lightroom et que vous ouvriez votre dossier Images, vous accédez à un ensemble de sous-dossiers. Vous pouvez utiliser cette structure informatique pour ajouter ou supprimer des photos. Toutefois, sachez que ce genre d'opération peut également se dérouler sans quitter Lightroom. En effet, il suffit d'utiliser le panneau Dossiers de Lightroom. Là, vous intervenez dans la hiérarchie des dossiers comme dans le Finder ou l'Explorateur Windows.

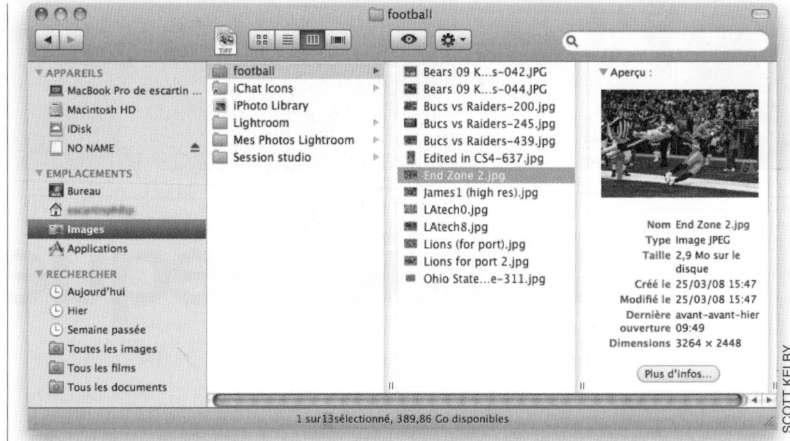


### Étape 2

Ouvrez le module Bibliothèque. Vous trouverez le panneau Dossiers sur la gauche de l'interface. Vous y voyez tous les dossiers contenant les photos que vous avez importées dans Lightroom. Ils ne sont pas réellement dans Lightroom, mais simplement répertoriés dans le programme. Cela permet de gérer vos photos sans quitter Lightroom.

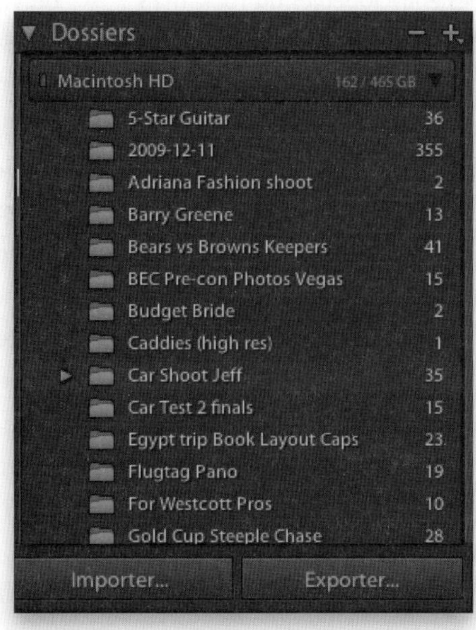

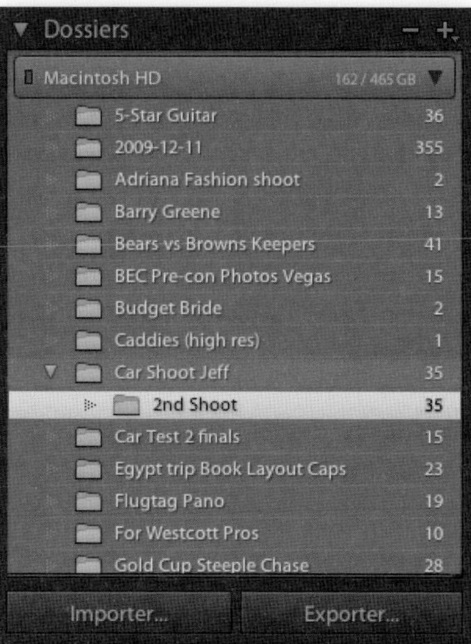


**Étape 3**

Vous trouverez un petit triangle à gauche du nom de chaque dossier. Si ce triangle est plein, cela indique qu'il contient des sous-dossiers. Cliquez sur ce triangle pour les afficher. Quand le triangle est vide, le dossier n'a donc pas de sous-dossier.

SCOTT KELBY

**Étape 4**

Quand vous cliquez sur un dossier, vous voyez ses photos qui ont été importées dans Lightroom. Si vous cliquez sur une vignette et que vous la glissiez-déposiez dans un autre dossier, elle se déplace physiquement dans cette nouvelle destination. Vous déplacez l'image. Un message demande confirmation de votre action. Vous savez que votre décision est irréversible, ce qui signifie que si vous changez d'avis vous ne pourrez pas l'annuler en appuyant sur Cmd+Z (Ctrl+Z). Dans ce cas, il vous suffira d'ouvrir le dossier de destination et de glisser-déposer l'image vers son dossier d'origine.

### Étape 5

Lorsque Lightroom ne trouve plus un dossier, il affiche un point d'interrogation. Vous l'avez probablement déplacé vers un autre dossier ou vers un disque dur externe. Dans ce dernier cas, il vous suffit de connecter et/ou d'allumer ce disque pour que Lightroom localise de nouveau le dossier. Si vous avez déplacé le dossier, faites un clic-droit dessus, et choisissez Rechercher le dossier manquant. Dans la boîte de dialogue qui apparaît, localisez le dossier que vous avez déplacé. Cliquez dessus puis sur Sélectionner. Lightroom rétablit alors le lien.

### Étape 6

J'utilise parfois une fonction particulière du panneau Dossiers quand j'ajoute après importation des images d'un dossier de mon ordinateur. Supposons que j'ai importé des photos de mon voyage en Italie. Quelques jours plus tard, mon frère m'envoie des photos par e-mail. Si je les mets dans mon dossier Tuscany finals, Lightroom ne les répertorie pas automatiquement. Je dois effectuer un clic-droit sur le dossier et, dans le menu contextuel, exécuter la commande Synchroniser le dossier.

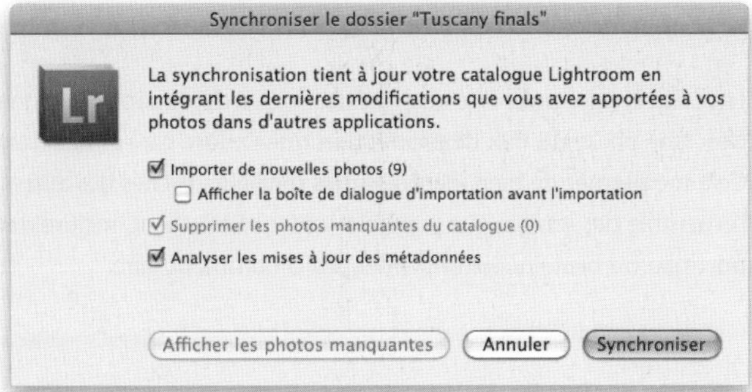


## Étape 7

Vous accédez à la boîte de dialogue Synchroniser le dossier. J'ai placé dans mon dossier Toscany finals neuf photos envoyées par mon frère. Dans la boîte de dialogue, vous constatez que Lightroom est prêt à importer ces neuf images. Une option permet d'ouvrir la boîte de dialogue d'importation, ce qui permettrait d'ajouter des informations de copyright et des métadonnées. Si vous ne souhaitez répertorier que les nouvelles photos, cliquez sur le bouton Synchroniser. Voilà ! C'est un des rares moments où j'utilise le panneau Dossiers. En règle générale, je lui préfère le panneau Collection, que nous allons maintenant découvrir.

**ASTUCE : LES AUTRES OPTIONS DU PANNEAU DOSSIERS** Lorsque vous faites un clic-droit sur un dossier, vous pouvez le renommer, créer des sous-dossiers, etc. Il y a également une option Supprimer qui va retirer la référence du dossier dans Lightroom. Par conséquent, ce dossier reste dans votre dossier Images et/ou Mes photos Lightroom de votre ordinateur.

# Trier des photos avec des collections

Trier des images peut être aussi amusant que déprimant. Personnellement, c'est une phase du flux de production que j'adore car j'ai su la rendre efficace. Cela me permet de bien identifier mes meilleurs clichés des autres, c'est-à-dire l'ensemble des images que je peux montrer à un client, inclure dans un portfolio ou bien encore imprimer. Voici comment faire.

## Étape 1

L'objectif est de répertorier les meilleures images d'une session de prises de vue. Lightroom permet de classer les images de trois manières différentes, la plus populaire consistant à attribuer des notes sous la forme d'étoiles (1 à 5). Pour cela, il suffit de sélectionner une ou plusieurs vignettes et d'appuyer sur le chiffre de votre clavier correspondant au nombre d'étoiles à attribuer. Si vous appuyez sur le chiffre 3, vous attribuez trois étoiles. Pour modifier une note, il suffit de sélectionner la ou les vignettes et d'appuyer sur le chiffre correspondant à la nouvelle note. Une autre méthode consiste à attribuer des libellés de couleurs. Par exemple, vous assignerez un libellé Rouge à vos pires images, un Jaune à des photos de meilleure qualité, et ainsi de suite. Bien entendu, vous pouvez mixer ces deux méthodes. Ainsi, vous attribuerez cinq étoiles et un libellé Vert à vos meilleures photos.

SCOTT KELBY

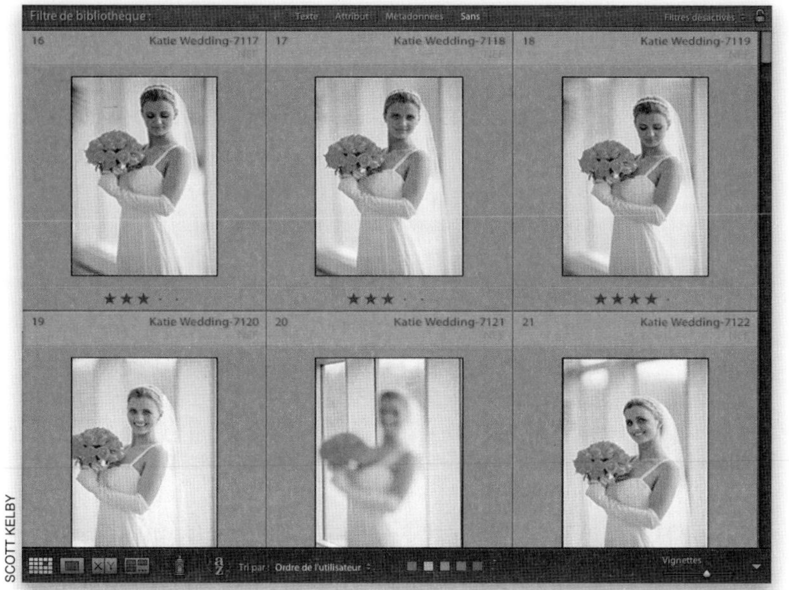

SCOTT KELBY

**Étape 2**

Maintenant que vous connaissez les notes et les libellés, voyons comment les utiliser. Partez de ce principe : vos photos qui ont cinq étoiles sont les meilleurs clichés que vous puissiez montrer à tout le monde. Celles qui ont quatre étoiles sont bonnes, mais pas assez pour être montrées. Avec trois étoiles, vos photos sont moyennes. Avec deux, les photos sont assez médiocres, tandis qu'une étoile sera attribuée aux images totalement ratées, et qui méritent d'aller à la poubelle. Donc, qu'allez-vous faire des photos qui ont deux ou trois étoiles ? Rien !

SCOTT KELBY

**Étape 3**

Le mieux est donc de marquer vos images. Les meilleures seront définies comme Retenue, et les mauvaises, comme Rejetée, donc à supprimer. Lightroom peut supprimer les images rejetées, ce qui vous permet de conserver uniquement les meilleures ainsi que celles qui, pour vous, sont neutres.

Ainsi, vous ne perdez pas de temps à savoir si telle image vaut trois ou deux étoiles. Pour définir une image comme Retenue, appuyez sur la lettre P de votre clavier. Pour la marquer comme Rejetée, appuyez sur X. Un petit message s'incruste sur l'écran indiquant comment vous avez qualifié la photo. Un drapeau blanc apparaît dans la cellule de l'image retenue, tandis qu'un drapeau noir identifie les images rejetées.

**Étape 4**

Voici comment j'opère : une fois mes photos importées dans Lightroom et affichées dans la Bibliothèque en mode Grille, je double-clique sur la première photo pour la voir de plus près. Si je considère que cette photo doit être conservée, j'appuie sur P. La voici estampillée comme Retenue. Si elle est ratée, j'appuie sur X pour la marquer comme Rejetée. Enfin, si elle est moyenne, je ne fais rien. Ensuite, je passe à l'image suivante en appuyant sur la touche directionnelle de droite. Si je me trompe de touche, ou si je change d'avis, il me suffit d'appuyer sur U pour supprimer le marqueur. Une fois ce premier tri effectué, vous allez pouvoir davantage entrer dans les détails de vos images.

**Étape 5**

Une fois les photos marquées Retenue ou Rejetée, supprimez les secondes de votre disque dur. Ouvrez le menu Photo et cliquez sur Supprimer les photos rejetées. Un message apparaît. Il demande si vous désirez supprimer les photos du disque dur ou simplement les effacer de Lightroom. Généralement, je les supprime du disque dur car ces images ne me sont plus d'aucune utilité. Donc, si vous travaillez avec ma logique, cliquez sur Supprimer du disque.

**INFO** Comme ces photos viennent d'être importées dans Lightroom et qu'elles ne sont pas encore réparties dans des collections, vous avez la possibilité de les supprimer du disque. En revanche, dès que des photos sont classées dans des collections, vous ne les supprimez pas de votre disque dur. Elles ne sont tout simplement plus répertoriées dans des collections.

SCOTT KELBY

## Étape 6

Pour n'afficher que vos images Retenue, cliquez sur le mot Attribut affiché dans la barre des filtres de la Bibliothèque. Ensuite, cliquez sur l'icône du drapeau blanc. Seules vos photos estampillées Retenue sont alors affichées dans la grille.

**Astuce : Utiliser les autres filtres de la Bibliothèque** Vous pouvez afficher uniquement vos photos Retenue, Rejetée, ou celles qui n'ont pas de marqueur en choisissant une option située sur le côté supérieur droit du film fixe. Cliquez simplement sur les icônes des drapeaux jusqu'à ce que vous affichiez les images qui vous intéressent.

## Étape 7

Maintenant, je vais classer ces images retenues dans des collections. Les collections sont des outils d'organisation remarquables. Envisagez-les comme des albums contenant vos photos préférées. Un clic de souris suffit à afficher toutes les images qui vous intéressent. Par exemple, pour placer, dans Collection, toutes les photos Retenue, il vous suffit d'appuyer sur Cmd+A (Ctrl+A). Toutes les vignettes sont alors sélectionnées. Ouvrez le panneau Collections, et cliquez sur le signe +. Dans le menu local qui apparaît, choisissez Créer collection.

### Étape 8

La boîte de dialogue Créer collection apparaît. Donnez un nom à la collection, et laissez Ensemble sur Sans. Dans la section Options de collection, incluez les photos sélectionnées (vos Retenue) à la précédente étape. Ne cochez pas l'option Créer des copies virtuelles. Enfin, cliquez sur Créer.

Créer Collection
Nom : Mariage Katie Retenues
Ensemble : Sans
Options de Collection
Inclure les photos sélectionnées
Créer des copies virtuelles
Annuler
Créer

### Étape 9

Vous disposez désormais d'une collection qui contient vos photos retenues. Si je clique sur la collection Mariage Katie Retenues, j'affiche toutes les photos de mariage que je considère comme des photos sur lesquelles je peux travailler. De ce fait, retenez que les photos répertoriées dans des collections peuvent être modifiées et supprimées sans jamais affecter les originaux.

**Info** Si vous possédez un iPod ou un iPhone, vous savez utiliser le programme iTunes et créer des listes de lecture de vos chansons préférées. Lorsque vous supprimez une chanson d'une liste, elle n'est pas effacée de votre disque dur. Elle est simplement retirée d'une liste de lecture. Eh bien, envisagez les collections comme des sortes de listes de lecture de photographies.

## Étape 10

Je ne vais travailler qu'avec 58 photos de mariage sur un total de 498. Toutefois, même si j'ai fait une présélection de 58 photos que je juge meilleures que toutes les autres, cela ne signifie pas que j'aille toutes les imprimer, les envoyer par e-mail ou encore les inclure dans un portfolio. La collection va donc me servir à déterminer les meilleures photos parmi les meilleures.

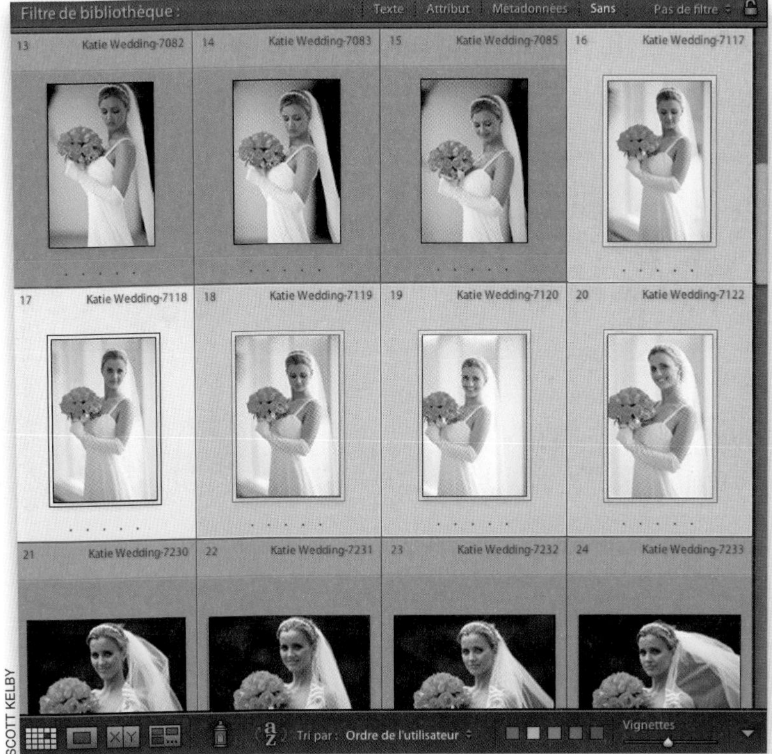


## Étape 11

À cet instant de la procédure, je peux afficher mes photos de trois manières. La première méthode consiste à double-cliquer sur une photo pour la regarder en mode Loupe. Ensuite, je navigue de photo en photo avec les flèches gauche et droite du pavé directionnel. Dès qu'une photo me semble vraiment indispensable, j'appuie sur P pour la marquer comme Retenue. Le second mode d'affichage s'appelle Ensemble. Je l'utilise lorsque j'ai des photos relativement similaires et que je souhaite identifier la meilleure d'entre elles. Je commence par sélectionner des clichés semblables en maintenant la touche Cmd (Ctrl) enfoncée et en cliquant sur chaque photo qui m'intéresse.

**Étape 12**
Maintenant, j'appuie sur N pour passer en mode Ensemble. Seules les photos sélectionnées s'affichent à l'écran. Elles sont côte à côte, ce qui facilite leur comparaison. Dès que je suis dans ce mode, j'appuie sur Maj+Tab pour masquer tous les panneaux.

**ASTUCE : ESSAYER LE MODE D'ÉCLAIRAGE ÉTEINT** Le mode Ensemble est parfait quand vous basculez en mode d'éclairage éteint en appuyant deux fois sur L. Appuyez de nouveau sur cette touche pour revenir en mode normal.

**Étape 13**
Maintenant que mes photos sont affichées en mode Ensemble, le processus de sélection radical peut commencer. Je recherche la faiblesse de cet ensemble, en ce sens que je tente d'identifier les images qui lui portent préjudice. J'élimine les photos les unes après les autres. Pour cela, je place le pointeur de la souris sur une des vignettes. Un signe X apparaît dans son coin inférieur droit. Il suffit de cliquer dessus pour supprimer l'image de l'ensemble. Attention, cette image reste dans la collection ! Chaque fois qu'une photo est enlevée de l'ensemble, celui-ci ajuste la taille des vignettes afin de remplir l'aperçu le plus possible.

**ASTUCE : MODIFIER L'ORDRE DE L'ENSEMBLE**
Dans ce mode, vous pouvez changer l'ordre des vignettes. Pour cela, glissez-déplacez les vignettes dans la zone d'aperçu, les unes avant ou après les autres.

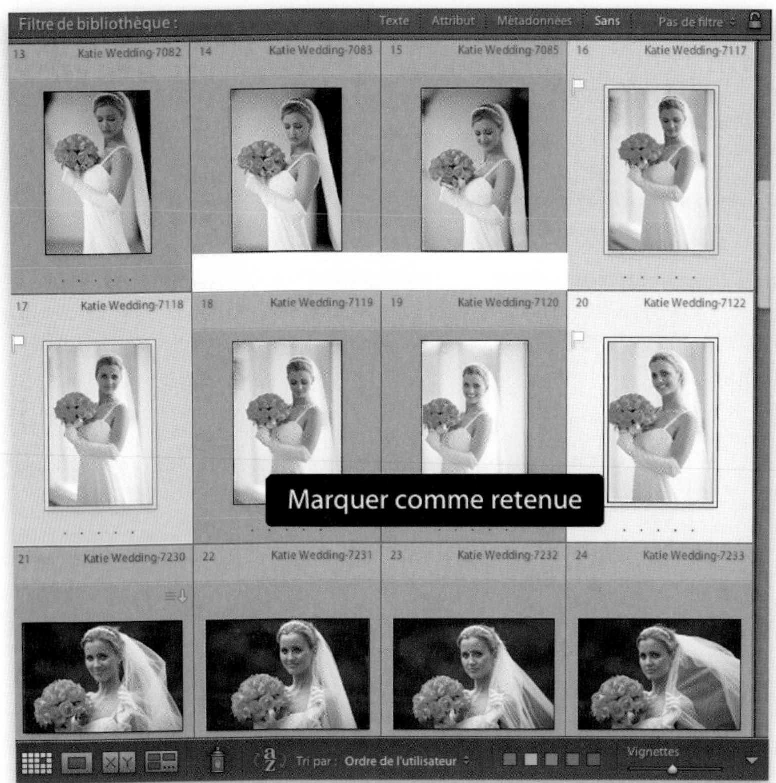

## Étape 14

Une fois votre sélection opérée, appuyez sur G pour revenir en mode Grille. Les images choisies sont sélectionnées dans ce mode. Appuyez alors sur P pour les marquer comme Retenue. Appuyez sur Cmd+D pour désélectionner vos images. Ensuite, recommencez l'opération pour comparer un autre groupe de photos. Par cette méthode, vous allez sélectionner toutes les images qui valent la peine d'être utilisées. Vous effectuez un tri des plus efficaces.

**INFO** Lorsque vous avez fini de créer une collection à partir de photos retenues, Lightroom enlève ces marqueurs automatiquement. C'est grâce à cette fonction que vous pouvez de nouveau assigner des marqueurs.

## Étape 15

Maintenant que vous avez marqué des images comme Retenue, vous devez trier votre collection. Ainsi, il sera facile de créer une autre collection ne contenant que ces photos. En haut de la zone d'aperçu, cliquez sur le mot Attribut. Ensuite, cliquez sur l'icône du drapeau blanc. La collection n'affiche plus que les photos marquées comme Retenue.

SCOTT KELBY

**Étape 16**

Appuyez sur Cmd+A (Ctrl+A) pour sélectionner toutes les images retenues. Appuyez sur Cmd+N (Ctrl+N) pour créer une collection. Ceci ouvre la boîte de dialogue Créer collection. Voici une astuce : donnez-lui le même nom que pour la précédente collection mais en remplaçant « Retenues » par « sélectionnées ». Ici, nous obtenons « Mariage Katie Sélectionnées ». Les collections sont classées par ordre alphabétique.

**Étape 17**

Nous disposons maintenant de deux collections : l'une contient les photos retenues et l'autre, les photos sélectionnées, c'est-à-dire celles qui seront utilisées pour illustrer cette cérémonie de mariage. Dans le panneau Collections, vous constatez que les deux collections sont situées l'une au-dessous de l'autre.

INFO Vous allez bientôt apprendre à créer des ensembles de collections de manière à classer différentes collections d'images issues d'une même session de prises de vue.

### Étape 18

Il existe une troisième méthode d'affichage que vous utiliserez dans des situations où vous devez retenir une seule photo, c'est-à-dire la meilleure de toutes (par exemple la photo d'une mariée prise en studio. Comme elle doit être publiée sur un blog, la perfection est exigée). Pour cela, utilisez la fonction Comparaison. Commencez par sélectionner les deux photos à comparer en utilisant Cmd+clic (Ctrl+clic). Ensuite, appuyez sur C pour basculer en mode Comparaison. Les deux photos sont placées l'une à côté de l'autre. Appuyez sur Maj+Tab pour masquer tous les panneaux. Vous disposez ainsi d'aperçus de grande dimension. Vous pouvez également passer en mode éteint en appuyant deux fois sur L.

### Étape 19

Sur la gauche, vous avez la photo qui vous intéresse, c'est-à-dire la championne toute catégorie, appelée « Sélectionner ». Sur la droite, vous avez son challenger, appelé Candidat. À vous de comparer ! Qui remporte le combat ? si l'image Sélectionner gagne, appuyez sur la flèche droite du clavier pour lui opposer un nouveau challenger. Ce challenger provient bien entendu de votre collection.

### Étape 20

Si le challenger remporte le combat, vous devez en faire l'image Sélectionner. Pour cela, cliquez sur le bouton X|Y (Permuter) de la barre d'outils affichant deux flèches pointant à gauche et à droite. Les photos échangent leur place, le Candidat devenant le Sélectionner. Je répète rapidement la procédure : sélectionnez deux photos et basculez en mode Comparaison en appuyant sur C. Si la photo de droite (Candidat) est moins bonne que celle de gauche (Sélectionner), appuyez sur la flèche droite du clavier. Si le Candidat est meilleur que le Sélectionner, cliquez sur le bouton X|Y (Permuter). Les deux images échangent leur place. Dès que votre meilleure image est choisie, c'est-à-dire que vos comparaisons sont finies, cliquez sur le bouton Terminer.

### Étape 21

Pour comparer vos images, vous pouvez également cliquer sur les flèches gauche et droite situées en bas à droite de l'interface. Si le Candidat se révèle meilleur que le Sélectionner, cliquez simplement sur le bouton X|Y orné d'une flèche gauche (Faire une sélection). Le Candidat prend la place du Sélectionner. Poursuivez alors vos comparaisons. Voici comment se déroule l'ensemble de ma procédure de comparaison.

1. Je zoome sur mon image principale pour savoir si je la marque ou non comme Retenue.

2. J'utilise le mode Ensemble pour comparer des images similaires.

3. J'utilise le mode Comparaison pour déterminer la meilleure photo.

*Substituez ce bouton aux flèches gauche et droite du clavier pour passer au Candidat suivant ou pour revenir au précédent.*

*Le bouton Permuter permet d'échanger la place du Candidat et du Sélectionner. Honnêtement, je n'utilise jamais ce bouton.*

*Utilisez la touche C ou le bouton Comparaison pour passer en mode de comparaison des images. Juste à sa droite, vous avez le bouton Ensemble.*

*Une fois la comparaison terminée, cliquez sur Terminer. Passez en mode Loupe (E), ou cliquez sur Comparaison pour revenir en mode Grille.*

### Étape 22

Une dernière chose sur le mode Comparaison : dès que j'ai choisi la meilleure photo, je ne crée pas une collection spécialement pour elle. Je marque cette image comme vainqueur en appuyant sur le chiffre 6 de mon clavier. Cette action assigne un libellé Rouge à cette photo.

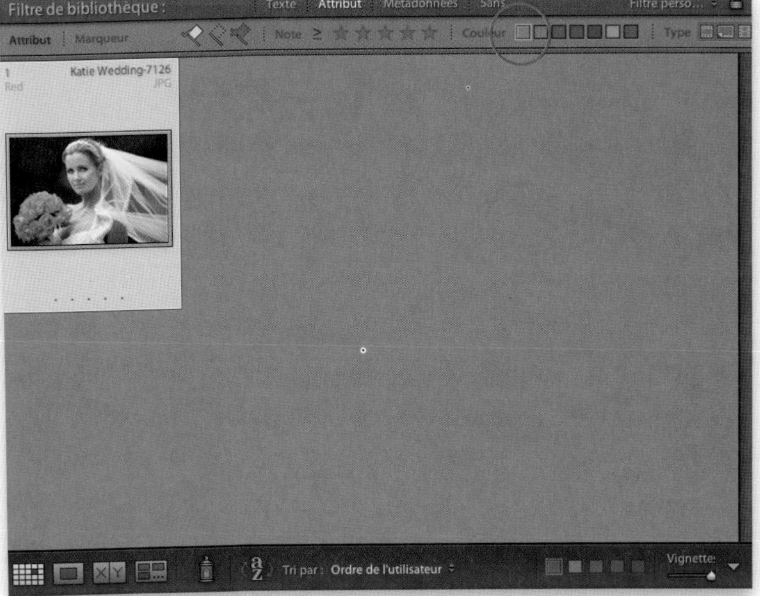


### Étape 23

Dès que je souhaite définir la meilleure image d'une série de prises de vue, j'affiche la Grille du module Bibliothèque. Ensuite, je clique sur Attribut dans la barre d'outils du module. Là, je clique sur le drapeau Rouge (libellé). J'obtiens alors l'image définie comme étant la meilleure de toutes. Voyons maintenant comment organiser des clichés dans plusieurs collections (comme un mariage ou des vacances).

# Utiliser des ensembles de collection

Si vous passez une semaine à New York et que vous photographiiez tous les jours, vous aurez probablement des collections portant des noms comme Time Square, Central Park, 5th Avenue, The Village, etc. Toutes ces collections vont encombrer le panneau Collections de Lightroom. Pour éviter cela, vous devez ranger vos collections dans des ensembles. Ainsi, l'ensemble New York contiendra toutes les collections d'images prises dans cette ville.

**Étape 1**

Pour créer un ensemble de collections, il suffit de cliquer sur le signe + du panneau Collections. Là, choisissez Créer ensemble de collections. Ceci ouvre la boîte de dialogue éponyme. Assignez un nom à l'ensemble. Dans cet exemple, nous allons utiliser plusieurs photos d'un mariage. J'appelle cet ensemble « Patterson Mariage » (pour l'ordre alphabétique). Laissez le menu local Ensemble sur Sans, et cliquez sur Créer.

**Étape 2**

Cet ensemble vide apparaît dans le panneau Collections. Pour y placer une collection, il suffit de cliquer préalablement sur cet ensemble. Ensuite, cliquez sur le signe + du panneau, et choisissez Créer collection. Cette fois, la boîte de dialogue montre que la nouvelle collection sera créée dans l'ensemble sélectionné, en l'occurrence Patterson Mariage. Si vous oubliez de sélectionner un ensemble, choisissez-le tout simplement dans le menu local Ensemble de cette boîte de dialogue.

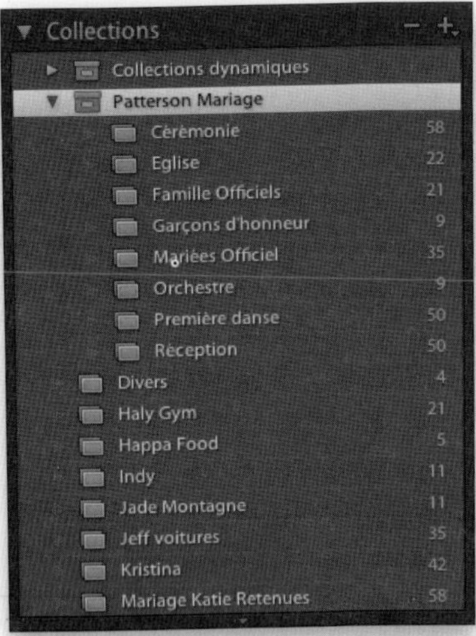


*Voici un ensemble de collection ouvert.*

*La même collection réduite.*

**Étape 3**

Lorsque vous regardez dans le panneau Collections, vous voyez les collections qui ont été ajoutées à l'ensemble Patterson Mariage. Pour ce genre d'événement, vous voyez qu'il est important de créer des collections pour chaque situation précise. Ainsi, vous retrouverez très vite des photos illustrant un moment particulier de la cérémonie. Vous pouvez glisser-déposer des collections dans des ensembles de collections directement depuis ce panneau.

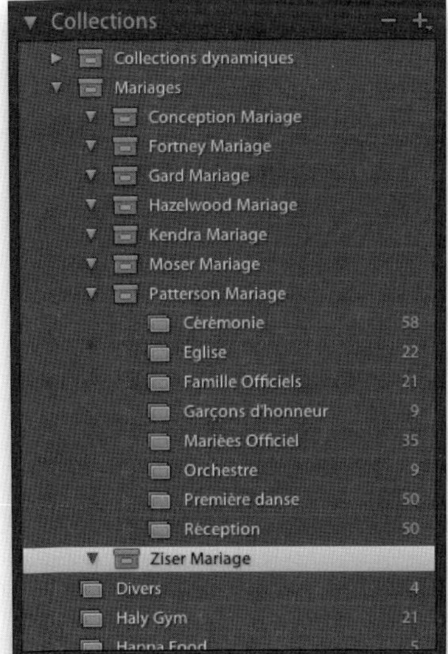


*Voici tous les mariages regroupés dans l'ensemble de collections Mariages. Pour afficher les collections contenues dans des collections, il suffit de les développer en cliquant sur leur triangle.*

**Étape 4**

Il est tout à fait possible de créer un ensemble de collections dans un autre ensemble de collections. Créez votre premier ensemble. Dans le menu local Ensemble, choisissez l'ensemble de collections dans lequel celui-ci va prendre place. Dans mon exemple, pour ne pas surcharger le panneau Collections, je crée un ensemble Mariages. J'y place alors par glisser-déplacer, ou par la création de nouveaux ensembles directement dans cet ensemble, toutes mes collections de photos de mariage.

# Organisation automatique avec des collections dynamiques

Supposons que vous souhaitiez créer une collection pour vos photos de mariage comprenant cinq étoiles. Soit vous les recherchez dans vos collections, soit vous disposez de collections dynamiques qui vont faire le travail pour vous. Il suffit de déterminer un critère et Lightroom rassemble automatiquement, en quelques secondes, toutes les images convoitées. Mieux encore ! Les collections dynamiques peuvent se mettre à jour en temps réel. Alors, dès qu'une photo se voit attribuer cinq étoiles (notre exemple), elle est automatiquement répertoriée dans la ou les collections dynamiques correspondantes.

### Étape 1

Pour comprendre la puissance de cette fonction, créez une collection dynamique qui, par exemple, va regrouper vos plus belles photos de paysages. Dans le panneau Collections, cliquez sur le signe + et choisissez Créer collection dynamique. Dans la boîte de dialogue qui s'affiche, attribuez un nom à cette collection. Dans le menu local Ensemble, choisissez Sans. Dans le menu local Correspond à, optez pour « toutes les ». Maintenant, vous devez créer une collection qui va réunir les images à cinq étoiles stockées dans la collection Sélectionnées. Donc, dans le menu local choisissez Collection, puis dans le second optez pour Contient. Dans le champ, tapez Sélectionnées. Cette collection est maintenant définie pour rassembler toutes les photos de vos collections Sélectionnées.

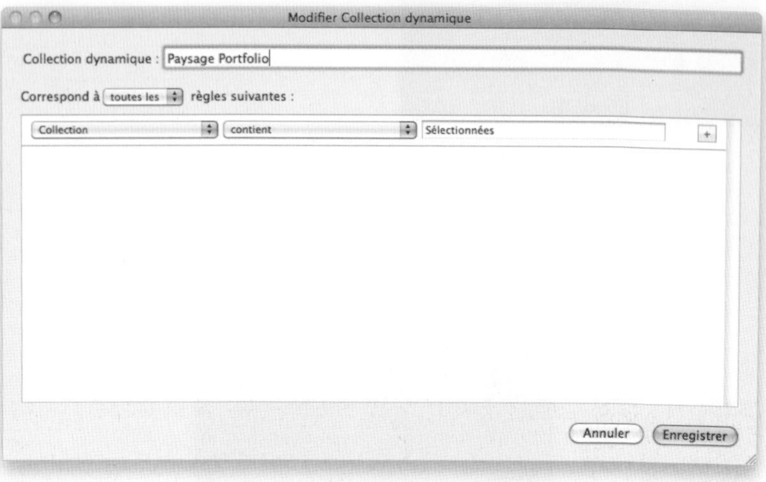


### Étape 2

Définissez un second critère au cas où vous libelliez en rouge une photo Sélectionnées en oubliant de la placer dans cette collection. Cliquez sur le signe + de cette boîte de dialogue. Dans le premier menu local, choisissez Couleur de libellé. Dans le second menu local choisissez est, et dans le troisième sélectionnez rouge. Cette collection dynamique regroupera toutes les photos de la collection Sélectionnées, ainsi que toutes les photos ayant un libellé rouge.

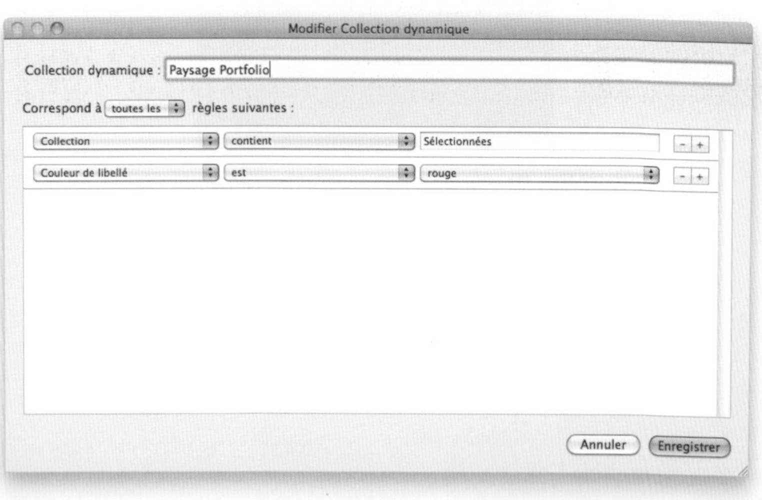

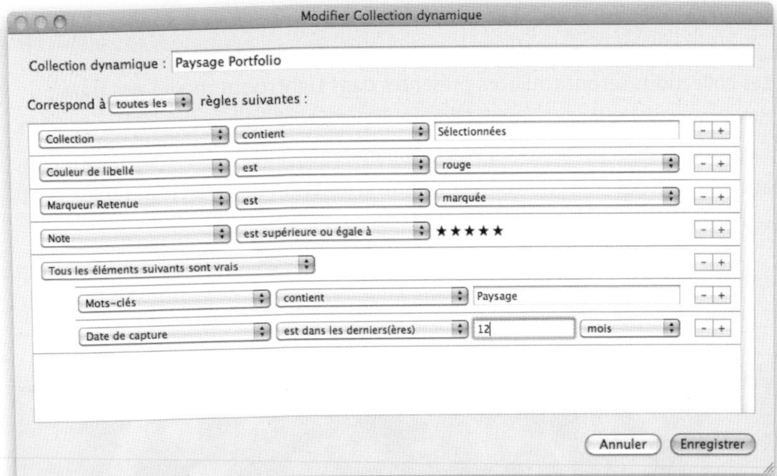


### Étape 3

Si vous avez marqué des images comme Retenues et assigné des étoiles à d'autres, ajoutez ces critères à votre collection dynamique (voir ci-contre). Maintenant, limitez vos recherches. Maintenez la touche Option (Alt) enfoncée (+ devient #) et cliquez sur le dernier bouton #. Dans le premier menu local, choisissez Tous les éléments suivants sont vrais. Dans le premier menu local, choisissez Mots-clés. Dans le second laissez Contient, et dans le champ tapez « Paysage ». Créez une ligne supplémentaire. Dans le premier menu local, choisissez Date de capture, dans le second, est dans les derniers(ères), puis définissez 12 mois.

SCOTT KELBY

### Étape 4

Maintenant, cliquez sur le bouton Créer. Lightroom récupère toutes les photos répondant à vos critères et les répertorie dans cette collection dynamique. Les photos antérieures aux douze derniers mois sont automatiquement supprimées de la collection. Si vous retirez le libellé Rouge à une photo, elle sera automatiquement enlevée de la collection dynamique. Pour modifier les critères d'une collection de ce type, double-cliquez sur son nom. La boîte de dialogue Modifier collection dynamique apparaît. Ajoutez des critères en cliquant sur les boutons +, ou supprimez-en en cliquant sur le bouton –.

# Utiliser une collection rapide

Les collections seront toujours présentes dans Lightroom même des mois ou des années après leur création. Elles ne disparaissent que si vous les supprimez. Cependant, dans certains cas, vous souhaiterez accéder à des images sans pour autant créer des collections. C'est ici que la fonction de collection rapide peut se révéler intéressante.

**Étape 1**

J'utilise souvent les collections rapides pour regarder des images provenant de multiples collections. Par exemple, une collection rapide va me permettre de montrer à un client potentiel toutes mes photos récentes de football. Pour créer une collection rapide, il suffit d'afficher une photo appartenant à une collection (ou pas), puis d'appuyer sur la lettre B. Une incrustation indique que l'image a été ajoutée à une collection rapide.

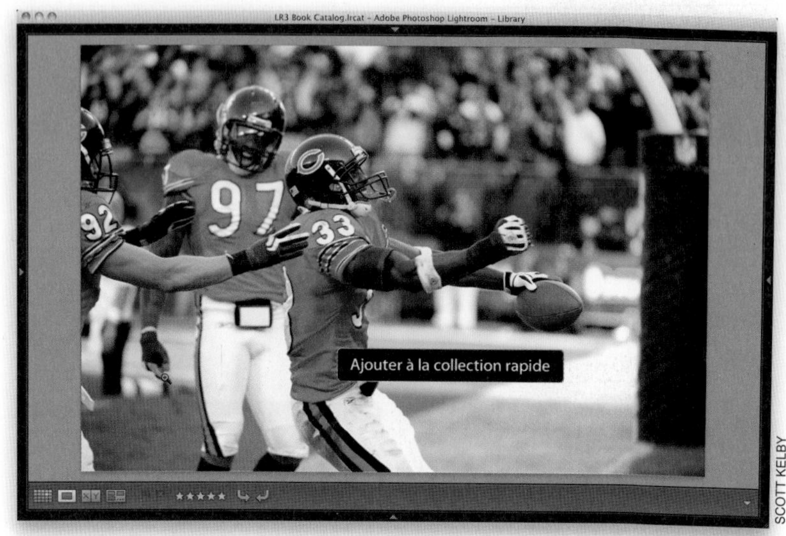


**Étape 2**

Ensuite, je vais dans une autre collection de clichés sur le football. J'affiche les images et j'appuie sur B dès que j'en vois une qui me plaît. Il est possible d'ajouter des photos à une collection rapide en cliquant sur le petit cercle situé dans le coin supérieur droit de chaque vignette affichée en mode Grille. Si vous souhaitez masquer cette incrustation, appuyez sur Cmd+J (Ctrl+J), et décochez l'option Marqueurs de collection rapide.

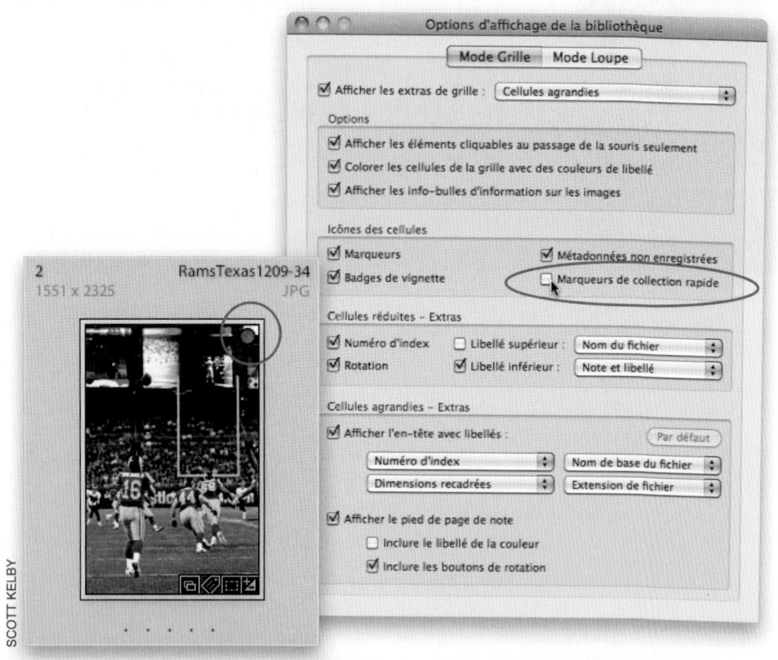

SCOTT KELBY

### Étape 3

Pour afficher les photos d'une collection rapide, ouvrez le panneau Catalogue et cliquez sur Collection rapide. Seules les photos sélectionnées sont présentes dans cette collection. Pour enlever une photo de cette collection, cliquez dessus et appuyez sur la touche Retour arrière du clavier. L'image d'origine n'est pas supprimée. Seule sa référence est retirée de la collection rapide.

SCOTT KELBY

### Étape 4

Appuyez sur Cmd+Entrée (Ctrl+Entrée). Le contenu de la collection rapide se diffuse en un superbe diaporama plein écran. Le diaporama reprend les paramètres du module éponyme de Lightroom. Pour arrêter la lecture, appuyez sur Esc (Échap).

**Astuce : Sauvegarder votre collection rapide** Si votre collection rapide vous plaît beaucoup, sauvegardez-la en cliquant dessus du bouton droit de la souris. Dans le menu contextuel, exécutez la commande Enregistrer la collection rapide. Dans la boîte de dialogue qui apparaît, nommez cette collection, et cliquez sur Enregistrer. Votre collection ainsi sauvegardée devient une collection standard présente dans le panneau Collections.

# Recherches avancées avec des mots-clés

Il est facile de retrouver des images dans Lightroom. Des photos de New York ? Cliquez sur cette collection ! Mais comment faire pour n'afficher que les photos de l'Empire State Building ? et encore uniquement celles prises de nuit ? Cela devient plus complexe, non ? Eh bien, pas du tout ! Voyons cela.

**Étape 1**

Avant de commencer, je tiens à préciser que peu d'utilisateurs auront besoin de définir un système de mots-clés aussi complexe que le mien. Je suis photographe professionnel, ce qui explique cette complexité. Lightroom facilite la création des mots-clés grâce au panneau éponyme. Quand vous cliquez sur une photo, une liste de mots-clés déjà assignés apparaît dans le panneau. Ci-contre, vous constatez que l'image sélectionnée contient les mots-clés Indy, Course et Circuit.

**Étape 2**

J'ai balisé la photo sélectionnée avec trois mots-clés génériques – Indy, Course et Circuit. Pour ajouter un autre mot-clé, cliquez dans le champ Cliquer ici pour saisir des mots-clés. Séparez vos mots-clés avec des virgules. Ensuite, appuyez sur Entrée. Ici, vous voyez que j'ai ajouté les mots-clés Gros plan, #18 et Arrêt au stand.

SCOTT KELBY

### Étape 3

Le panneau Mots-clés est idéal pour ajouter un mot-clé à plusieurs photos en une seule opération. Si vous avez soixante-dix photos des séances d'essai d'une course d'Indy Car, vous pouvez toutes les sélectionner en maintenant la touche Maj enfoncée et en cliquant sur la première et la dernière image de la série. Ensuite, tapez des mots-clés ou bien cliquez dessus dans la section Suggestions de mots-clés.

### Étape 4

Pour ajouter des mots-clés à quatre ou cinq photos d'un pilote particulier, par exemple, vous pouvez passer par le panneau Mots-clés. En revanche, dès que vous dépassez la vingtaine d'images, essayez l'outil Peinture. Il se situe dans la barre d'outils du mode Grille. Commencez par cliquer sur l'outil Peinture. Dans le menu local Peindre, vérifiez que Mots-clés est bien mentionné. Dans le champ Entrer les mots-clés ici, tapez les mots-clés (comme Danica Patrick, Motorola) correspondant aux photos.

### Étape 5

Faites défiler vos photos. Chaque fois que vous voyez une vignette avec le pilote Danica Patrick, cliquez dessus. Vous y « peignez » le ou les mots-clés. Lorsque vous cliquez, le contour de la vignette apparaît en surbrillance. Une incrustation confirme l'ajout des mots-clés. Pour appliquer des mots-clés à plusieurs images qui se suivent, maintenez le bouton de la souris enfoncé et faites glisser l'outil Peindre sur les vignettes en question. Une fois que vous avez terminé, cliquez là où se situait l'outil quand vous l'avez activé, c'est-à-dire dans la barre d'outils située sous les vignettes.

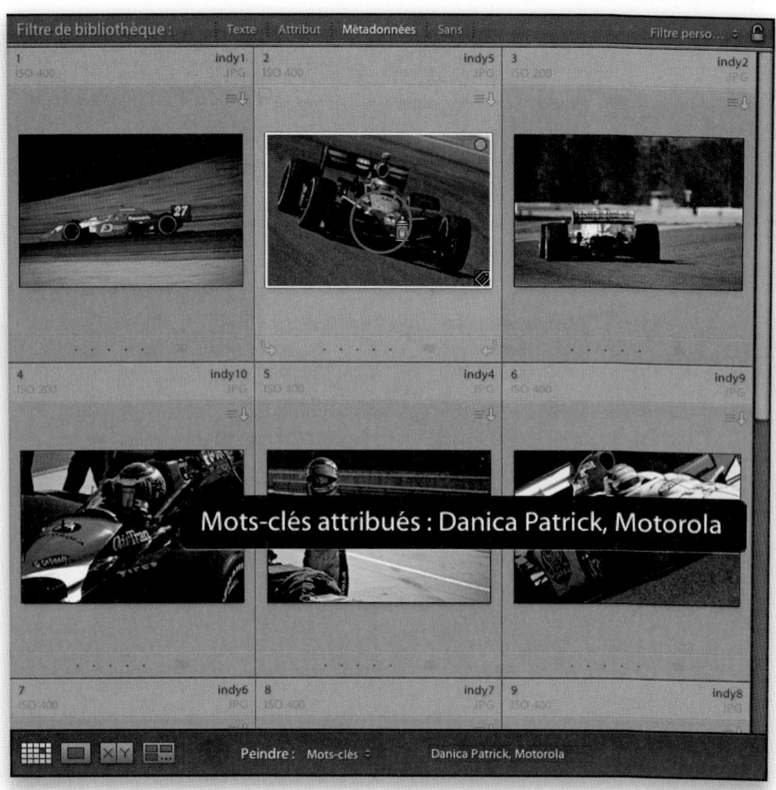


**Astuce : Créer des ensembles de mots-clés**

Si vous utilisez souvent les mêmes mots-clés, facilitez-vous la tâche avec des ensembles. Commencez par saisir vos mots-clés dans le champ Cliquer ici pour saisir des mots-clés. Une fois la liste créée, ouvrez le menu local Ensemble de mots-clés, et choisissez Enregistrer les paramètres actuels en tant que nouveau paramètre prédéfini. Dans la boîte de dialogue qui s'affiche, nommez votre ensemble, et cliquez sur Enregistrer. Le nom de l'ensemble s'affiche dans le menu local.

### Étape 6

Vous disposez aussi d'un panneau nommé Liste des mots-clés. Il contient tous les mots-clés importés et créés. À droite de chaque mot-clé figure le nombre de fois où il a été assigné. Si vous placez le pointeur de la souris sur un mot-clé de la liste, une flèche blanche s'affiche sur la droite. Cliquez dessus pour afficher uniquement les photos comprenant ce mot-clé. Ici, je clique sur Danica Patrick, ce qui n'affiche que trois images puisque je n'ai attribué ce mot-clé qu'à trois photos.

### Étape 7

La liste des mots-clés peut très vite devenir immense. Vous devez donc l'organiser en sous-mots-clés. Par exemple, vous définissez un mot-clé principal comme Indy qui contiendra des sous-mots-clés comme Course, Sports mécaniques, etc. La liste des mots-clés est très puissante dans le tri des images. Ainsi, lorsque vous cliquez sur un mot-clé principal, vous affichez les images qui contiennent ce mot-clé mais aussi tous ses sous-mots-clés. En revanche, si vous cliquez sur un sous-mot-clé comme Course, vous n'affichez que les images ayant le mot-clé Course.

**Astuce : Glisser-déposer des mots-clés**

Vous pouvez assigner des mots-clés depuis la Liste des mots-clés. Il suffit de sélectionner un ou plusieurs d'entre eux puis de les glisser-déposer sur des photos. Pour supprimer un mot-clé d'une photo, ouvrez le panneau Mots-clés, et effacez directement le mot-clé dans le champ où tous les mots-clés attribués sont affichés. Pour effacer définitivement un mot-clé, sachant alors qu'il disparaîtra des photos et de la Liste des mots-clés, cliquez dessus dans la Liste des mots-clés pour le sélectionner puis sur le bouton – (signe moins) du panneau Liste des mots-clés.

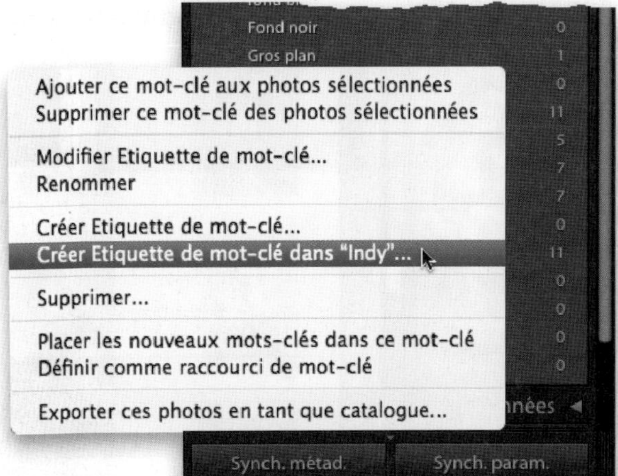


### Étape 8

Pour ajouter un mot-clé à un mot-clé principal, glissez-déposez-le directement sur ce mot-clé dans le panneau Liste des mots-clés. Si le mot-clé que vous désirez ajouter n'existe pas, commencez par faire un clic-droit sur le mot-clé principal. Dans le menu contextuel qui apparaît, exécutez Créer étiquette de mot-clé dans « <mot-clé principal> ». Tapez le mot-clé, et cliquez sur Créer. Pour masquer les sous-mots-clés, cliquez sur le triangle situé à gauche du mot-clé principal.

# Renommer des photos déjà répertoriées dans Lightroom

Au Chapitre 1, vous avez appris à renommer des images au moment de leur importation. Que faire si des photos sont déjà sur votre ordinateur et portent des noms aussi peu évocateurs que « _DSC0035.jpg » ? Découvrez la procédure de changement de noms de fichiers existants.

### Étape 1

Cliquez sur une collection de photos que vous désirez renommer. Appuyez sur Cmd+A (Ctrl+A) pour tout sélectionner. Dans le menu Bibliothèque, cliquez sur Renommer les photos. La boîte de dialogue éponyme s'affiche. Ouvrez le menu local, et choisissez Modifier. Là, définissez la dénomination des fichiers comme nous l'avons fait lors de l'importation. J'ai choisi Texte personnalisé et N° de séquence (001). Revenu dans la boîte de dialogue Renommer photos, je tape le nouveau nom dans le champ Texte personnalisé. Je débute la numérotation à 1.

### Étape 2

Cliquez sur OK. Il ne faut que quelques secondes pour renommer les photos. Renommer les photos est essentiel pour les retrouver aisément, mais aussi pour les envoyer par e-mail à un client à des fins d'approbation de votre travail.

# Ajouter des informations de copyright, des libellés, et autres métadonnées

Votre appareil photo numérique incorpore de nombreuses données dans vos photos comme la marque et le modèle de votre appareil, le type d'objectif utilisé et si vous avez ou non employé le flash. Lightroom peut rechercher des photos en se fondant sur ces données appelées EXIF. Bien entendu, vous pouvez incorporer vos propres informations dans les fichiers comme le copyright, ou des libellés.

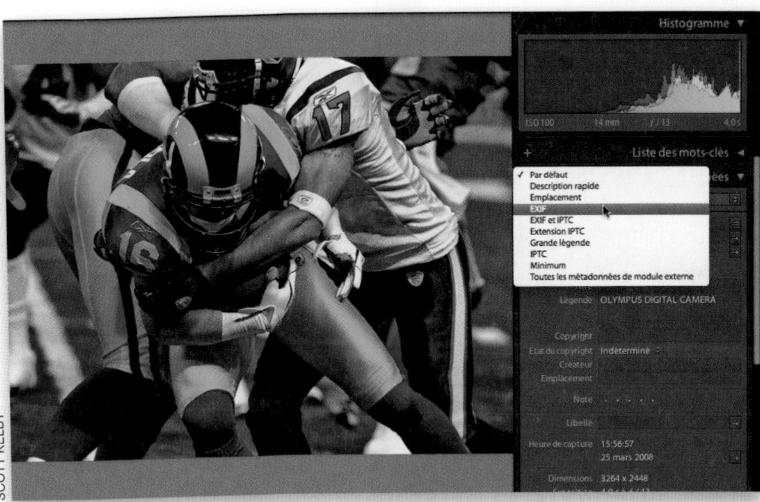


SCOTT KELBY

## Étape 1

Vous affichez les métadonnées d'une photo *via* le panneau Métadonnées. Par défaut, ce panneau affiche un patchwork de données. Vous obtenez des informations comme les dimensions de l'image, les notes attribuées, les libellés que vous avez ajoutés dans Lightroom. Pour ne voir que les données incorporées par l'appareil, ouvrez le menu local Métadonnées affichant Par défaut, et choisissez EXIF. Si vous souhaitez afficher toutes les informations, optez pour EXIF et IPTC.

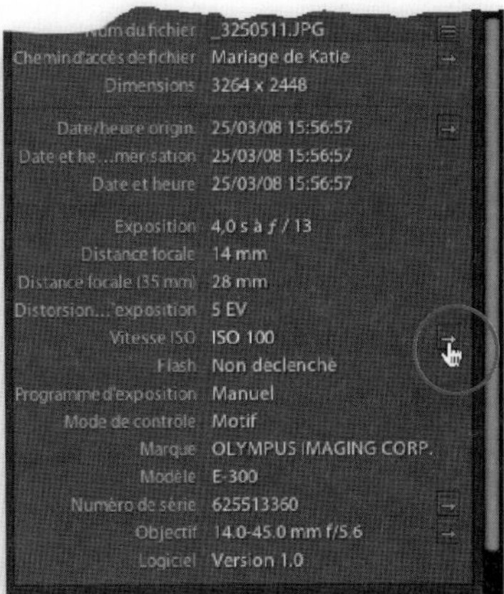


**Astuce : Obtenir plus d'informations**

En mode Grille, vous constatez qu'une flèche apparaît à droite de certaines métadonnées. Il s'agit d'un lien renvoyant vers des informations. Par exemple, faites défiler le contenu des données EXIF et localisez le champ Vitesse ISO. Si vous placez le pointeur de la souris sur la petite flèche, un message indique qu'en cliquant dessus vous afficherez uniquement les photos ayant été prises avec cette valeur ISO précise, en l'occurrence 4 000.

**Étape 2**

Bien que vous ne puissiez pas modifier les données EXIF incorporées par l'appareil, vous pouvez ajouter vos informations personnelles. Par exemple, pour ajouter des libellés, revenez à l'affichage des métadonnées Par défaut, et cliquez dans le champ Libellé. Commencez à taper le contenu (comme ci-contre). Une fois que vous avez terminé, validez le libellé en appuyant sur Entrée. Vous pouvez également ajouter des étoiles ou des légendes directement dans ce panneau.

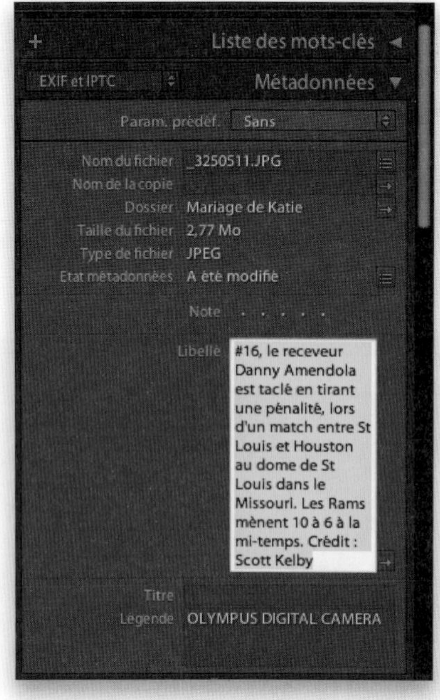


**Étape 3**

Si vous avez créé un modèle de copyright que vous n'avez pas appliqué lors de l'importation des photos, faites-le maintenant. Choisissez-le dans le menu local Paramètre prédéfini du panneau Métadonnées. Si vous n'avez pas de modèle, tapez vos informations personnelles manuellement. Faites défiler le contenu du panneau jusqu'à ce que vous localisiez la section Copyright. Saisissez-y vos informations. Choisissez le statut du copyright dans le menu local État du copyright (ici : Protégé par un copyright). Les informations ainsi tapées sont automatiquement appliquées à toutes les photos sélectionnées.

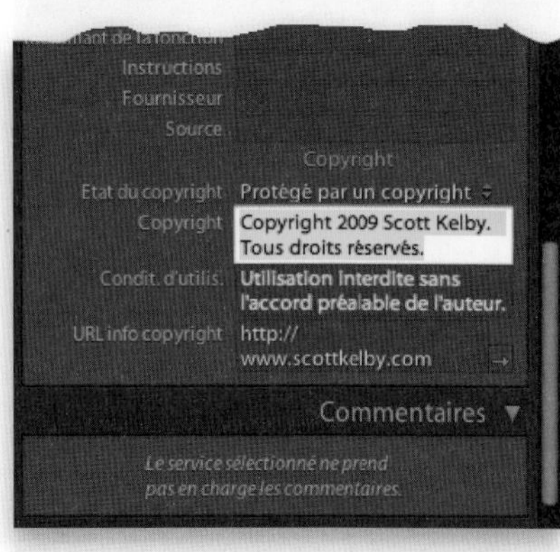


**INFO** Ces métadonnées ajoutées sont stockées dans la base de données de Lightroom. Lorsque vous exportez vos photos depuis Lightroom, ces métadonnées sont incorporées à vos fichiers (avec les informations sur la modification des couleurs et l'édition des images). Cela est différent lorsque vous travaillez avec des fichiers Raw.

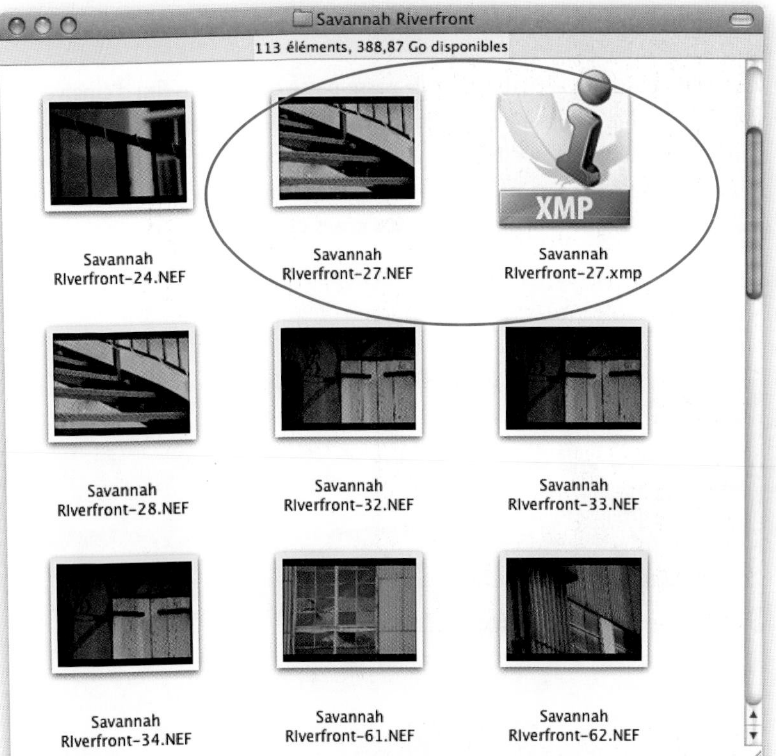


**Étape 4**

Si vous désirez donner vos fichiers Raw d'origine à un client ou à un collègue, les informations de modification des images et les métadonnées saisies dans Lightroom ne seront pas accessibles. En effet, elles sont inscrites dans un fichier annexe XMP. Vous devez donc fournir ce fichier avec les images. Pour générer les fichiers annexes XMP, vous devez appuyer sur Cmd+S (Ctrl+S). Si vous consultez le dossier dans lequel les fichiers sont stockés, vous y verrez vos fichiers Raw aux côtés desquels trônent des fichiers XMP. Envoyez ces deux fichiers au destinataire de vos images.

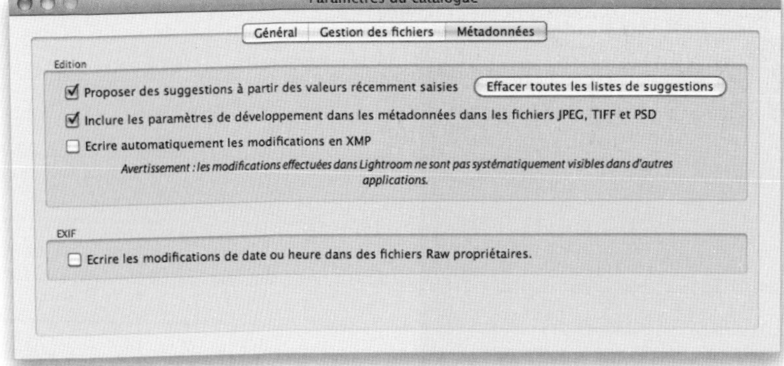


**Étape 5**

Maintenant, si vous convertissez votre fichier Raw en fichier DNG lors de l'importation, puis que vous appuyiez sur Cmd+S (Ctrl+S), les informations ainsi générées sont incorporées au fichier DNG. Il n'y a donc pas de fichier annexe XMP à fournir. Vous pouvez configurer Lightroom pour qu'il écrive automatiquement, dans un fichier annexe XMP, les modifications que vous apportez à vos fichiers Raw. Il suffit d'ouvrir la boîte de dialogue Paramètres du catalogue et de cocher l'option Écrire automatiquement les modifications XMP.

## Épater vos amis avec la fonction GPS

Vous allez réussir un véritable tour de passe-passe qui n'a pas fini d'émerveiller vos amis. Il suffit d'utiliser les fonctionnalités GPS de votre appareil photo numérique, ou bien d'investir dans un GPS pour appareil photo numérique. Dès lors, un seul clic sera nécessaire pour que Lightroom localise avec une précision diabolique le lieu même de vos prises de vue.

**Étape 1**

Importez dans Lightroom une photo qui a été prise avec un appareil disposant de fonctionnalités GPS. Si votre appareil n'a pas ce genre de fonction, vous pouvez peut-être lui adjoindre le GPS Sony CS1KASP.

SCOTT KELBY

**Étape 2**

Dans le module Bibliothèque, affichez le contenu du panneau Métadonnées. En bas de la section EXIF, vous trouverez la métadonnée GPS si votre appareil photo numérique dispose de cette fonctionnalité.

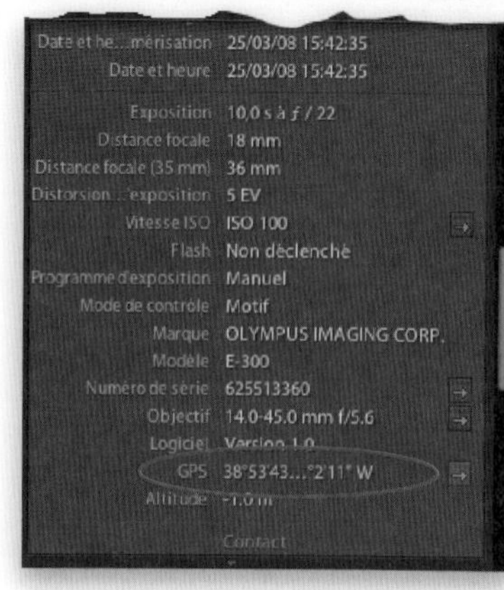

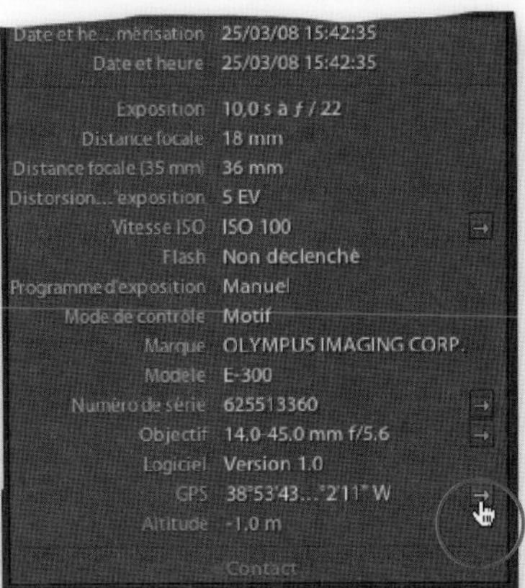


## Étape 3

C'est maintenant que la magie va opérer. Attendez-vous à entendre des bruits de mâchoire fracassant le plancher. Cliquez sur la petite flèche située à droite de GPS.

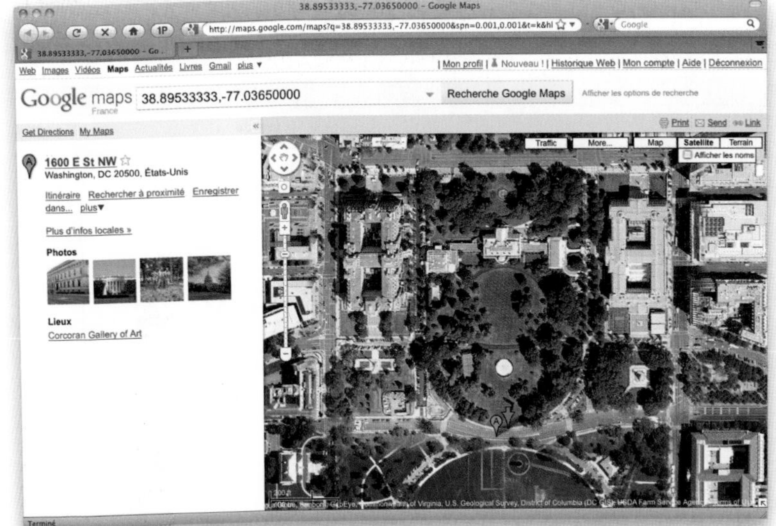


## Étape 4

Si vous êtes connecté à Internet, Lightroom exécute immédiatement votre navigateur web. Il se connecte alors à Google Maps et affiche la localisation exacte de votre prise de vue. Étonnant, non ? est-ce bien utile ? Je ne crois pas ! Mais qu'est-ce que c'est épatant !

# Trouver rapidement des photos

Un des objectifs poursuivis par Lightroom est de nous permettre de retrouver rapidement n'importe quelle photo. C'est en ce sens que nous assignons des mots-clés et renommons nos images.

### Étape 1

Avant de lancer une recherche, indiquez à Lightroom où il doit l'effectuer. Ainsi, pour rechercher dans une collection, allez dans le panneau Collections. Ensuite, cliquez sur la collection concernée. Si vous désirez parcourir tout le catalogue de vos photos, portez votre attention sur le chemin d'accès situé au-dessus du film fixe. Cliquez dessus sans relâcher le bouton de la souris. Dans le menu local, choisissez Toutes les photos.

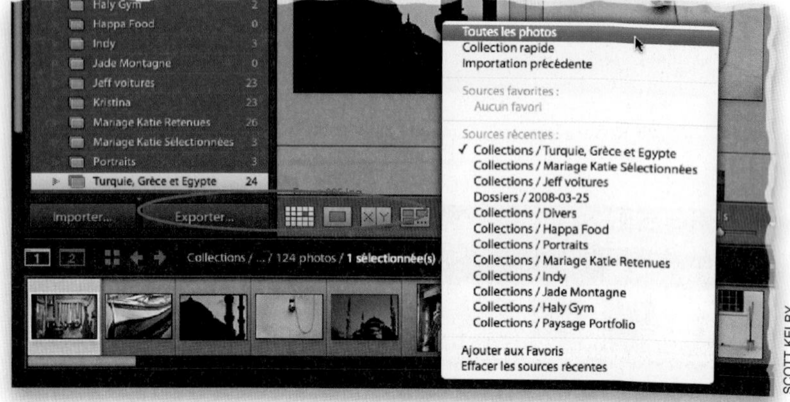


### Étape 2

Lancez la recherche en appuyant sur Cmd+F (Ctrl+F). Ceci ouvre la barre de filtre de la Bibliothèque. Tapez des mots qui sont dans les mots-clés, les métadonnées EXIF, les légendes, etc. Dès que Lightroom identifie une image répondant à un ou à plusieurs termes, il l'affiche. Pour restreindre la recherche, vous pouvez choisir Légende ou Mots-clés dans le menu local Texte.

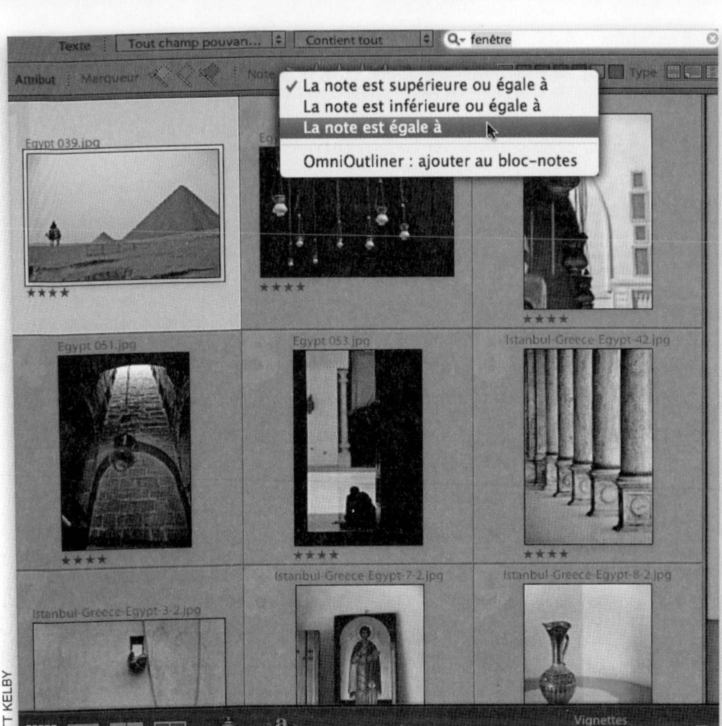


SCOTT KELBY

## Étape 3

Vous pouvez aussi effectuer des recherches par attributs. Pour cela, cliquez sur le mot Attribut de la section Filtre de bibliothèque. Bien que vous connaissiez le fonctionnement des attributs, je me dois de préciser ici quelques petites choses : si vous cliquez sur la quatrième étoile, vous affichez les images ayant quatre et cinq étoiles. Pour ne voir que celles qui ont quatre étoiles, maintenez le bouton de la souris enfoncé sur le signe ≥ situé à droite de Note. Dans le menu local, choisissez la note est égale à.

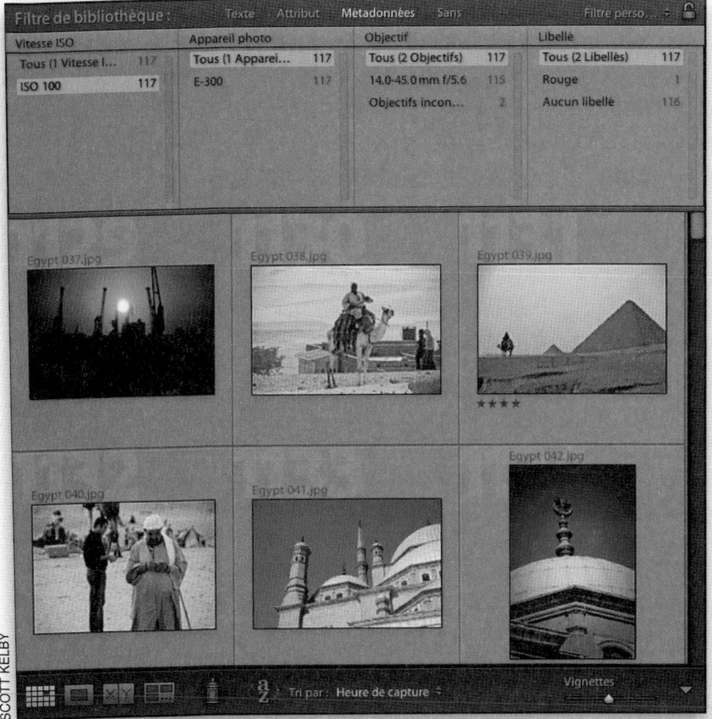


SCOTT KELBY

## Étape 4

Il est également possible de lancer des recherches sur les métadonnées. Ainsi, vous pourrez retrouver toutes les photos prises avec tel type d'objectif, ou bien celles qui ont une vitesse ISO spécifique. Pour cela, cliquez sur le terme Métadonnées de la section Filtre de bibliothèque. Dans la série de colonnes qui fait son apparition, vous pouvez rechercher par date, marque et modèle de l'appareil, objectifs, ou encore libellé comme ci-contre. Bien que cette fonction soit impressionnante, je me demande qui peut se rappeler une photo prise tel jour avec tel objectif. Tout cela pour conclure que la recherche en fonction des métadonnées n'est à utiliser qu'en dernier recours.

### Étape 5

Vous changez le libellé des colonnes, donc les métadonnées utilisées pour la recherche en cliquant sur l'en-tête de colonne. Dans le menu local, choisissez le type de métadonnées sur lequel vous désirez effectuer la recherche.

#### Date

Si vous vous souvenez de l'année à laquelle la photo recherchée a été prise, affichez la colonne Date. Cliquez sur l'année. Vous y trouverez certainement votre photo. Pour restreindre cette recherche, cliquez sur la flèche située à gauche de l'année. Vous pouvez alors chercher par mois, puis par jour.

#### Appareil photo

Si vous ne vous souvenez pas de l'année mais qu'en revanche vous n'ayez pas oublié le boîtier utilisé, faites votre recherche dans la colonne Appareil photo. Cliquez sur le modèle d'appareil correspondant. Toutes les photos prises avec lui s'afficheront.

#### Objectif

Si le cliché a été pris au grand-angle, choisissez cet objectif dans la colonne éponyme, comme fisheye. Ceci permet de trier les photos prises avec des objectifs spéciaux.

#### Libellé

Cette colonne va permettre, par exemple, de retrouver uniquement les meilleures photos prises avec votre fisheye.

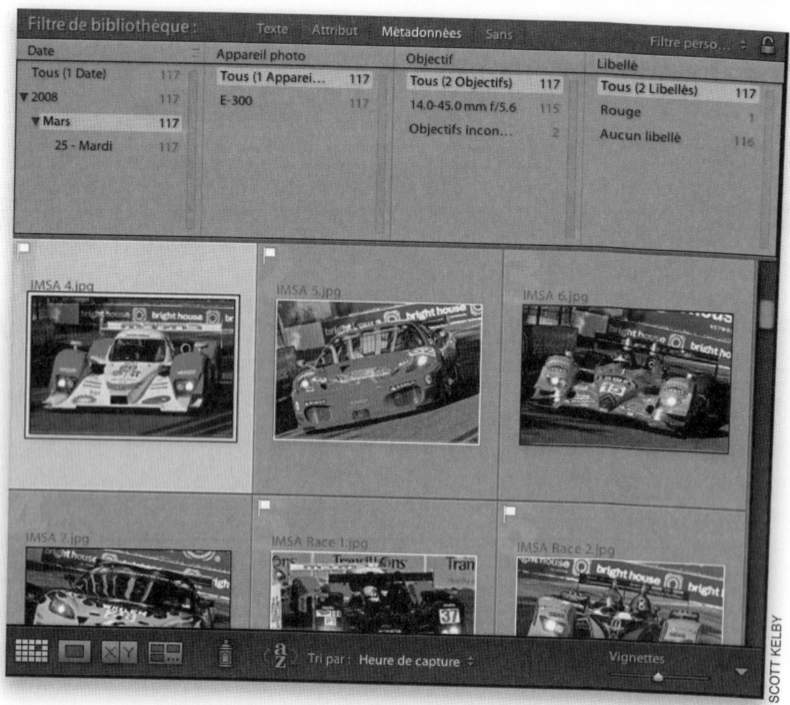


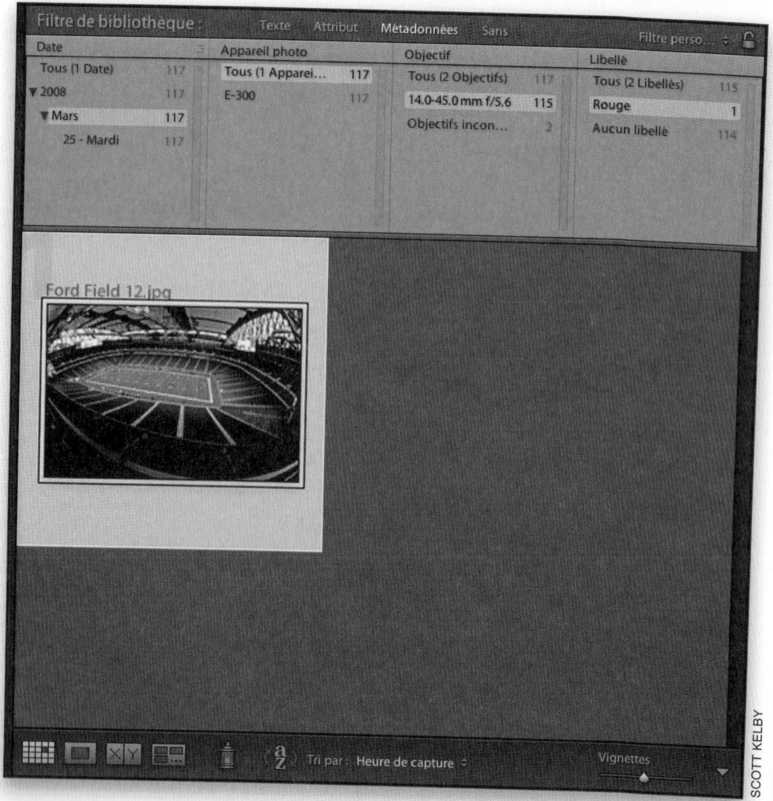

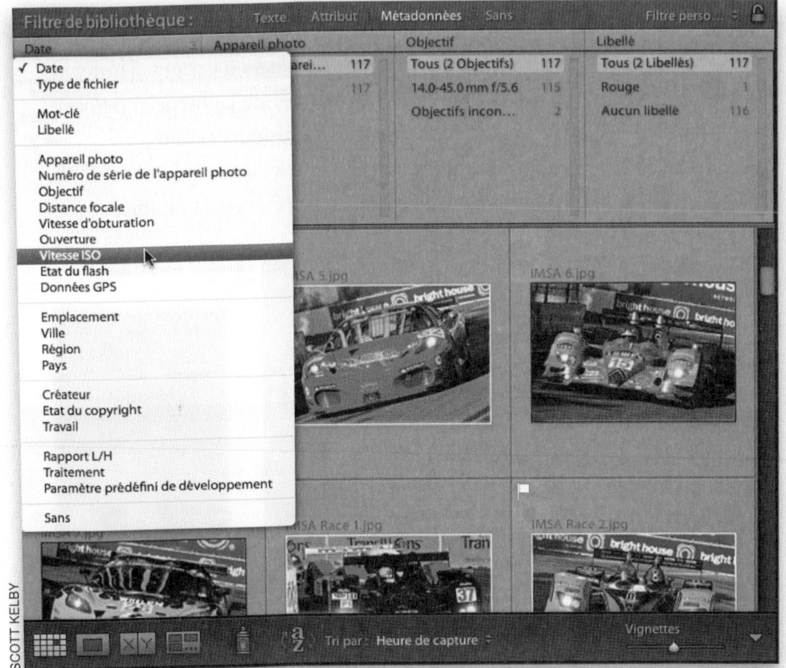


## Étape 6

Supposons que vous vouliez effectuer une recherche non pas par date, mais plutôt en condition de faible éclairage. Dans ce cas, effectuez une recherche sur la sensibilité ISO. Cliquez sur l'en-tête de colonne Date. Dans le menu local, choisissez Vitesse ISO. Il suffit alors de cliquer sur la valeur ISO convoitée pour afficher uniquement les photos concernées. Vous avez aussi la possibilité de rechercher des photos prises par une personne précise. Pour cela, choisissez la métadonnée Créateur.

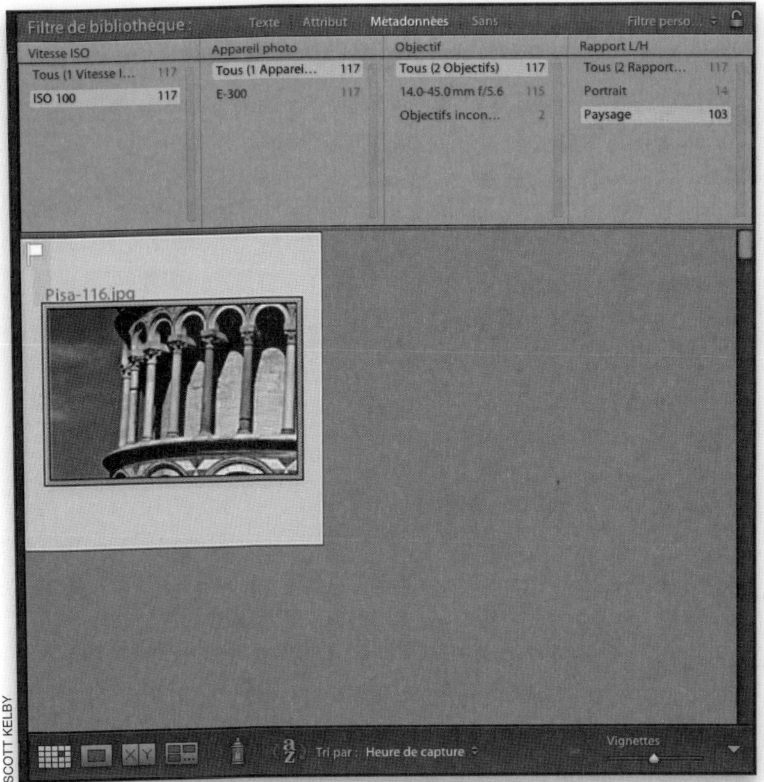


## Étape 7

Vous pouvez restreindre donc préciser davantage l'objet de votre recherche. Pour cela, il suffit d'appuyer sur la touche Cmd (Ctrl) et de cliquer sur les termes Texte, Métadonnées et Attribut. Vous pourrez alors trouver des photos correspondant à des mots-clés spécifiques, ayant un libellé Rouge, prises en 800 ISO avec un Nikon D5000, et un objectif 70-300 mm, en mode Paysage. Vous pouvez enregistrer ces critères par un clic sur le menu local Filtre personnalisé, en haut à droite de l'interface.

# Créer et utiliser plusieurs catalogues

Lightroom est conçu pour gérer des dizaines de milliers d'images. Toutefois, plus votre catalogue grossit et plus les performances de Lightroom peuvent diminuer. Heureusement, il est possible de créer plusieurs catalogues et de passer de l'un à l'autre quand bon vous semble. Vous créerez ainsi des catalogues de tailles plus modestes de manière à préserver la rapidité de Lightroom.

**Étape 1**

Vous travaillez sur un catalogue créé par Lightroom lors de son tout premier démarrage. Voici comment créer, par exemple, un nouveau catalogue destiné à vos photos de voyage, de famille ou de sports : dans le menu Fichier, exécutez la commande Nouveau catalogue. Dans la boîte de dialogue Créer un dossier avec un nouveau catalogue, donnez un nom à ce catalogue dans le champ Enregistrer sous, puis choisissez un dossier de stockage. J'opte pour le dossier Lightroom, dans lequel je stocke tous mes catalogues. Cliquez sur Créer.

SCOTT KELBY

**Étape 2**

Lightroom ferme votre base de données actuelle et ouvre le nouveau catalogue. Il ne contient aucune photo. Cliquez sur le bouton Importer pour répertorier des photos de sport dans ce catalogue.

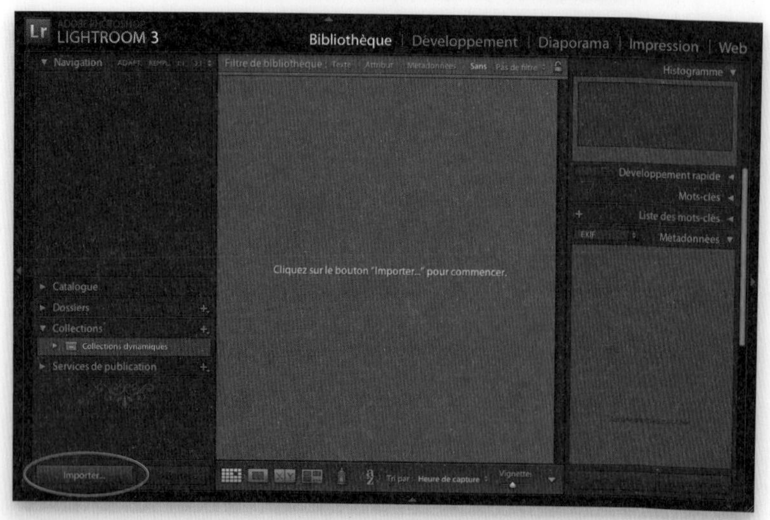

SCOTT KELBY

**Étape 3**

Dès maintenant, vous allez importer des photos, assigner des mots-clés, définir des collections, etc. Dès que vous avez constitué ce nouveau catalogue, revenez à votre catalogue principal *via* le menu Fichier. Choisissez Ouvrir les fichiers récents, puis cliquez sur Lightroom 3 Catalog.lrcat. Dans la boîte de dialogue qui apparaît, cliquez sur le bouton Relancer. Lightroom enregistre le catalogue Sport et ouvre de nouveau le catalogue initial.

**Étape 4**

Pour définir le catalogue qui doit se charger quand vous démarrez Lightroom, maintenez la touche Option (Alt) enfoncée, et exécutez l'application Lightroom. Ceci ouvre la boîte de dialogue Sélectionner un catalogue. Choisissez le catalogue qui va s'ouvrir dès que vous lancez Lightroom.

INFO Si un catalogue Lightroom n'apparaît pas dans la liste des fichiers récents, exécutez la commande Ouvrir le catalogue. Dans la boîte de dialogue Ouvrir qui apparaît, naviguez jusqu'au dossier dans lequel vous stockez vos catalogues (en l'occurrence Lightroom), sélectionnez-le et cliquez sur Ouvrir.

ASTUCE : TOUJOURS LANCER LE MÊME CATALOGUE Si vous ouvrez souvent Lightroom avec le même catalogue, cliquez sur ce catalogue dans la boîte de dialogue Sélectionner un catalogue. Ensuite, cochez la case Toujours charger ce catalogue au démarrage.

## Synchroniser des catalogues entre deux ordinateurs

Si vous utilisez Lightroom sur un portable lors de vos sessions de prises de vue, vous souhaiterez probablement effectuer vos modifications, ajouter des mots-clés, des métadonnées, et bien entendu les photos elles-mêmes sur votre ordinateur de bureau. Cette opération est plus simple qu'il n'y paraît. Tout d'abord, sur l'ordinateur portable, vous choisissez le catalogue à exporter. Ensuite, vous importez sur votre ordinateur de bureau le dossier généré par l'exportation. Comme Lightroom prend en charge la majorité du travail, vous n'avez que quelques choix à effectuer.

### Étape 1

Sur votre portable, choisissez le dossier ou la collection à exporter. Pour un dossier, accédez au panneau Dossiers et cliquez sur le dossier à exporter. Pour une collection, ouvrez le panneau Collections et cliquez sur la collection intéressée. Dans les deux cas, toutes les métadonnées ajoutées et toutes les modifications effectuées dans Lightroom seront exportées.

### Étape 2

Ouvrez le menu Fichier de Lightroom, et exécutez la commande Exporter en tant que catalogue.

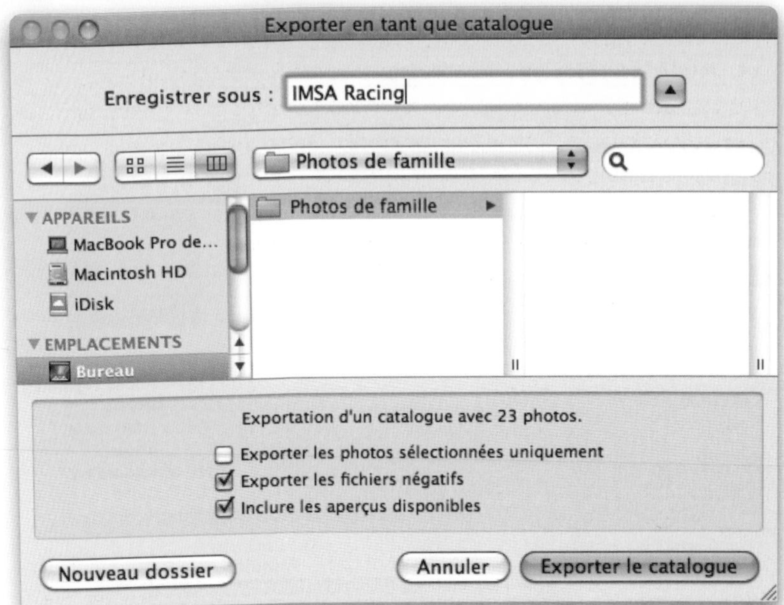


**Étape 3**

La boîte de dialogue Exporter en tant que catalogue apparaît. Assignez un nom au catalogue, et concentrez-vous ensuite sur la partie inférieure de la boîte de dialogue. Si des photos étaient sélectionnées dans le dossier ou la collection exportée, l'option Exporter les photos sélectionnées uniquement est active. Si vous ne cochez que cette option, seules les photos effectivement sélectionnées seront exportées. Donc, pour tout exporter, décochez-la. Mais ici le plus important est Exporter les fichiers négatifs. Quand cette option est désélectionnée, seuls les aperçus et les métadonnées sont exportés. Les photos ne le sont pas. Donc, cochez impérativement cette case !

**Étape 4**

Cliquez sur le bouton Exporter le catalogue. La durée de l'opération dépend du nombre de photos présentes dans le dossier ou la collection. Une fois l'exportation terminée, un dossier apparaît à l'emplacement choisi à l'étape 3. Généralement, je sauvegarde ce dossier sur mon bureau car l'étape suivante consiste à le copier sur un disque dur externe. Donc, copiez ce dossier sur le disque en question.

### Étape 5

Une fois à la maison, connectez votre disque dur externe à votre ordinateur de bureau. Ensuite, copiez le dossier à l'emplacement où vous sauvegardez toutes vos photos. Il s'agit dans notre hypothèse du dossier Mes photos Lightroom créé au Chapitre 1. Sur votre ordinateur de bureau, ouvrez le menu Fichier de Lightroom, et choisissez Importer à partir du catalogue. Naviguez jusqu'au dossier d'exportation. Ouvrez-le. Ensuite, sélectionnez le fichier portant l'extension LRCAT, et cliquez sur Sélectionner. Dans le dossier, vous avez remarqué que Lightroom créait trois éléments :

1. un fichier contenant les aperçus ;
2. le catalogue lui-même ;
3. un dossier contenant les photos.

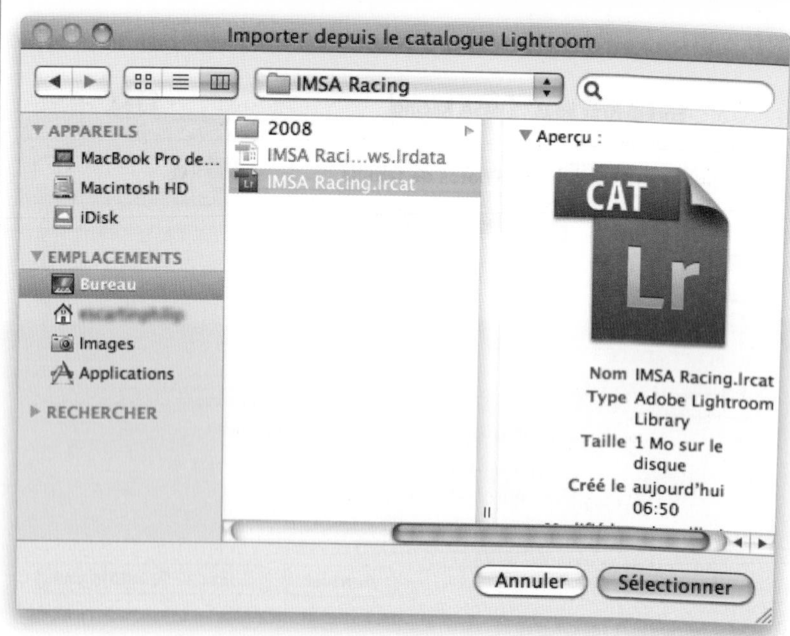


### Étape 6

Lorsque vous cliquez sur le bouton Sélectionner, la boîte de dialogue Importer à partir du catalogue (voir ci-contre) apparaît. Toutes les photos visibles dans la zone Aperçu et qui restent cochées seront importées. Dans la section Nouvelles photos, vous trouverez le menu local Gestion des fichiers. Comme les photos sont dans le bon dossier de destination, j'utilise l'option Ajouter de nouvelles photos au catalogue sans déplacement. Si j'avais souhaité copier les images dans un dossier de mon ordinateur, j'aurais choisi l'option Copier. Cliquez sur le bouton Importer. Les photos seront stockées dans un dossier avec toutes leurs modifications, mots-clés, etc. Définis sur le portable.

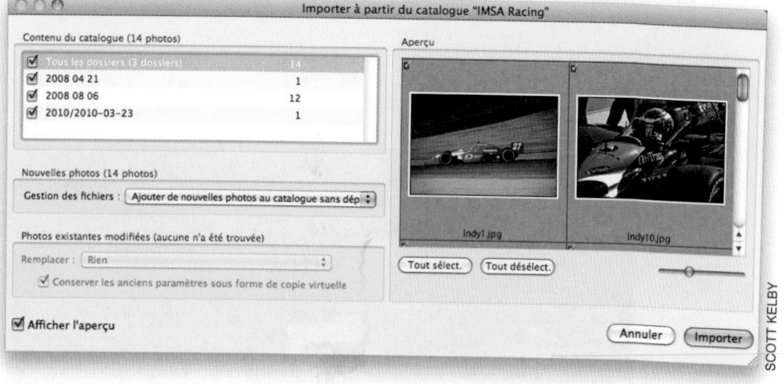

SCOTT KELBY

… etc. réalisés dans Lightroom sont stockés … Vous devez impérativement … problème

## Sauvegarder son catalogue (VITAL !)

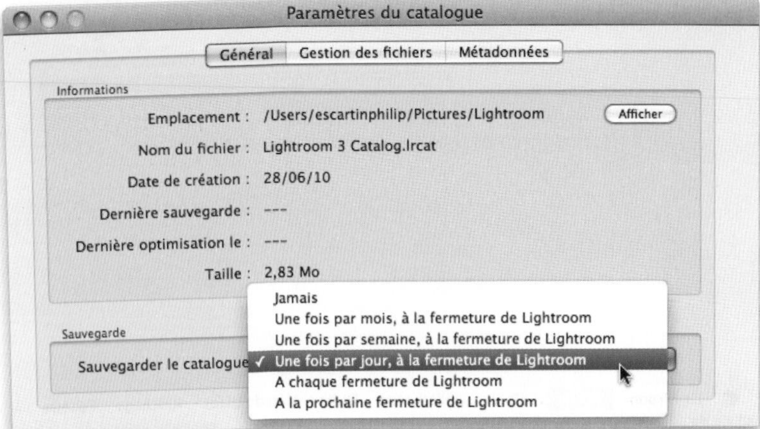


**Étape 1**

Cliquez sur le menu Lightroom (Édition sur PC), et choisissez Préférences de catalogue. Cliquez sur l'onglet Général. Dans la section Sauvegarde, ouvrez le menu local Sauvegarder le catalogue pour définir la périodicité de la sauvegarde. Je conseille d'opter pour Une fois par jour, à la fermeture de Lightroom. Ainsi, chaque fois que vous fermez Lightroom, le catalogue est sauvegardé.

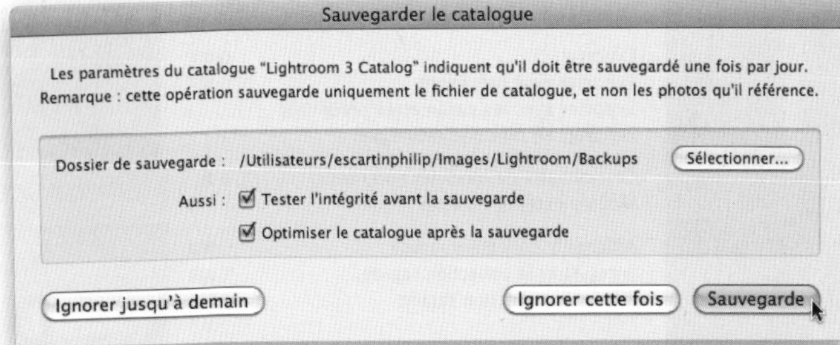


**Étape 2**

Dès que vous quittez Lightroom, la boîte de dialogue Sauvegarder le catalogue s'affiche. Cliquez sur le bouton Sauvegarde. La procédure n'est pas très longue. Par conséquent, résistez à la tentation de cliquer sur Ignorer jusqu'à demain, car demain il sera peut-être trop tard. Par défaut, la sauvegarde est enregistrée dans le dossier Backups de Lightroom. Pour plus de sécurité, sauvegardez le catalogue sur un support amovible. Pour cela, cliquez sur le bouton Sélectionner. Localisez par exemple un disque dur externe, et cliquez sur Sauvegarder (OK sur PC).

### Étape 3

Que faire si votre catalogue original est corrompu ? Commencez par démarrer Lightroom. Ensuite, ouvrez le menu Fichier et cliquez sur Ouvrir le catalogue. Naviguez jusqu'au disque dur contenant la sauvegarde. Vous y trouverez des dossiers classés par date de sauvegarde. Cliquez sur l'un d'eux. Dans le dossier, sélectionnez le fichier LRCAT. Cliquez sur Ouvrir. Restaurez ainsi la sauvegarde.

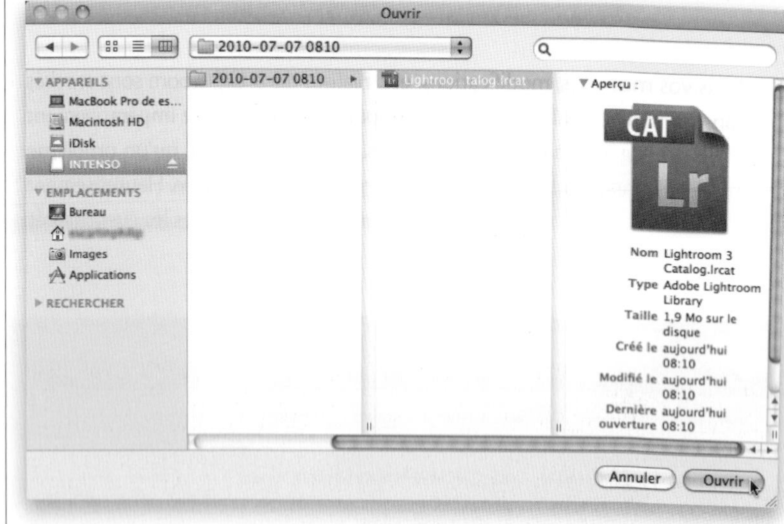


**ASTUCE : OPTIMISER LE CATALOGUE QUAND LA LENTEUR S'INSTALLE** Lorsque vous avez répertorié beaucoup de photos dans Lightroom, vos opérations peuvent devenir assez lentes. Si cela survient, ouvrez le menu Fichier, et cliquez sur Optimiser le catalogue. Même si vous avez peu de photos et/ou que votre système ne semble pas ralenti, je conseille d'optimiser le catalogue deux fois par mois. Pourquoi ne pas y procéder lorsque vous sauvegardez le catalogue ? Pour cela, cochez l'option Optimiser le catalogue après la sauvegarde dans la boîte de dialogue Sauvegarder le catalogue.

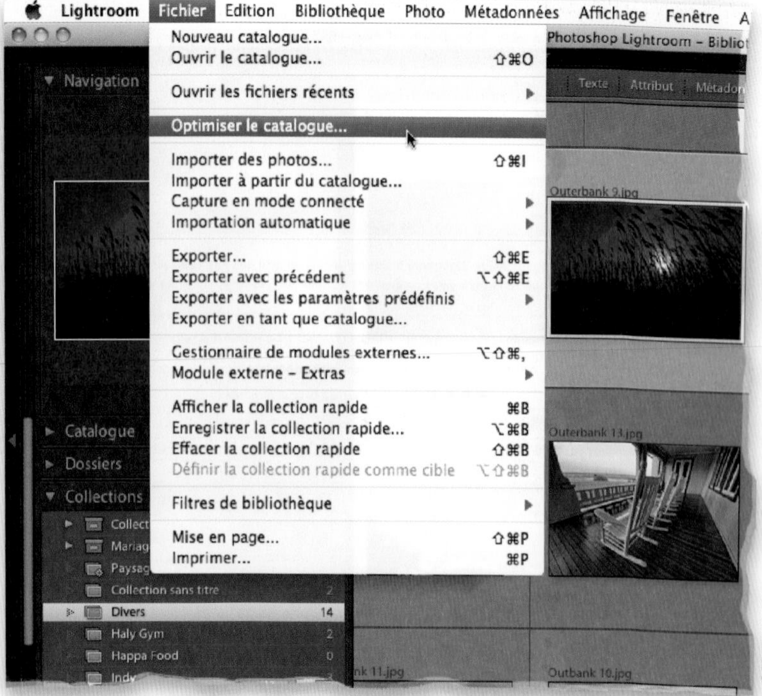

Au bout de quelques mois de travail intensif avec Lightroom, il se peut que vous soyez confronté à des vignettes arborant un point d'interrogation. Cette ponctuation indique que la vignette correspond à une photo qui n'est plus disponible. Vous pouvez éventuellement grossir cette vignette, mais vous ne pourrez plus apporter de modifications à vos photos.

# Relier des photos manquantes

SCOTT KELBY

### Étape 1

Ci-contre, vous constatez qu'une vignette arbore un point d'interrogation. Lightroom a perdu la trace de la photo d'origine. Pourquoi ? Deux cas de figure sont envisageables :

1. La photo est stockée sur un disque dur externe que vous avez oublié de connecter ou d'allumer. Dans ce cas, il suffit d'y procéder pour que Lightroom localise la photo.

2. Vous avez déplacé ou supprimé la photo d'origine.

### Étape 2

Pour localiser les photos manquantes, cliquez sur le point d'interrogation. Une boîte de dialogue indique que le fichier est introuvable. Heureusement, elle offre la possibilité de le localiser. Donc, si vous avez déplacé ce fichier (ou le dossier qui le contient), vous devez indiquer à Lightroom son nouvel emplacement comme cela est expliqué à la prochaine étape.

### Étape 3

Cliquez sur le bouton Rechercher. La boîte de dialogue éponyme apparaît. Parcourez vos dossiers et lecteurs pour localiser l'image manquante. Sélectionnez-la, et cliquez sur Sélectionner. Si vous avez déplacé le dossier contenant l'image, cochez l'option Rechercher des photos manquantes à proximité. Ainsi, il suffit de trouver une seule des photos absentes pour que Lightroom récupère automatiquement toutes les autres appartenant à ce même dossier.

**ASTUCE : POUR QUE TOUT RESTE LIÉ**

Pour que toutes vos photos soient liées à vos fichiers réels, ouvrez le menu Bibliothèque et cliquez sur Rechercher les photos manquantes. Les photos dont le lien a été perdu s'affichent dans la Bibliothèque en mode Grille. Reliez-les avec la technique étudiée ci-dessus.

# Gérer les désastres

Il pourrait arriver que vous soyez confronté à un énorme problème avec Lightroom, surtout après des années d'utilisation. Heureusement, ce programme dispose de routines de réparations. Toutefois, sachez qu'il y a plus de risques qu'un disque dur tombe en panne plutôt que voir Lightroom se mettre à faire n'importe quoi. Voici comment faire face à de potentiels désastres.

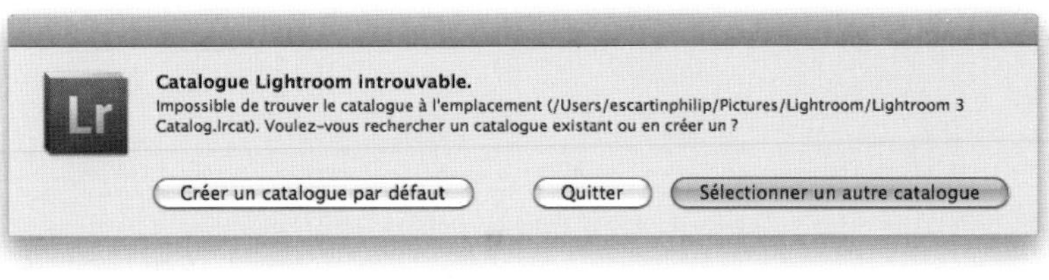


### Étape 1

Si en lançant Lightroom 3 un message apparaît vous signalant que le catalogue est introuvable, cela signifie que vous l'avez renommé ou déplacé en utilisant le Finder ou l'Explorateur Windows. Lightroom suppose que soit vous n'avez pas encore créé de catalogue, soit vous disposez d'un autre catalogue. Dans notre hypothèse, vous avez créé un catalogue que vous avez déplacé ou renommé.

### Étape 2

Cliquez sur le bouton Sélectionner un autre catalogue. Ceci ouvre la boîte de dialogue éponyme. Lightroom y dresse la liste de tous les catalogues existant sur votre ordinateur. Si vous n'y voyez pas le catalogue qui aurait dû s'ouvrir en même temps que Lightroom, cliquez de nouveau sur le bouton Sélectionner un autre catalogue.

### Étape 3

La boîte de dialogue Sélectionner un catalogue s'affiche. Parcourez vos différents lecteurs pour localiser le catalogue renommé ou déplacé. Sélectionnez le catalogue, et cliquez sur le bouton Sélectionner.

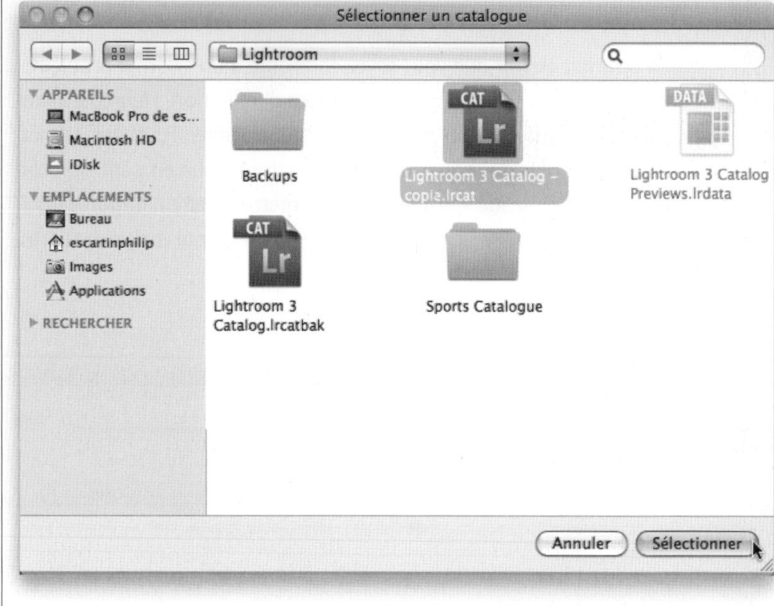


### Étape 4

Vous revenez dans la boîte de dialogue Sélectionner un catalogue. Cliquez sur le catalogue nouvellement choisi, puis sur le bouton Ouvrir. Voilà ! Vous venez de récupérer votre catalogue initialement absent.

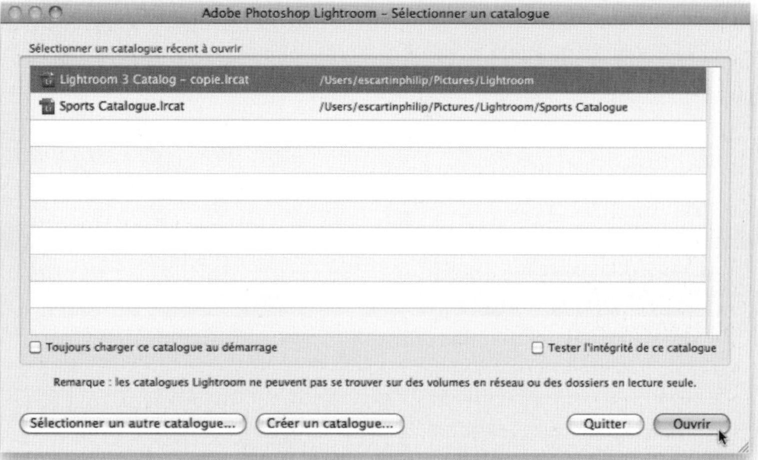


**ASTUCE : LOCALISER FACILEMENT UN CATALOGUE** Si vous ne savez plus où est localisé le fichier de votre catalogue, ouvrez le menu Lightroom (PC : Édition), et cliquez sur Paramètres du catalogue. Dans l'onglet Général, regardez le chemin d'accès à votre catalogue mentionné dans la section Emplacement.

**INFO** Si un catalogue est corrompu, Lightroom affiche une boîte de dialogue permettant de le réparer. Comme cette réparation n'est pas garantie, en ce sens qu'elle peut échouer, j'insiste sur le fait que vous devez effectuer une sauvegarde systématique et périodique de votre catalogue Lightroom. Il sera ainsi facile à restaurer en cas d'échec de la réparation du catalogue corrompu.

# Les petits trucs de Lightroom > >

## ▼ Supprimer une collection

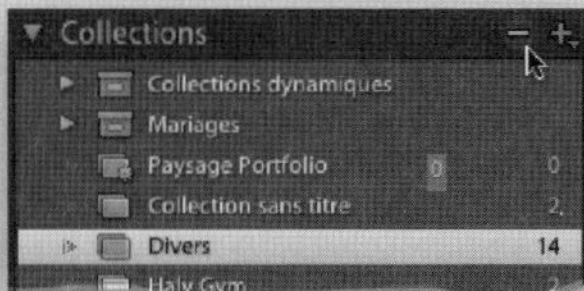


Pour supprimer une collection, cliquez dessus dans le panneau Collections pour la sélectionner. Ensuite, cliquez sur le bouton – (signe moins). Seule la référence à la collection disparaît. Les photos qu'elle contient restent sur votre disque dur.

## ▼ Ajouter des photos à une collection existante

Pour ajouter des photos à une collection existante, glissez-déposez-les depuis la grille ou le film fixe sur le nom de la collection concernée du panneau Collections.

## ▼ Renommer une collection

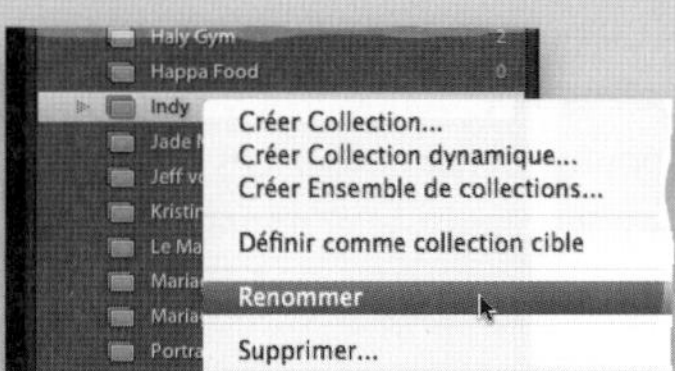


Pour renommer une collection, faites un clic-droit dessus. Dans le menu contextuel, choisissez Renommer.

## ▼ Partager des paramètres de collections dynamiques

Si vous cliquez-droit sur une collection dynamique que vous avez créée, choisissez Exporter les paramètres de la collection dynamique pour sauvegarder les critères de votre collection afin de les transmettre à un ami. Une fois qu'il aura reçu le fichier de ces paramètres, il lui suffira d'exécuter la commande Importer les paramètres de la collection dynamique, disponible dans ce même menu contextuel.

## ▼ Partager des mots-clés

Pour utiliser des mots-clés avec une autre copie de Lightroom installée sur un autre ordinateur, ouvrez le menu Métadonnées et choisissez Exporter les mots-clés. Cela crée un fichier texte contenant tous vos mots-clés. Pour les récupérer, exécutez la commande Importer les mots-clés du menu Métadonnées. Localisez le fichier, et cliquez sur Sélectionner. Les mots-clés sont accessibles depuis le panneau Mots-clés.

## ▼ Appliquer rapidement des mots-clés aux photos sélectionnées

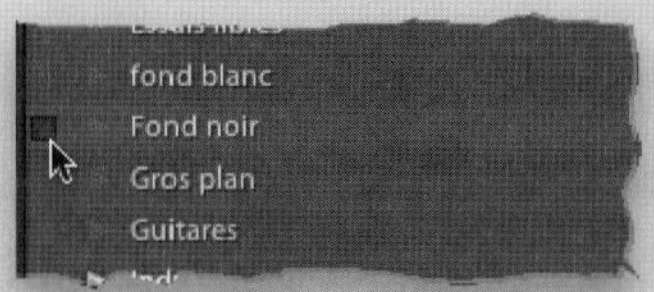


Quand vous placez le pointeur de la souris sur un mot-clé du panneau Liste des mots-clés, une case à cocher apparaît sur sa gauche. Cochez-la pour assigner ce mot-clé aux photos sélectionnées.

## ▼ Créer rapidement des sous-mots-clés

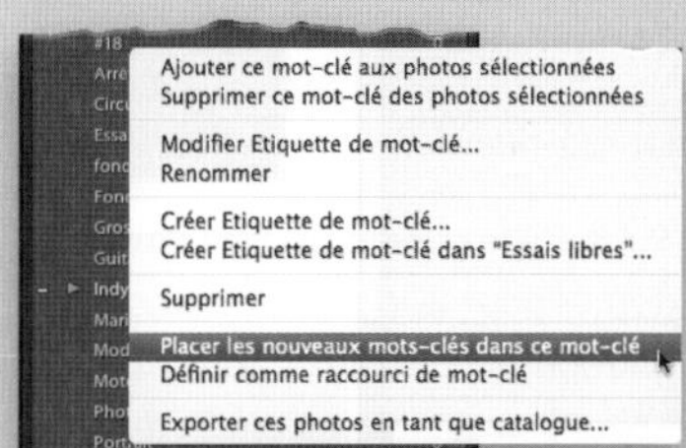


Si vous cliquez-droit sur un mot-clé du panneau Liste des mots-clés, le menu contextuel qui apparaît contient une commande Placer les nouveaux mots-clés dans ce mot-clé. Si vous l'activez en cliquant dessus, tous les mots-clés que vous créerez seront placés dans le mot-clé concerné. Vous devrez donc désactiver cette fonction pour créer des sous-mots-clés dans d'autres mots-clés.

## ▼ Masquer automatiquement la barre des tâches

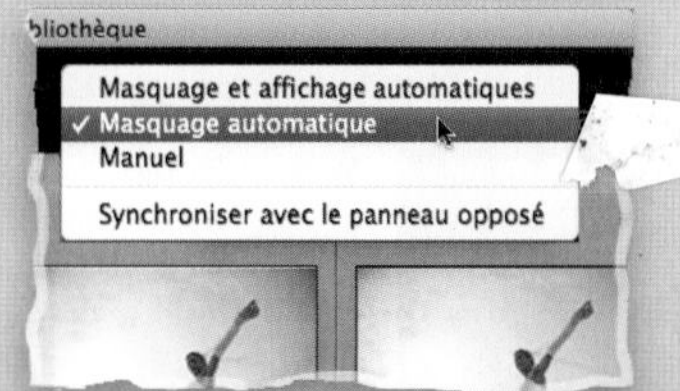


Si vous désirez que la barre des tâches se masque automatiquement, approchez le pointeur de la souris de la barre de titre de Lightroom. Faites un clic-droit. Dans le menu contextuel qui s'affiche, activez Masquage automatique. Désormais, vous devrez cliquer sur le triangle gris pour accéder à cette barre des tâches, qui se masquera dès que vous éloignerez le pointeur de la souris. Je rappelle que l'affichage/masquage automatique, en revanche, devient très vite insupportable.

## ▼ Supprimer des mots-clés inutiles

Tous les mots-clés qui apparaissent grisés dans le panneau Liste des mots-clés ne sont plus utilisés. Pour vous en débarrasser rapidement, ouvrez le menu Métadonnées et cliquez sur Purger les mots-clés non utilisés.

## ▼ Élargir vos panneaux

Pour agrandir vos panneaux, placez le pointeur de la souris sur le bord situé le plus près de la zone d'aperçu. Dès que le pointeur prend la forme d'une double flèche, cliquez et, sans relâcher le bouton de la souris, glissez ce bord vers la gauche pour réduire le panneau et vers la droite pour l'élargir. Vous pouvez faire la même chose avec le film fixe mais verticalement.

## ▼ Activer/désactiver les filtres

Appuyez sur Cmd+L (Ctrl+L) pour activer/désactiver vos filtres de la Bibliothèque.

## ▼ Davantage d'options pour la barre d'outils

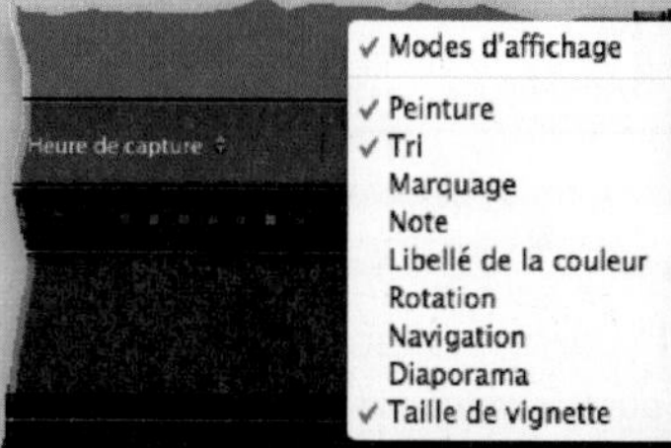


Lightroom affiche des outils dans la barre située sous la zone des aperçus. Toutefois, vous pouvez choisir ceux à afficher. Pour cela, faites un clic sur le triangle gris situé à droite de la barre d'outils. Dans ce menu local, cochez les outils à afficher et décochez les autres.

## ▼ Zoom avant/arrière

Utilisez les mêmes raccourcis que Photoshop pour zoomer sur vos images, c'est-à-dire Cmd++ (Ctrl++) pour un zoom avant, et Cmd+- (Ctrl+-) pour un zoom arrière.

## ▼ Atteindre la collection d'une photo

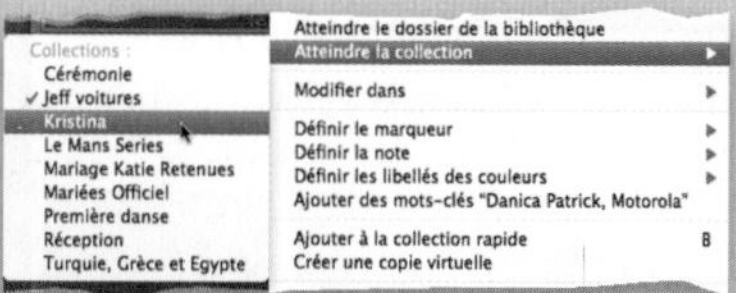


Pour localiser la collection à laquelle une photo appartient, faites un clic-droit sur sa vignette (y compris dans le film fixe). Dans le menu contextuel, ouvrez le menu local Atteindre la collection. La collection à laquelle appartient l'image est cochée.

## ▼ Marquer et bouger

Si vous souhaitez accélérer la procédure d'assignation des marqueurs Retenue, faites ceci : assignez un marqueur à l'image affichée en appuyant sur Maj+P au lieu de P. La photo est alors marquée, et Lightroom passe à l'image suivante.

## ▼ Filtrer les images marquées depuis le film fixe

Pour définir un filtre d'affichage des images, cliquez du bouton droit de la souris directement sur l'icône d'un drapeau situé au-dessus du film fixe.

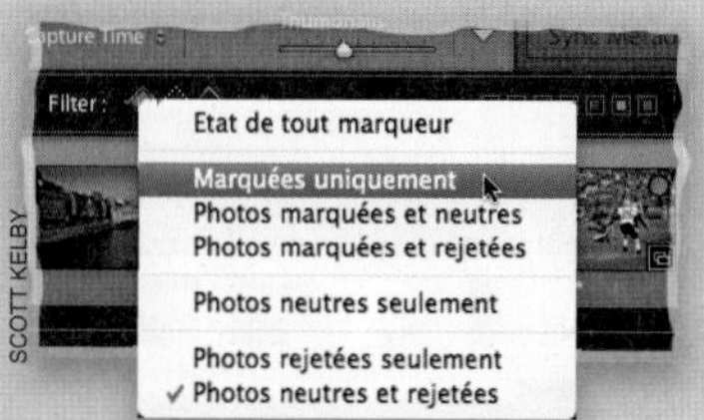


Dans le menu local, choisissez de filtrer selon le type de marqueur assigné aux images comme « marquées », « neutres » et « rejetées » plus un panachage de ces options.

## ▼ Combien reste-t-il d'espace disque libre ?

Si vous utilisez plusieurs disques durs externes pour stocker vos photos Lightroom, il est facile de connaître l'espace libre restant sur ces lecteurs. Ouvrez le panneau Dossiers. À droite du nom du volume figure le nombre de gigaoctets libres sur le nombre total de gigaoctets du disque. Si vous placez le pointeur de la souris sur cet indicateur, une info-bulle donne le nombre total de photos stockées et rappelle la quantité d'espace libre et d'espace total.

## ▼ Où vos ensembles de collections sont-ils stockés ?

Lorsque vous créez des ensembles de collections, ils s'affichent par défaut en haut du panneau Collections. Ils sont classés par ordre alphabétique. Juste après ces ensembles vous trouvez les collections proprement dites.

## ▼ Ajouter simultanément des métadonnées à plusieurs photos

Si vous avez assigné manuellement des métadonnées IPTC à une photo et que vous désiriez les appliquer à d'autres images, faites ceci : maintenez la touche Cmd (Ctrl) enfoncée, et cliquez sur les photos auxquelles assigner ces nouvelles métadonnées. Cliquez sur le bouton Synchroniser. Ceci ouvre la boîte de dialogue Synchroniser les métadonnées. Profitez-en pour saisir d'autres métadonnées et/ou cliquez sur le bouton Synchroniser. Les métadonnées des photos sélectionnées sont alors mises à jour.

## ▼ Activer/désactiver l'outil Peinture

Pour activer l'outil Peinture, appuyez sur Cmd+Option+K (Ctrl+Alt+K). Une fois vos métadonnées appliquées *via* cet outil, désactivez-le en appuyant de nouveau sur ce raccourci clavier.

## ▼ Enregistrer une collection comme Favoris

Si vous utilisez souvent une collection, accédez-y en un clic de souris : commencez par cliquer sur cette collection dans le panneau éponyme. Ensuite, cliquez sur le chemin d'accès de vos photos situé au-dessus du film fixe. Dans le menu local qui s'affiche, choisissez Ajouter aux Favoris. Cette

collection s'affichera dans la section Sources favorites de ce menu local. Pour retirer une collection des Favoris, choisissez l'option Supprimer des Favoris présente dans ce menu local.

### ▼ Retirer des photos du mode Ensemble

Il suffit pour cela de naviguer parmi ces photos avec les touches droite et gauche du pavé directionnel. Dès qu'une photo ne vous convient pas, appuyez sur la touche Retour arrière.

### ▼ Verrouiller un filtre

Avec Lightroom 3 vous pouvez verrouiller un filtre de manière à l'utiliser de collection en collection. Pour cela, définissez les critères de votre Filtre de bibliothèque, puis cliquez sur l'icône du cadenas située à droite de cette barre de filtres. Si cette barre est invisible, appuyez sur la touche $.

### ▼ Sauvegarder vos paramètres prédéfinis

Si vous créez des paramètres prédéfinis d'importation, de développement ou encore d'impression, il est prudent de les sauvegarder en cas de panne de votre disque dur, de perte de votre ordinateur portable, etc. Il serait fastidieux d'être obligé de les recréer. Ouvrez les préférences de Lightroom. Dans la boîte de dialogue qui s'affiche, cliquez sur l'onglet Paramètres prédéfinis. Dans la section Emplacement, cliquez sur le bouton Afficher le dossier des paramètres prédéfinis Lightroom. Copiez la totalité de ce dossier sur un disque dur externe ou gravez-le sur un DVD. Ainsi, en cas de souci informatique, vous pourrez restaurer ce dossier des paramètres prédéfinis.

### ▼ L'avantage de l'Avance automatique

Pour que Lightroom passe automatiquement à l'image suivante après que vous aurez ajouté un marqueur Retenue, ouvrez le menu Photo et activez l'option Avance automatique.

### ▼ Créer des collections dans un ensemble

Pour cela, il suffit d'afficher le panneau Collections et de faire un clic-droit sur l'ensemble concerné. Dans le menu contextuel, exécutez la commande Créer collection. Dans la boîte de dialogue qui apparaît, l'ensemble sur lequel vous venez de cliquer est affiché dans le menu local Ensemble. Nommez la collection et cliquez sur Créer.

### ▼ Utiliser les suggestions de mots-clés

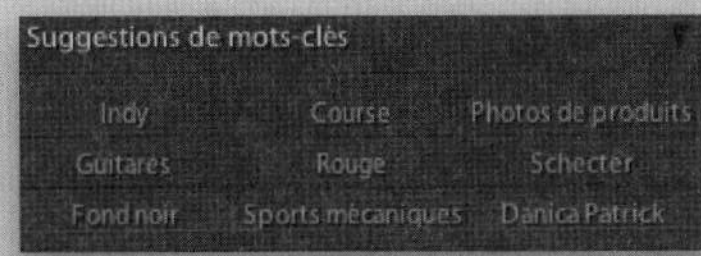


Lorsque vous cliquez sur une photo et que Lightroom voit que des mots-clés lui ont été assignés, il recherche toutes les photos auxquelles vous avez assigné des mots-clés identiques. S'il en trouve, il dresse une liste de mots-clés suggérés que vous trouvez dans la section Suggestions de mots-clés du panneau Mots-clés. Pour ajouter un des mots-clés suggérés, cliquez dessus.

### ▼ Créer des recherches prédéfinies

Sur le côté droit du Filtre de bibliothèque, vous trouverez un menu local affichant la mention Pas de filtre. Si vous avez défini un certain nombre de critères de recherche et que vous souhaitiez les conserver pour un usage ultérieur, ouvrez le menu local en question et cliquez sur Enregistrer les paramètres actuels en tant que nouveau paramètre prédéfini.

Photo Scott Kelby    Exposition : 1/1000e    Focale : 25 mm    Ouverture : $f/4.8$

# Personnaliser

## Qui se ressemble s'assemble

Asservissez Lightroom à vos désirs ! Attention ! Il ne s'agit pas d'un chapitre sur les orientations sexuelles des lecteurs de ce livre. Lightroom ne cherche en aucun cas à satisfaire la libido de tout un chacun, et surtout pas quand elle est complètement prohibée par la loi. Ni vous ni moi ne souhaitons avoir des ennuis avec la police. Pour couper court à toute ambiguïté, je préfère intituler ce chapitre « Personnaliser » et davantage parler de « besoins » que de « désirs ». Si cela ne vous convient pas, il y a d'excellentes (du moins je le suppose) revues sur le sujet dont je sous-entends la nature, sans pour autant vous dévoiler la mienne. (Eh oui, moi aussi j'ai ma pudeur !) Je suis un garçon correct, et cette correction doit se retrouver, autant que faire se peut, dans mes livres et dans ma vie de tous les jours. Donc, n'attendez rien d'autre qu'un chapitre sur la manière de personnaliser Lightroom pour qu'il réponde à vos besoins photographiques numériques. Parole de Scott !

# Ce que le mode Loupe doit vous révéler

Lorsque vous êtes en mode Loupe (zoom avant sur l'affichage de votre photo), il est possible d'afficher des informations sur le cliché concerné. Elles apparaîtront dans le coin supérieur gauche de la zone d'aperçu. Comme vous passerez probablement du temps dans ce mode, voyons comment le personnaliser.

### Étape 1

Dans le module Bibliothèque affiché en mode Grille, cliquez sur une des vignettes, et appuyez sur E. Vous basculez ainsi en mode Loupe. Dans cet exemple, j'ai masqué le volet gauche et le film fixe pour que la photo s'affiche en grand.

SCOTT KELBY

### Étape 2

Appuyez sur Cmd+J (Ctrl+J) pour ouvrir la boîte de dialogue Options d'affichage de la bibliothèque. Cliquez sur l'onglet Mode Loupe. Cochez la case Afficher l'incrustation d'informations. Dans le menu local de cette option, vous avez le choix entre deux types d'incrustations : Informations 1 incruste le nom du fichier de la photo (en grosses lettres) dans le coin supérieur gauche de l'aperçu (voir ci-contre). Sous le nom de fichier, en lettres plus petites, vous lisez la date et l'heure de la prise de vue ainsi que les dimensions de la photo. Informations 2 communique le nom du fichier, les réglages d'exposition, la valeur ISO et les réglages de l'objectif.

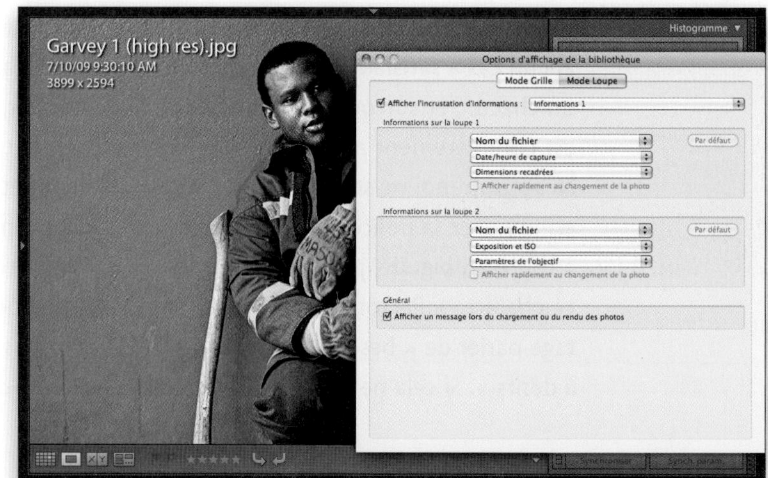

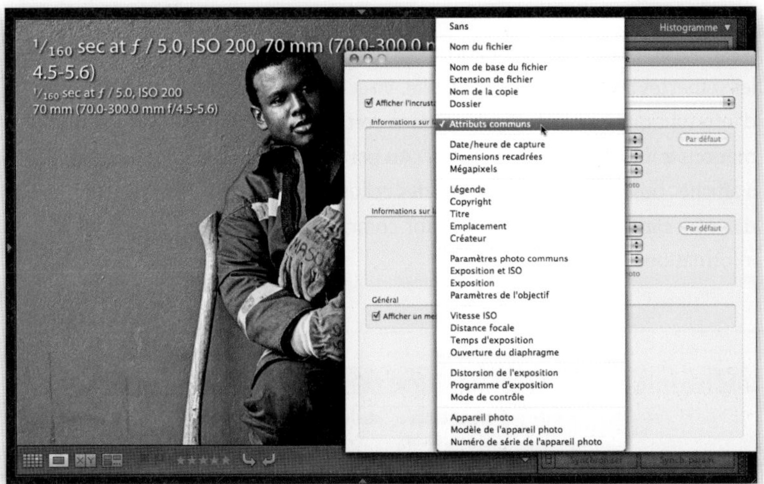


## Étape 3

Heureusement, vous pouvez choisir les informations à afficher. Sélectionnez-les dans les menus locaux de cette boîte de dialogue. Par exemple, au lieu d'afficher le nom du fichier dans les Informations 2, j'ai choisi ici Paramètres photo communs. J'obtiens ainsi les mêmes informations que celles affichées sous l'histogramme (vitesse d'obturation, ouverture, ISO et réglages de l'objectif), et ceci même dans le module Bibliothèque. Vous pouvez personnaliser ces informations séparément en les choisissant dans ces menus locaux. N'oubliez pas que l'information choisie dans le premier menu local sera celle qui s'affichera en gros sur la première ligne incrustée sur l'image.

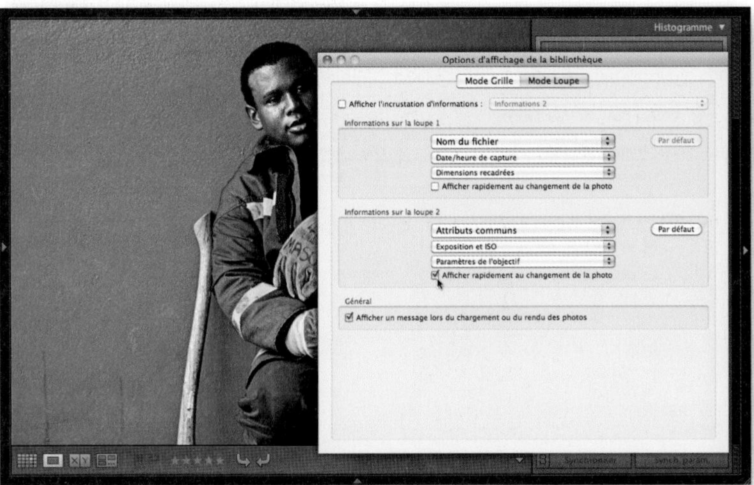


## Étape 4

L'affichage des incrustations perturbe l'analyse des photos. De ce fait, il est inutile de les avoir en permanence sous les yeux. Voici ce que vous pouvez faire :

- Désactivez la case Afficher l'incrustation d'informations, puis cochez Afficher rapidement au changement de la photo. Les informations s'afficheront environ 4 secondes chaque fois que vous ouvrirez la photo.
- Décochez toutes les options, et affichez les incrustations à la demande en appuyant sur I. Chaque pression vous fait passer des Informations 1 aux Informations 2. La troisième pression masque les incrustations. Dans la section Général des options d'affichage, l'option Afficher un message lors du chargement ou du rendu des photos vous permet d'obtenir ou non des incrustations comme « Chargement », « Mot-clé assigné », etc.

# Définir l'affichage du mode Grille

Il est possible d'inclure des informations dans les petites cellules qui entourent les vignettes affichées en mode Grille. Vous pouvez personnaliser la quantité d'informations visibles, mais aussi dans certains cas déterminer le type d'informations à inclure dans ces cellules. (Au précédent chapitre, vous avez appris à afficher ou non les informations des cellules en appuyant sur la lettre J de votre clavier.) Voyons maintenant comment afficher uniquement les informations que vous désirez.

### Étape 1

Appuyez sur G pour afficher le module Bibliothèque en mode Grille. Ensuite, appuyez sur Cmd+J (Ctrl+J) pour ouvrir la boîte de dialogue Options d'affichage de la bibliothèque. Cliquez sur l'onglet Mode Grille. Dans le menu local situé en haut de cette boîte de dialogue, vous choisissez la dimension d'affichage des cellules. Vous avez le choix entre Cellules réduites et Cellules agrandies. La différence entre les deux tient au fait que les cellules agrandies affichent plus d'informations que les cellules réduites.

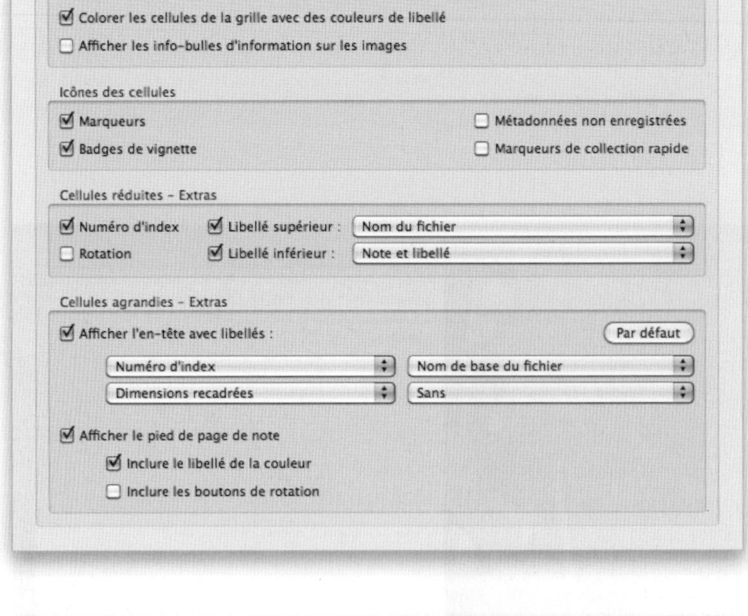

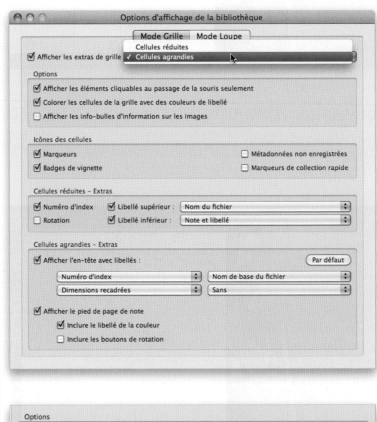

### Étape 2

Commençons notre étude par la section Options. Si vous activez Afficher les éléments cliquables au passage de la souris seulement, cela signifie que les marqueurs et les flèches de rotation ne s'afficheront dans les cellules que lorsque le pointeur de la souris se trouvera dessus. Si vous décochez cette case, les éléments en question seront toujours visibles dans les cellules. L'option Colorer des cellules de la grille avec des couleurs de libellé affichera la cellule avec la couleur d'étiquette que vous aurez attribuée à l'image.

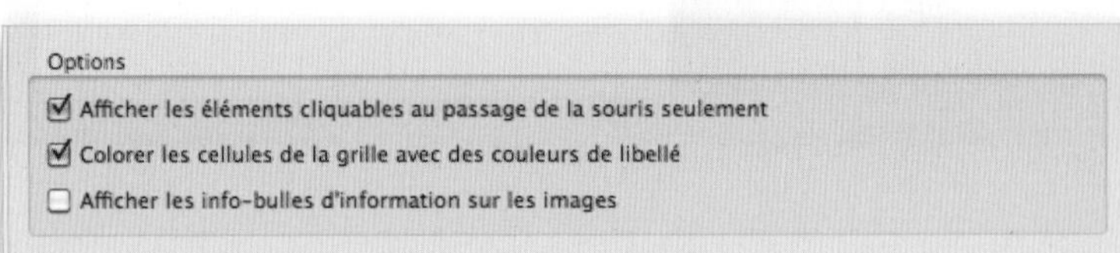

Les badges de vignettes indiquent (de gauche à droite) qu'un mot-clé a été appliqué, que la photo est recadrée, et qu'elle a été ajoutée à une collection et a subi des modifications.

*Le cercle gris situé dans le coin supérieur droit est un bouton qui permet d'ajouter cette photo à votre collection rapide.*

*Cliquez sur l'icône du drapeau pour marquer la photo comme Retenue.*

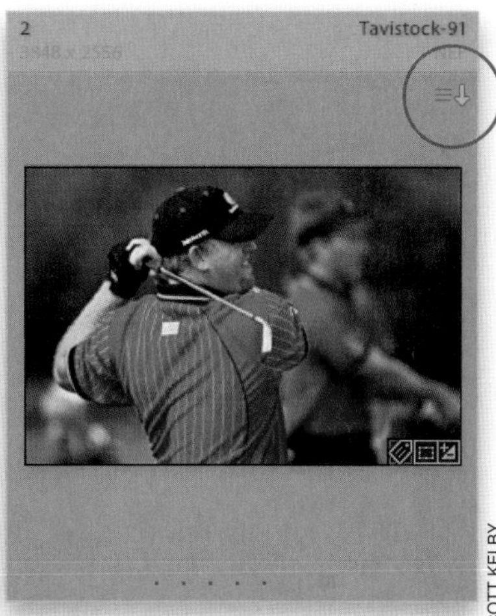


*Cliquez sur l'icône des métadonnées non enregistrées pour procéder à leur sauvegarde.*

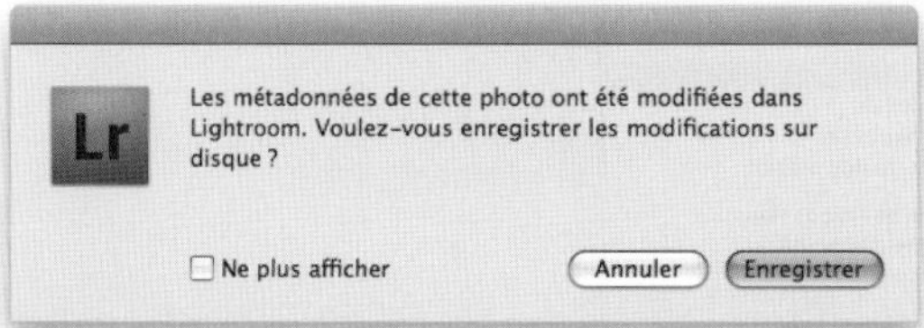


**Étape 3**

La section icône des cellules dispose d'au moins deux options qui incrustent des informations importantes sur la vignette de votre image, et deux autres qui ne concernent que la cellule. Les Badges de vignette s'affichent dans la partie inférieure droite de la vignette pour vous permettre de savoir si : (a) la photo contient des mots-clés, (b) la photo a été recadrée, (c) la photo a été ajoutée à une collection, ou (d) la photo a été modifiée dans Lightroom (correction de la couleur, netteté, etc.). Ces petits badges sont des icônes sur lesquelles vous pouvez cliquer. Par exemple, pour ajouter un mot-clé à l'image, cliquez sur le badge identifiant les mots-clés. Cette action ouvre le panneau Mots-clés. Les mots-clés appliqués à l'image sont sélectionnés dans ce panneau. Vous pouvez les remplacer par d'autres mots-clés, ou bien tout simplement ajouter de nouveaux mots-clés. L'option Marqueurs de collection rapide de la section Icônes des cellules fait apparaître un petit cercle gris en haut à droite de chaque photo lorsque vous placez le pointeur de la souris dessus. Il suffit de cliquer pour ajouter (ou supprimer) cette photo de votre collection rapide.

**Étape 4**

Les deux autres options n'ajoutent absolument rien aux vignettes. Lorsque vous activez Marqueurs, l'icône d'un drapeau Retenue apparaît dans le coin supérieur gauche de la cellule. Cliquez dessus pour marquer la photo comme Retenue. L'option Métadonnées non enregistrées place une petite icône dans le coin supérieur droit de la cellule lorsque des métadonnées ont été ajoutées ou modifiées. Cliquez sur l'icône pour enregistrer ces métadonnées dans un fichier. Alors, un message demande confirmation de l'enregistrement de ces informations sur votre disque.

### Étape 5

Passez maintenant à la section Cellules agrandies – Extras. Vous sélectionnez les informations qui s'afficheront en haut de chaque cellule affichée en mode agrandi. Par défaut, quatre informations sont communiquées : le numéro d'index (le numéro de la cellule. Si vous importez 63 photos, la première portera le numéro 1 et la dernière, le numéro 63), visible dans le coin supérieur gauche de la cellule ; ensuite, les dimensions recadrées, qui sont affichées juste en dessous du numéro d'index et sont exprimées en pixels ; en haut à droite, vous avez le nom de base du fichier, et juste en dessous le format du fichier (JPEG, Raw, TIFF, etc.). Pour modifier l'une de ces informations, ouvrez son menu local, et faites votre choix dans la longue liste qui apparaît. Si vous ne souhaitez pas afficher une ou plusieurs de ces informations, choisissez Sans.

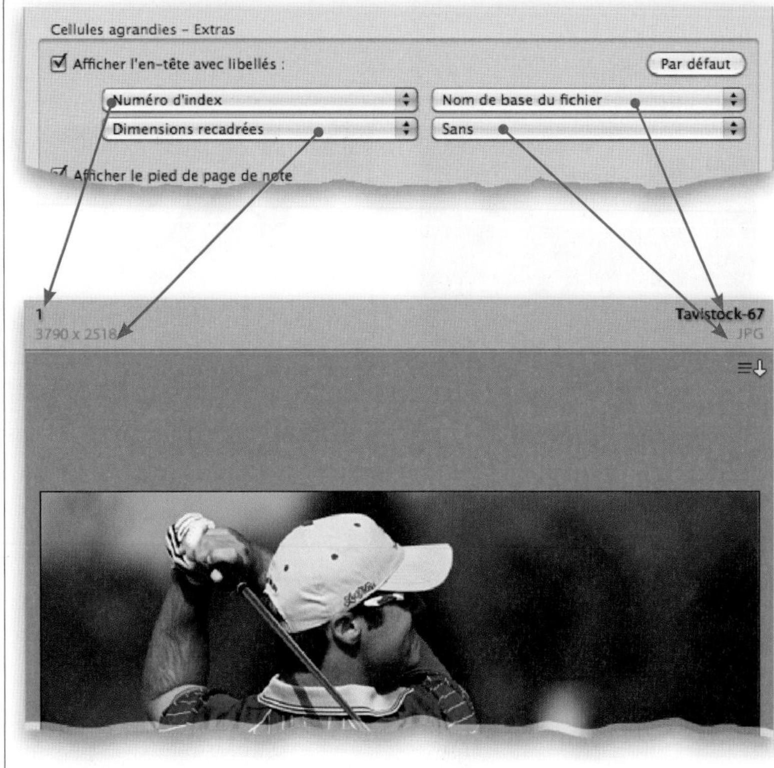


### Étape 6

Les options que vous définissez dans la boîte de dialogue Options d'affichage de la bibliothèque peuvent l'être dans la cellule elle-même. Cliquez sur n'importe quelle information affichée. Vous ouvrez un menu local contenant les mêmes options que celles de la section Cellules agrandies – Extras. Ici, je choisis Vitesse ISO. Je sais ainsi que cette photo a été prise avec une sensibilité ISO de 200.

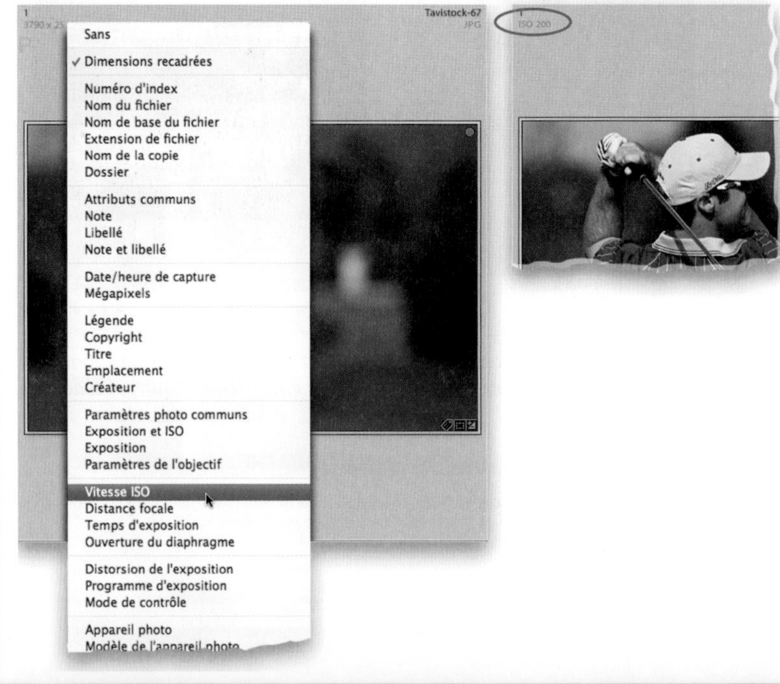

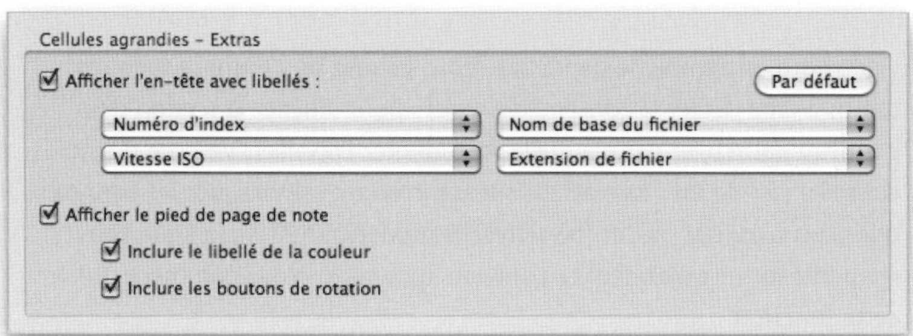


### Étape 7

En bas de la section Cellules agrandies – Extras se trouve une option cochée par défaut. Elle ouvre une zone en bas de la cellule qui se nomme le pied de page de note. Elle affiche les étoiles, les libellés et les flèches de rotation.

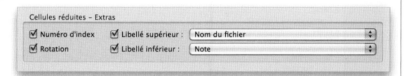

Cellules réduites - Extras

| Numéro d'index | Libellé supérieur : | Nom du fichier |
|---|---|---|
| Rotation | Libellé inférieur : | Note |

### Étape 8

La section Cellules réduites – Extras fonctionne comme la section Cellules agrandies – Extras. Avec les cellules réduites, deux champs peuvent être personnalisés contre quatre pour les cellules agrandies : le nom du fichier (qui apparaît en haut à gauche de la vignette), et la note (qui apparaît en bas à gauche). Pour changer l'information, ouvrez le menu local, et faites votre sélection. Les deux options Numéro d'index et Rotation permettent d'afficher respectivement le numéro de la cellule (en haut à gauche), et les flèches de rotation (en bas). Vous les voyez lorsque vous déplacez le pointeur de la souris sur la cellule. Une dernière chose : vous pouvez désactiver tous ces extras en décochant la case Afficher les extras de grille en haut de la boîte de dialogue.

## Travailler plus vite et plus facilement avec les panneaux

Lightroom est rempli de panneaux. Vous risquez de perdre beaucoup de temps à faire défiler le contenu des volets pour afficher la section d'un panneau particulier dans laquelle vous désirez travailler. Voici ce que je conseille lors de mes formations sur Lightroom : (a) masquez les panneaux que vous n'utilisez pas, et (b) activez le mode Solo. Ainsi, lorsque vous cliquerez sur un volet, seul ce panneau apparaîtra. Voici comment utiliser cette fonction.

---

### Étape 1

Faites un clic-droit sur l'en-tête d'un panneau. Dans le menu contextuel, cochez les volets que vous désirez afficher, et décochez les autres. Ci-contre, j'affiche le menu local du panneau Réglages de base du module Développement. Vous remarquez que le volet Étalonnage de l'appareil est masqué (pas de coche). Comme précisé dans l'intro de cette section, je conseille d'activer le mode Solo.

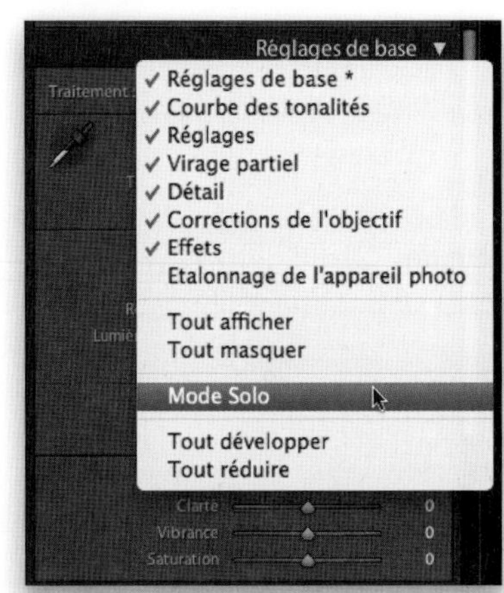


### Étape 2

Regardez les deux panneaux ci-contre. Celui de gauche montre un panneau dont l'apparence est tout à fait normale avec les panneaux développés même si vous ne les utilisez pas. En revanche, sur l'illustration de droite, comme je souhaite travailler un virage partiel, je bascule ce panneau en mode Solo. Tous les autres panneaux inutiles à mon action se ferment automatiquement.

*Les panneaux du module Développement lorsque le mode Solo est désactivé.*

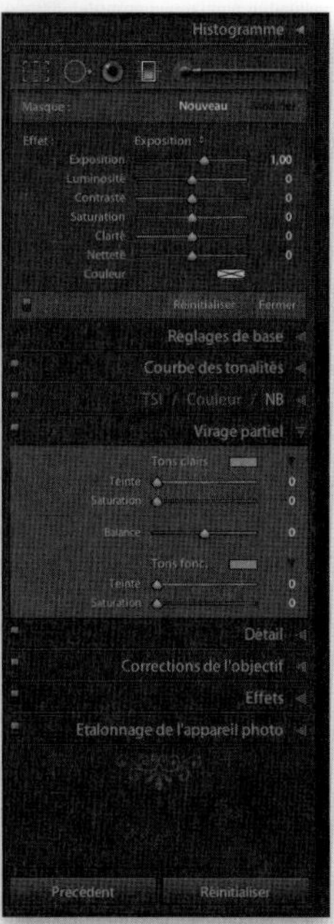


*Les panneaux du module Développement avec le mode Solo activé.*

# Utiliser Lightroom avec deux écrans

Lightroom 3 prend en charge l'affichage sur deux écrans. Vous pouvez ainsi travailler sur votre photo sur un écran et afficher l'image en totalité sur un autre. Il y a des choses très sympas que vous pouvez faire avec cette fonction.

SCOTT KELBY

### Étape 1

Les boutons de contrôle d'affichage sur deux écrans sont localisés dans le coin inférieur gauche du film fixe. L'un est libellé « 1 » et l'autre, « 2 ». Si vous n'avez pas de second moniteur connecté à votre ordinateur, le fait de cliquer sur le bouton « 2 » ouvre une nouvelle fenêtre par-dessus celle de Lightroom. C'est cette fenêtre qui devrait normalement apparaître sur le second écran.

SCOTT KELBY

### Étape 2

Si vous possédez un second écran, lorsque vous cliquez sur le bouton « 2 » l'image s'affiche en plein écran sur ce moniteur supplémentaire. C'est le réglage par défaut. L'interface de Lightroom est visible sur un moniteur, et l'image sélectionnée est visible en plein écran sur l'autre.

**Étape 3**

Vous choisissez ce qui s'affiche sur le second écran. Pour cela, utilisez le menu local du bouton « 2 ». Par exemple, vous pouvez afficher sur l'écran uniquement un Ensemble. Ensuite, dans cet ensemble, vous pourrez zoomer sur une des photos pour l'observer en mode Loupe. Les raccourcis clavier d'activation de ces modes sont identiques à ceux que vous connaissez déjà. Il suffit toutefois d'appuyer sur la touche Maj. Par exemple, pour afficher le mode Ensemble sur le second écran, appuyez sur Maj+N.

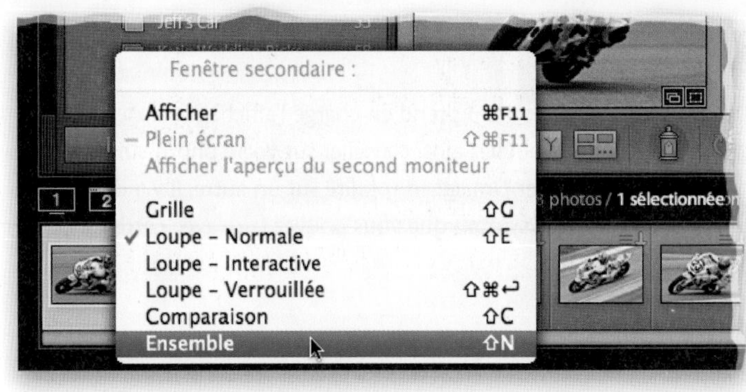

SCOTT KELBY

**ASTUCE : PERMUTER LES ÉCRANS**

Pour permuter les affichages, voici comment procéder : si vous êtes en mode Plein écran, appuyez sur F pour en sortir. Ensuite, glissez-déposez la barre de titre de l'affichage principal sur celle de l'affichage secondaire. Les deux écrans permutent automatiquement.

SCOTT KELBY

### Étape 4

L'affichage secondaire permet d'effectuer d'autres choses. Par exemple, cliquez sur le bouton « 2 ». Dans le menu local, choisissez Loupe – Interactive. Ensuite, placez le pointeur de la souris sur des vignettes de la Grille ou du Film fixe de l'écran principal. L'affichage secondaire affiche en mode Loupe la vignette sur laquelle se trouve le pointeur.

SCOTT KELBY

### Étape 5

Une autre option intéressante est Loupe – Verrouillée. Vous l'activez depuis le menu local « 2 ». Elle verrouille l'image actuellement affichée en mode Loupe sur le second moniteur. Il est donc possible de consulter une autre photo sur l'affichage principal. Pour changer de mode d'affichage sur l'écran secondaire, vous n'êtes pas obligé de passer par le menu local du bouton « 2 ». Cliquez sur la barre d'options constamment affichée en haut de la fenêtre du second écran. Pour masquer les éléments affichés en haut et en bas du second écran, cliquez sur l'une des flèches grises correspondantes.

### Étape 6

Les barres de navigation visibles en haut et en bas de l'affichage secondaire peuvent être masquées. Pour cela, cliquez sur l'un des petits triangles gris situés au centre de chaque barre. Ainsi, l'image occupe une place privilégiée dans la fenêtre.

*Second mode d'affichage par défaut avec les barres de navigation affichées en haut et en bas.*

*L'affichage secondaire sans les barres de navigation.*

**Astuce : Aperçu sur un moniteur physique** Le menu local de la fenêtre secondaire dispose de l'option Afficher l'aperçu du second moniteur. Cela permet de voir en incrustation sur le moniteur principal ce qui est affiché par le second écran. Par exemple, cela va permettre de suivre sur l'écran de votre ordinateur la diffusion d'un diaporama projeté *via* un vidéoprojecteur. En effet, dans ce genre de situation vous faites généralement face à votre public, et le diaporama se diffuse derrière vous.

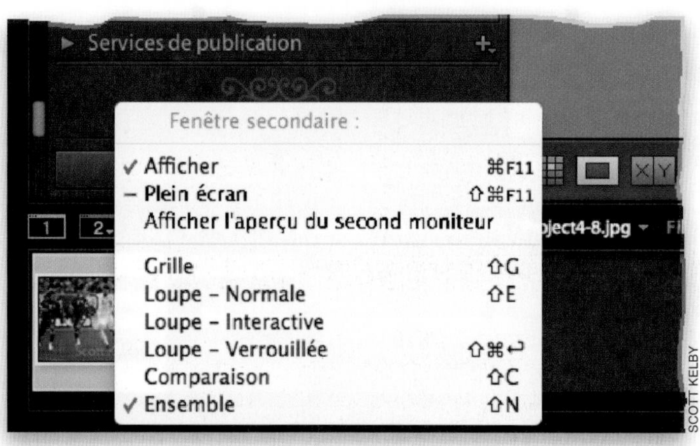

# Personnaliser l'affichage du film fixe

Vous pouvez définir les informations qui vont s'afficher dans le film fixe, exactement comme vous l'avez fait pour les affichages en mode Grille et Loupe. Comme le film fixe est de taille réduite, il est important de bien choisir les données qu'il doit communiquer à l'utilisateur pour ne pas trop encombrer cette zone de l'interface. Même si je vais vous apprendre à activer et à désactiver chaque ligne d'informations, je conseille de ne pas afficher toutes ces données afin d'aérer une interface déjà lourdement chargée. Voici ce que vous pouvez faire.

SCOTT KELBY

## Étape 1

Faites un clic-droit sur une vignette du film fixe. Tout en bas de ce menu, vous trouverez Afficher les options. Elles sont au nombre de quatre : Afficher les notes et les marquages permet de voir de petits drapeaux et de petites étoiles dans les cellules du film fixe ; si vous choisissez Afficher les badges, des miniversions des badges visibles sur les vignettes du mode Grille apparaissent en bas à droite des cellules ; Afficher les nombres de piles ajoute l'icône des piles avec un chiffre inscrit à l'intérieur qui permet de savoir combien de photos contiennent les piles ; la dernière option, Afficher les info-bulles d'informations sur les images, ouvre une info-bulle contenant le nom du fichier, la date et l'heure de la prise de vue, et la taille de l'image.

SCOTT KELBY

## Étape 2

Voici à quoi ressemble le film fixe lorsque ces trois options sont désactivées (en haut) et activées (en bas). Vous voyez les drapeaux des marqueurs, les étoiles des notes et les badges des vignettes (avec des avertissements pour les métadonnées non enregistrées). Lorsque le pointeur de la souris se trouve sur une vignette, une info-bulle apparaît distillant de nombreuses informations sur l'image. À vous de choisir : un film fixe allégé ou surchargé.

# Ajouter le nom et/ou le logo de votre studio

La première fois que j'ai utilisé Lightroom, j'ai été stupéfait par la possibilité de remplacer le logo Adobe Photoshop Lightroom par le nom ou le logo de mon studio. Cela est très impressionnant pour vos clients. Toutefois, la création d'une plaque d'identité va au-delà du simple fait de personnaliser l'interface de Lightroom.

**Étape 1**

Sur l'illustration ci-contre, je souligne la partie de l'interface que vous allez apprendre à personnaliser à l'étape 2. Vous allez remplacer le logo Lightroom par du texte ou par un autre logo.

SCOTT KELBY

**Étape 2**

Ouvrez le menu Lightroom (Édition), et cliquez sur Configuration de la plaque d'identité. Par défaut, le nom utilisé pour enregistrer le logiciel auprès d'Adobe y est affiché. Vous constatez aussi qu'il est sélectionné. Le nom est écrit avec une police que vous n'utiliserez probablement jamais car elle n'est pas très moderne. Pour que votre nom apparaisse à la place d'Adobe Photoshop Lightroom 3, cochez la case Activer la plaque d'identité. Bien sûr, vous pouvez taper n'importe quoi d'autre que votre nom (par exemple celui de votre société). Ensuite, choisissez une police, un style (gras, italique, condensé, etc.) et une taille dans les différents menus locaux.

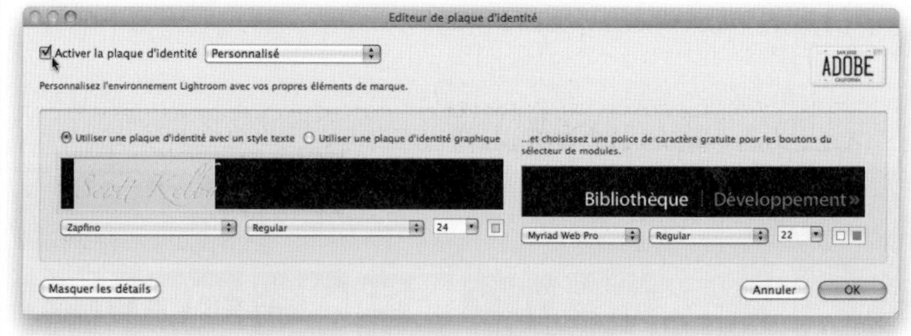

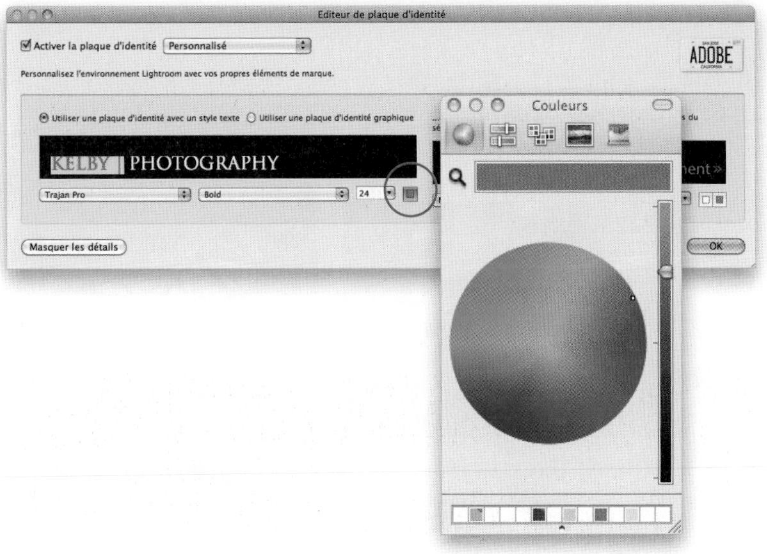


## Étape 3

Si vous désirez ne changer qu'une partie du texte, par exemple écrire certains mots avec une police particulière et dans une couleur spécifique, sélectionnez-les avant de procéder à vos modifications. Pour changer la couleur, cliquez sur le petit indicateur carré situé à droite du menu local affichant la taille de la police. Ceci ouvre la boîte de dialogue Couleurs. Définissez la couleur à appliquer, puis fermez cette fenêtre.

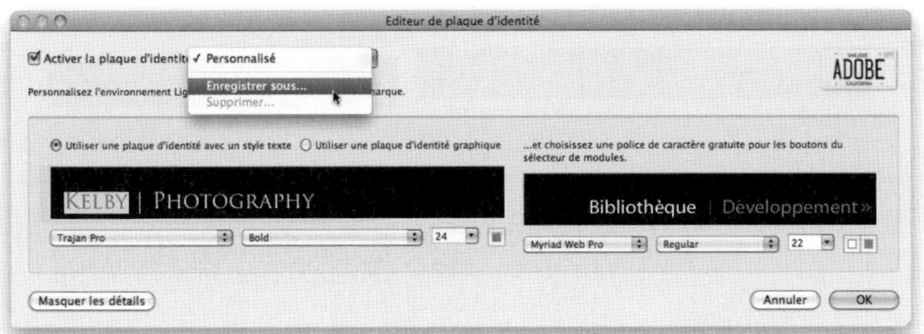


## Étape 4

Si les paramètres de votre plaque d'identité vous plaisent, sauvegardez-les. La création d'une telle plaque va bien au-delà du simple fait de remplacer le logo Lightroom. Par exemple, vous utiliserez votre plaque personnalisée dans vos diaporamas, vos galeries web ou sur une impression papier. Pour cela, cliquez sur le menu local Activer la plaque d'identité. Exécutez la commande Enregistrer sous. Dans la boîte de dialogue qui apparaît, donnez un nom significatif à cette plaque, et cliquez sur Enregistrer. Cette plaque peut alors être sélectionnée dans le menu local de l'Éditeur de plaque d'identité. Choisissez-la, et cliquez sur OK.

**Étape 5**
Une fois que vous avez cliqué sur le bouton OK, votre plaque remplace l'ancienne (voir ci-contre).

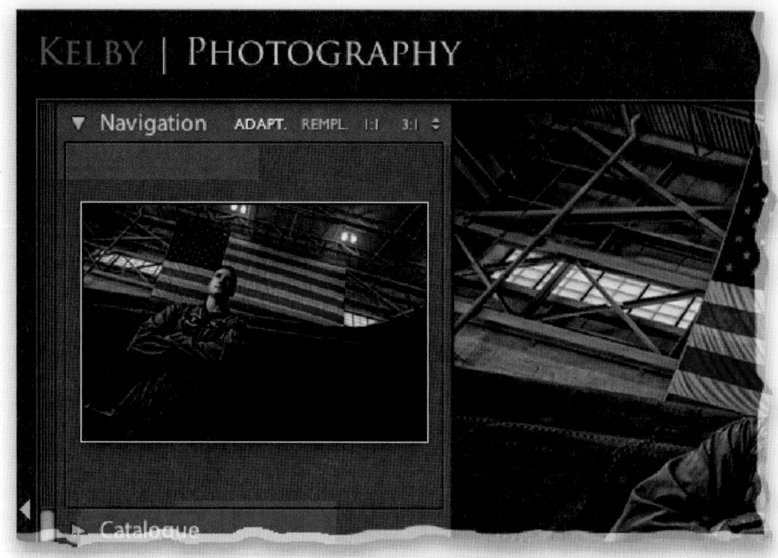


**Étape 6**
Pour utiliser une image, comme le logo de votre société, ouvrez l'Éditeur de plaque d'identité, et activez le bouton radio Utiliser une plaque d'identité graphique. Ensuite, cliquez sur le bouton Rechercher le fichier. J'utilise ici un logo sur fond noir créé avec Adobe Photoshop. Je le localise dans un dossier de mon disque dur, puis je clique sur le bouton Sélectionner afin de l'intégrer dans la plaque d'identité.

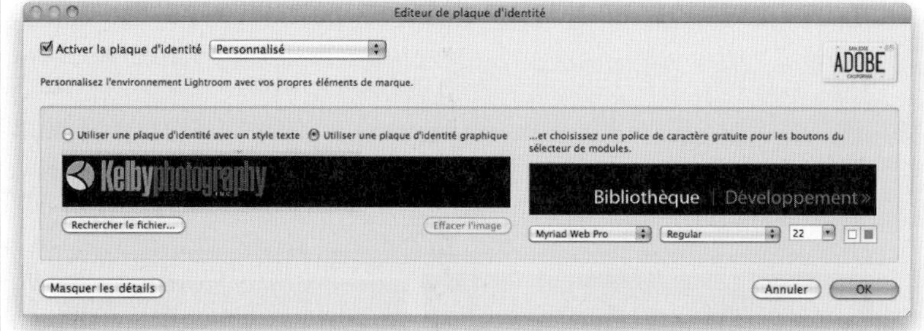


INFO Lorsque vous activez l'option Utiliser une plaque d'identité graphique, le message affiché dans la vaste zone d'aperçu précise que l'image ne doit pas dépasser 57 pixels de hauteur.

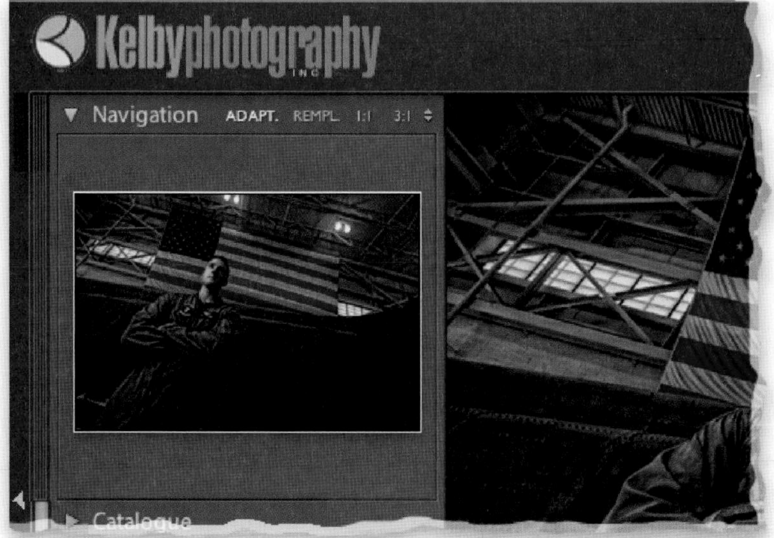


## Étape 7

Lorsque vous cliquez sur OK, le logo initial de Lightroom est remplacé par le vôtre. Si la plaque d'identité composée du logo vous convient, enregistrez-la pour l'utiliser quand vous en sentirez le besoin. Il suffira de la sélectionner dans le menu local de l'Éditeur de plaque d'identité.

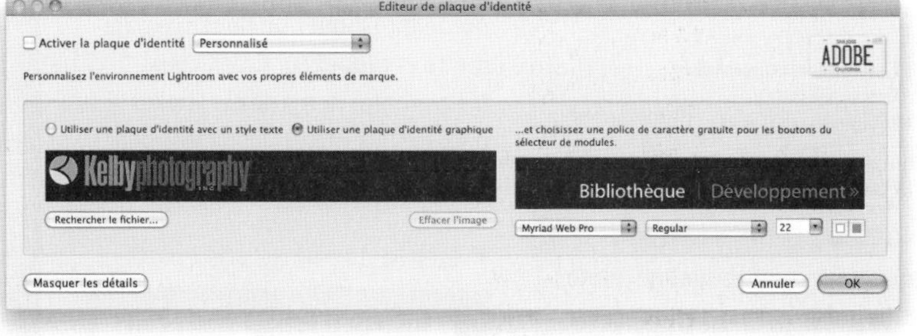


## Étape 8

Pour afficher rapidement le logo Adobe Photoshop Lightroom 3, ouvrez l'Éditeur de plaque d'identité, puis décochez l'option Activer la plaque d'identité. Nous découvrirons d'autres aspects de la plaque d'identité lorsque nous étudierons les trois modules plus loin dans ce livre.

# Les petits trucs de Lightroom > >

## ▼ Loupe et barre d'espace

Si vous désirez zoomer sur la photo affichée en mode Loupe, appuyez sur la barre d'espace. Lorsque vous zoomez de la sorte, Lightroom utilise le dernier facteur d'agrandissement que vous avez sélectionné dans l'en-tête du panneau Navigateur (par défaut, ce facteur est de 1:1). Pour vous déplacer dans l'image agrandie, cliquez dedans et faites bouger la souris.

## ▼ Masquer les messages de rendu

SCOTT KELBY

Si dans la boîte de dialogue Importer les photos vous choisissez l'option Minimum ou Fichiers annexes incorporés du menu local Aperçus initiaux, Lightroom n'effectue un rendu des aperçus en haute résolution que si vous zoomez dessus. Dans ce cas, il incruste un message indiquant que le rendu est en cours. Ces messages finissent par agacer. Vous pouvez les désactiver en appuyant sur Cmd+J (Ctrl+J). Dans la boîte de dialogue qui apparaît, cliquez sur l'onglet Mode Loupe. Dans la section Général, décochez l'option Afficher un message lors du chargement ou du rendu des photos.

## ▼ Ouvrir tous vos panneaux simultanément

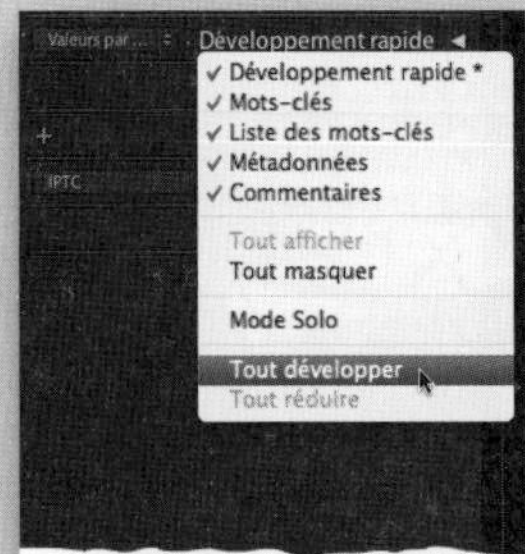


Si vous désirez que tous les panneaux d'un volet s'ouvrent simultanément, faites un clic-droit sur n'importe quel en-tête de panneau. Dans le menu contextuel, cliquez sur Tout développer.

## ▼ Passer à un affichage à 100 %

Chaque fois que vous désirez afficher une photo à 100 %, appuyez sur Z.

## ▼ Choisir la zone sur laquelle Lightroom va zoomer

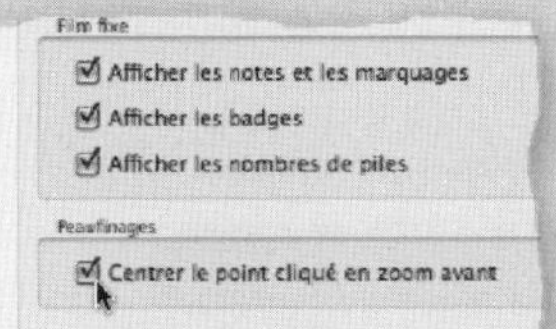


Lorsque vous zoomez sur une photo, Lightroom agrandit la portion de l'image sur laquelle vous cliquez. Mais, si vous désirez que cette zone soit centrée à l'écran, appuyez sur Cmd+, (Ctrl+,) pour ouvrir les préférences de Lightroom. Cliquez sur l'onglet Interface. Dans la zone Peaufinages, cochez l'option Centrer le point cliqué en zoom avant.

## ▼ Nommer les libellés

Vous pouvez changer le nom des couleurs des libellés. Ainsi, le libellé Vert pourra devenir « Approuvé » et le Jaune, se nommer « Attente de validation », etc. Pour cela, ouvrez le menu Métadonnées. Choisissez Ensemble de libellés des couleurs, et cliquez sur Modifier. Dans la boîte de dialogue Modifier l'ensemble de libellés de couleurs, renommez les couleurs. Le chiffre situé à droite de chaque libellé correspond à la touche du clavier sur laquelle vous devez appuyer pour assigner le libellé correspondant. (Pourpre n'a pas de raccourci.) Une fois les noms attribués, ouvrez le menu local Paramètre prédé-

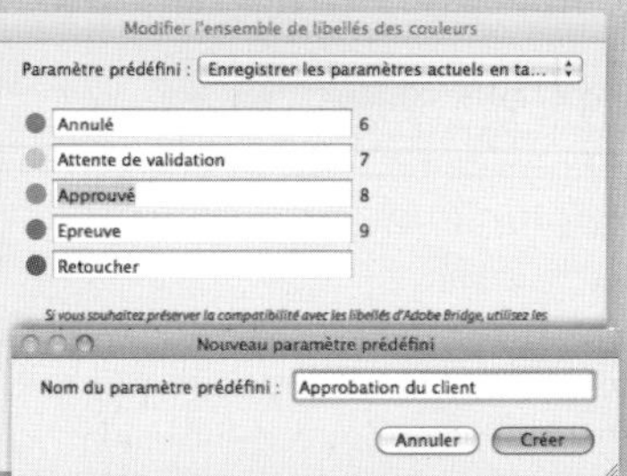


fini, et cliquez sur Enregistrer les paramètres actuels en tant que paramètre prédéfini. Donnez un nom à ce paramètre et cliquez sur Créer. Vous trouverez les noms de ces libellés dans le sous-menu Définir les libellés des couleurs du menu Photo.

## ▼ Lier le destin de vos volets

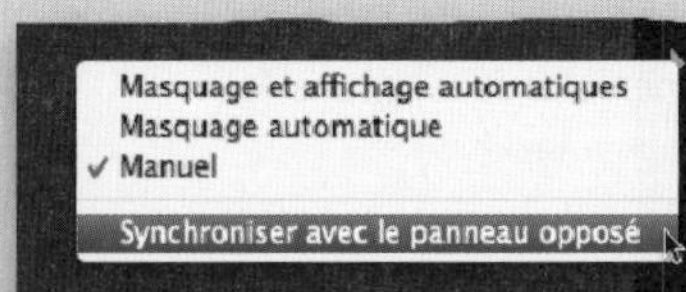


Si vous réglez vos volets latéraux sur Manuel, c'est-à-dire que vous décidez de les masquer ou de les afficher en cliquant sur le petit triangle gris, vous pouvez spécifier que lorsque vous en fermez un vous fermez l'autre. En d'autres termes, quand vous ouvrez ou fermez le volet de droite (ou de gauche) l'autre s'ouvrira et se fermera de concert. Pour cela, faites un clic-droit sur un de ces petits triangles. Dans le menu contextuel, choisissez Synchroniser avec le panneau opposé.

## ▼ Changer la marque de fin de panneau

En bas de chaque panneau, vous remarquez la présence d'une sorte d'enluminure. On l'appelle la « marque

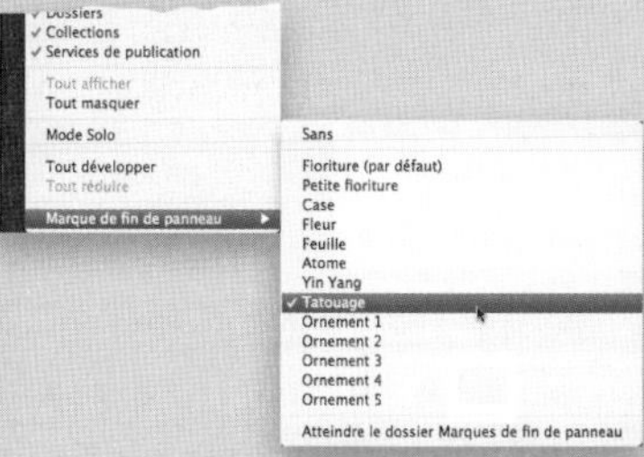


de fin de panneau ». Vous pouvez la modifier en choisissant une marque prédéfinie ou en y substituant la vôtre. Pour cela, cliquez sous cette marque du bouton droit de la souris. Dans le menu contextuel qui apparaît, choisissez Marque de fin de panneau. Cliquez sur la marque qui vous convient. (Vous devez les tester car il n'y a pas d'aperçu.) En les enregistrant au format PNG, vous pouvez créer vos propres marques que vous stockerez dans le dossier Marques de fin de panneau. Dès lors, elles seront disponibles dans ce sous-menu.

## ▼ Télécharger d'autres marques de fin de panneau

Il est possible de télécharger des marques de fin de panneau créées par des utilisateurs de Lightroom. Visitez www.lightroomextra.com. Cliquez sur le lien Download, puis sur le bouton Show me, situé à gauche de Panel End Marks. Sachez que vous téléchargez ces éléments à vos risques et périls.

## ▼ Afficher les attributs communs

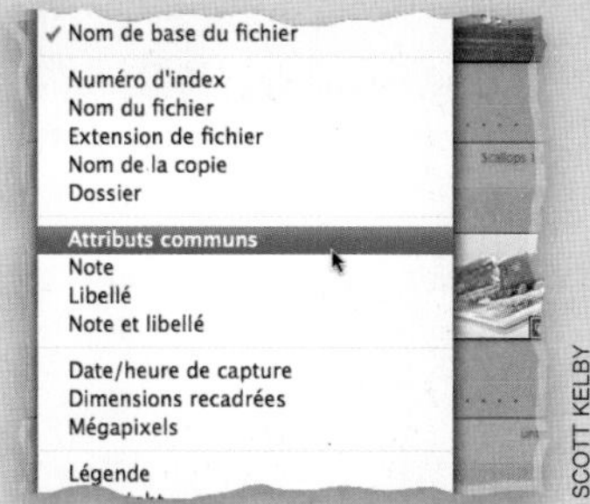


Pour savoir si votre image contient des marques ou des étoiles (notes), faites un clic-droit dans la partie supérieure de sa vignette. Dans le menu contextuel, choisissez Attributs communs.

## ▼ Changer la couleur d'arrière-plan de Lightroom

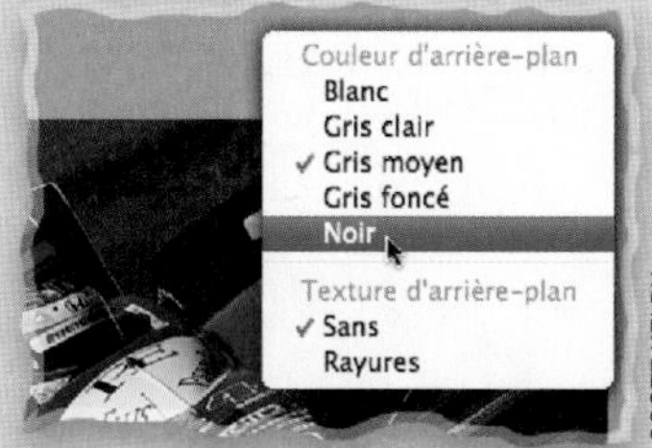


Pour modifier le gris moyen qui définit la couleur d'interface de Lightroom, affichez une image en mode Loupe, et faites un clic-droit n'importe où dans la zone grise entourant l'aperçu. Dans le menu contextuel, cliquez sur la couleur à utiliser.

## ▼ Supprimer les anciennes sauvegardes pour libérer de l'espace disque

Je sauvegarde mon catalogue Lightroom une fois par jour. Mais, après quelques semaines d'utilisation, mes multiples sauvegardes occupent un espace disque important. Or je n'ai réellement besoin que de deux ou trois copies de sauvegarde. Pour effacer des sauvegardes obsolètes, ouvrez le dossier Lightroom. Localisez les sauvegardes dont la date de création est très ancienne, et supprimez-les comme un fichier ordinaire.

## ▼ Le secret du formatage du texte de la plaque d'identité

Il est difficile de formater le texte directement dans l'Éditeur de plaque d'identité, surtout si vous définissez plusieurs lignes. Il existe une technique plus facile : créez votre texte avec une belle typo dans un programme comme Photoshop. Sélectionnez ce texte et copiez-le dans le Presse-papiers. Basculez ensuite vers l'Éditeur de plaque d'identité, et collez ce texte magnifiquement préparé. Lightroom conservera la police choisie et les propriétés de mise en forme.

## ▼ Nouveau badge

Dans Lightroom 3, vous trouverez un nouveau type de badge. Il se compose de deux rectangles qui se chevauchent. Si vous cliquez dessus, vous accédez à un menu local contenant vos collections. Celle à laquelle appartient l'image affichant le badge est identifiée par une coche. Cliquez sur le nom de cette collection pour la sélectionner instantanément dans le panneau Collections. Ses images s'affichent dans la zone d'aperçu.

# L'essentiel de l'éditing

## Développer vos photos

J'aime les anachronismes comme celui contenu dans le sous-titre de ce chapitre – Développer vos photos. En effet, vous pourriez facilement en déduire que Lightroom permet de réaliser des tirages comme dans un bon vieux laboratoire argentique. Vous pensez alors découvrir dans ce chapitre des astuces pour protéger votre ordinateur contre les révélateurs et autres fixateurs, ou bien encore apprendre à placer des pinces à linge sur votre moniteur afin d'y laisser sécher vos épreuves. Eh bien, non ! le numérique est bien plus écologique que l'argentique. Ici, point de chimie (ou alors très peu), point de dépenses inconsidérées d'électricité, et pas de lavage d'épreuves à l'eau courante que nous envient tellement les enfants des pays du tiers-monde qui manquent de tout. Certes, je ne vous empêche pas de vous enfermer dans une salle entièrement noire uniquement éclairée par une ampoule rouge. Mais n'ayez pas la naïveté de croire que vous risquez de voiler votre « négatif numérique » si jamais vous travaillez en pleine lumière naturelle. Alors, me direz-vous, pourquoi parler de développement des photos ? Eh bien, tout simplement parce que ce que vous allez réaliser dans un programme comme Lightroom n'est pas très éloigné de ce que vous faisiez dans un laboratoire de développement argentique.

# Vous mettez à niveau une ancienne version de Lightroom ? Lisez ceci !

Avec la version 3 de Lightroom, Adobe a considérablement amélioré son moteur de traitement des images. De ce fait, vous devez impérativement connaître certaines choses si vous ouvrez dans Lightroom 3 des photos travaillées depuis une version antérieure de ce logiciel. La lecture de cette section est fondamentale.

### Étape 1

Les nouvelles images que vous importez depuis une carte mémoire utilisent la récente technologie de traitement développée par Adobe. Le format de fichier importe peu, c'est-à-dire Raw, TIFF ou JPEG. Vous n'avez aucune décision spécifique à prendre, et vous bénéficiez automatiquement des dernières technologies de traitement Adobe. Les choses se compliquent quand vous désirez travailler sur des photos qui ont été traitées dans une ancienne version de Lightroom. Le problème est que vous ne pouvez pas le savoir quand vous affichez l'image en mode Loupe dans la Bibliothèque.

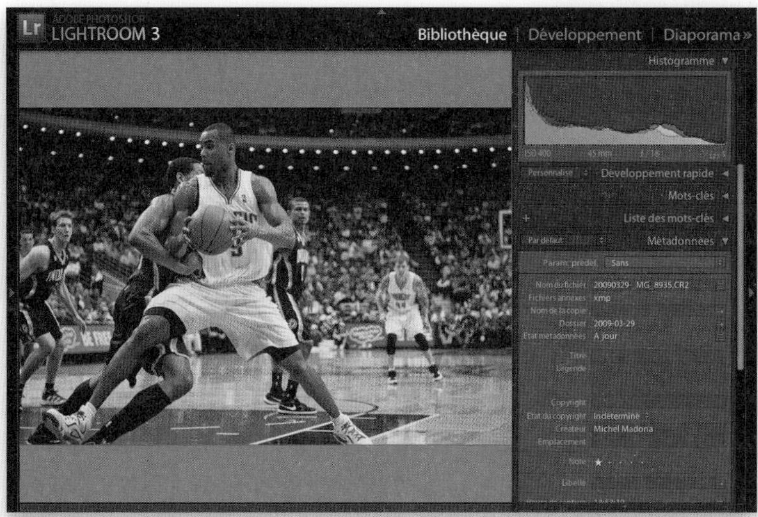


SCOTT KELBY

### Étape 2

Lorsque vous importez une ancienne photo traitée dans Lightroom 1 ou 2 et que vous basculez dans le module Développement, une icône d'alerte s'affiche dans le coin inférieur droit de l'image. Cliquez dessus. Vous ouvrez la boîte de dialogue Mettre à jour la version du processus. Si vous cliquez sur Mettre à jour, une seule photo est mise à jour et importée. Pour traiter ainsi plusieurs images, cliquez sur le bouton Mettre à jour toutes les photos du film fixe.

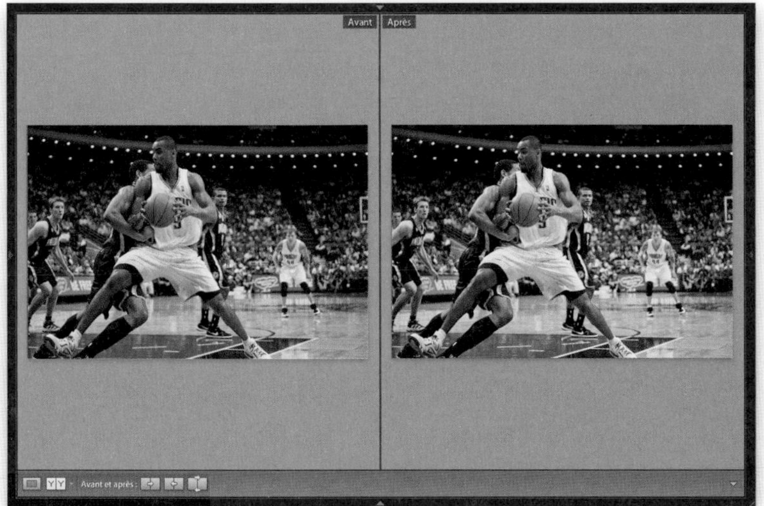


**Étape 3**

Au centre de la boîte de dialogue Mettre à jour la version du processus, vous découvrez une option de comparaison des versions en mode Avant/Après. Ceci est important car, si le résultat ne vous convient pas, appuyez sur Cmd+Z (Ctrl+Z). Ici, vous voyez une comparaison avant et après. J'aime beaucoup la richesse des couleurs de la version Après. Les tons sont plus chauds. Certes, le changement est assez mineur, mais il existe tout de même. (Je ne suis pas certain que vous puissiez l'apprécier sur ces pages imprimées.) Sincèrement, je n'ai jamais constaté des modifications spectaculaires sur des photos importées depuis une ancienne version de Lightroom.

**Étape 4**

Si vous souhaitez reporter la mise à jour, sachez qu'il vous sera toujours possible d'y procéder *via* le menu Paramètres. Il vous suffira alors de cliquer sur Mettre à jour le processus actuel (2010). Si vous ouvrez le sous-menu Processus, vous pouvez opter pour celui de 2003 ou de 2010.

**Astuce : Panneau Collections en mode Développement** Lightroom 3 est la première version du programme qui permet de disposer du panneau Collections dans le module Développement. Cela vous invite à basculer de ce module au module Bibliothèque dès que vous désirez travailler sur une autre image.

# Pour que vos Raw ressemblent à vos JPEG

Voici ce que j'entends le plus souvent sur Lightroom : « Quand mes photos Raw s'affichent pour la première fois dans Lightroom, elles sont super, mais dès que j'applique une modification elles deviennent horribles. » en fait, quand vous photographiez en JPEG, l'appareil modifie le contraste, la netteté, etc. En Raw, vous indiquez à l'appareil de conserver l'image telle quelle. Donc, le premier aperçu Raw dans Lightroom est impeccable. Ensuite, Lightroom montre l'aperçu réel du fichier Raw, c'est-à-dire sans netteté ni contraste. Voici comment voir un Raw comme s'il s'agissait d'un JPEG :

### Étape 1

Ouvrez le module Développement. Affichez le panneau Étalonnage de l'appareil photo. Vous y trouverez un menu local Profil. Il contient des paramètres prédéfinis basés sur la marque et le modèle de votre appareil photo numérique. Ces profils simulent les traitements JPEG appliqués par l'appareil au moment de la prise de vue. Le profil qui simule bien cet aperçu JPEG est Adobe Standard.

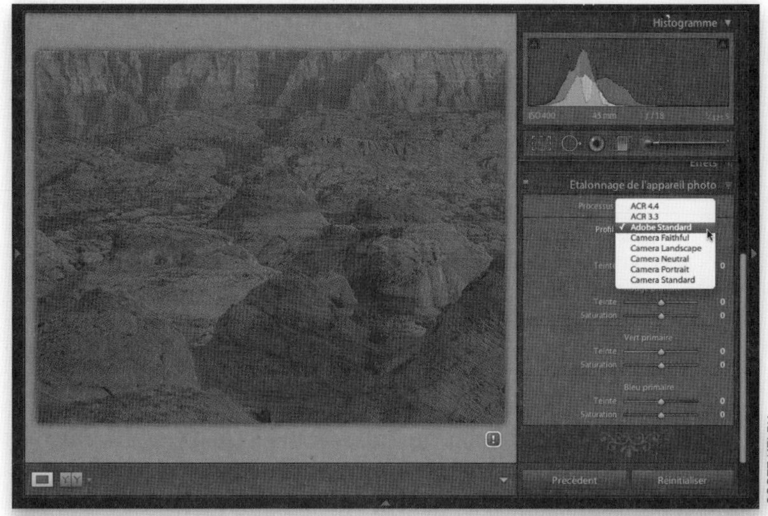


SCOTT KELBY

### Étape 2

Testez les différents profils. Choisissez celui qui vous convient le mieux. Je commence toujours par Camera Standard, qui simule mieux le JPEG qu'Adobe Standard.

**Info** Les profils diffèrent en fonction de la marque de votre appareil photo numérique. Les noms affichés correspondent aux styles d'images des appareils en question.

### Étape 3

Si vous photographiez des paysages et que vous désiriez retrouver le style du film Fuji Velvia, ou si vous désirez simplement rendre les couleurs plus vives, choisissez le profil Camera Vivid. J'aime ce profil appliqué aux paysages. J'essaie également le profil Landscapes, et je compare les deux profils. En effet, le résultat peut changer radicalement d'une photo à une autre.

**Info** N'oubliez pas que, pour les photos Raw, vous ne disposez que des profils identiques à ceux de votre appareil. Si vous photographiez en JPEG, vous ne verrez qu'un seul profil : Incorporé.

**Astuce : Créer vos profils**
Vous pouvez créer vos propres profils avec le programme DNG Profile Editor d'Adobe. Téléchargez-le à l'adresse http://labs.adobe.com/wiki/index.php/DNG_Profiles.

### Étape 4

Voici la comparaison Avant/Après avec le profil Camera Vivid. Adobe ne prétend pas que ces profils soient destinés à simuler un aperçu JPEG. Pourtant, force est de constater qu'ils s'en rapprochent fortement. J'utilise ces profils chaque fois que je désire un aperçu JPEG identique à celui de l'écran LCD de mon appareil photo numérique.

**Astuce : Appliquer automatiquement des profils** Pour appliquer automatiquement un profil, ouvrez le module Développement, et choisissez-le dans le menu local. Créez un nouveau paramètre de développement prédéfini. Maintenant, appliquez ce profil à l'importation des photos. Choisissez-le dans la fenêtre d'importation de Lightroom. (Pour plus d'informations sur la création des paramètres prédéfinis, consultez la page 158.)

# Régler la balance des blancs

Appliquer la bonne balance des blancs à vos images est l'édition la plus importante que vous réaliserez dans Photoshop Lightroom. Heureusement, cette opération est facile à exécuter. Je commence toujours par régler la balance des blancs. Ainsi, une majorité des problèmes liés à la couleur sont réglés. Vous corrigez la balance des blancs dans le panneau Réglages de base du module Développement.

### Étape 1

Dans le module Bibliothèque, cliquez sur la photo que vous désirez modifier. Ensuite, appuyez sur D. L'image s'ouvre dans le module Développement. Tous les réglages de correction des images sont localisés dans le volet gauche de ce module. Par défaut, la balance des blancs appliquée à l'image (c'est-à-dire la température des couleurs) est définie sur Telle quelle. Cela signifie qu'il s'agit de la balance des blancs de l'appareil photo numérique avec lequel vous avez pris le cliché.

SCOTT KELBY

### Étape 2

Le réglage de la balance des blancs (ou température) s'effectue dans la partie supérieure du panneau Réglages de base. Vous y voyez les initiales BB (rien à voir avec Brigitte Bardot). Il s'agit d'un menu local renfermant des réglages de balance des blancs prédéfinis.

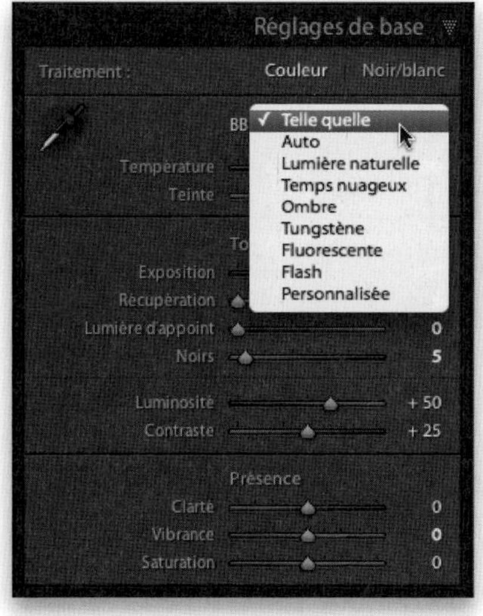


**INFO** Vous ne pouvez utiliser ces paramètres prédéfinis que si vous traitez des images au format Raw. Avec des fichiers JPEG, la seule option proposée est Auto.

## Étape 3

Sur la photo qui illustre l'étape 1, nous voyons clairement que la peau est un peu bleutée. L'image globale est assez froide. Objectivement, un réglage de la balance des blancs s'impose.

**INFO** Pour utiliser la même photo que moi, téléchargez-la à l'adresse suivante : www.kelbytraining.com/books/LR3.

Dans le menu local Balance des blancs (BB), choisissez Auto. Ah ! la peau s'améliore nettement, mais le fond gris reste bleu. Vous voyez aussi que les cheveux sont eux aussi encore bleutés. Si vous essayez Lumière naturelle, la photo est plus chaude, mais bien trop jaune. Temps nuageux renforce encore la chaleur de l'image, et Ombre donne beaucoup trop de teintes orange. Choisissez Temps nuageux.

## Étape 4

Si vous choisissez Tungstène ou Fluorescente, vous obtenez une image bleue. Flash (voir ci-contre) donne un résultat acceptable. Le dernier réglage n'est pas véritablement un paramètre prédéfini puisqu'il se nomme Personnalisée. Vous devez alors agir sur les deux curseurs situés sous ce menu local pour régler manuellement la balance des blancs. Maintenant que vous connaissez l'action de ces paramètres, voici ce que je vous conseille : tout d'abord, testez tous ces préréglages. Il se peut que vous tombiez sur un paramètre qui corrige impeccablement le problème. Sinon choisissez celui qui donne le résultat le plus proche de ce que vous désirez. (Ici, il s'agit de Flash, mais le fond prend une teinte marron au lieu de grise.)

### Étape 5

Maintenant que le préréglage est appliqué, jouez sur les curseurs Température et Teinte pour régler correctement la balance des blancs. Vous remarquez que chaque curseur glisse sur une barre dont les couleurs permettent d'anticiper l'impact du déplacement. Si je glisse le curseur Température vers la gauche, j'introduis du bleu dans l'image, et vers la droite du jaune. Sans plus d'explication, dans quelle direction allez-vous glisser ce curseur ? Vers la gauche, bien sûr ! et le curseur Teinte pour rendre l'image plus magenta ? Vers la droite ! C'est la simplicité même.

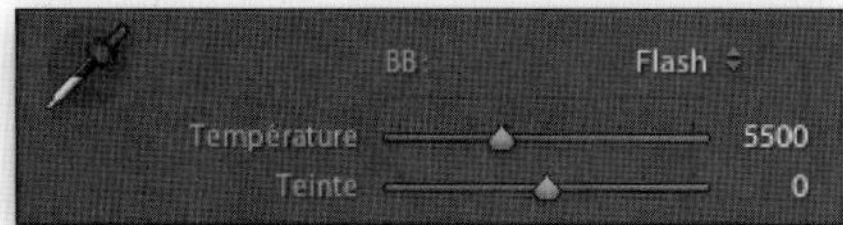


*Balance des blancs prédéfinie Flash.*

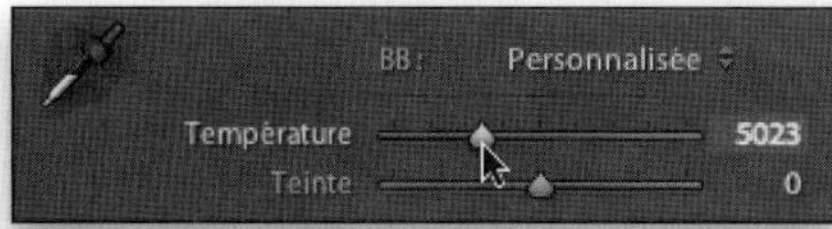


*Pour retrouver le gris du fond, j'ai glissé le curseur Température vers le bleu (étape 6).*

### Étape 6

En appliquant la balance des blancs Flash, le fond tire sur le marron ; faites glisser le curseur Température vers la gauche (c'est-à-dire les bleus) jusqu'à ce que la dominante marron disparaisse de l'arrière-plan et qu'il devienne gris. Dans cet exemple, je glisse le curseur Température vers la gauche. Je constate que la température est sensiblement bonne à 5023. Si l'image vous paraît trop magenta, glissez le curseur Teinte vers le vert. Allez-y très doucement.

*La température du Flash est de 5500. Elle génère un fond marron.*

*En fixant la température à 5023, le gris du fond est réintroduit.*

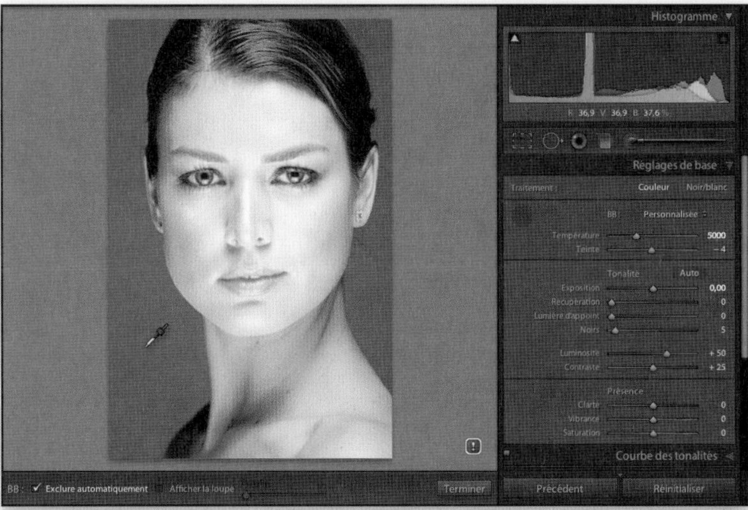


## Étape 7

Vous savez maintenant corriger une balance des blancs en partant d'un réglage prédéfini et en ajustant les curseurs Température et Teinte. Je vais vous expliquer ma manière de faire, qui, j'en suis certain, deviendra la vôtre. Elle consiste à utiliser l'outil Sélecteur Balance des blancs. Commencez par sélectionner Telle quelle dans le menu local BB. Ensuite, cliquez sur cet outil (grosse pipette) situé à gauche du menu local BB. Maintenant, cliquez sur une zone de l'image qui devrait être grise, c'est-à-dire l'arrière-plan. En effet, les appareils photo numériques règlent leur balance sur du gris et non pas sur du blanc comme les Caméscopes. Ici, j'ai cliqué sur l'arrière-plan, qui devrait être gris clair. L'outil détermine la bonne balance des blancs pour moi. Vous constatez que la Température est maintenant de 5000 et la Teinte, de -4. Cela a introduit une touche de vert pour équilibrer l'ensemble de la photo.

## Étape 8

Avant de poursuivre, voici une petite explication sur l'outil Sélecteur Balance des blancs. Il affiche une loupe qui grossit la portion de l'image sur laquelle vous le passez. Cela facilite la détermination d'une teinte gris moyen dans la photo. Si cette incrustation vous gène, désactivez-la. Pour cela, décochez l'option Afficher la loupe, située sous l'aperçu. Seule la pipette vous permet alors de déterminer la couleur sur laquelle cliquer.

**Étape 9**

Je ne suis pas fanatique de cette Loupe. Pourtant, je trouve l'outil Sélecteur Balance des blancs tout à fait excellent, pour la raison suivante. Lorsque vous passez la pipette sur différentes zones de l'image, le panneau Navigation affiche un aperçu en temps réel. Il correspond à l'aspect que revêtira l'image si vous cliquez précisément à l'endroit où se situe actuellement la pipette. Cette prévisualisation fait gagner un temps précieux car elle évite les tâtonnements et les successions de clics. Par exemple, si vous placez le sélecteur sur l'arrière-plan bleuté de la photo, vous voyez à quoi ressemblerait votre image si vous cliquiez sur ce point spécifique. Sympa, n'est-ce pas ? Donc, n'hésitez pas à regarder le panneau Navigation quand vous utilisez le Sélecteur Balance des blancs.

**Étape 10**

Voici d'autres petites choses à savoir sur la balance des blancs. (1) Lorsque vous avez fini d'utiliser le Sélecteur Balance des blancs, vous cliquez soit sur son emplacement dans le panneau Réglages de base, soit sur le bouton Terminé. (2) Dans la barre d'outils, vous notez la présence de l'option Exclure automatiquement. Si vous l'activez, le Sélecteur Balance des blancs reprend automatiquement sa place dans le panneau Réglages de base dès que vous cliquez sur l'image. Personnellement, je désactive cette option pour pouvoir cliquer autant de fois que je le désire. (3) Pour revenir à la balance des blancs d'origine, ouvrez le menu local BB et choisissez Telle quelle. (4) si vous êtes dans le module Bibliothèque et que vous souhaitiez utiliser immédiatement le Sélecteur Balance des blancs, appuyez sur W. Vous basculez vers le module Développement avec l'outil en question prêt à l'emploi.

*Avec la balance des blancs Telle quelle, l'image présente un fond marron, et la photo est globalement jaune.*

*L'image corrigée par un simple clic avec l'outil Sélecteur Balance des blancs. Le fond reprend sa couleur grise, et la peau est bien plus naturelle.*

# Régler la balance des blancs en mode connecté

La capture en mode connecté est ma fonction préférée de cette version 3 de Lightroom. Elle va permettre de régler la balance des blancs en temps réel. Comment ? Grâce à la carte contenant 18 % de gris que vous trouverez à la fin de ce livre. Voici comment procéder.

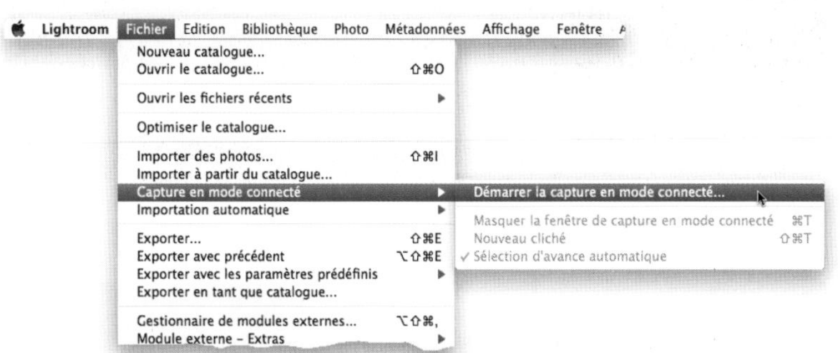


### Étape 1

Connectez votre appareil photo numérique au port USB de votre ordinateur. Ensuite, ouvrez le menu Fichier et cliquez sur Capture en mode connecté. Choisissez Démarrer la capture en mode connecté. Ceci ouvre la boîte de dialogue Paramètres de capture en mode connecté. Définissez les préférences de cette session de prises de vue comme cela est expliqué à la page 22 du Chapitre 1.

### Étape 2

Une fois l'éclairage naturel ou artificiel réglé, placez le sujet à photographier. Ensuite, donnez-lui la carte composée de 18 % de gris mentionnée en introduction. Demandez-lui de la tenir face à l'appareil le temps que vous fassiez vos réglages. Prenez une photo test.

## Étape 3

Une fois la photo affichée dans Lightroom, activez l'outil Sélecteur Balance des blancs (W). Cliquez sur le carton gris. Voilà ! Vous disposez désormais du bon réglage de la balance des blancs. Nous allons voir comment l'appliquer à toutes les photos de cette session.

## Étape 4

Dans la barre d'outils de capture en mode connecté, ouvrez le menu local Paramètres de développement. Choisissez Comme précédemment. Maintenant, vous pouvez retirer le carton gris de la scène. Photographiez ! Toutes vos nouvelles photos se verront appliquer la balance des blancs que vous venez de définir. Cette correction en amont ne sera plus à faire en aval, c'est-à-dire durant la phase de postproduction. Gain de temps garanti !

SCOTT KELBY

J'adore la manière dont Lightroom permet de gérer les comparaisons de type Avant/Après. Voyons ensemble comment profiter de cette souplesse d'utilisation.

# Comparaisons avant et après

SCOTT KELBY

## Étape 1

Quand vous travaillez dans le module Développement, appuyez sur Maj+S pour afficher la version de l'image avant modification. La mention « Avant » s'affiche dans le coin supérieur droit de l'image. Pour revenir à l'image modifiée, appuyez de nouveau sur ce raccourci clavier.

## Étape 2

Pour effectuer une vraie comparaison, appuyez sur la touche Y. L'écran se scinde en deux, affichant à gauche l'image Avant traitement et à droite la version Après traitement. Si vous appuyez encore sur Y, vous affichez uniquement la version Après. Si vous appuyez sur Maj+Y, vous divisez verticalement l'image en deux. À gauche, vous avez la partie Avant et à droite, la partie Après. Appuyez sur Option+Y (Alt+Y) pour scinder l'image en deux parties mais horizontalement. Pour revenir en mode Loupe, appuyez sur D.

INFO Vous pouvez également alterner les modes Avant et Après en cliquant sur le bouton cerclé de rouge sur l'illustration ci-contre.

# Appliquer les réglages d'une photo à d'autres clichés

C'est ici que votre flux de production va devenir des plus dynamiques. Lorsque vous modifiez une photo, il est possible d'appliquer ses réglages à d'autres clichés. Par exemple, si vous avez 260 photos prises dans des conditions d'éclairage similaires, vous n'allez pas modifier ces images une par une ! Corrigez une des photos et appliquez ses réglages aux autres. L'opération est quasi automatique.

### Étape 1

Dans cet exemple, corrigeons la balance des blancs d'un portrait. Sélectionnez un cliché, et appuyez sur W pour passer au réglage de la balance des blancs du module Développement. Le Sélecteur Balance des blancs est automatiquement activé. Avec cet outil, cliquez sur une partie du voile qui devrait être gris. (J'ai appuyé sur Maj+Y pour que vous appréciiez la comparaison Avant/Après de l'image.) Voilà ! la première phase des corrections est terminée. Appuyez sur D pour revenir en mode Loupe.

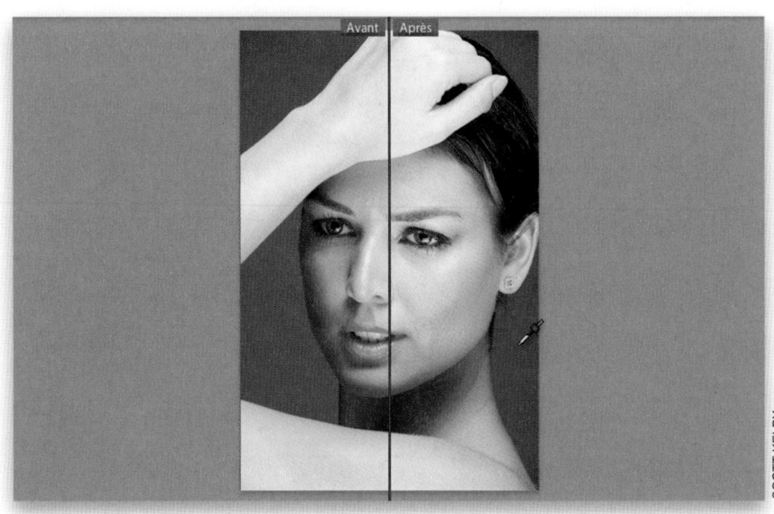


SCOTT KELBY

### Étape 2

Dans la partie inférieure gauche de l'interface (volet gauche), cliquez sur le bouton Copier. Ceci ouvre la boîte de dialogue Copier les paramètres. Si nécessaire, cliquez sur le bouton Ne rien sélectionner, puis cochez la case Balance des blancs, c'est-à-dire le réglage que nous venons d'effectuer. Cliquez sur le bouton Copier.

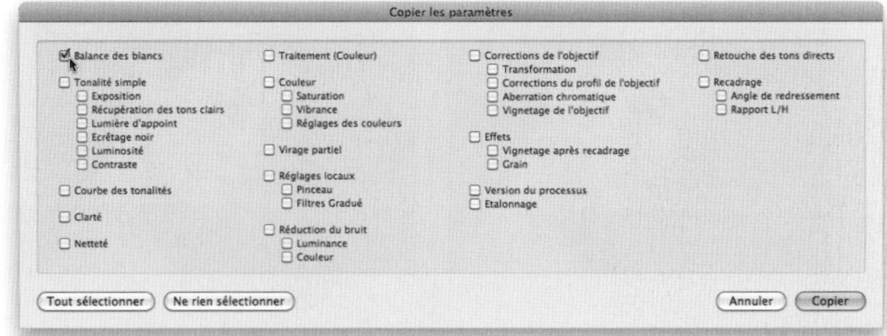

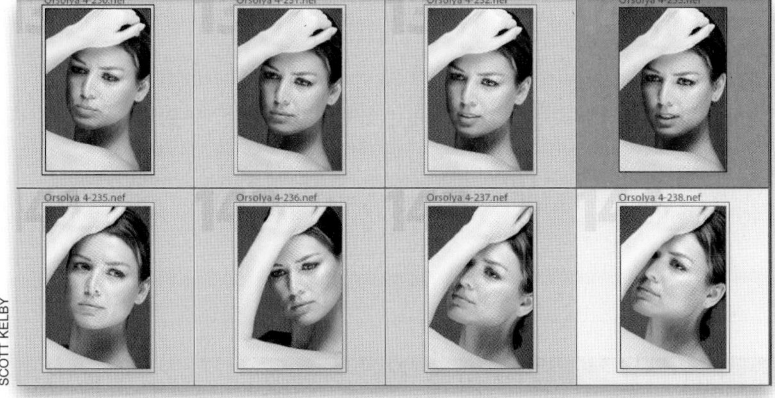


SCOTT KELBY

### Étape 3

Appuyez sur G pour revenir en mode Grille. Sélectionnez toutes les photos auxquelles vous désirez appliquer le réglage de la balance des blancs. Vous constatez que la photo que j'ai corrigée est la quatrième vignette de la rangée inférieure. Appuyez sur Cmd+A (Ctrl+A) pour sélectionner toutes les photos. Peu importe que l'original fasse aussi partie de cette sélection.

**Astuce : Choisir d'autres réglages**

Vous pouvez utiliser la fonction copier-coller pour coller de nombreux réglages sur vos images. Ainsi, pour copier rapidement tous les réglages d'une section de paramètres, je coche directement cette section dans la boîte de dialogue Copier les paramètres. Ainsi, pour copier tous les réglages effectués dans le panneau Réglages de base, je coche directement la case Tonalité simple de la boîte de dialogue Copier les paramètres.

SCOTT KELBY

### Étape 4

Ouvrez le menu Paramètres et cliquez sur Coller les paramètres. Vous pouvez aussi exécuter le raccourci clavier Cmd+Maj+V (Ctrl+Maj+V). Le réglage de la balance des blancs précédemment copié est appliqué aux images sélectionnées.

**Astuce : Corriger une ou deux photos**

Lorsque je corrige une ou deux photos, je ne suis pas cette procédure. Je me contente de régler la première image. Ensuite, je clique sur la photo suivante dans le film fixe. Alors, je clique sur le bouton Précédent, situé en bas du volet droit du module Développement. Toutes les modifications apportées à la précédente image sont appliquées à la nouvelle.

# Régler l'exposition globale

Maintenant que la balance des blancs est corrigée, vous devez ajuster l'exposition globale de l'image. Bien qu'il existe un curseur éponyme, vous en utiliserez trois pour régler l'image. Non seulement cette procédure est simple, mais en plus Lightroom dispose de toutes sortes d'outils pour faciliter votre tâche.

### Étape 1

Pour régler l'exposition globale, agissez dans la section Tonalité du panneau Réglages de base. La photo utilisée ici est sous-exposée. Vous constatez que l'histogramme est concentré dans la partie gauche de son panneau. Virtuellement, il n'y a quasiment aucune donnée dans la partie droite. Pas de doute ! Objectivement, cette photo est sous-exposée (puisque Lightroom vous le dit !).

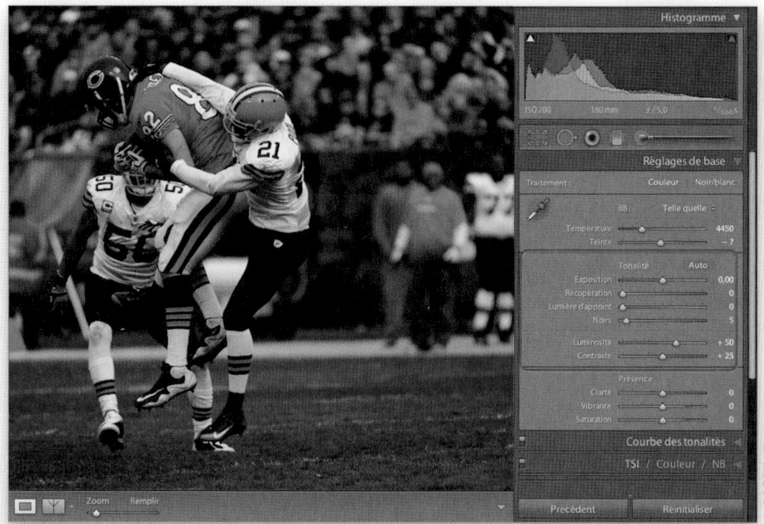


SCOTT KELBY

### Étape 2

Pour rendre une photo plus claire, glissez le curseur Exposition vers la droite. Comme pour les curseurs de la balance des blancs, le curseur Exposition dispose d'une barre allant du noir au blanc. Donc, quand vous le glissez vers la gauche vous assombrissez l'image, tandis que lorsque vous le glissez vers la droite vous l'éclaircissez. Agissez avec précaution. Si vous glissez ce curseur trop à droite, vous risquez de perdre des détails dans les tons clairs. On appelle cela un « écrêtage », et en l'occurrence des « tons clairs ». Mais Lightroom veille. Il vous signale les écrêtages et vous permet d'y remédier dans la plupart des cas.

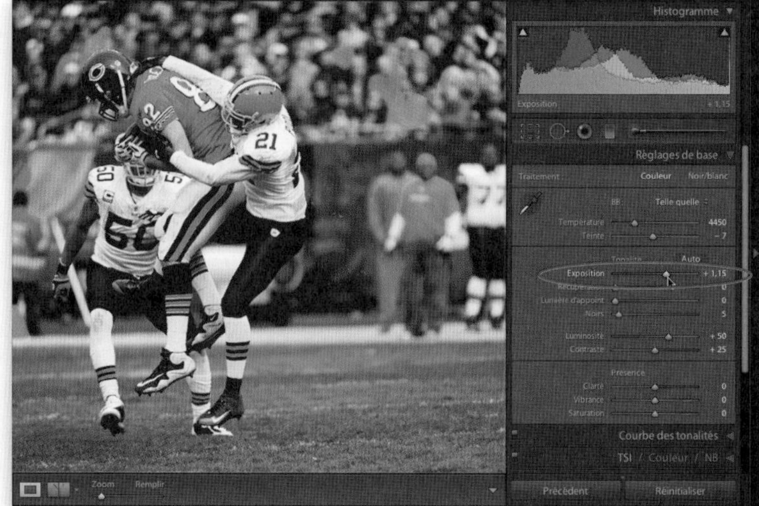

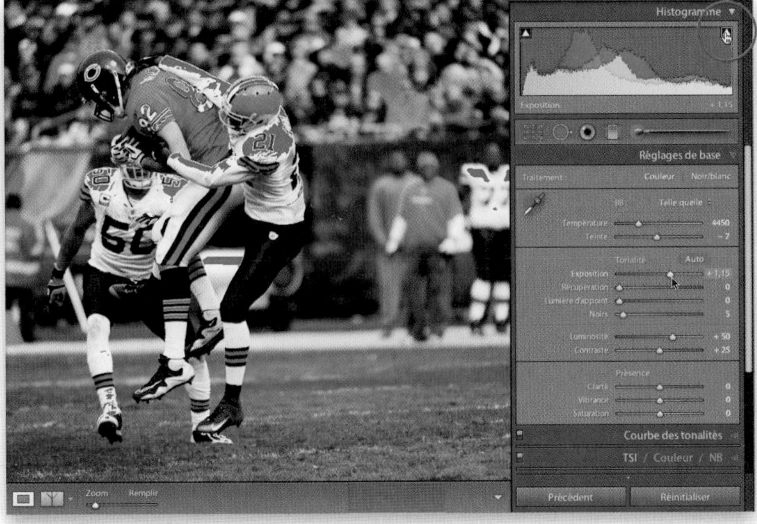


**Étape 3**

Si vous regardez de nouveau le panneau Histogramme, vous voyez un triangle dans son coin supérieur droit. Il avertit l'utilisateur de la présence de tons clairs écrêtés dans l'image. Idéalement, il doit être noir. S'il est bleu, cela signifie que des détails sont perdus dans les tons clairs de la couche Bleu. S'il est rouge ou vert, les détails sont perdus dans ces deux couches respectives. Le pire scénario (le nôtre ici) est quand ce triangle est blanc. Cela indique que les trois couches sont écrêtées. Voici la question fondamentale qui se pose : l'écrêtage se situe-t-il dans une zone importante de l'image ? Pour le savoir, cliquez sur ce triangle. Une couleur rouge unie s'incruste sur les zones écrêtées de l'image. Ici, il s'agit des gouttes d'eau.

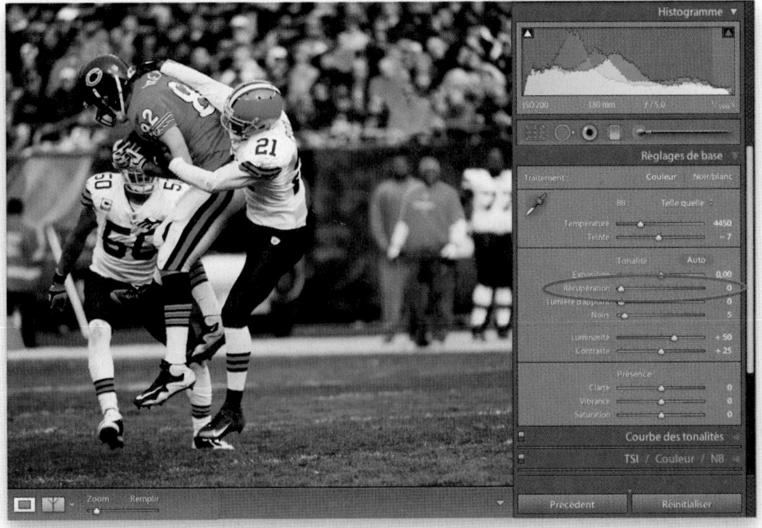


**Étape 4**

Dans notre exemple, les zones rouges se trouvent dans les deux gouttes d'eau. Je pense qu'elles contiennent des détails qui sont, de facto, perdus. Si vous glissez vers la gauche le curseur Exposition, l'écrêtage disparaît, mais vous assombrissez la globalité de la photo. Évitez cela ! Préférez le curseur Récupération. Faites-le glisser vers la droite jusqu'à ce que le rouge disparaisse des gouttes et que le triangle blanc de l'histogramme devienne noir.

## Étape 5

Lorsque vous traitez des photos, commencez toujours par ajuster le curseur Exposition. Si des zones sont écrêtées, agissez alors sur le curseur Récupération. Faites-le glisser vers la droite jusqu'à ce que les zones écrêtées redeviennent normales. Si l'incrustation de la couleur rouge pour identifier l'écrêtage vous perturbe, essayez cette autre technique. Maintenez la touche Option (Alt) enfoncée, et faites glisser le curseur Exposition. Les zones écrêtées s'affichent en blanc (voir ci-contre). Faites de même avec le curseur Récupération. Faites-le glisser jusqu'à ce que les zones deviennent noires.

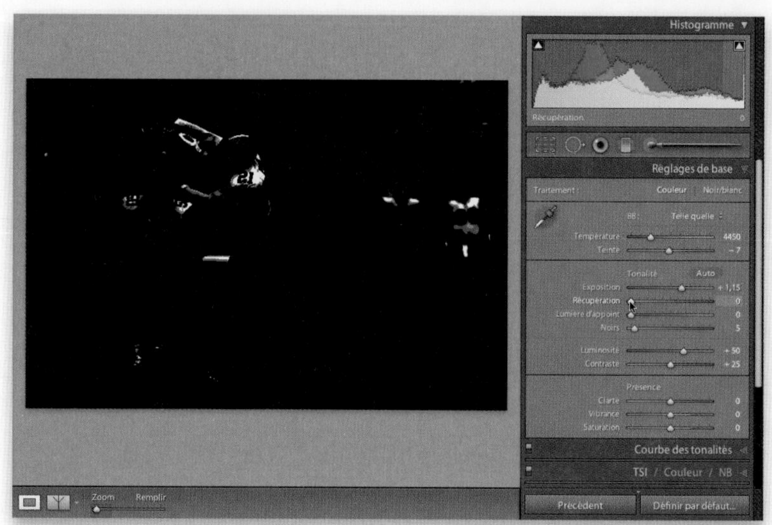


**Astuce : Activer/désactiver les avertissements** Vous n'êtes pas obligé de cliquer sur le triangle de l'histogramme pour savoir s'il y a ou non des zones écrêtées. Appuyez sur J. À chaque pression sur cette touche, vous activez/désactivez l'affichage des incrustations d'écrêtage.

## Étape 6

Utilisons une autre photo pour apprécier la puissance du paramètre Récupération. Il permet d'ajouter des détails et de l'intensité dans les ciels des photos de paysage (notamment quand il y a beaucoup de nuages). Faites glisser le curseur Récupération vers la droite (jusqu'à la valeur 100), et comparez les deux ciels. Impressionnant !

SCOTT KELBY

**Astuce : Édition rapide** Voici un de mes raccourcis favoris : pour passer au curseur suivant, appuyez sur la touche ' (apostrophe ou 4 mais sans appuyer sur Maj). Alors, appuyez sur + pour augmenter la valeur et sur – (moins) ou sur < pour la diminuer.

## Étape 7

Passons à une autre photo. Après avoir réglé l'exposition globale, utilisez le curseur Noirs. (Le paramètre Lumière d'appoint sera détaillé au Chapitre 6 puisqu'il sert à corriger les contre-jours.) le curseur Noirs règle les tons foncés les plus sombres de votre photo. En le glissant vers la droite, vous augmentez la quantité de noir dans les tons foncés. En le glissant vers la gauche, vous les éclaircissez. J'utilise ce curseur chaque fois que ma photo paraît délavée. Il me permet de restaurer de la couleur et de la profondeur dans les tons foncés. Personnellement, je ne me soucie pas de la perte de détails dans les tons foncés. Toutefois, pour les identifier, appuyez sur J. Partout où une incrustation bleue apparaît, vous êtes en présence de tons foncés écrêtés.

## Étape 8

Le curseur Luminosité agit sur les tons moyens. Pour les éclaircir légèrement, faites glisser ce curseur vers la droite et, pour les assombrir, vers la gauche. Ce curseur a une grande portée. Faites très attention de ne pas écrêter les tons clairs en essayant d'améliorer les tons moyens. Gardez un œil sur le triangle de l'histogramme. Ignorez le paramètre Contraste car nous le réglerons avec un outil bien plus puissant qu'est la Courbe des tonalités.

## Étape 9

Le panneau Histogramme, situé dans le coin supérieur droit du module Développement, permet de savoir instantanément si des zones de l'image sont écrêtées. Par exemple, lorsqu'une importante quantité d'informations est localisée sur le bord droit de l'histogramme, vous savez que de nombreux tons clairs sont écrêtés. L'idéal est qu'il y ait un espace vide entre les premières informations situées sur ce côté droit et le bord droit de l'histogramme. Ce graphique peut vous aider à déterminer les curseurs sur lesquels agir pour corriger les problèmes. Essayez ceci : placez le pointeur de la souris sur l'histogramme et regardez juste en dessous du graphique. Vous voyez apparaître le nom du paramètre à modifier dans la section Tonalité, ainsi que sa valeur actuelle. Ici, mon pointeur se situe sur le côté droit. Je sais qu'il me faut agir sur le curseur Récupération. Sympa comme info, mais on peut faire encore mieux.

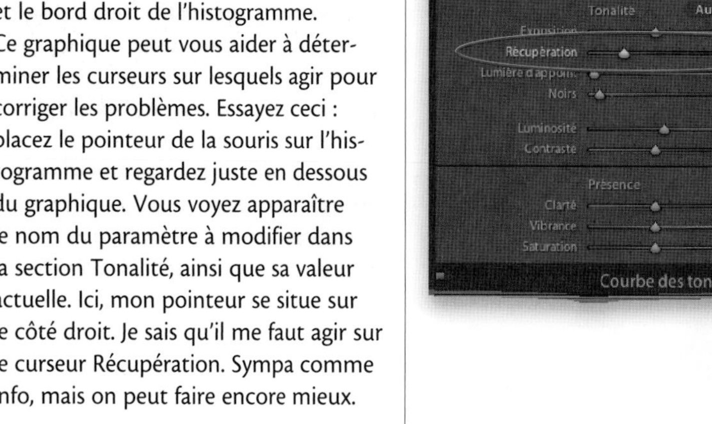

## Étape 10

Vous pouvez cliquer et faire glisser le curseur directement sur l'histogramme pour déplacer la partie que vous désirez corriger. En d'autres termes, vous pouvez intervenir sur la tonalité d'une image en modifiant directement l'histogramme. Cette fonction, pratique, est très peu utilisée par les photographes. Vous savez qu'elle existe, et que vous pouvez vous amuser avec.

SCOTT KELBY

## Étape 11

Dans la section Tonalité, vous remarquez la présence du bouton Auto, situé au-dessus du paramètre Exposition. Avec Lightroom 1, je vous aurais déconseillé de l'utiliser. Avec Lightroom 3, Adobe a considérablement amélioré son algorithme de traitement, ce qui rend le réglage automatique très performant. De plus, vous avez la possibilité d'agir sur le paramètre Lumière d'appoint. Le réglage automatique ne donne pas toujours de bons résultats. Il peut en revanche vous donner une piste de réflexion sur la correction de l'image.

**Astuce : Réinitialiser vos curseurs**

Vous pouvez réinitialiser n'importe quel curseur sur sa valeur d'origine en double-cliquant sur son nom.

## Étape 12

Voici l'image après application d'une correction automatique. Vous constatez que c'est un excellent point de départ pour améliorer considérablement une image. Vous devez en revanche savoir ceci : il arrive que cette correction automatique écrête les tons clairs. Si cela survient, faites glisser le curseur Récupération vers la droite afin de récupérer des valeurs plus sombres. Voici les trois paramètres que vous modifierez pour régler l'exposition : Exposition, Noirs et Luminosité. Vous constaterez que beaucoup d'images sont parfaitement corrigées uniquement avec le curseur Exposition.

# Donner du « punch » à vos photos avec le paramètre Clarté

Le curseur Clarté ajoute du contraste dans les tons moyens de vos photos, ce qui les rend bien plus intenses. Donc, lorsque vous êtes en présence d'une image qui manque de punch, sautez sur le réglage Clarté.

### Étape 1

Voici la photo d'origine. Comme le paramètre Clarté ajoute du contraste dans les tons moyens, ils apparaissent beaucoup plus renforcés, donc plus nets. Ceci donne de l'intensité à la photo. Pour apprécier correctement les effets de ce réglage, affichez la photo à 100 % par un clic sur 1:1 du panneau Navigation.

SCOTT KELBY

### Étape 2

Faites glisser le curseur Clarté vers la droite pour donner plus de punch à l'image. En glissant ce curseur vers la gauche, vous réduisez le contraste des tons moyens. Testez la valeur -100 pour adoucir et rendre plus diffus des portraits. J'applique une valeur de Clarté entre +25 et +50 sur la grande majorité de mes photos. Les exceptions concernent principalement les portraits de mères avec leur enfant, ou encore les gros plans du visage de femmes pour lesquels je fixe la Clarté à 0, voire sur une valeur négative. En revanche, pour des clichés comme des architectures ou des paysages, je peux monter jusqu'à +75. Il vous suffit de regarder l'image pendant que vous glissez le curseur pour apprécier le moment où la photo répond à vos attentes.

Les photos qui présentent des couleurs riches, vibrantes, ont un charme indéniable. Bien que Lightroom dispose d'un curseur Saturation qui augmente l'intensité des couleurs, son gros inconvénient est qu'il risque, comme son nom l'indique, de saturer vos images, les rendant bien moins attrayantes qu'elles devraient l'être. Le paramètre Vibrance de Lightroom intensifie les couleurs sans les saturer.

# Rendre les couleurs plus intenses

SCOTT KELBY

### Étape 1

Dans la section Présence, située en bas du panneau Réglages de base, vous trouverez deux paramètres qui affectent la saturation de la couleur. J'évite d'agir sur le curseur Saturation pour les raisons évoquées en préambule. En effet, il intensifie toutes les couleurs sans distinction, ce qui génère souvent des photos trop colorées. Je vous conseille de laisser le réglage Saturation sur 0.

### Étape 2

Maintenant, essayez le curseur Vibrance. Ce réglage augmente l'intensité des couleurs les moins saturées. Cette faculté vous permet d'obtenir des images aux couleurs intenses qui conservent tout leur réalisme.
Sur l'image ci-contre j'utilise le paramètre Vibrance pour renforcer la couleur des montagnes. Vous constatez qu'elles deviennent bien plus présentes sans être complètement orange. En conclusion, je n'utilise le réglage Saturation que pour réduire l'intensité globale des couleurs, voire pour désaturer complètement une photo.

# Ajouter du contraste avec la Courbe des tonalités

Une fois que vous avez effectué votre éditing dans le panneau Réglages de base, passez aux paramètres du panneau Courbe des tonalités. Pour ajouter du contraste à l'image, je préfère utiliser cette courbe plutôt que le curseur Contraste de la section Tonalité. En effet, je dispose ainsi d'un contrôle bien plus important : (1) la courbe des tonalités permet de réduire la densité des tons clairs ; (2) elle permet de voir précisément les zones sur lesquelles porte le réglage ; et (3) elle vous offre la possibilité de régler le contraste de manière dynamique.

### Étape 1

Faites défiler le contenu du panneau Réglages de base pour accéder au panneau Courbes des tonalités. Il permet de régler précisément le contraste de l'image. Si vous travaillez sur une photo au format Raw, un contraste moyen est appliqué par défaut à l'image. En revanche, si vous intervenez sur une image JPEG, aucun contraste n'a été déterminé sur ce cliché.

SCOTT KELBY

### Étape 2

La méthode la plus rapide et la plus simple pour ajouter du contraste consiste à sélectionner un paramètre prédéfini dans le menu local Courbe à points. Par exemple, choisissez Contraste fort. Comparez alors les deux versions de votre photo en appuyant sur Y. Vous constatez que, sur la version Après, les tons foncés sont plus marqués et que les tons clairs sont plus lumineux. Vous observez aussi la forme prise par la courbe suite à l'application de ce préréglage.

### Étape 3

Si le paramètre Contraste fort est insuffisant à votre goût, intervenez sur la courbe. Voici une règle à ne jamais oublier : plus la courbe est déformée, plus le contraste est important. Pour cela, il suffit de déplacer la partie supérieure de la courbe vers le haut et sa partie inférieure vers le bas. Placez le curseur en haut de la courbe. Cliquez et faites glisser le point vers le haut. (Toutefois, il est plus facile d'utiliser la touche Haut du pavé directionnel.)

### Étape 4

Vous devez faire l'opération inverse dans la partie inférieure de la courbe. Placez le pointeur de la souris dans cette zone de la courbe, et ajustez les tons sombres. Lorsque vous modifiez la position du point, vous remarquez que la base de la courbe indique quelle tonalité vous modifiez.

**Astuce : Déplacement du point par incrémentation** Lorsque vous appuyez sur les flèches Haut/Bas du pavé directionnel, le déplacement du point se fait par pas de 5 points. Si vous appuyez sur la touche Maj tout en pressant ces flèches, l'incrémentation se fait par palier de 20 points. Pour déplacer le point d'une unité à la fois, appuyez sur Option (Alt) tout en utilisant les flèches mentionnées.

### Étape 5

Une autre méthode de réglage du contraste consiste à utiliser l'outil Réglage direct de la Courbe des tonalités. Il s'agit du petit cercle fléché situédans le coin supérieur gauche du panneau Courbe des tonalités. Cet outil modifie le contraste de manière interactive et dynamique. Cliquez dessus. Le pointeur de la souris prend la forme d'une croix ornée de l'icône de l'outil Réglage direct. Placez-le sur une zone de l'image dont vous désirez modifier le contraste. Cliquez et faites glisser l'outil vers le haut ou le bas. Le curseur en forme de croix permet de bien visualiser la partie sur laquelle vous intervenez.

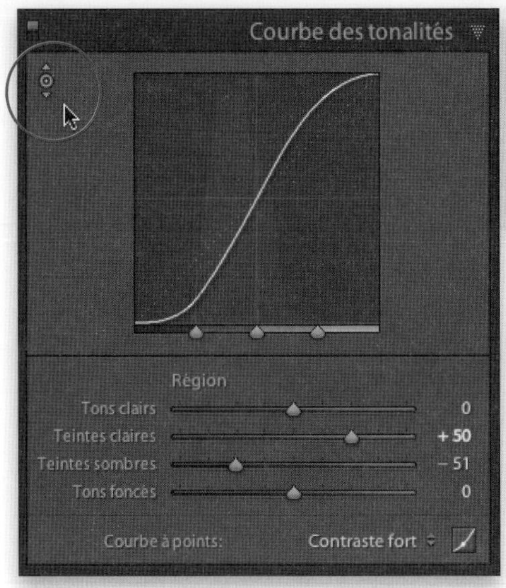


### Étape 6

Mettons cet outil en pratique. Cliquez sur son icône et placez le pointeur de la souris sur l'herbe marron située dans la partie supérieure de l'image. Regardez la courbe des tonalités. Vous constatez deux choses : (1) un point apparaît dans la zone des tonalités correspondant à la position de l'outil sur l'image ; (2) le nom de la plage tonale que vous allez affecter s'inscrit en bas de la courbe (les teintes claires dans notre exemple). Pour assombrir l'herbe, cliquez dessus et faites glisser l'outil vers le bas. Pour l'éclaircir, faites-le glisser vers le haut. Effectuez la même opération avec d'autres zones de l'image dont vous souhaitez modifier le contraste. Une fois que vous êtes satisfait de votre travail, cliquez de nouveau sur l'icône de l'outil pour le désactiver. Le raccourci d'activation est Cmd+Option+T (Ctrl+Alt+T).

## Étape 7

La dernière méthode de réglage du contraste avec la Courbe des tonalités consiste à agir directement sur les curseurs de la section Région. Il s'agit de Tons clairs, Teintes claires, Teintes sombres et Tons foncés. Ici, j'ai placé le curseur Tons clairs presque entièrement à droite pour éclaircir les tons clairs. J'ai glissé le curseur Teintes sombres et Tons foncés légèrement vers la gauche pour que les herbes et les arbres soient plus sombres. Enfin, j'ai glissé le curseur Teintes claires un peu vers la droite pour assombrir sensiblement les tons moyens supérieurs et les tons clairs inférieurs. Vous remarquez que les curseurs ont un dégradé qui permet de savoir dans quelle direction les glisser pour assombrir ou éclaircir les tonalités (noir vers la gauche et blanc vers la droite). Lorsque vous placez le pointeur de la souris sur la courbe, une zone grise apparaît sur le graphique. Elle indique les limites de la courbe que vous ne pourrez jamais dépasser.

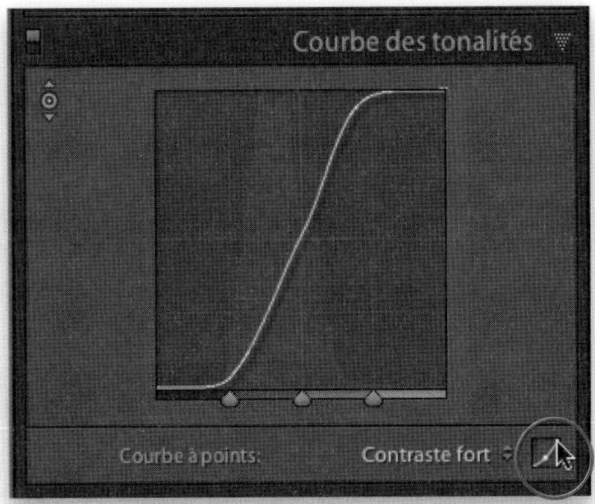


## Étape 8

En résumé, pour régler le contraste de votre photo, vous pouvez soit : (a) utiliser une courbe redéfinie du menu local Courbe à points, (b) utiliser l'outil Réglage direct, (c) ou encore utiliser l'une de ces deux techniques, puis déplacer le point de contrôle en utilisant les flèches du pavé directionnel ; enfin (d), régler manuellement le contraste avec les curseurs de la section Région.

**INFO** Si vous n'utilisez pas les curseurs, gagnez de l'espace en les masquant. Pour cela, cliquez sur le triangle situé en bas à droite de la courbe. Pour restaurer ces curseurs, cliquez de nouveau sur ce triangle.

## Étape 9

Il y a trois autres choses que vous devez savoir sur le panneau Courbe des tonalités. La première concerne l'utilisation des trois curseurs présents sous le graphique. Ils déterminent la plage tonale. Vous pouvez ainsi choisir la plage couverte pour le point noir, blanc et moyen. Par exemple, le curseur de gauche identifie la zone des tons foncés. Donc, toute la section du graphique située à gauche de ce premier curseur sera affectée par le curseur Tons foncés. Pour étendre la plage affectée par ce curseur Tons foncés, faites glisser vers la droite le curseur de gauche situé sous le graphique. Le curseur Tons foncés affectera une plage beaucoup plus grande. Le curseur du centre contrôle la plage des tons moyens. En le glissant vers la droite, vous réduisez l'espace qui existe entre les zones des tons moyens et des tons clairs. De ce fait, le curseur Teintes claires contrôle une plage tonale beaucoup plus restreinte, tandis que le curseur Teintes sombres voit la sienne augmenter. Pour réinitialiser la position de ces curseurs, il suffit de double-cliquer sur chacun d'eux.

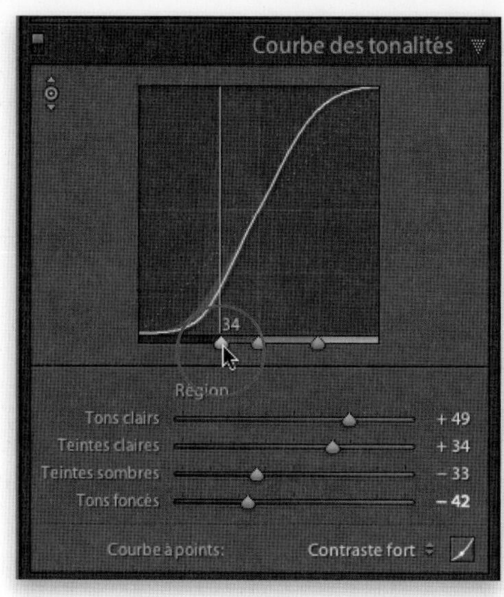

## Étape 10

La deuxième chose que vous devez connaître est la réinitialisation de votre courbe. Double-cliquez directement sur le mot Région. Les quatre curseurs voient leur valeur fixée à 0. Enfin, la troisième chose concerne une comparaison avant/après du contraste que vous avez ajouté avec la Courbe des tonalités. Pour cela, il suffit d'activer et de désactiver le panneau en cliquant sur le petit carré noir situé sous le carré blanc dans la partie gauche de l'en-tête du panneau. Il s'agit d'un « interrupteur » qui active/désactive le panneau.

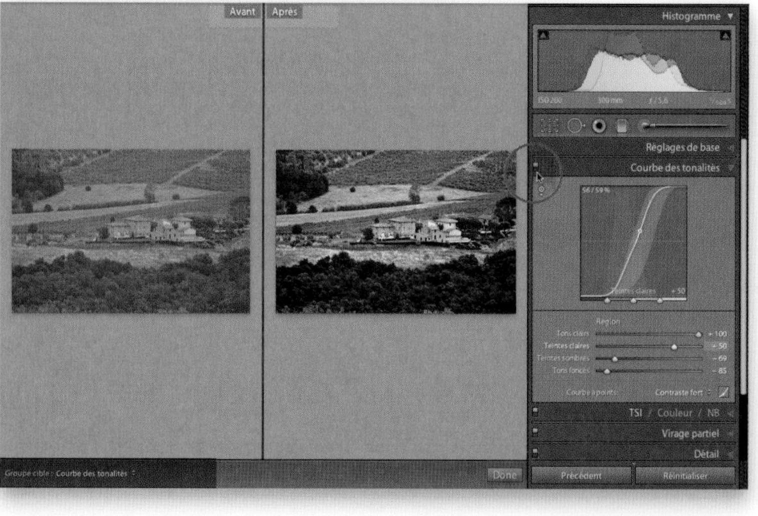

Pour modifier une couleur particulière de l'image (rendre les rouges encore plus rouges), utilisez le panneau TSL (acronyme de Teinte, Saturation et Luminance), et/ou le panneau Couleur (qui est groupé avec les panneaux TSL et Niveaux de gris). Voici comment procéder.

# Ajuster individuellement les couleurs avec les paramètres TSL

SCOTT KELBY

## Étape 1

Lorsque vous souhaitez ajuster une zone chromatique, affichez le panneau TSL situé dans le volet droit du module Développement. Ce panneau se compose de quatre sections : Teinte, Saturation, Luminance et Tout. Le panneau Teinte permet de modifier une couleur existante en glissant les différents curseurs disponibles. Par exemple, glissez le curseur Orange complètement à gauche, et voyez comment le compte-tours de la Ferrari devient rouge. Maintenant, cliquez sur le bouton Réinitialiser pour annuler votre modification.

## Étape 2

Sur cette photo, l'intérieur de la Ferrari était à l'ombre. De ce fait, le volant est légèrement bleuté. Le problème est que, si vous agissez sur la balance des blancs, toute l'image va être affectée. Pour corriger cela, cliquez sur le bouton Saturation du panneau TSL. Faites glisser le curseur Bleu vers la gauche jusqu'à disparition du bleu. (Ci-contre, j'admets que le curseur est beaucoup trop à gauche.)

**Étape 3**

Si vous connaissez la couleur à modifier, glissez son curseur. Si vous n'êtes pas certain de la couleur à altérer, utilisez l'outil Réglage direct (le même que celui du panneau Courbe des tonalités). Ici, cet outil va agir sur la couleur et non pas sur la tonalité. Cliquez sur l'icône du petit cercle orné de deux flèches. Placez le pointeur de la souris sur le jaune du logo Ferrari. Cliquez et, sans relâcher le bouton de la souris, glissez le curseur vers le haut pour augmenter la saturation du logo. Vous remarquez que vous modifiez conjointement la couleur verte.

**Étape 4**

Cliquez maintenant sur Luminance. Les curseurs de ce panneau agissent sur la luminosité des couleurs. Pour rendre le compte-tours plus lumineux, activez l'outil Réglage direct de Luminance. Placez-le sur la voile, cliquez et faites glisser le curseur vers le haut. (La luminance Orange et Jaune augmente.) si vous connaissez bien Photoshop, vous constatez que le panneau TSL est une version améliorée de la fonction Teinte/Saturation de ce programme. La différence entre les deux est la présence, dans Lightroom, des curseurs Orange et Pourpre et que, là où Lightroom parle de Luminance, Photoshop emploie le terme Luminosité. Enfin, Lightroom parle de Bleu vert quand Photoshop utilise l'adjectif Cyan. Lightroom dispose de l'outil Réglage direct qui fait défaut à Photoshop. Pour finir, cliquez sur le bouton Tout. Le panneau qui apparaît se scinde en trois sections : Teinte, Saturation et Luminance, une disposition qui se rapproche du réglage Teinte/Saturation de Photoshop. Bien entendu, tous ces réglages fonctionnent exactement comme s'ils étaient dans leur propre interface.

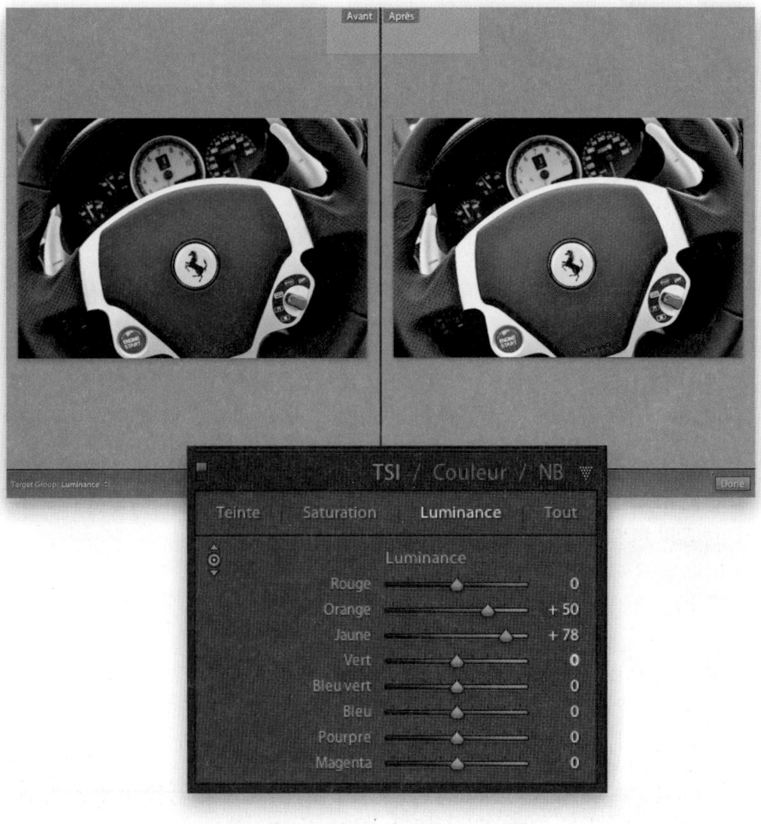

# Vignettage et recadrage

Un vignettage est un effet optique produisant des zones sombres aux angles des photos. Certains photographes les adorent tandis que d'autres les détestent. De ce fait, si certains veulent les éliminer, d'autres souhaitent en créer quand il n'y en a pas. Voici comment procéder à un vignettage Après recadrage, et comment utiliser les nouvelles options de Lightroom 3 dans ce secteur.

SCOTT KELBY

### Étape 1

Pour ajouter un effet de vignettage, affichez le panneau Corrections de l'objectif. L'approche du vignettage est particulière. Généralement, un léger vignettage produit par l'objectif est à éliminer. En revanche, dès que vous désirez que le vignettage soit un atout esthétique, il faut le prononcer efficacement. L'élimination du vignettage est étudiée au Chapitre 6.

### Étape 2

Commencez par créer un effet de vignettage sur la totalité de l'image. Cliquez sur Manuel. Faites glisser vers la gauche le curseur Quantité du paramètre Vignettage de l'objectif. Vous définissez le niveau d'assombrissement des angles de l'image. Plus vous glissez ce curseur vers la gauche, plus les bords de la photo s'assombrissent. Le curseur Milieu permet de déterminer à quelle distance du centre de l'image les bords vont s'assombrir. Faites glisser légèrement ce curseur pour obtenir un magnifique effet de diffusion de la lumière. Le sujet principal doit être superbement éclairé, donc mis en valeur du fait du vignettage. Vos yeux sont attirés par le ontenu le plus clair de la photo.

### Étape 3

Maintenant, voyons le problème. Lorsque vous recadrez la photo avec les outils idoines de Lightroom, le vignettage se situe à l'extérieur de la zone recadrée. Regardez l'illustration ci-contre pour vous en convaincre. Pour cette raison, Adobe a ajouté la fonction Vignettage après recadrage. Je recadre ma photo, puis j'affiche le panneau Effets. Ensuite, dans le panneau Correction de l'objectif, je réinitialise la valeur Quantité du vignettage.

### Étape 4

Avant de manipuler les curseurs, ouvrons le menu local Style. Il propose trois choix : (1) Priorité des tons clairs, (2) Priorité de la couleur, et (3) Incrustation de peinture. Commençons avec le premier choix, mon préféré car il produit un vignettage très naturel. Les angles s'assombrissent avec en plus un léger décalage de la couleur. En revanche, les tons clairs restent intacts. Je rends les angles assez sombres pour bien voir l'effet après recadrage.

### Étape 5

Le style Priorité à la couleur s'intéresse davantage à la précision de la couleur. Ainsi, bien que les angles s'assombrissent, la couleur ne sature pas davantage. Ce style n'est pas un mauvais choix et se révèle bien plus subtil que le précédent dans certains cas.

### Étape 6

Enfin, Incrustation de peinture n'est pas très convaincante car le vignettage se compose d'une couleur grise incrustée sur l'image. Le résultat manque cruellement de réalisme. Je n'utilise jamais ce style. Bien ! Voici la fonction de tous les curseurs. Les curseurs Gain et Milieu du paramètre Après recadrage jouent le même rôle que les réglages Quantité et Milieu du paramètre Vignettage. Faites glisser le curseur Gain vers la gauche et le curseur Milieu vers la droite pour réintroduire un vignettage après recadrage. Les deux autres curseurs rendent le vignettage plus réaliste. Par exemple, le paramètre Arrondi contrôle la rondeur du vignettage.

## Étape 7

Le réglage Arrondi contrôle la forme de la vignette. Ici, j'ai exagéré l'effet pour que vous compreniez bien le fonctionnement de ce paramètre. En fixant la valeur à 0, nous obtenons une sorte de découpe ovale très nette sur l'image. Le paramètre Arrondi contrôle la forme de cet ovale.

## Étape 8

Le réglage Contour progressif définit l'estompage des bords intérieurs de la vignette. C'est lui qui permet de donner au vignettage une apparence naturelle. Ci-contre, la valeur du contour a été fixée à 33. Le résultat est probant ! Plus vous poussez ce curseur vers la droite, et plus le vignettage est diffus avec des contours intérieurs de plus en plus estompés. Le curseur Tons clairs permet de préserver ces tons dans la zone du vignettage. Plus la valeur est élevée et plus les tons clairs sont préservés. Ce réglage n'est efficace qu'en mode Priorité des tons clairs.

Voici un effet Photoshop qui s'applique depuis quelques années aux portraits publiés dans des magazines « branchés », les sites web, les portraits de célébrités et les couvertures d'albums en tout genre. Il est possible de créer cet effet dans Lightroom. Comme l'image obtenue est très spéciale, je dois vous avertir que son appréciation se fait sans demi-mesure. Soit vous l'adorerez, soit vous la détesterez.

# Simuler un haut contraste

SCOTT KELBY

### Étape 1

Attention ! Cet effet ne convient pas à toutes les photos. Il est très convaincant sur les clichés fortement contrastés ou bien, s'il s'agit d'un portrait, sur les clichés éclairés avec plusieurs sources de lumière. Pour illustrer mon propos, je vais vous faire travailler sur une photo prise à Bruges un jour où la lumière du jour était particulièrement intéressante.

### Étape 2

Maintenant, vous allez intervenir de manière radicale sur l'image. Dans le panneau Réglages de base du module Développement, assignez aux paramètres Récupération, Lumière d'appoint, Contraste, Clarté et Vibrance la valeur maximale (+100). Je sais, le résultat est terrible, mais ce n'est pas terminé.

**Étape 3**

Le fait d'assigner une valeur maximale au paramètre Lumière d'appoint rend l'image bien trop claire. Pour compenser cela, glissez le curseur Noirs vers la droite jusqu'à ce que vous obteniez un équilibre de la tonalité. Ceci augmente la saturation des couleurs. Le contraste et la saturation sont si élevés que l'on dirait presque le résultat d'une fusion HDR.

**Étape 4**

Pour réduire la saturation, glissez le curseur Vibrance vers la gauche jusqu'à ce que le soleil soit très légèrement coloré. Vous constatez alors que les détails des briques et des plantes ressortent beaucoup plus.

**Étape 5**

La dernière étape consiste à appliquer un vignettage pour assombrir les contours de votre photo. L'œil du spectateur sera alors attiré par le sujet principal de l'image. Dans le panneau Correction de l'objectif, cliquez sur Manuel. Glissez le curseur Quantité presque entièrement à gauche. Les bords sont alors très sombres. Ensuite, faites glisser le curseur Milieu vers la gauche. Plus ce curseur est à gauche, et plus le vignettage se rapproche du centre de l'image, ce qui concentre encore plus la lumière sur les éléments centraux. À cet instant de la procédure, vous pouvez sauvegarder votre vignettage en tant que paramètre prédéfini. Toutefois, sachez que chaque photo est différente et qu'un préréglage ne servira que de point de départ à une personnalisation de l'effet. Par exemple, vous serez probablement obligé d'intervenir sur le curseur Vibrance pour appliquer le bon niveau de désaturation à une autre photo.

Vous souvenez-vous du portrait que nous avons édité plus haut dans ce chapitre ? Imaginez que vous en vouliez une version en noir et blanc, une autre teintée, une qui serait très contrastée, et peut-être une qui serait recadrée. Le réflexe serait de dupliquer le fichier autant de fois que vous souhaitez créer de variantes de l'original. Ce dernier, bien évidemment, resterait inchangé. Dupliquer des images consomme de l'espace disque. Pour éviter cela, Lightroom permet de créer des copies virtuelles, c'est-à-dire des copies qui ne sont pas des duplications physiques de vos fichiers.

# Copies virtuelles – l'expérimentation sans risque

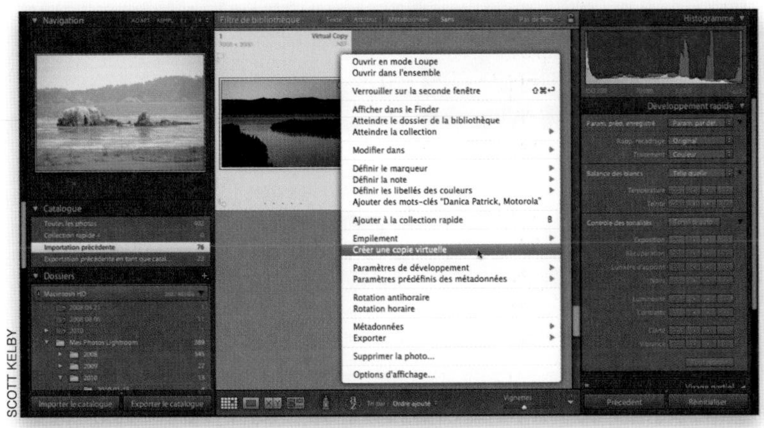


## Étape 1

Pour créer une copie virtuelle, faites un Ctrl+clic sur la photo originale. Dans le menu contextuel, choisissez Créer une copie virtuelle, ou bien exécutez le raccourci clavier Cmd+' (apostrophe ; Ctrl+'). Ces copies virtuelles ressemblent et agissent comme l'originale. Vous pouvez les modifier comme vous le feriez avec la photo d'origine. La grande différence ici est que ce fichier n'est pas réel. Il se limite à un jeu d'instructions. Par conséquent, il n'a pas de taille physique. Il est donc possible de multiplier les copies virtuelles autant que vous le souhaitez, de faire des tonnes d'expérimentations, et ceci sans aucune incidence sur la capacité de stockage de votre disque dur.

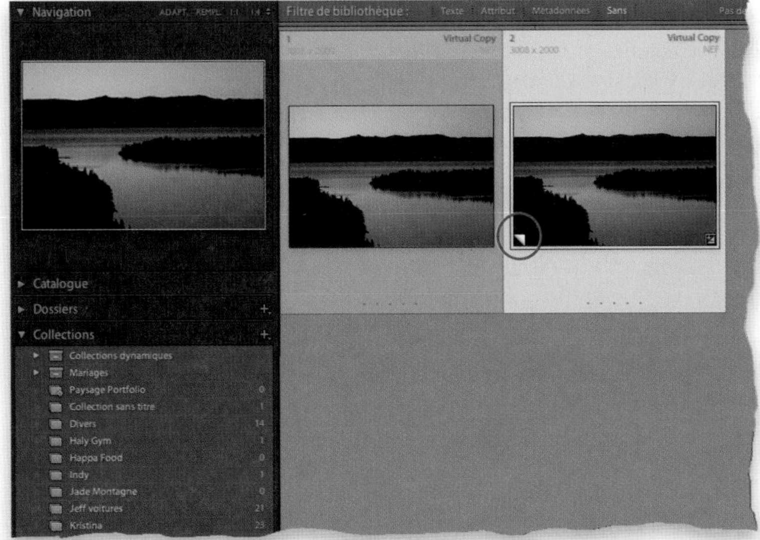


## Étape 2

Lorsque vous créez une copie virtuelle, l'icône d'une corne de page située dans le coin inférieur gauche de la vignette permet de la distinguer de l'originale. Maintenant, affichez la copie virtuelle dans le module Développement. Réglez la balance des blancs, l'exposition, etc. Lorsque vous reviendrez en mode Grille, vous verrez l'originale et la copie virtuelle modifiée.

## Étape 3

Vous pouvez appliquer des réglages différents sur de multiples copies virtuelles, sans risque pour l'originale et pour l'espace disque disponible. Cliquez sur votre copie virtuelle, et appuyez sur Cmd+' (Ctrl+') pour créer une autre copie virtuelle. Affichez-la dans le module Développement. Dans le panneau Réglages de base, j'agis sur la Balance des blancs et sur le paramètre Vibrance. Sans quitter le module Développement, créez une autre copie virtuelle sur laquelle vous appliquerez d'autres valeurs de balance des blancs et de Vibrance.

**INFO** Vous pouvez cliquer sur le bouton Réinitialiser, situé dans la partie inférieure droite des panneaux, afin de voir la version originale de votre copie. Inutile de revenir en mode Grille pour créer une copie virtuelle. En effet, le raccourci clavier permettant cette création peut s'exécuter depuis le module Développement.

## Étape 4

Pour comparer vos diverses expérimentations, affichez vos images côte à côte. Basculez en mode Grille, sélectionnez la photo d'origine et ses copies virtuelles, puis appuyez sur la touche N pour basculer en mode Ensemble. Si vous adorez une des variantes, conservez-la et supprimez les autres copies virtuelles.

**INFO** Pour effacer une copie virtuelle, cliquez dessus, et appuyez sur la touche Retour arrière. Un message demande confirmation de la suppression. Si vous choisissez de copier cette copie virtuelle vers Photoshop ou de l'exporter en tant que fichier JPEG ou TIFF, Lightroom créera une copie réelle en utilisant les réglages que vous avez appliqués à la copie virtuelle concernée.

# Synchroniser automatiquement des photos

Il existe une méthode qui permet de corriger dynamiquement les photos. Il s'agit de la synchronisation automatique. Voici comment la procédure se déroule : vous sélectionnez des photos similaires. Ensuite, lorsque vous en modifiez une, toutes les autres le sont dynamiquement. Dès que vous glissez un curseur, les images sélectionnées sont actualisées de concert.

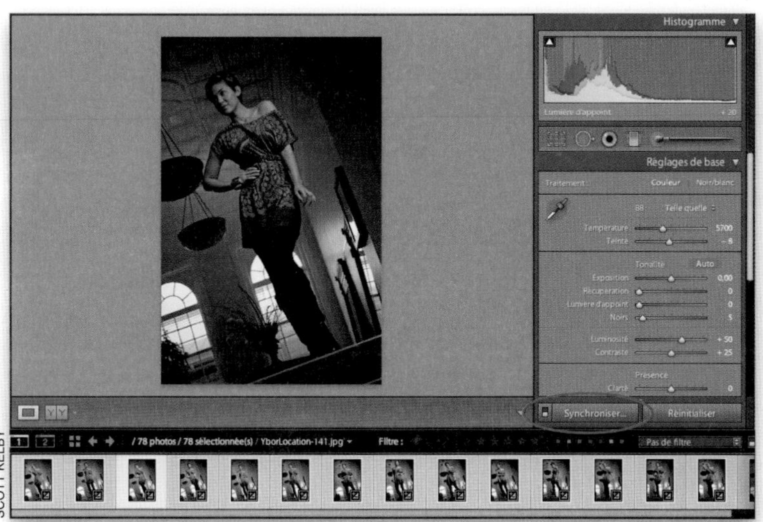


SCOTT KELBY

## Étape 1

Dans le module Bibliothèque, cliquez sur la photo que vous souhaitez modifier. Ensuite, passez dans le module Développement. Appuyez sur Cmd (Ctrl), et cliquez dans le film fixe sur chaque photo que vous souhaitez synchroniser automatiquement. (Ci-contre, j'ai sélectionné toutes les photos qui nécessitent un éclairage d'appoint.) la première photo sélectionnée apparaît dans la zone d'aperçu. Appuyez sur la touche Cmd (Ctrl) et cliquez sur le bouton Synch. auto en bas du volet droit.

## Étape 2

Vous activez ainsi la synchronisation automatique comme en atteste le bouton qui, désormais, affiche la mention Synch. auto. Fixez la valeur du paramètre Lumière d'appoint à 20, ce qui rend les tons foncés plus lumineux. Pendant que vous effectuez vos modifications, jetez un œil sur le film fixe. Les photos sélectionnées sont corrigées dans les mêmes proportions que l'image choisie au départ, et ceci sans copier-coller ou passer par une quelconque boîte de dialogue. Une fois le travail terminé, quittez le mode de synchronisation automatique en appuyant sur Cmd (Ctrl) et en cliquant sur le bouton Synch. auto.

**INFO** Les boutons Synchroniser et Synch. auto n'apparaissent que si vous sélectionnez plusieurs photos. Dans le cas contraire, vous disposez du bouton Précédent.

## Enregistrer vos réglages en tant que paramètres prédéfinis

Lightroom est livré avec de nombreux paramètres prédéfinis que vous pouvez appliquer à vos photos en un seul clic de souris. Vous les trouverez dans le panneau Paramètres prédéfinis du volet gauche du module Développement. Il y a deux types de paramètres : ceux de Lightroom et ceux de l'utilisateur. Sachez que j'utilise rarement les paramètres prédéfinis développés par Adobe. Voici comment conserver vos réglages sous forme de paramètres personnalisés;

### Étape 1

Voyons comment fonctionnent les paramètres prédéfinis par défaut. Ensuite, vous apprendrez à créer les vôtres. Vous les appliquerez dans deux emplacements différents. Ouvrez le panneau Paramètres prédéfinis dans le volet gauche du module Développement. Cliquez sur Paramètres prédéfinis Lightroom pour accéder à une longue liste de préréglages. Le nom de chaque paramètre commence par sa catégorie, comme Courbes, Création, Général et Netteté.

SCOTT KELBY

### Étape 2

Pour prévisualiser les paramètres avant de les appliquer, placez le pointeur de la souris sur leur nom. Le panneau Navigation montre l'effet produit sur l'image actuellement sélectionnée. Ici, j'ai placé le pointeur sur le paramètre prédéfini Création en couleur – Photo vieillie.

**Étape 3**

Pour appliquer l'un de ces paramètres, cliquez dessus. Dans cet exemple, j'ai cliqué sur Création en couleur – Ton froid.

**ASTUCE : RENOMMER DES PARAMÈTRES PRÉDÉFINIS** Pour renommer des paramètres prédéfinis que vous avez créés, faites un clic-droit dessus. Dans le menu contextuel, choisissez Renommer.

**Étape 4**

Il est possible de cumuler les paramètres prédéfinis. Ainsi, après avoir appliqué le paramètre Ton froid, je constate que l'image manque de contraste. Alors, je clique sur Courbe des tonalités – Contraste moyen. Pour que la photo ait encore plus de pêche, j'ajoute Général – Poinçon. En trois clics de souris j'évite de passer beaucoup de temps à trouver par moi-même la bonne combinaison de réglages pour obtenir la photo ci-contre. Maintenant, voyons comment utiliser des paramètres prédéfinis comme point de départ à la création de réglages personnalisés.

## Étape 5

Cliquez sur le bouton Réinitialiser du volet droit du module Développement pour restaurer l'image initiale. Maintenant, créez votre propre paramètre prédéfini. Fixez Exposition sur +1,00, Récupération sur 100, Lumière d'appoint sur 40, Noirs sur 5, Luminosité sur +50 et Contraste sur -12. Fixez maintenant Vibrance sur +30 et enfin Saturation sur -60.

## Étape 6

Maintenant, affichez le contenu du panneau Courbe des tonalités. Dans le menu local Courbe à points, choisissez Contraste fort. Ensuite, fixez les Tons clairs à +75 et les Teintes sombres à -85. Vous amplifiez le contraste. Pour finir, affichez le panneau Corrections de l'objectif. Cliquez sur Manuel. Faites glisser le curseur Quantité de la section vignettage de l'objectif à -100, et glissez Milieu jusqu'à 5. Maintenant, vous devez sauvegarder ce réglage en tant que paramètre prédéfini. Il est temps d'enregistrer ces réglages. Dans le panneau Paramètres prédéfinis, cliquez sur le bouton +. Ceci ouvre la boîte de dialogue Nouveau paramètre prédéfini de développement. Donnez un nom au paramètre. Ensuite, cliquez sur le bouton Ne rien sélectionner. Cochez uniquement les cases des paramètres que vous avez utilisés dans la définition de votre réglage. Enfin, cliquez sur le bouton Créer.

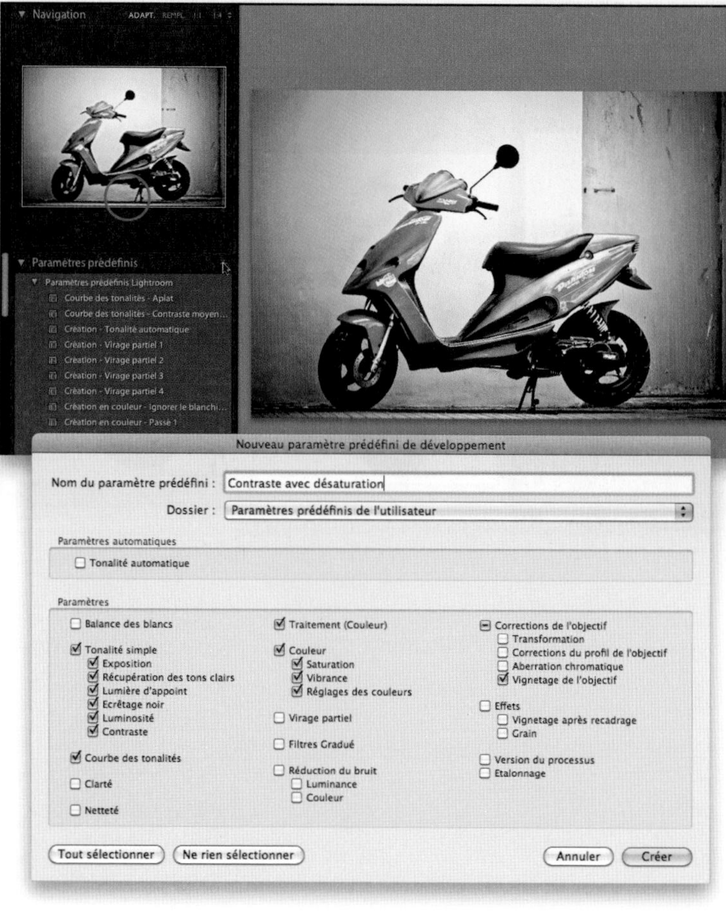


**INFO** Pour effacer un paramètre prédéfini de l'utilisateur, sélectionnez-le puis cliquez sur le bouton – (moins) du panneau.

SCOTT KELBY

## Étape 7

Cliquez maintenant sur une autre photo affichée dans le film fixe. Placez le pointeur de la souris sur le nom de votre nouveau paramètre prédéfini personnalisé (en l'occurrence Contraste avec désaturation). Un aperçu s'affiche dans le panneau Navigation.

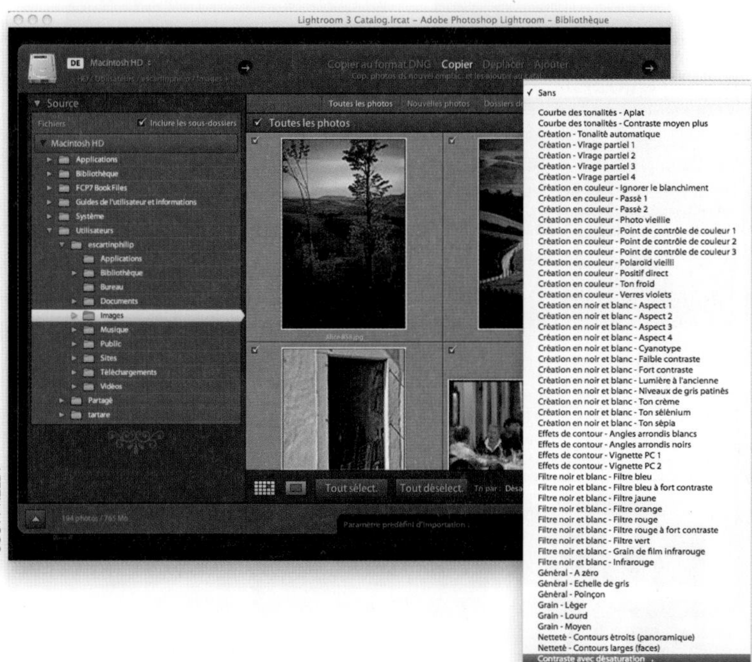


SCOTT KELBY

## Étape 8

Vous pouvez appliquer des paramètres prédéfinis au moment de l'importation des photos dans Lightroom. Dans la boîte de dialogue d'importation, ouvrez le menu local Paramètres de développement de la section Appliquer pendant l'importation. Là, sélectionnez le paramètre prédéfini que vous désirez appliquer, comme Contraste avec désaturation. Dès que vous cliquerez sur Importer, il sera appliqué à toutes les images importées. Enfin, vous pouvez appliquer un paramètre prédéfini depuis le menu local éponyme du panneau Développement rapide, accessible dans le volet droit du module Bibliothèque. (Vous en saurez davantage sur le Développement rapide à la page suivante.)

**Astuce : Importer des paramètres prédéfinis** Vous trouverez sur Internet de nombreux paramètres prédéfinis que vous pouvez télécharger et importer dans Lightroom. Pour cela, une fois que vous avez téléchargé des préréglages, faites un clic-droit sur l'en-tête Paramètres prédéfinis de l'utilisateur. Dans le menu contextuel, choisissez Importer. Localisez l'emplacement de stockage du fichier téléchargé, sélectionnez-le, et cliquez sur Importer.

# Utiliser le panneau Développement rapide

Dans le module Bibliothèque, vous trouverez une version élémentaire du module Développement. Adobe l'appelle Développement rapide. Il permet d'effectuer des opérations de développement simples et rapides qui évitent d'affronter les impressionnants paramètres du module Développement. Le paradoxe est que le panneau Développement rapide est complexe à utiliser. En effet, il ne contient aucun curseur de réglage. Il est composé de boutons qui ne permettent pas d'appliquer un niveau précis de réglage des paramètres de votre image. Mais, à sa décharge, il accélère la procédure du développement… rapide.

## Étape 1

Le panneau Développement rapide fait partie du module Bibliothèque. Il est localisé sous le panneau Histogramme. Il dispose des mêmes contrôles que le panneau Réglages de base, à l'exception de l'outil Sélecteur Balance des blancs. Vous y trouvez les paramètres Récupération, Lumière d'appoint, Clarté et Vibrance. Si vous appuyez sur la touche Option (Alt), les paramètres Clarté et Vibrance cèdent la place aux réglages Netteté et Saturation. Les réglages du panneau Développement rapide s'appliquent par un seul clic de souris. Si vous cliquez sur une flèche simple, le réglage est léger, tandis que sur une flèche double il est plus prononcé.

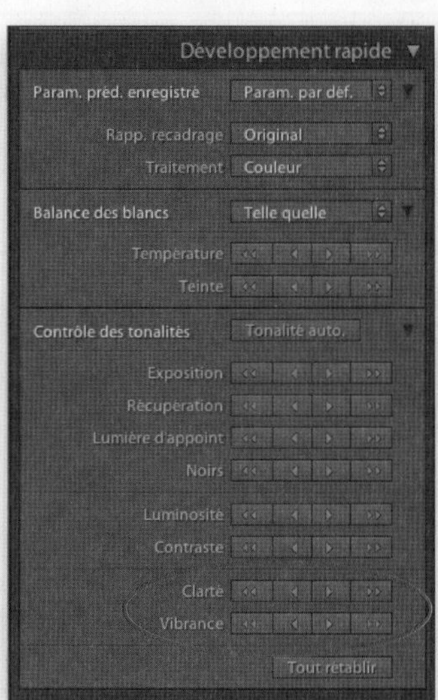


## Étape 2

J'utilise le panneau Développement rapide dans deux situations : la première est lorsque je vois une vignette qui peut être facilement corrigée avant d'effectuer des modifications approfondies dans le module Développement. Par exemple, en mode Grille, cliquez sur une photo sous-exposée. Ensuite, cliquez deux fois sur la double flèche du paramètre Exposition. Ainsi, vous appréciez plus facilement si l'image vaut la peine de l'investir davantage dans le module Développement.

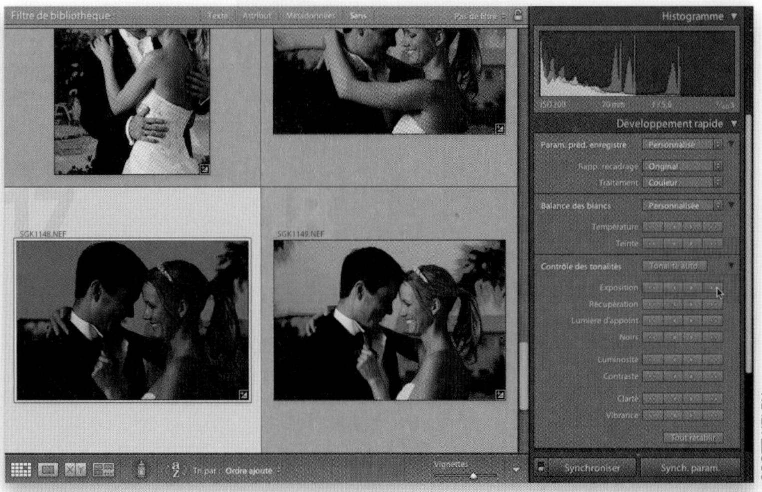


SCOTT KELBY

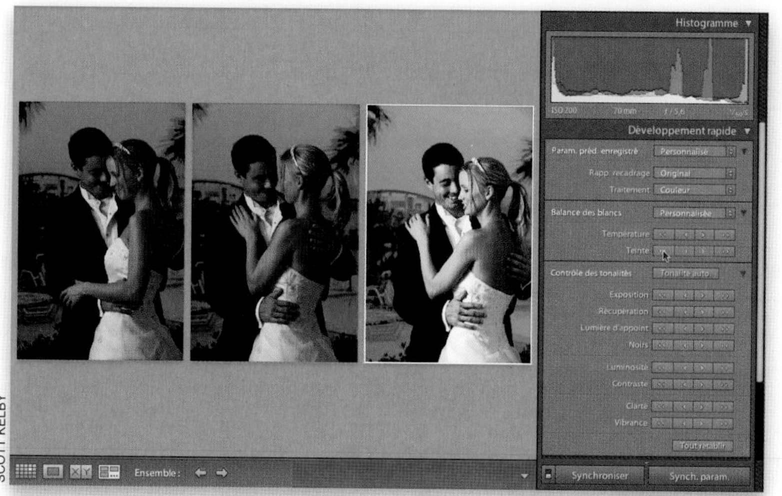


SCOTT KELBY

**Étape 3**

Mon autre utilisation du Développement rapide se fait lorsque je travaille en mode Comparaison ou Ensemble. Vous pouvez en effet appliquer des modifications sur des vignettes affichées côte à côte. Par exemple, ces photos ont une couleur dominante magenta. En mode Ensemble, cliquez sur la troisième photo. Cliquez deux fois sur les deux chevrons de gauche du paramètre Température. Ensuite, cliquez une fois sur les deux chevrons de gauche du paramètre Teinte. Revenez en mode Grille. Répétez cette opération pour tout autre groupe de photos nécessitant des modifications identiques. Dans le module Développement, vous ne travaillez pas ainsi. Vous devez cliquer sur le bouton Synch. auto.

Synchroniser les paramètres

- [ ] Balance des blancs
- [x] Tonalité simple
  - [x] Exposition
  - [x] Récupération des tons clairs
  - [x] Lumière d'appoint
  - [x] Ecrêtage noir
  - [x] Luminosité
  - [x] Contraste
- [x] Courbe des tonalités
- [x] Clarté
- [x] Netteté
- [x] Traitement (Couleur)
- [x] Couleur
  - [x] Saturation
  - [x] Vibrance
  - [x] Réglages des couleurs
- [ ] Virage partiel
- [ ] Réglages locaux
  - [ ] Pinceau
  - [ ] Filtres Gradué
- [ ] Réduction du bruit
  - [ ] Luminance
  - [ ] Couleur
- [ ] Corrections de l'objectif
  - [ ] Transformation
  - [ ] Corrections du profil de l'objectif
  - [ ] Aberration chromatique
  - [ ] Vignetage de l'objectif
- [ ] Effets
  - [ ] Vignetage après recadrage
  - [ ] Grain
- [ ] Version du processus
- [ ] Etalonnage
- [ ] Retouche des tons directs
- [ ] Recadrage
  - [ ] Angle de redressement
  - [ ] Rapport L/H

Tout sélectionner | Ne rien sélectionner | Annuler | Synchroniser

**Étape 4**

Si vous avez sélectionné un groupe de photos et que vous souhaitiez que certaines modifications effectuées leur soient appliquées, cliquez sur le bouton Synch. Param. Ceci ouvre la boîte de dialogue Synchroniser les paramètres. Cochez les réglages à appliquer aux images, puis cliquez sur le bouton Synchroniser.

**ASTUCE : ANNULER LES RÉGLAGES DE DÉVELOPPEMENT RAPIDE** Vous pouvez annuler n'importe quelle modification du panneau Développement rapide en double-cliquant sur le nom du paramètre concerné.

# Ajouter du grain

La plus grosse critique que nous faisons à la photo numérique est d'être beaucoup trop « propre ». Il existe de nombreux modules d'effets qui simulent le grain d'une pellicule. Bien souvent, nous appliquons à nos images le filtre Ajout de bruit de Photoshop. Le résultat n'est pas fantastique. Dans Lightroom 3, il existe désormais une fonction qui simule très bien le grain de la pellicule.

**Étape 1**

Le grain du film est très répandu en photo noir et blanc. Il amplifie la dimension poétique et artistique des clichés. Dans le panneau Réglages de base du module Développement, cliquez sur Noir/blanc. Ensuite, fixez Récupération sur 100 et Clarté sur 75. Dans le panneau Courbe des tonalités, ouvrez le menu local Courbe à points et choisissez Contraste fort.

**ASTUCE : PARCOURIR LES PANNEAUX AVEC DES RACCOURCIS** Vous désirez afficher un panneau sans faire défiler à la souris cette zone de l'interface ? Appuyez sur Cmd+1 pour afficher les Réglages de base, Cmd+2 pour la Courbe des tonalités, Cmd+3 pour TSL/Couleur/NB. Sur un portable, appuyez sur Cmd+Maj. Enfin, sur PC remplacez Cmd par Ctrl.

SCOTT KELBY

**Étape 2**

Ouvrez maintenant le panneau Effets. Zoomez sur l'image à 100 % [1:1] pour apprécier le grain introduit dans l'image. Dans la section Grain, faites glisser le curseur Valeurs vers la droite jusqu'à environ 34. Choisissez en général une valeur comprise entre 15 et 30.

**Étape 3**

Le curseur Taille permet de déterminer la dimension des grains. Je trouve qu'il est plus réaliste quand cette valeur est faible. En revanche, sur des images en haute résolution, vous pouvez augmenter sensiblement sa valeur. Le paramètre Cassure définit la consistance du grain. Plus vous glissez ce curseur vers la droite et plus le grain est aléatoire. Généralement, je laisse ce paramètre à 50.

*L'image sans grain.* *L'image avec du grain.*

**ASTUCE : AMPLIFIER LE GRAIN POUR IMPRIMER** Le grain tend à s'estomper lorsque vous imprimez vos images. Donc, pour éviter cela, il suffit de préparer une photo spécialement pour l'impression. Dans ce cas, augmentez le grain de l'image.

# Les petits trucs de Lightroom > >

## ▼ Réinitialiser la balance des blancs

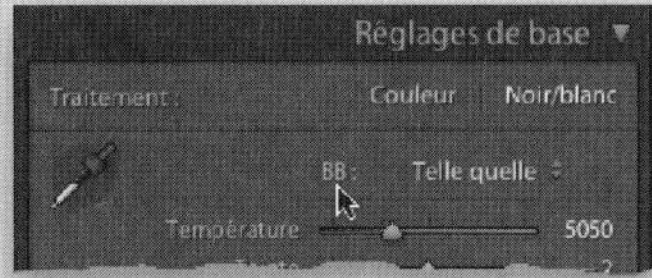


Pour réinitialiser la valeur des curseurs Température et Teinte, double-cliquez sur les lettres BB du panneau Réglages de base.

## ▼ Astuces pour les gens pressés

Lorsque vous réduisez ou développez un panneau, l'opération se déroule sous la forme d'une petite animation. Le panneau « glisse ». Si cette fantaisie ne vous convient pas, appuyez sur Cmd (Ctrl) lorsque vous cliquez sur le triangle de développement/réduction. Le panneau se ferme ou s'ouvre sans animation.

## ▼ Niveau de zoom du panneau Détail

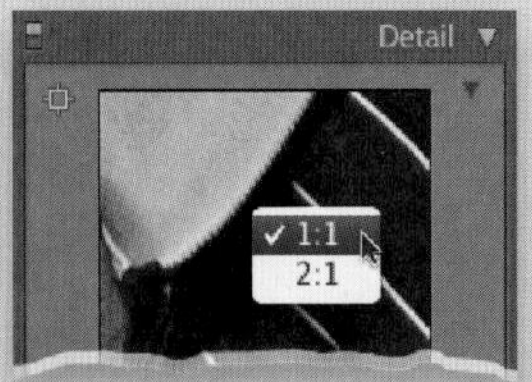


Si vous faites un clic-droit dans la petite fenêtre d'aperçu du panneau Détail, un menu contextuel apparaît. Il propose deux niveaux de zoom : 1:1 et 2:1. Le niveau choisi s'applique dès que vous cliquez dans la zone d'aperçu.

## ▼ Masquer les triangles d'avertissement d'écrêtage

Pour masquer les triangles de l'histogramme qui signalent la présence de zones écrêtées, faites un clic-droit sur l'histogramme. Dans le menu contextuel, décochez l'option Afficher les indicateurs d'écrêtage. Pour les faire réapparaître, ouvrez ce menu contextuel, et cochez cette option.

## ▼ Copier vos dernières copies

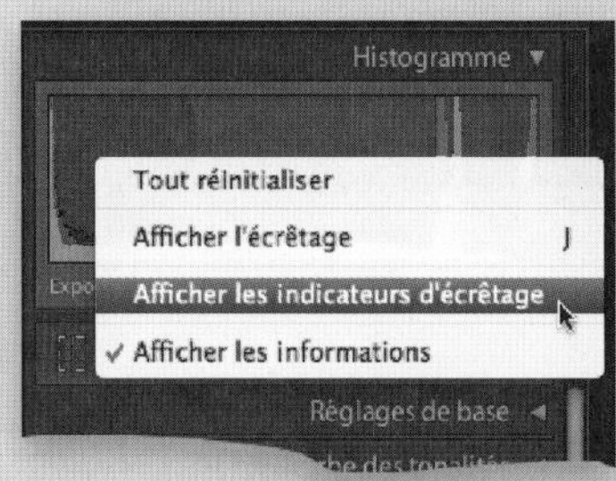


Lorsque vous cliquez sur le bouton Copier du module Développement, vous ouvrez la boîte de dialogue Copier les paramètres. Vous cochez les réglages que vous désirez copier. Toutefois, si vous devez ultérieurement copier exactement les réglages spécifiés dans cette boîte de dialogue, inutile d'y accéder de nouveau. Appuyez sur la touche Option (Alt), et cliquez sur le bouton Copier.

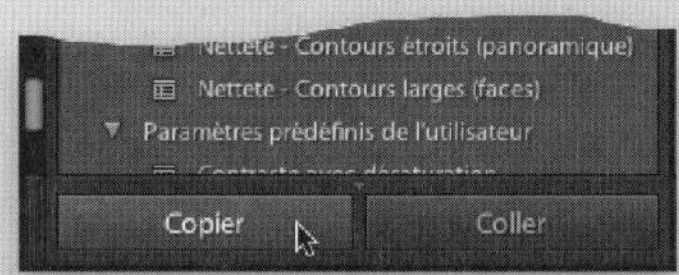


## ▼ Mettre à jour vos paramètres prédéfinis

Si vous modifiez vos images avec un paramètre prédéfini de l'utilisateur depuis le module Développement et que vous appréciiez le résultat obtenu, vous pouvez actualiser ce paramètre. Faites un Ctrl+clic sur le paramètre prédéfini en question. Dans le menu contextuel, exécutez la commande Mettre à jour avec les paramètres actuels.

## ▼ Choisir l'avant et l'après

Par défaut, lorsque vous appuyez sur Maj+S dans le module Développement, vous basculez entre la version originale et modifiée de votre photo. Que faire si vous ne souhaitez pas que la version Avant soit votre photo d'origine ? Supposons que vous ayez modifié un portrait dans le panneau Réglages de base. Ensuite, vous avez utilisé l'outil Pinceau Réglage pour effectuer quelques retouches. Peut-être souhaiterez-vous que la version Avant montre la photo corrigée mais sans l'application des retouches effectuées avec le pinceau. Pour obtenir cela, ouvrez le panneau Historique, situé dans le volet gauche

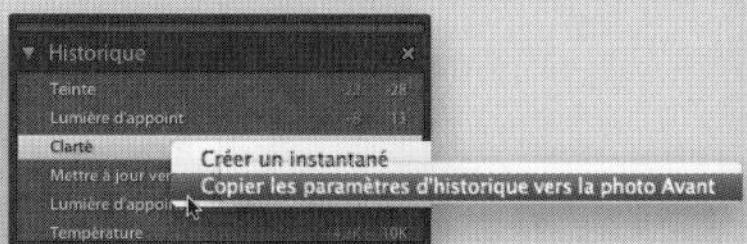


du module Développement. Faites défiler son contenu jusqu'à ce que vous localisiez l'étape correspondant au eéglage effectué avant que vous n'utilisiez l'outil Pinceau Réglage. Faites un clic droit sur cette étape. Dans le menu contextuel, choisissez Copier les paramètres d'historique vers la photo avant. Dès lors, cette étape devient la version Avant de votre photo. Elle s'affiche dès que vous appuyez sur Maj+S.

## ▼ Faire de paramètres actuels les nouveaux réglages de votre appareil photo

Quand vous ouvrez une photo, Lightroom applique un ensemble de corrections par défaut qui se basent sur le format de fichier de l'image ainsi que sur la marque et le modèle de l'appareil. Il lit les données EXIF. Pour utiliser vos paramètres personnalisés afin de corriger automatiquement de petits défauts comme les tons foncés trop

# Les petits trucs de Lightroom > >

sombres, ou des tons clairs trop clairs, effectuez vos modifications dans Lightroom. Ensuite, appuyez sur Option (Alt). Dans la partie inférieure gauche de l'interface, le bouton Réinitialiser devient Définir par défaut. Ceci ouvre une boîte de dialogue dans laquelle vous cliquerez sur le bouton Mettre à jour les paramètres actuels. Dès lors, vos réglages (qui corrigent les mauvaises habitudes de votre appareil photo numérique) s'appliqueront à l'importation des images dans Lightroom. Pour restaurer les paramètres par défaut d'Adobe, accédez à cette même boîte de dialogue, et cliquez sur le bouton Restaurer les paramètres Adobe par défaut.

## ▼ Créer différentes versions de votre photo sans créer de copies virtuelles

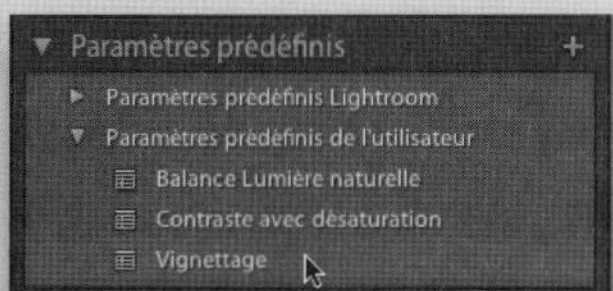


Pour éviter de créer des copies virtuelles, utilisez des instantanés. Dès que la version modifiée de votre image vous convient, appuyez sur Cmd+N (Ctrl+N). Dans la boîte de dialogue Nouveau fichier instantané, donnez un nom au fichier. Cliquez sur Créer. L'aspect de votre photo est immédiatement sauvegardé dans le panneau Instantanés du module Développement. Ainsi, il est tout à fait possible de disposer d'une version noir et blanc sous forme d'un instantané, d'une version bichromique, d'une autre en couleurs, d'une sans aucun effet, et ceci sans être obligé de parcourir le panneau Historique.

## ▼ Créer des paramètres prédéfinis de balance des blancs pour les images JPEG et TIFF

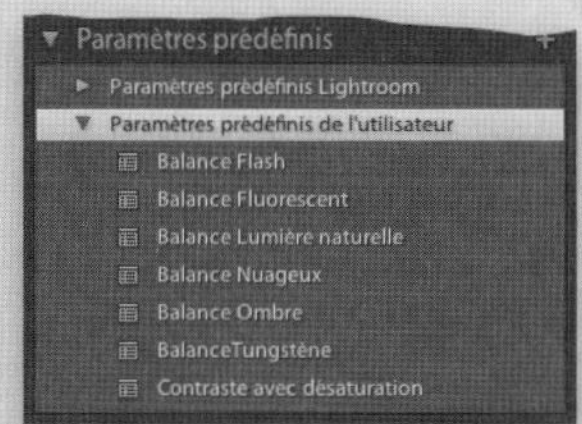


Je vous ai dit que les images JPEG et TIFF n'ont qu'un seul réglage de la balance des blancs : Auto. Voici une astuce pour en définir d'autres : ouvrez un fichier Raw. Appliquez-lui le paramètre prédéfini Lumière naturelle. Sauvegardez-le en le nommant Balance Lumière naturelle. Répétez cette opération pour créer un paramètre pour chaque type de balance des blancs. Ensuite, ouvrez une image TIFF ou JPEG. Cliquez sur un paramètre prédéfini de balance des blancs pour corriger la température de couleur de l'image.

## ▼ Un des paramètres prédéfinis que j'utilise le plus

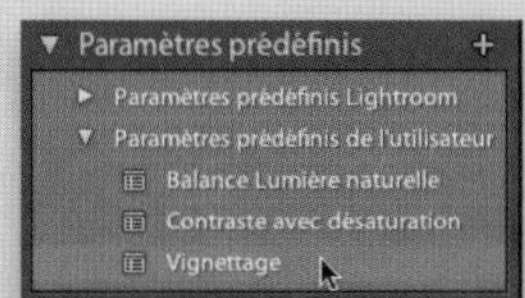


Le vignettage est un effet tellement apprécié qu'il vaut la peine d'en faire un paramètre prédéfini. Pour cela, accédez au panneau Vignettage. Fixez le réglage Quantité à -100 et le réglage Milieu à 10. Ensuite, cliquez sur le bouton + du panneau Paramètres prédéfinis. Décochez tous les paramètres de la boîte de dialogue qui apparaît, à l'exception de Vignettage. Maintenant, il vous suffit de placer le pointeur de la souris sur ce paramètre pour prévisualiser son effet dans le panneau Navigation.

## ▼ Mise à jour des paramètres prédéfinis

Si vous commencez votre édition en appliquant un paramètre prédéfini puis que vous apportiez quelques modifications, conservez-les rapidement en mettant à jour le paramètre en question. Pour cela, une fois vos changements effectués, faites un clic-droit sur le nom du paramètre

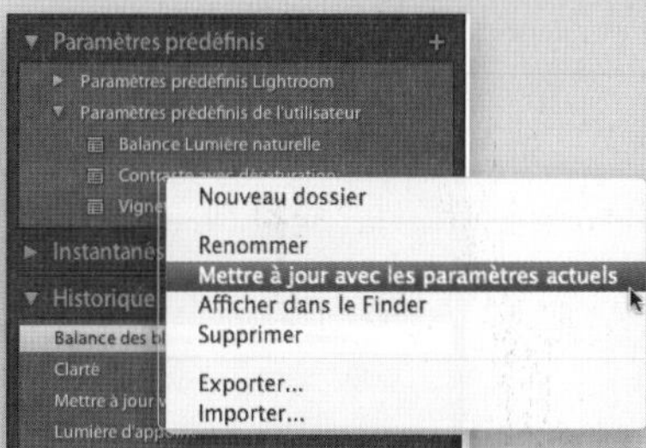


prédéfini. Dans le menu contextuel, exécutez la commande Mettre à jour avec les paramètres actuels.

## ▼ Corriger les photos sous-exposées avec la fonction Reproduire toutes les expositions

Lorsque vous disposez d'une série de photos sur le même sujet et que certaines d'entre elles sont sous-exposées, essayez ceci : cliquez sur la photo correctement exposée de cette série. Ensuite, sélectionnez les photos sous-exposées. Ouvrez le menu Paramètres, et cliquez sur Reproduire toutes les expositions. Cette fonction utilise l'exposition de la première photo sélectionnée pour corriger les autres.

Paramètres Outils Affichage Fenêtre Aide
Réinitialiser tous les paramètres ⇧⌘R
Mettre à jour vers le processus actuel (2010)
Processus
Copier les paramètres... ⇧⌘C
Coller les paramètres ⇧⌘V
Coller les paramètres de la photo précédente ⌥⌘V
Synchroniser les paramètres... ⇧⌘S
Synchroniser les copies...
Synchroniser les instantanés...
Reproduire toutes les expositions ⌥⇧⌘M
Activer la synchronisation auto ⌥⇧⌘A

Photo Scott Kelby | Exposition : 1/800e | Focale : 70 mm | Ouverture : $f/2.8$

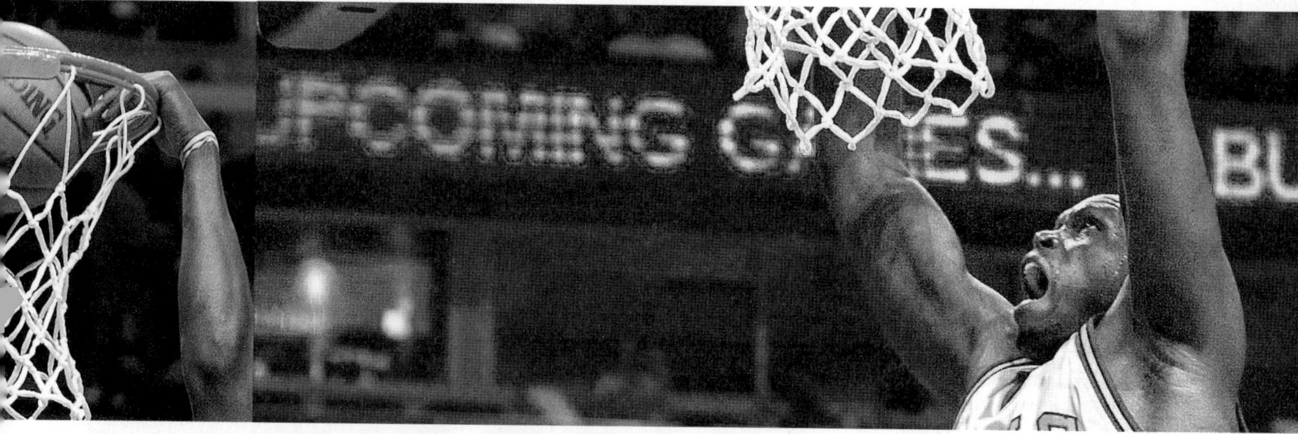


# Réglages localisés

## Comment modifier une partie de l'image

Je confesse que « Réglages localisés » n'est pas un excellent titre de chapitre expliquant l'utilisation, entre autres, de l'outil Pinceau Réglage. Toutefois, le développement des fonctionnalités de Lightroom nous conduit au constat suivant : tout ce que vous faites dans Lightroom correspond à un réglage global. En d'autres termes, la modification des paramètres affecte la totalité de l'image. Donc, si vous modifiez une partie de votre image, votre intervention devient locale. Le problème est que cette manière de raisonner n'est pas celle de tout le monde. En général, une majorité de personnes parlent de « réglages qui affectent la totalité d'une photo » lorsqu'elles appliquent des paramètres qui, justement, affectent la totalité de l'image. En revanche, dès que ces modifications concernent une partie précise de la photographie, ces mêmes personnes parlent de « réglages qui affectent une partie de l'image ». Difficile pour Adobe d'assigner une telle dénomination aux fonctions qui s'intéressent à la modification globale ou locale des images. Ainsi, après moult délibérations, acceptations, renoncements, polémiques, déjeuners, dîners, j'en passe et des meilleurs, tout le monde, moi y compris, s'est mis d'accord pour parler de « réglage local » lorsque nous envisageons des interventions qui n'intéressent qu'une partie de l'image.

# La densification et le réglage des parties individuelles de votre photo

A priori, tout ce que vous faites dans le module Développement affecte la totalité de l'image. Par exemple, si vous glissez le curseur Température pour modifier la balance des blancs de la photographie, le réglage est global. Mais qu'en est-il si vous souhaitez modifier une zone particulière de l'image, c'est-à-dire procéder à un réglage local ? Il vous suffit d'utiliser l'outil Pinceau Réglage. Il va permettre de peindre vos modifications sur les zones que vous souhaitez. Ainsi, il sera très facile d'augmenter ou de réduire la densité de certaines parties de votre photographie. Voici comment tout cela fonctionne.

**Étape 1**

Dans le module Développement, vous notez la présence d'une boîte à outils située juste au-dessus du panneau Réglages de base. Cliquez sur l'icône du pinceau située dans la barre d'outils localisée sous le panneau Histogramme. Cet outil se nomme Pinceau Réglage. Vous pouvez l'activer en appuyant sur la touche K. Ceci affiche une série d'options sous cette barre d'outils (voir ci-contre).

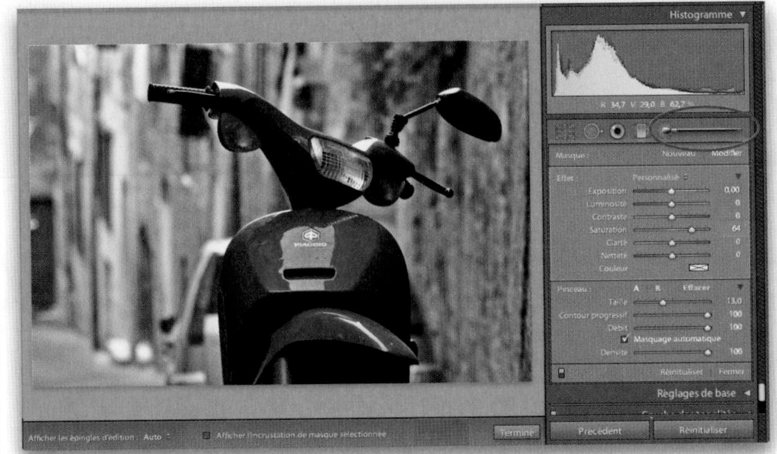


SCOTT KELBY

**Étape 2**

Vous devez sélectionner l'effet que va appliquer le Pinceau Réglage. Ouvrez le menu local Effet. Si vous y choisissez Exposition, vous allez appliquer l'équivalent des outils Densité + ou Densité – de Photoshop. Dans notre exemple, nous allons améliorer l'éclairage de la photo. Ainsi, nous veillerons à ce que certaines zones soient plus claires et d'autres plus foncées qu'elles ne le sont actuellement. Nous renforcerons aussi la couleur de certaines parties de cette photo. Donc, dans le menu local, choisissez Exposition.

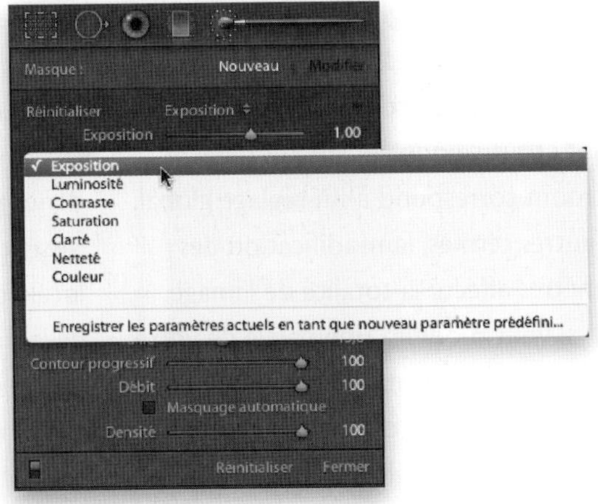

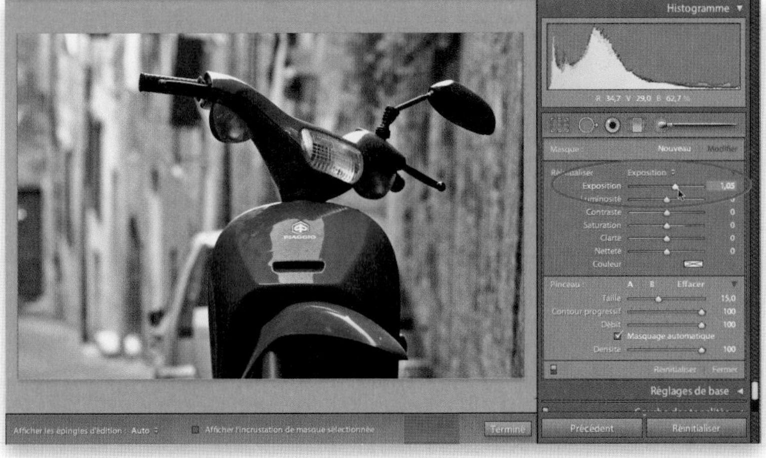


### Étape 3

Maintenant, envisageons le fonctionnement de notre outil, qui, dans un premier temps, peut sembler assez complexe. Vous devez d'abord définir les zones sur lesquelles vous allez peindre. Commencez par glisser le curseur Exposition vers la droite jusqu'à la valeur 1,05. Bien entendu, cette valeur est indicative. En règle générale, j'opte pour une valeur d'exposition bien plus importante dans la mesure où je dispose d'un contrôle total sur l'exposition même après application de l'outil Pinceau Réglage. Lorsque la valeur d'exposition est élevée, j'apprécie bien mieux mon niveau d'intervention sur les zones de ma photographie. Une fois les modifications effectuées, je peux réduire la valeur du paramètre Exposition.

### Étape 4

Il ne vous reste plus qu'à peindre sur le scooter avec une valeur d'exposition fixée à 1,05. Commencez par les parties bleues du véhicule. Vous les éclaircissez. Là encore, peu importe que l'éclaircissement soit ou non insuffisant. Vous modifierez ultérieurement la valeur du paramètre Exposition. Pour peindre plus facilement sur des zones spécifiques, activez la fonction Masquage automatique. Elle permet à l'outil Pinceau Réglage d'appliquer ses modifications sans déborder sur les autres zones de l'image. Comme cette fonction donne généralement de bons résultats, je la laisse systématiquement activée. Je la désactive lorsque j'interviens sur de grands arrière-plans où la détection des contours des autres zones de l'image n'a aucune importance. Pour activer et désactiver rapidement l'option Masquage automatique, appuyez sur la lettre A du clavier.

## Étape 5

Une fois que vous avez peint sur toutes les zones bleues du scooter, faites glisser le curseur Exposition vers la gauche jusqu'à la valeur -1,00. Instantanément, la couleur bleue s'assombrit. Voici la preuve que vous pouvez modifier la valeur de votre réglage après avoir appliqué le Pinceau Réglage.

**ASTUCE : MODIFIER LA TAILLE DU PINCEAU**

Pour modifier rapidement la taille du Pinceau Réglage, appuyez sur les touches , et ;. La virgule réduit la taille, et le point-virgule l'augmente.

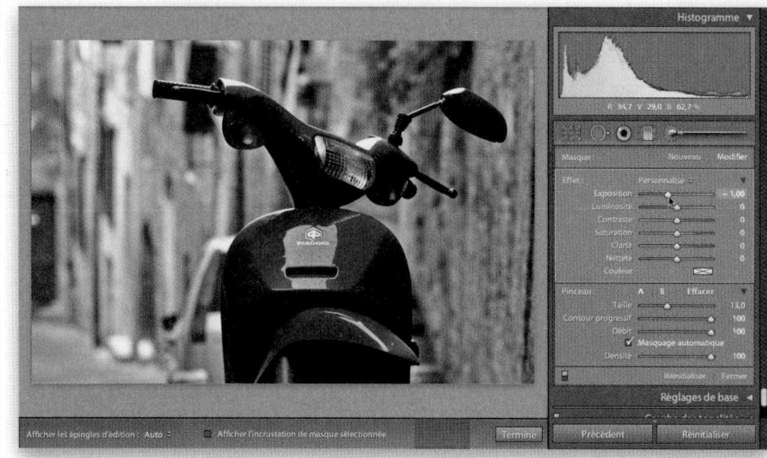


## Étape 6

Glissez maintenant le curseur Exposition vers la droite afin d'éclaircir les sections bleues du scooter. Ce qui est intéressant avec le Pinceau Réglage est que vous pouvez appliquer d'autres effets sans être obligé de glisser le pinceau sur l'image. Il suffit pour cela de modifier la valeur des autres paramètres de la section Effet. Par exemple, vous souhaitez que la couleur du scooter soit plus intense ? Faites glisser vers la droite le curseur Saturation. Vous souhaitez que la forme du scooter se détache du reste de l'image ? Intervenez sur les paramètres Clarté et Netteté.

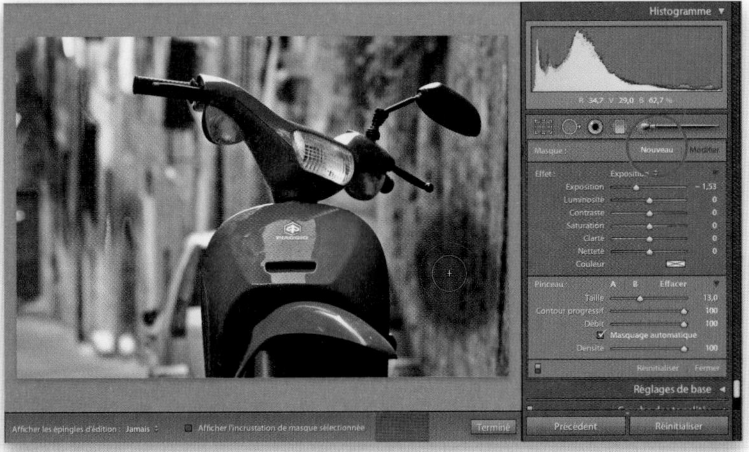


## Étape 7

Maintenant que le scooter est beaucoup plus clair, assombrissons l'arrière-plan. Cette fois, nous ne pouvons pas intervenir sur le curseur sinon le scooter subira également l'effet de nos modifications. Il faut peindre sur l'arrière-plan uniquement. Pour cela, commencez par cliquer sur le bouton Nouveau. Dans le menu local Effet, choisissez Exposition. Faites glisser le curseur vers la gauche pour assombrir l'arrière-plan. Là encore, la valeur choisie n'a pas d'importance puisque vous pourrez la modifier ultérieurement. Commencez par peindre sur l'arrière-plan situé à droite du scooter. Immédiatement, cette zone s'assombrit.

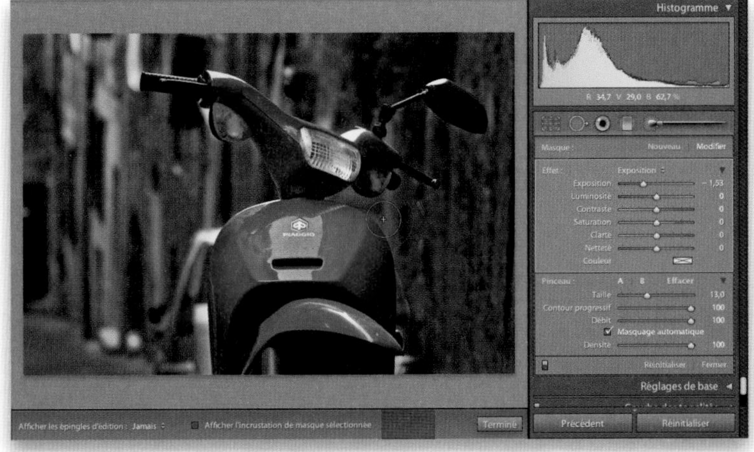


## Étape 8

Pour peindre sur une zone aussi vaste que l'arrière-plan, vous pouvez désactiver la fonction Masquage automatique. Alors, peignez sur les zones de l'arrière-plan qui sont les plus éloignées du scooter. Ainsi, vous ne peindrez pas dessus accidentellement. Dès que vous vous approchez des bords du scooter, activez la fonction Masquage automatique. Continuez à appliquer l'outil Pinceau Réglage. L'arrière-plan s'assombrit considérablement, sans affecter la couleur du scooter. Pour que cette technique fonctionne à merveille, il suffit de positionner systématiquement le curseur en forme de croix à l'extérieur du scooter.

## Étape 9

Vous remarquez que, dès que vous cliquez sur l'image avec le Pinceau Réglage, une épingle d'édition apparaît sur la photo. Elle détermine la zone sur laquelle vous intervenez. Comme vous avez commencé par la luminosité du scooter, un premier point apparaît à l'endroit de votre premier clic. Ensuite, vous avez cliqué sur le bouton Nouveau. Ceci indique à Lightroom de créer un nouveau point édition au moment où vous cliquez sur l'image avec l'outil Pinceau Réglage. Ainsi, de zones d'intervention en zones d'intervention, vous placez un certain nombre d'épingles d'édition sur votre photo. Ces points sont fondamentaux. Ils vont permettre de modifier la valeur de nouveaux réglages. Pour cela, cliquez sur un des points, et modifiez les valeurs des paramètres affichés dans la section Effet de votre outil Pinceau Réglage. Si vous cliquez sur l'épingle d'édition placée sur le scooter, la variation des paramètres du panneau Effet n'affectera que le scooter.

## Étape 10

Ajoutons une autre épingle d'édition. Cela permettra de travailler sur plusieurs zones. Cliquez sur le bouton Nouveau, et peignez sur le phare du scooter. Comme vous utilisez la précédente valeur d'exposition, le phare s'assombrit. Faites glisser le curseur Exposition vers la droite pour éclaircir ce phare. Ensuite, faites de même avec les paramètres Clarté et Netteté. L'image contient trois épingles d'édition : (1) une sur le devant du scooter, qui permet de modifier le véhicule, (2) l'arrière-plan, et (3) le phare.

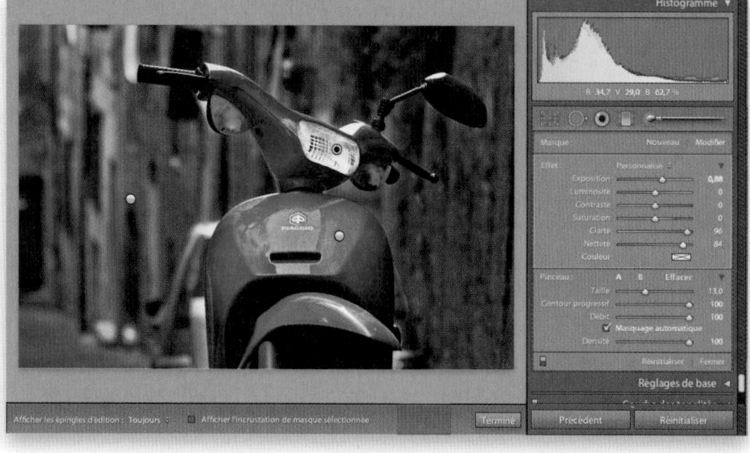

## Étape 11

Comment savoir si nous avons réellement peint sur la totalité d'une zone ? Comment savoir s'il manque une épingle d'édition ? Sous la zone d'aperçu, vous trouverez l'option Afficher l'incrustation de masque sélectionnée. Cochez-la ! la zone couverte par l'épingle d'édition sélectionnée s'affiche immédiatement en rouge. Si vous voyez qu'une partie n'est pas rouge, peignez dessus. Si vous débordez sur une autre section de l'image, appuyez sur Option (Alt), et peignez sur ladite zone afin de la retirer de la section altérée par l'épingle d'édition. Ensuite, décochez l'option. Pour afficher rapidement cette incrustation, placez le pointeur de la souris enfoncé sur une épingle d'édition.

## Étape 12

Le Pinceau Réglage permet aussi de procéder à des ajustements interactifs. Ainsi, pour ajuster le niveau d'exposition du scooter, placez le pointeur de la souris sur son épingle d'édition. Il prend la forme d'une double flèche verticale pointant vers la gauche et la droite. Cela indique que, si vous glissez le pointeur vers la droite, vous augmentez la valeur du paramètre Exposition. En revanche, vers la gauche, vous la diminuez.

## Étape 13

Le Pinceau Réglage dispose d'options situées dans la section Pinceau. Taille modifie le diamètre du pinceau. Contour progressif permet de déterminer le niveau d'estompage du bord du pinceau, c'est-à-dire sa dureté. Généralement, je la fixe à 90 %. Bien entendu, quand vous intervenez sur des zones aux contours bien nets, fixez cette valeur à 0. Le paramètre Débit contrôle la quantité de peinture déversée par le pinceau. Vous disposez aussi de deux réglages personnalisés libellés A et B. Ils permettent alors de définir deux types de réglages du pinceau et de passer de l'un à l'autre par un simple clic sur ces boutons.

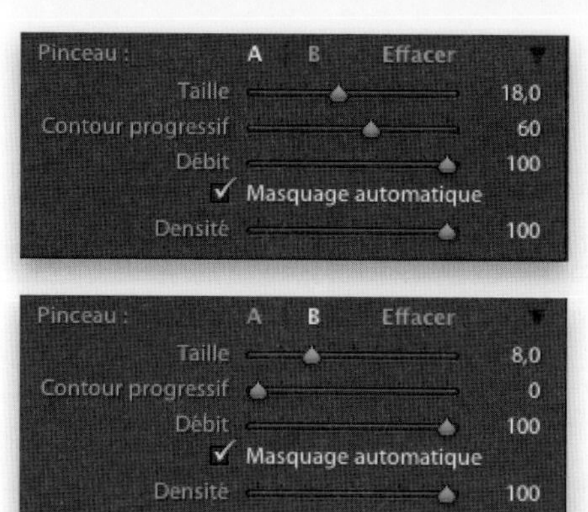


## Étape 14

Sous le paramètre Masquage automatique, vous trouvez le réglage Densité. Il simule la fonction aérographe de Photoshop. Toutefois, son effet n'est pas très subtil lorsque vous peignez sur un masque comme celui-ci. Je ne change jamais la valeur de ce paramètre, fixée à 100 par défaut. En bas du panneau se situe un autre interrupteur. Il permet d'activer et de désactiver les modifications appliquées avec l'outil Pinceau Réglage. À la droite de cet interrupteur, vous trouverez le bouton Réinitialiser, qui restaure les valeurs par défaut, et le bouton Fermer, qui masque l'ensemble des réglages. Ci-dessous, vous avez une comparaison avant et après de la photo. L'intérieur de la voiture est bien plus clair et net. Nous allons maintenant voir comment l'outil Pinceau Réglage permet d'appliquer d'autres effets comme la couleur, la colorisation, la saturation et aussi la retouche.

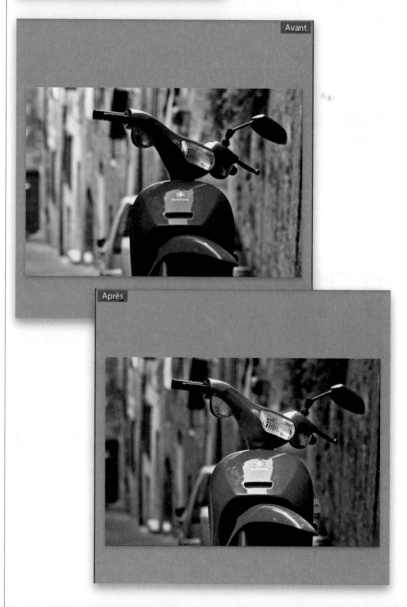

Avant

Après

Vous allez découvrir cinq choses qui facilitent l'utilisation du Pinceau Réglage. Ces techniques vous éviteront de recourir à Photoshop. Voyez plutôt.

# Cinq choses à connaître sur le Pinceau Réglage

SCOTT KELBY

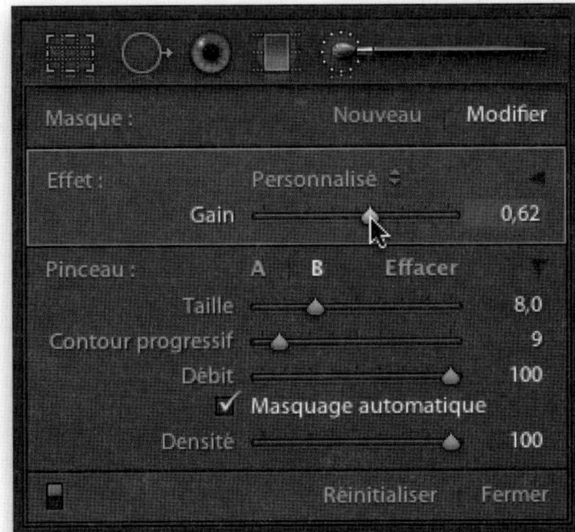


1. Vous pouvez choisir l'aspect des épingles d'édition dans le menu local Afficher les épingles d'édition. Auto signifie que, lorsque vous placez le pointeur de la souris en dehors de la zone où se trouve une épingle d'édition, toutes les épingles sont alors masquées. Avec Toujours, les épingles restent systématiquement affichées ; Jamais les masque ; enfin, Sélectionné ne montre que l'épingle active.
2. Pour voir votre image sans les modifications effectuées avec le Pinceau Réglage, cliquez sur le petit interrupteur situé en bas à gauche des options du pinceau et qui est cerclé en rouge ci-contre.
3. Si vous appuyez sur O, les incrustations de marque s'affichent. Cela permet de repérer les zones que vous avez omises ou celles qui débordent, et de corriger rapidement ce problème.
4. Si vous cliquez sur le triangle noir situé à l'extrême droite de la section Effet, vous masquez tous les curseurs. Un nouveau paramètre apparaît : Gain. Il permet de modifier la valeur de tous les paramètres appliqués à une épingle d'édition.
5. Sous la case à cocher Masquage automatique, vous trouverez le paramètre Densité. Il simule l'outil Aérographe de Photoshop. Le problème est que son effet est tellement subtil que je ne modifie jamais sa valeur, fixée à 100 par défaut.

# L'art à la portée du Pinceau Réglage

l'outil Pinceau Réglage ne se limite pas à la densification des images. Il peut jouer un rôle artistique indéniable. Nous allons réaliser un effet très prisé des photos de mariage. Il consiste à limiter la couleur de l'image au bouquet de fleur de la mariée.

**Étape 1**

Dans le module Développement, activez l'outil Pinceau Réglage. Ensuite, dans le menu local Effet, choisissez Saturation. Fixez le paramètre Saturation à -100. Peignez sur la zone de l'image devant être convertie en noir et blanc. (Ici, tout doit être désaturé sauf le bouquet de fleurs.) Pour faciliter votre travail, je conseille de désactiver la fonction Masquage automatique. Ainsi, vous couvrirez plus facilement l'arrière-plan, composé de plusieurs teintes.

SCOTT KELBY

**Étape 2**

Dès que vous approchez l'outil du bouquet, faites les deux choses suivantes : (1) réduisez la taille du pinceau en appuyant sur , (virgule), et (2) activez la fonction Masquage automatique car la couleur des fleurs diffère radicalement de celle de la robe de mariée et de la peau. Ainsi, le pinceau n'atteindra pas le bouquet. Le résultat final est illustré ci-contre. Par rapport à Photoshop, vous serez surpris de la rapidité avec laquelle vous réaliserez cet effet.

**Étape 3**

Cliquez sur le bouton Réinitialiser, situé dans le coin inférieur droit des panneaux. Vous restaurez les valeurs d'origine des divers paramètres et, de facto, votre photo. Utilisons cette fois le Pinceau Réglage pour créer un effet de projecteur diffus. Dans le menu local Effet, choisissez Exposition. Assignez au paramètre Exposition la valeur -2,13. Désactivez le paramètre Masquage automatique. Peignez sur l'image pour l'assombrir intégralement comme ci-contre.

**Étape 4**

Maintenez la touche Option (Alt) enfoncée pour activer l'outil Effacer. Augmentez la taille du pinceau, et fixez les paramètres Contour progressif et Débit à 100. Maintenant, peignez sur la zone de la photo qui doit attirer l'œil du spectateur. Ici, j'ai simplement cliqué sur le visage de la mariée et juste au-dessus de ses épaules. L'effet est à la fois superbe et saisissant, exécuté avec une facilité déconcertante.

# Retoucher des portraits

Dans Lightroom 1, vous pouviez retoucher les rides des portraits, ce qui évitait de travailler dans Photoshop. Depuis Lightroom 2 et a fortiori avec Lightroom 3, la retouche des portraits va encore plus loin grâce à l'outil Pinceau Réglage. Rappelez-vous simplement de procéder à ces retouches après avoir réglé les problèmes de tonalités.

## Étape 1

Ici, vous devez zoomer à 1:3 pour intervenir sur le modèle de la photo. Je souhaite adoucir sa peau. Pour cela, nous allons utiliser le préréglage Adoucir la peau du menu local Effet. Augmentez la taille du pinceau et décochez Masquage automatique. Peignez sur la peau. Évitez les détails comme les cils, les sourcils, les lèvres, les cheveux, etc. Ceci adoucit la peau en appliquant en une valeur de Clarté égale à -100 et une netteté de 25.

**INFO** Avant d'adoucir la peau, commencez par supprimer les imperfections. Pour cela, employez l'outil Retouche des tons directs. Nous l'étudierons au prochain chapitre. Bien que je l'utilise pour supprimer des taches, il reste parfait pour éliminer les boutons et les imperfections d'un portrait en tout genre.

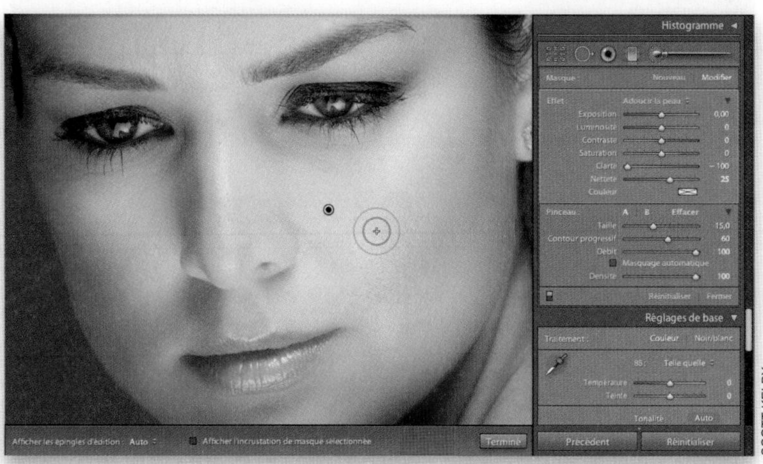


SCOTT KELBY

## Étape 2

Rendons le blanc de l'œil plus pétillant. Cliquez sur le bouton Nouveau, situé juste en dessous de la barre d'outils. Ensuite, dans le menu local Effet, choisissez Renforcement de l'iris. Activez le Masquage automatique, et peignez sur l'iris. Ensuite, choisissez le paramètre prédéfini Blanchissement des dents. Cette fois, peignez sur le blanc des yeux. Comme ce paramètre prédéfini désature la zone sur laquelle vous peignez, il est également d'une aide appréciable pour estomper les yeux rouges.

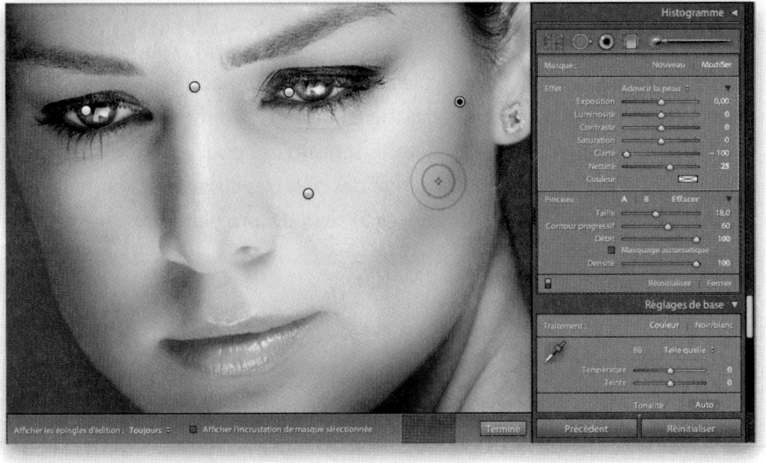


*Les cinq épingles d'édition utilisées de gauche à droite :*

1. *Renforcement de l'iris sur l'œil gauche.*
2. *Densité – (Éclaircir).*
3. *Blanchissement des dents utilisé pour blanchir l'iris.*
4. *Adoucir la peau à droite du nez.*
5. *Densité + (Obscurcir) sur la pommette à côté de l'oreille.*

### Étape 3

Nous allons densifier positivement et négativement le portrait pour lui donner du volume. Pour cela, cliquez sur le bouton Nouveau. Dans le menu local Effet, choisissez Densité + (Obscurcir). Ici, je renforce les zones ombrées de la joue, du cou et le côté gauche du nez. Ensuite, choisissez Densité – (Éclaircir) dans le menu local Effet. Peignez sur les zones claires du visage pour les rendre encore plus claires. N'oubliez jamais que vous pouvez contrôler l'intensité de vos effets après les avoir appliqués. Il suffit pour cela de sélectionner l'épingle d'édition correspondante et d'agir sur les curseurs de l'effet. Ci-dessous, je vous propose une comparaison avant etaprès de cette retouche.

Avant Après

*La photo Après (à droite) est plus nette, avec des iris bien colorés, un blanc d'œil impeccable, une peau douce et un visage parfaitement sculpté.*

# Corriger le ciel (et d'autres éléments) avec le Filtre Gradué

Le Filtre Gradué de Lightroom recrée l'aspect des traditionnels filtres gris. Il s'agit de filtres qui passent verticalement et progressivement d'une teinte sombre à une transparence complète. Ils sont utilisés pour les photos de paysages afin d'équilibrer l'exposition des ciels très clairs et des premiers plans plus sombres. Dans Lightroom, ce filtre va encore plus loin.

## Étape 1

Dans la barre d'outils, cliquez sur Filtre Gradué (ou appuyez sur M). Il va nous permettre d'assombrir le ciel. Dans le menu local Effet, choisissez Luminosité. Faites glisser le curseur éponyme à -70. Ici encore, ne vous inquiétez pas de la valeur de l'assombrissement puisque vous pourrez toujours la modifier après application du Filtre Gradué.

SCOTT KELBY

## Étape 2

Maintenez enfoncée la touche Maj. Ensuite, cliquez en haut et au centre de l'image. Glissez le curseur verticalement et en ligne droite jusqu'à ce que vous atteigniez le début du troisième tiers de l'image (voir ci-contre). Le ciel est assombri, et la photo est bien équilibrée. La touche Maj permet de tracer une ligne parfaitement droite. Si vous n'appuyez pas dessus, vous pouvez créer un dégradé dans n'importe quelle direction.

### Étape 3

Je considère ici que l'assombrissement du ciel ne tombe pas assez bas. Il me suffit alors de repositionner l'épingle d'édition du Filtre Gradué. Cliquez dessus et faites-le glisser vers le bas. Vous pouvez ajouter d'autres effets à cette zone de l'image. Par exemple, fixez la Saturation à 58, et réduisez la Luminosité à -109. Ces trois interventions vont considérablement améliorer le ciel, comme le montre la comparaison Avant/Après ci-dessous. Il est possible de définir plusieurs Filtre Gradué. Pour cela, cliquez sur le bouton Nouveau. Pour supprimer un Filtre Gradué, sélectionnez son point de contrôle sur l'image et appuyez sur la touche Suppr. Ci-dessous, appréciez la comparaison Avant et Après application de l'effet.

INFO Ajoutez d'autres dégradés de ce type en cliquant sur Nouveau. En revanche, pour effacer un dégradé, cliquez sur son épingle et appuyez sur la touche Retour arrière.

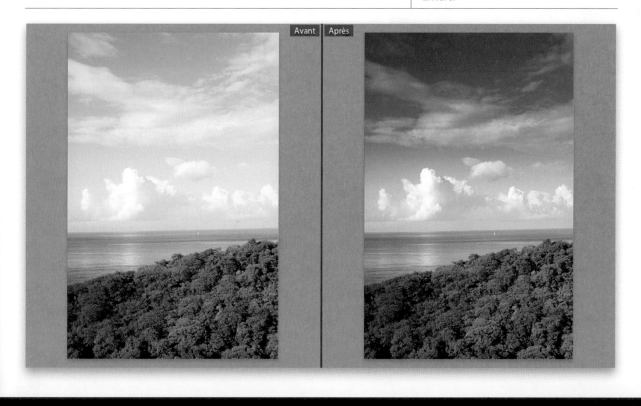

# Les petits trucs de Lightroom > >

## ▼ Masquer les points de contrôle

Pour masquer les points de contrôle des outils (comme le Pinceau Réglage), appuyez sur H. Appuyez de nouveau sur cette lettre pour faire réapparaître ces points.

## ▼ Raccourci pour ajouter des modifications

Lorsque vous utilisez le Pinceau Réglage, vous pouvez ajouter rapidement un point de contrôle en appuyant sur Entrée. Vous n'avez plus qu'à peindre.

## ▼ Masquer les options du pinceau

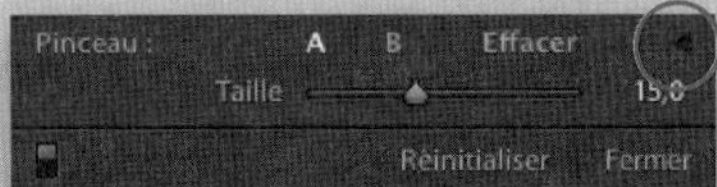


Une fois que vous avez défini un pinceau A et B, vous pouvez masquer les autres options de l'outil en cliquant sur le triangle gris foncé situé à droite du bouton Effacer.

## ▼ L'astuce de la boule de défilement

Si vous utilisez une souris équipée d'une boule de défilement (molette), utilisez-la pour changer la Taille de votre pinceau. Il suffit de glisser la molette vers le haut et le bas.

## ▼ Contrôler le débit

Les chiffres du pavé numérique contrôlent le paramètre Débit du pinceau. Ainsi, 1 = 10 %, 2 = 20 %, 3 = 30 % et ainsi de suite, 0 étant égal à 100 %.

## ▼ Le bouton Effacer

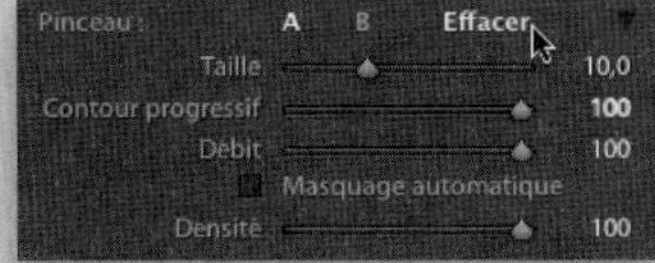


Le bouton Effacer (section Pinceau) n'efface pas votre image. Il permet simplement de basculer le Pinceau Réglage en mode d'effacement de vos modifications.

## ▼ Choisir les couleurs

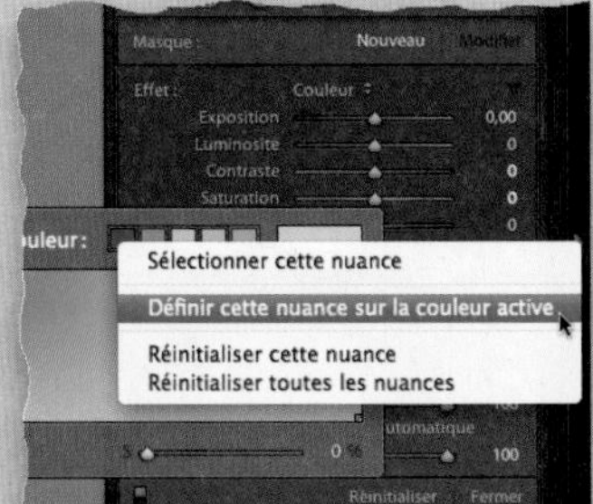


Pour peindre avec une couleur de votre photo, ouvrez le menu local Effet, et choisissez-y Couleur. Ensuite, cliquez sur l'indicateur de la section Couleur. Placez la pipette dans le nuancier, cliquez et, sans relâcher le bouton de la souris, glissez le pointeur sur votre image. Un indicateur supplémentaire apparaît sur le côté supérieur droit du sélecteur de couleur. Il affiche la couleur située sous la pipette. Dès qu'une teinte vous convient, cliquez. Pour enregistrer cette couleur dans le nuancier, faites un clic-droit sur un des indicateurs existants. Dans le menu contextuel, choisissez Définir cette nuance sur la couleur active.

## ▼ Activer/Désactiver le masque

Pour activer/désactiver le masque d'un point de contrôle, sélectionnez-le et appuyez sur O.

## ▼ Modifier la couleur du masque

Pour changer la couleur rouge du masque, appuyez sur Maj+O. Chaque pression applique le masque dans une couleur différente (rouge, verte, grise et noire).

## ▼ Appliquer un Filtre Gradué depuis le centre

Par défaut, le Filtre Gradué est appliqué de haut en bas, de gauche à droite, etc. Toutefois, si vous appuyez sur Option (Alt) pendant que vous appliquez le dégradé, il sera tracé du centre vers l'extérieur.

## ▼ Modifier l'intensité des effets

Lorsque vous avez défini des effets avec le Filtre Gradué et/ou le Pinceau Réglage, vous pouvez en contrôler l'intensité globale en appuyant sur les flèches Gauche et Droite du pavé directionnel. Vous réduisez et augmentez respectivement la valeur du paramètre Gain.

# Les petits trucs de Lightroom > >

### ▼ Basculer entre les pinceaux A et B

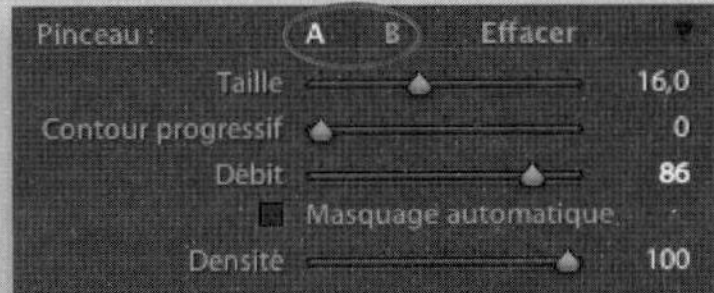


Les boutons A/B sont des paramètres de pinceau prédéfinis. Pour passer de l'un à l'autre, cliquez simplement sur leur lettre dans la section Pinceau.

### ▼ Astuce du Masquage automatique

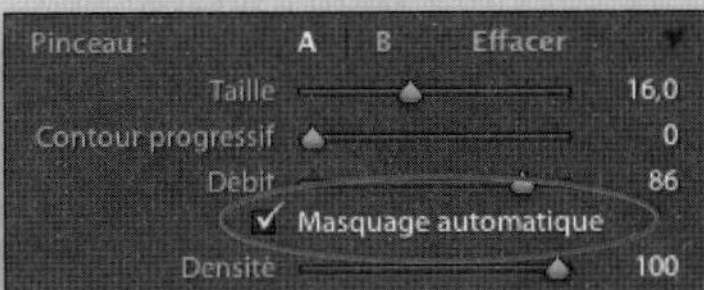


Lorsque l'option Masquage automatique est cochée, et que vous peignez à proximité des bords d'un élément, vous verrez probablement une sorte de petite lueur le long de ces bords. Pour l'éliminer, définissez une petite taille de pinceau, et passez l'outil tout au long de ce contour. La fonction Masquage automatique évitera de déborder sur l'élément principal de la retouche.

### ▼ Raccourci d'activation/de désactivation du Masquage automatique

Appuyez sur A pour activer/désactiver le Masquage automatique.

### ▼ Peindre de manière rectiligne

Pour appliquer l'outil Pinceau Réglage de manière rectiligne, appuyez sur Maj tout en faisant glisser l'outil vers un autre emplacement de l'image. La peinture (la correction) s'effectue en suivant une ligne droite.

### ▼ Réinitialiser le Pinceau Réglage

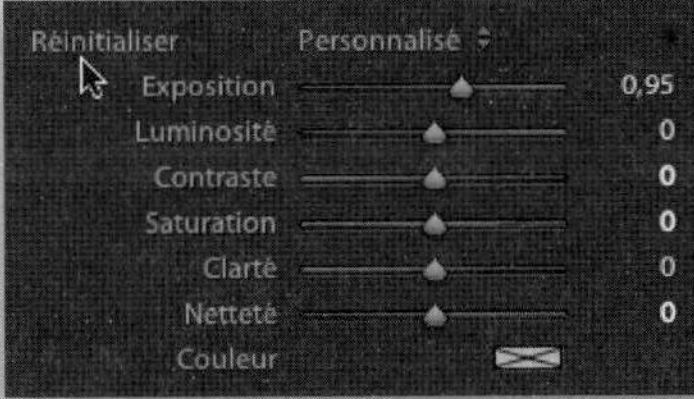


Pour réinitialiser les valeurs du Pinceau Réglage (ou du Filtre Gradué), appuyez sur Option (Alt). Le bouton Effet devient Réinitialiser. Sans lâcher cette touche, cliquez sur cette mention. Tous les paramètres sont remis à zéro.

### ▼ Flou Gaussien dans Lightroom ?

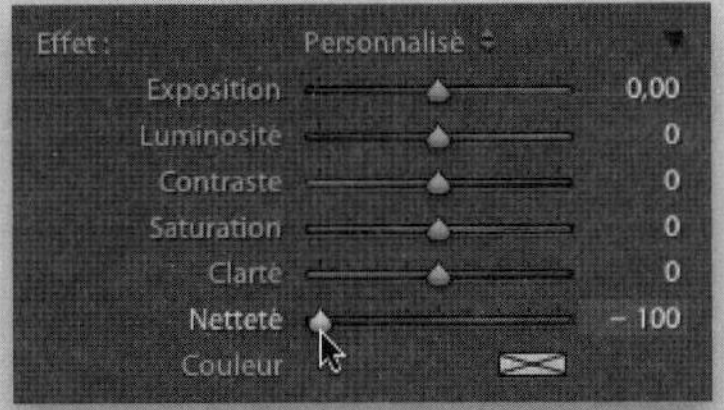


Pour donner un effet glamour à vos photos, comme si vous appliquiez un très léger Flou Gaussien, utilisez le paramètre Netteté du Pinceau Réglage. Dans le menu local Effet, choisissez Netteté, puis fixez la valeur du paramètre Netteté à -100. Peignez sur les zones que vous désirez rendre légèrement floues. Ce petit effet peut renforcer la profondeur de champ d'une image.

### ▼ Supprimer des réglages

Pour supprimer des réglages, commencez par sélectionner l'épingle d'édition qui leur correspond. Ensuite, appuyez sur la touche Retour arrière de votre clavier.

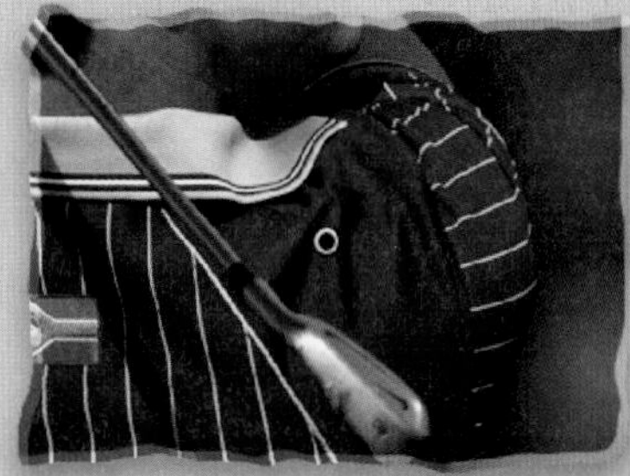

Photo Scott Kelby Exposition : 1/60e Focale : 80 mm Ouverture : $f/20$

# Problèmes photographiques

## Corriger les imperfections des appareils photo numériques

Il est difficile d'imaginer qu'une technologie comme celle des appareils photo numériques introduise des imperfections dans les clichés. Je sais, la thèse est paradoxale. Pourtant, vous pouvez acheter un appareil capable de localiser le lieu précis de votre prise de vue grâce à un système GPS, mais vous ne pouvez pas l'empêcher de générer des yeux rouges lorsque vous photographiez un portrait au flash. C'est assez incroyable ! Il sera tout aussi incroyable de constater, dans un futur plus ou moins proche, que l'homme sera capable de se déplacer dans des voitures volantes et de photographier en holographie 3D, pour malgré tout l'entendre s'exclamer : « Oh non ! Encore des yeux rouges sur ce portrait ! »
Pour ne pas passer pour des imbéciles, les constructeurs d'appareils photo numériques ont équipé leurs matériels d'un système de réduction des yeux rouges. Réduction ne voulant pas dire disparition, nous verrons qu'il existe aussi d'autres problèmes que Lightroom se fait un plaisir de vous aider à corriger.

# Corriger les contre-jours

L'un des problèmes le plus souvent rencontrés en photo est le sujet pris en contre-jour. Il n'est plus qu'une silhouette très sombre sur un fond très clair. Ce genre de problème s'explique par le fait qu'à l'inverse d'un appareil photo notre œil équilibre la luminosité. Or, quand nous voyons que le sujet est identifiable malgré un fond clair, nous pensons qu'il le sera aussi pour l'appareil. Erreur ! Dans Lightroom, le paramètre Lumière d'appoint des Réglages de base corrige la plus grosse partie de ce problème. Toutefois, il y a une petite chose à faire en plus.

## Étape 1

Voici une photo prise dans la vallée de Feu, au Nevada, 20 minutes environ avant le lever du soleil. Pour moi, c'est-à-dire mes yeux, les rochers du premier plan étaient correctement exposés. Mon appareil n'a pas eu la même interprétation de la lumière. Pour préparer l'image, j'ai commencé par fixer le paramètre Récupération sur 100. Ensuite, j'ai légèrement augmenté la Clarté. Je peux maintenant corriger le problème.

SCOTT KELBY

## Étape 2

Pour déboucher le premier plan, glissez le curseur Lumière d'appoint vers la droite. Vous ne pourrez pas fixer sa valeur à 100. En effet, vous risqueriez d'introduire du bruit dans l'image en révélant celui qui était dissimulé dans les tons foncés. Ici, la limite se situe aux alentours de 65. Le problème est que l'image se retrouve sensiblement délavée. Nous allons bientôt corriger ce manque de contraste.

## Étape 3

Face à ce manque de contraste évident, il va falloir réintroduire des basses lumières. Pour cela, faites glisser le curseur Noirs vers la droite. Avec une valeur de 20, vous réintroduisez une quantité de noir que la Lumière d'appoint avait fait disparaître. (Généralement, avec les fichiers Raw, le paramètre Noirs se situera entre 5 et 7.) Poursuivez en jouant sur le paramètre Clarté. Pour bien faire ressortir les contours nets des éléments de l'image, je pousse la valeur de ce paramètre jusqu'à 75.

## Étape 4

Voici une comparaison de la photo Avant/Après (en appuyant sur Y). Le fait d'agir sur le curseur Noirs permet d'obtenir une correction plus précise du contre-jour.

# La réduction du bruit

Lightroom dispose d'un contrôle prédéfini qui supprime le bruit de vos photos introduit par une valeur ISO trop élevée ou des conditions d'éclairage trop faibles. Avec Lightroom 3, Adobe a totalement reconsidéré le traitement du bruit des images. Il devient stupéfiant non seulement du fait de sa puissance, mais aussi dans sa manière de préserver la netteté et les détails de vos images.

### Étape 1

Pour réduire le bruit d'une image comme celle-ci (valeur de 1600 ISO), ouvrez-la dans le module Développement et affichez le contenu du panneau Détail. Pour localiser le bruit, affichez l'image en 1:1.

SCOTT KELBY

### Étape 2

Généralement, j'interviens sur la réduction du bruit de la couleur. Il suffit alors de glisser le curseur Couleur vers la droite. Regardez l'image au fur et à mesure que vous glissez ce curseur. Dès que la couleur s'estompe, arrêtez-vous. Dans notre exemple, je fixe la valeur de ce paramètre à 30. Ensuite, je glisse le curseur Détail vers la droite pour restaurer les détails que la réduction du bruit de la couleur a estompés. Faites bien attention à ne pas appliquer une valeur trop élevée car vous risquez d'introduire des imperfections dans les couleurs. Pour la majorité des images, une valeur de 50 suffit. Faites des essais ! Je tente d'obtenir un niveau de réduction du bruit acceptable. N'oubliez pas que toute intervention sur le bruit introduit par la couleur désature l'image.

## Étape 3

Maintenant que le bruit de la couleur est atténué, vous devez réduire celui de la luminance. Intervenez sur le curseur éponyme. Glissez-le vers la droite jusqu'à ce que le bruit soit bien atténué. Vous voyez ô combien cette procédure est simple et efficace. Vous devez bien comprendre l'importance du curseur Détail. Il aide vraiment à restaurer la netteté des images rendues floues suite à la réduction du bruit qu'elles contiennent. Si vous trouvez l'image trop floue, poussez davantage le curseur Détail vers la droite. Certes, l'image sera un peu plus « bruyante ». À vous de trouver le meilleur compromis. Si vous désirez une image plus « propre », glissez ce curseur vers la gauche. Dans ce cas, vous estompez des détails.

## Étape 4

Le curseur Contraste permet de préserver le contraste de l'image. Pour cela, glissez-le vers la droite. Cela risque d'introduire des artefacts sous la forme de blocs colorés. Soyez très prudent. Si vous glissez ce curseur vers la gauche, vous risquez de perdre du contraste. Pourquoi ne pouvez-vous pas préserver les détails tout en atténuant le bruit ? Je crois que la réponse vous sera donnée par Lightroom 9 ! en attendant, tout est question d'équilibre. Dans cette image très particulière, je fixe la Luminance à environ 55. Comme je souhaite garder des détails, je fixe Détail à 70. Je ne touche pas au curseur Contraste. Ci-dessous, appréciez la comparaison Avant/Après de la photo retouchée.

## Annuler vos modifications

Photoshop Lightroom conserve une trace de toute votre activité de retouche. Vous pouvez connaître vos différentes interventions en ouvrant le panneau Historique du module Développement. si vous désirez revenir à une étape précédente, et l'annuler, ou tout simplement voir l'aspect de votre image avant telle ou telle modification, cliquez sur l'action en question dans le panneau Historique. Vous ne pouvez malheureusement pas supprimer une seule étape et garder toutes les autres. En revanche, vous pouvez revenir en arrière pour corriger une erreur. Voici comment faire.

### Étape 1

Avant de découvrir les fonctionnalités du panneau Historique, je tiens à mentionner le fait qu'en appuyant plusieurs fois sur Cmd+Z (PC : Ctrl+Z), vous remontez dans l'historique de vos actions et les annulez les unes après les autres. Toutefois, si vous désirez accéder directement à une modification particulière, utilisez le panneau Historique. L'édition la plus récente se situe en haut du panneau.

INFO Chaque photo a son propre historique.

| | | |
|---|---|---|
| Détail de luminance | +20 | 70 |
| Lissage de la luminance | +53 | 53 |
| Détail de la couleur | +19 | 62 |
| Détail de la couleur | -57 | 43 |
| Détail de la couleur | +50 | 100 |
| Réduction du bruit chromatique | +10 | 30 |
| Réduction du bruit chromatique | -51 | 20 |
| Réduction du bruit chromatique | +71 | 71 |
| Réduction du bruit chromatique | -100 | 0 |
| Réduction du bruit chromatique | +75 | 100 |
| Importation (15/07/10 08:22:46) | | |

### Étape 2

Si vous placez le pointeur de la souris sur un état de l'historique, le panneau Navigation affiche un aperçu de la photo telle qu'elle était à ce niveau précis de modification. Par exemple, pour revoir l'aspect de ma photo en niveaux de gris, je place le pointeur de la souris sur l'étape Convertir en noir et blanc.

SCOTT KELBY

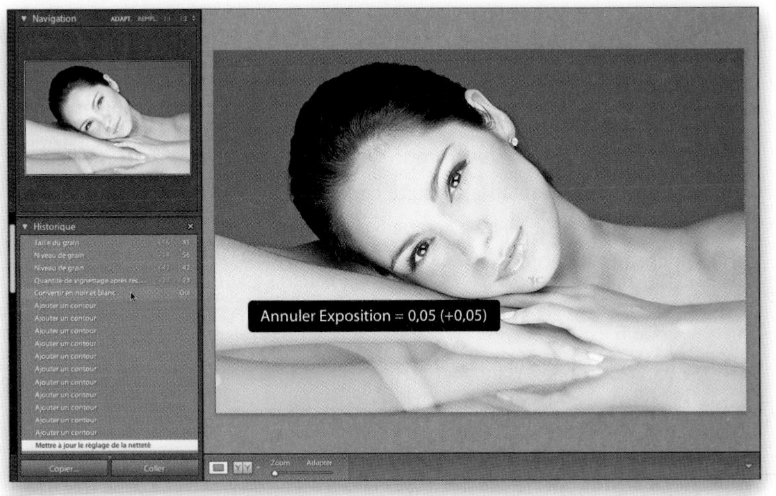


**Étape 3**

Pour revenir vraiment à un état précis de votre photo, cliquez dessus dans l'Historique. Si vous appuyez sur Cmd+Z (PC : Ctrl+Z) pour annuler l'étape sélectionnée, une incrustation indique en gros caractères le type d'annulation effectuée (voir ci-contre). Ceci est très pratique car vous identifiez l'action annulée, ce qui permet de la rétablir immédiatement en cas de suppression accidentelle.

**Étape 4**

Si pendant la procédure d'édition votre image atteint un niveau que vous souhaitez retrouver rapidement, ouvrez le panneau Instantanés. Cliquez sur le bouton + (plus) pour créer un nouvel instantané. Son nom apparaissant en surbrillance, tapez un libellé qui donne une idée des réglages appliqués à ce moment précis sur votre image. Ici, j'ai créé un instantané juste après avoir converti l'image en niveaux de gris et avant d'appliquer un vignettage. J'ai logiquement appelé cet instantané « Avant vignettage ». Je sais alors que, si je clique sur cet instantané, je retrouve une version de mon image correspondant aux réglages définis lors de la création de mon instantané. Vous pouvez aussi convertir en instantané une série d'étapes de votre procédure. Placez le pointeur de la souris au niveau de la dernière étape de la série. Ensuite, faites un Ctrl+clic (PC : clic-droit) sur cette étape. Dans le menu contextuel, choisissez Créer un instantané.

# Recadrer des photos

Lorsque j'ai utilisé pour la première fois la fonction de recadrage de Lightroom, je pensais qu'elle serait complexe et pas très efficace. Cette conviction tenait probablement à ma connaissance des formidables fonctions de recadrage de Photoshop. Eh bien, je me suis trompé ! Il s'agit probablement de la meilleure fonction de recadrage jamais introduite dans un programme. Si vous ne tombez pas amoureux de cet outil, lisez l'étape 6 de cette procédure pour l'utiliser comme dans Photoshop.

### Étape 1

Voici la photo originale. Je souhaite la recadrer afin d'isoler l'action. Pour recadrer cette photo, ouvrez-la dans le module Développement. Ensuite, cliquez sur le bouton Cadre de recadrage de la barre d'outils. Ceci ouvre une série d'options. Le paramètre actif par défaut est Recadrer et redresser. Le cadre qui apparaît se base sur la célèbre règle des tiers. Vous remarquez qu'il est doté de quatre poignées d'angle. Pour verrouiller le rapport hauteur/largeur, et ainsi conserver les proportions de l'image, cliquez sur l'icône du cadenas. Déverrouillez ce rapport lorsque vous désirez recadrer librement l'image.

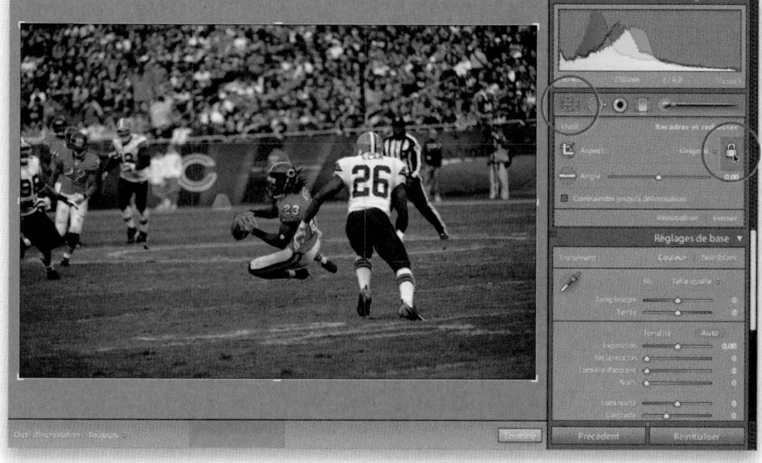


SCOTT KELBY

### Étape 2

Pour recadrer la photo, faites glisser une des poignées d'angle vers l'intérieur de l'image. Ici, j'ai agi sur la poignée supérieure droite. Je l'ai glissée diagonalement vers le bas jusqu'à éliminer de l'image le parapluie d'éclairage.

### Étape 3

Faites glisser les quatre poignées pour resserrer le cadre le plus possible afin d'éliminer les éléments inutiles. Si vous avez besoin de repositionner la photo dans le cadre, placez le pointeur de la souris dedans. Il prend la forme d'une main. Cliquez et faites glisser l'image dans le cadre.

**Astuce : Masquer la grille**

Pour masquer la grille du cadre, appuyez sur Ctrl+H. Vous pouvez également afficher d'autres types de grilles en appuyant sur O.

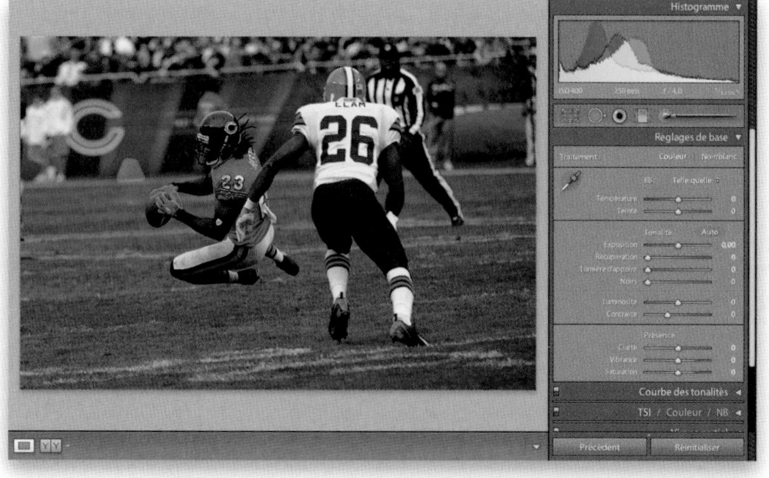


### Étape 4

Une fois que le recadrage vous convient, appuyez sur R pour verrouiller le cadre, et appliquez le recadrage (voir ci-contre). Toutefois, il existe deux autres recadrages possibles.

**Astuce : Annuler votre recadrage**

Vous pouvez annuler un recadrage à tout moment. Cliquez sur le bouton Réinitialiser, situé dans le coin inférieur droit de la section Recadrer et redresser.

**Étape 5**

Pour recadrer en appliquant un rapport hauteur/largeur prédéfini, ouvrez le menu local Aspect de la section Recadrer et redresser. Cliquez sur le rapport de votre choix. Par exemple, optez pour 8 × 10 (pouces). Cela élimine les deux côtés de l'image. Vous pouvez maintenant agir sur les poignées de redimensionnement en étant assuré que le rapport 8 × 10 sera toujours respecté.

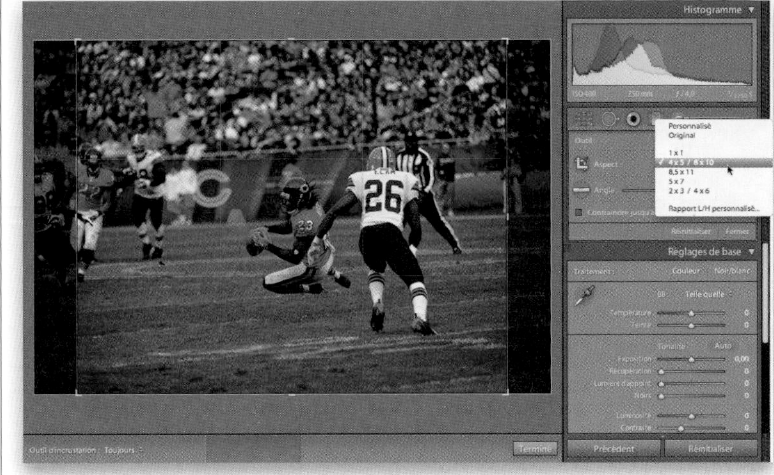


**Étape 6**

Une autre technique de recadrage ressemble à celle pratiquée dans Photoshop. Cliquez sur l'outil Cadre de recadrage, puis sur l'outil Recadrage d'image. Placez-le à proximité du coin supérieur gauche de l'image. Cliquez et faites-le glisser diagonalement de manière à couvrir la partie de l'image à conserver. Dès que vous relâchez le bouton de la souris, l'outil revient dans son emplacement de départ. Vous pouvez maintenant redéfinir plus précisément la zone de recadrage en agissant sur les poignées de redimensionnement. Dès que le recadrage vous convient, appuyez sur R. Quelle est la bonne méthode de recadrage ? Celle qui vous convient le mieux !

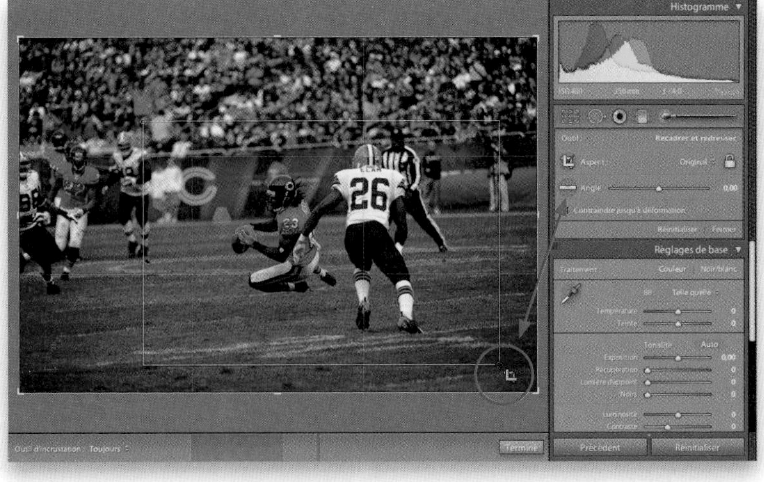


**Info** Au Chapitre 8, vous trouverez une version retouchée d'une autre photo de cette série où du noir, ajouté dans la partie supérieure de l'image, permet d'obtenir un arrière-plan uniforme.

Lorsque vous recadrez une photo avec l'outil Cadre de recadrage du module Développement, la zone éliminée s'affiche de manière estompée. Cela vous donne une meilleure idée de l'aspect que prendra votre image une fois le recadrage validé. Cependant, il est possible d'aller encore plus loin dans cette appréciation. Voici comment.

# Recadrage ultime

SCOTT KELBY

### Étape 1

Pour bien apprécier cette nouvelle technique, effectuez un recadrage normal. Vous constatez que les volets de l'interface détournent votre attention du recadrage à réaliser. Commencez par appuyer sur Maj+Tab pour masquer tous les panneaux. Ensuite, appuyez sur Ctrl+H pour masquer la grille du cadre de recadrage.

### Étape 2

Appuyez deux fois sur la lettre L pour passer en mode « d'extinction » de l'interface. Votre photo s'affiche au centre de l'écran. Elle repose sur un arrière-plan noir. Faites glisser une des poignées d'angle pour effectuer le recadrage. Séduisante et spectaculaire, cette technique ne permet cependant pas d'apprécier les éléments que vous supprimez. Je pense que vous ne l'utiliserez pas très souvent.

# Redresser des photos inclinées

Si une de vos photos est inclinée, Lightroom propose trois méthodes de redressement. L'une d'elles est très précise, alors que les deux autres valent simplement la peine que nous y jetions un coup d'œil.

## Étape 1

La photo ci-contre montre un paysage où la ligne d'horizon n'est pas droite. Pour redresser ce type d'image, cliquez sur le bouton Cadre de recadrage de la barre d'outils du module Développement. La grille de recadrage s'incruste sur l'image. Comme elle va perturber votre travail, masquez-la en appuyant sur Ctrl+H.

SCOTT KELBY

## Étape 2

Commençons par ma méthode préférée. C'est la plus rapide et la plus précise. Dans la section Recadrer et redresser, activez l'outil Redressement. Il est identifié par l'icône d'un niveau. Cliquez au tout début de la ligne d'horizon, située sur le côté gauche de l'image. Sans relâcher le bouton de la souris, tracez une ligne qui atteint le côté droit de l'horizon. Dès que vous relâchez le bouton de la souris, l'image est redressée. Vous comprenez que le bon fonctionnement de cette méthode nécessite que l'image contienne un objet présentant une ligne droite, comme un horizon, un mur, un cadre de fenêtre, etc.

### Étape 3

Le niveau de correction de l'angle est affiché dans la section Recadrer et redresser. Pour valider ce redressement, double-cliquez dans l'image. Si le résultat obtenu ne vous convient pas, cliquez sur le bouton Réinitialiser de l'outil Cadre de recadrage. L'image reprend son état incliné. Ci-contre, la photo redressée.

### Étape 4

Pour tester les deux autres techniques, annulez le redressement par un clic sur le bouton Réinitialiser, situé en bas à droite de l'interface. Ensuite, activez l'outil Cadre de recadrage. Glissez le curseur Angle. Quand vous le glissez vers la droite, vous effectuez un redressement dans le sens horaire. Vers la gauche, le redressement se fait dans la direction antihoraire. Dès que vous faites glisser ce curseur, une grille de redressement s'incruste sur l'image. Elle vous aide à aligner l'image.
Le problème est que le paramètre Angle est difficile à régler. Pour plus de précision, placez le pointeur de la souris sur la valeur du paramètre Angle. Il prend la forme d'une double flèche. Cliquez et faites glisser la souris vers la droite ou la gauche afin d'augmenter ou de diminuer l'angle plus précisément.
La dernière méthode consiste à placer le pointeur de la souris en dehors du Cadre de redressement. Il prend alors la forme d'une double flèche incurvée. Cliquez et faites glisser le pointeur vers le haut ou le bas jusqu'à ce que l'image soit redressée.

# Supprimer les poussières de vos images

Lorsque vous recherchez les poussières et les taches sur vos photos, il est important d'analyser toutes les zones de l'image. Voici une astuce que je tiens de Mark Hamburg, plus connu comme étant le père de Photoshop Lightroom. Il mentionne une fonction non documentée qui vous assure de n'omettre aucune partie de l'image dans votre quête des poussières et des taches.

## Étape 1

Affichez la photo dans le module Développement. Ensuite, dans le panneau Navigation, cliquez sur 1:1. Ceci affiche l'image à 100 %. Dans ce panneau vous voyez apparaître un petit rectangle (ou carré). Il identifie la partie de l'image actuellement affichée à 100 % dans la zone d'aperçu. Cliquez sur ce rectangle et faites-le glisser pour afficher les autres parties de l'image en détail.

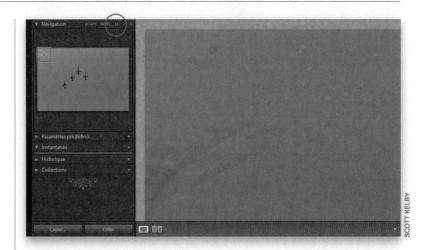

SCOTT KELBY

## Étape 2

Si vous voyez des taches ou des poussières dans le coin supérieur gauche de l'image, appliquez-y l'outil Retouche des tons directs. (Vous en saurez davantage à la page suivante.) Dès que vous avez nettoyé cette zone, appuyez sur la touche PgDn. Le petit rectangle (ou carré) se déplace automatiquement d'une cellule vers le bas. Vous pouvez alors contrôler la nouvelle zone affichée à 100 % et la nettoyer si nécessaire. Si vous appliquez cette technique jusqu'à ce que vous arriviez au coin inférieur droit de l'image, vous êtes certain d'avoir contrôlé la moindre parcelle de l'image.

# Supprimer des taches et d'autres imperfections

Si vous trouvez sur votre image des imperfections dues, par exemple, à un objectif sale ou à un capteur encrassé, il y a de grandes chances pour qu'une ou plusieurs taches se retrouvent au même emplacement sur chaque photo d'une même session de prise de vue. Avec l'outil Retouche des tons directs, vous pouvez nettoyer une image dans Lightroom. La correction pourra s'appliquer automatiquement à toutes les photos présentant le même défaut.

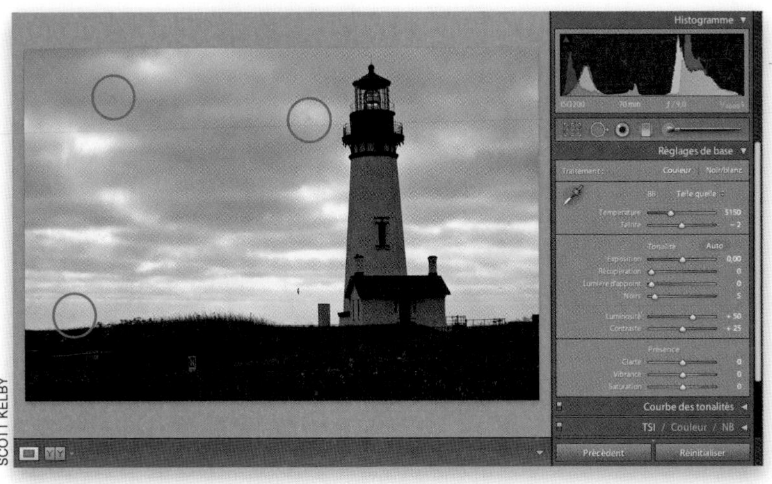


SCOTT KELBY

**Étape 1**

Si vous avez une photo très tachée, affichez-la dans le module Développement. Sur l'image ci-contre, un certain nombre de taches sont visibles dans le ciel. Elles ont été introduites par le capteur de mon appareil photo numérique. Je sais alors que toutes mes photos de cette série présentent le même problème. (J'ai cerclé en rouge les taches les plus apparentes.)

**Étape 2**

Pour bien retoucher l'image, il faut zoomer sur les zones tachées. Pour cela, double-cliquez sur l'image, ou cliquez sur le bouton 1:1, situé en haut du panneau Navigation, ou bien encore appuyez plusieurs fois sur Cmd+= (Ctrl+=). Le niveau de zoom importe peu du moment que vous identifiez bien les taches.

**Étape 3**

Dans la barre d'outils, cliquez sur Retouche des tons directs juste en dessous de l'histogramme. L'outil dispose de deux options : Dupliquer et Corriger. Personnellement, je n'utilise que l'option Corriger, qui échantillonne la lumière, la texture et la tonalité de la zone située à proximité de la tache. Le résultat obtenu est plus réaliste que celui de la fonction Dupliquer. Cependant, avec l'option Corriger, ne vous approchez pas des bords des images. En effet, ils seront pris en compte dans la retouche des taches, ce qui introduira des artefacts dans la photo. Donc, pour les imperfections situées en périphérie des bords, j'emploie exceptionnellement l'option Dupliquer.

**Étape 4**

Maintenant, placez l'outil Retouche des tons directs sur une des taches. Avec le curseur Taille, attribuez à l'outil un diamètre légèrement supérieur à la tache que vous désirez supprimer. Si vous possédez une souris à molette, faites-la rouler vers le haut pour augmenter la Taille ou vers le bas pour la diminuer. Vous obtiendrez un résultat identique en appuyant sur les touches , et ; de votre clavier. Ensuite, cliquez sur la tache. Lightroom recherche aux alentours une zone propre capable d'éliminer la tache.

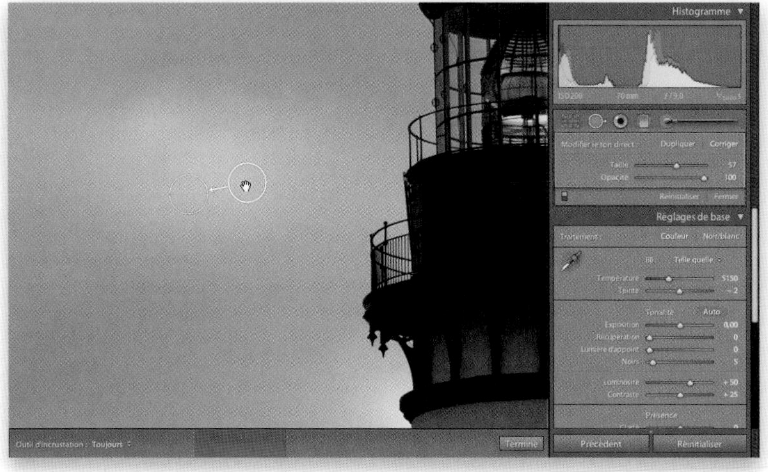


## Étape 5

Lorsque vous cliquez sur cet outil, deux cercles apparaissent : (1) celui qui présente le contour le plus fin identifie la zone où se trouve la tache ; (2) le cercle plus épais est celui qui échantillonne une zone propre de l'image pour recouvrir et faire disparaître cette tache. Si votre arrière-plan est aussi simple que le ciel de notre image, cette méthode donne d'excellents résultats. En revanche, si la zone échantillonnée par défaut ne vous convient pas, placez le pointeur de la souris sur le cercle d'échantillonnage (épais). Cliquez et glissez-le sur une autre portion propre de votre image. La correction s'actualise en temps réel. Vous pouvez également prendre la main en empêchant Lightroom de sélectionner arbitrairement une zone propre de l'image. Pour cela, maintenez le bouton de la souris enfoncé et glissez l'outil Retouche des tons directs de la tache jusqu'à la zone à échantillonner. Une flèche pointe vers la tache. Vous voyez, en temps réel, l'impact de la zone propre sur l'imperfection.

## Étape 6

Pour supprimer plusieurs taches, cliquez directement dessus. Si une tache se trouve dans une position délicate, complexe à atteindre, cliquez sur la tache et ne relâchez pas le bouton de la souris. Déplacez immédiatement le cercle d'échantillonnage sur une portion saine et dégagée de tout élément risquant de perturber la correction. Relâchez le bouton de la souris, et la tache disparaît. (Lorsque je regarde l'illustration ci-contre, je me dis qu'il serait souhaitable que je nettoie mon capteur !)

### Astuce : Masquer les cercles

Pour masquer tous les cercles, appuyez sur Q. Ceci désactive par la même occasion l'outil Retouche des tons directs.

### Étape 7

Voici comment supprimer les taches des autres photos de cette même séance de prise de vue : en bas du volet gauche, cliquez sur le bouton Copier. Ceci ouvre la boîte de dialogue Copier les paramètres. Cliquez sur le bouton Ne rien sélectionner, puis cochez l'option Retouche des tons directs. Enfin, cliquez sur Copier.

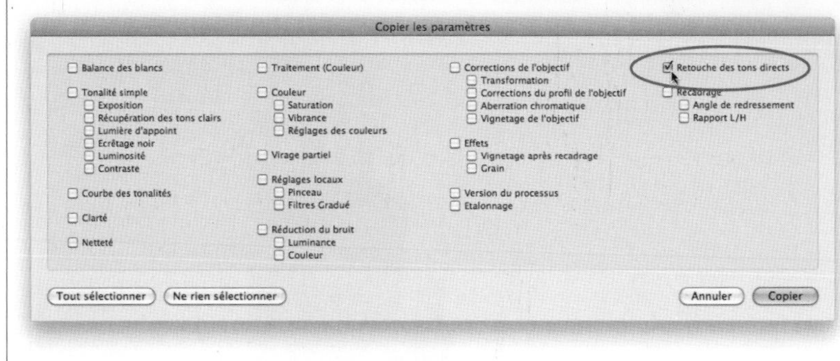


### Étape 8

Dans le film fixe, sélectionnez toutes les photos du phare à l'exception de celle que vous avez corrigée et de celle qui a été prise en mode portrait. Ensuite, cliquez sur le bouton Synchroniser du volet droit. Dans la boîte de dialogue qui apparaît, vérifiez que la case Retouche des tons directs est cochée, et cliquez sur Synchroniser. Toutes les photos sont corrigées par cette seule opération. Vérifiez tout de même les images car certaines peuvent contenir d'autres types d'imperfections. Dans ce cas, vous devrez les corriger individuellement.
Si une correction est inutile sur une des images, cliquez sur le cercle concerné, et appuyez sur la touche Retour arrière pour l'effacer.

# Correction des yeux rouges

Les yeux rouges provoqués par le flash standard des appareils photo peuvent être supprimés dans Lightroom. Voici la procédure simple et rapide à suivre.

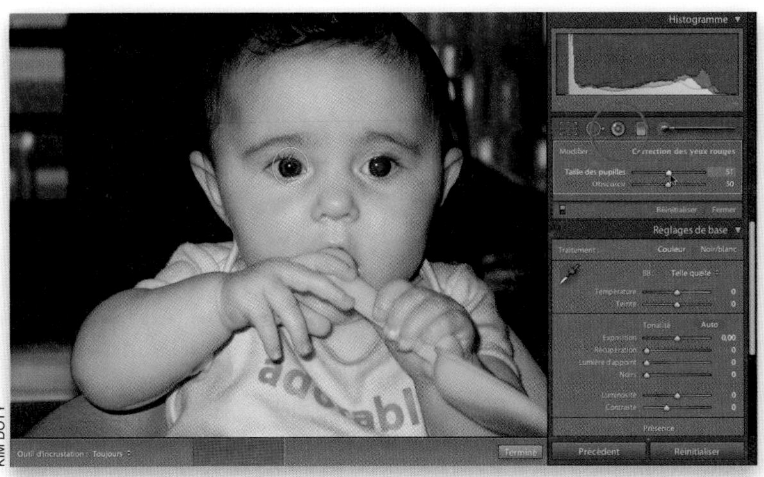


KIM DOTY

### Étape 1

Dans le module Développement, cliquez sur l'outil Correction des yeux rouges (sous le panneau Histogramme). Placez l'outil au centre d'un des yeux, et cliquez. Tracez un cadre qui entoure la pupille rouge. Dès que vous relâchez le bouton de la souris, l'œil est corrigé. Si la correction n'est pas parfaite, faites glisser le curseur Taille des pupilles vers la droite.

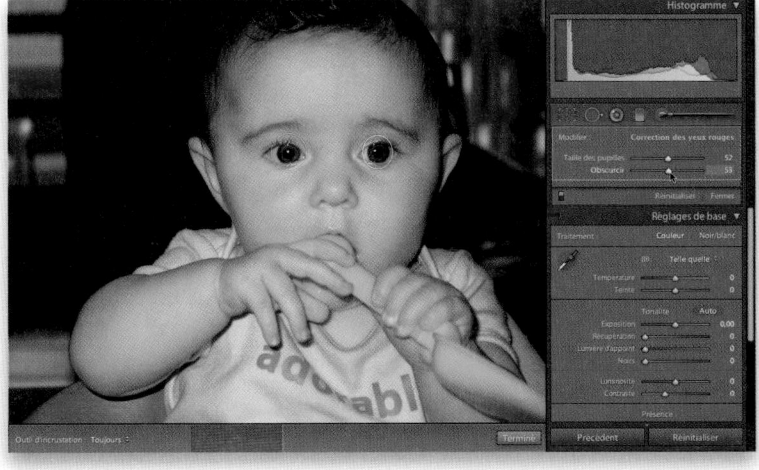


### Étape 2

Une fois que le premier œil est parfaitement corrigé, passez au second. Procédez de la même manière que pour le premier. Si la pupille vous semble trop grise, glissez le curseur Obscurcir vers la droite jusqu'à ce qu'elle soit parfaitement noire. En cas d'erreur dans la correction, cliquez sur le bouton Réinitialiser de l'outil Correction des yeux rouges.

# Corriger les déformations de l'objectif

Avez-vous des photos où le haut des immeubles converge vers l'intérieur ? Ou bien encore des bâtiments où le sommet semble plus large que la base ? Sachez que ce type de déformation de l'objectif se corrige très facilement dans Lightroom. La version 3 dispose également d'une fonction de correction automatique de ces problèmes.

### Étape 1

Ouvrez une image qui comprend des déformations de l'objectif. Dans cet exemple, j'utilise une photo prise avec un objectif fisheye de 10,5 mm. Bien qu'il existe des filtres tierce-partie pour corriger ce type de déformation, inutile de dépenser votre argent puisque Lightroom est capable de les remplacer. En regardant l'image, vous constatez que le parquet des Bulls (célèbre équipe de basket-ball de la ville de Chicago) est complètement déformé.

SCOTT KELBY

### Étape 2

Affichez le contenu du panneau Corrections de l'objectif, et localisez les deux options situées dans sa partie supérieure : Profil et Manuel. Le premier corrige le problème automatiquement tandis que le deuxième y procède manuellement. Cliquez sur Profil. Cochez la case Activer les corrections de profil. Incroyable ! la déformation de l'objectif est corrigée. Cette correction est rendue possible grâce aux métadonnées EXIF intégrées à la photographie. Lightroom identifie le type d'objectif utilisé et, dans sa base de données, choisit la correction adaptée à cette déformation répertoriée par le fabricant de l'appareil ou par les utilisateurs. Les données de l'objectif sont regroupées dans la section Profil d'objectif du panneau.

## Étape 3

Vous pouvez modifier cette correction automatique en agissant sur le curseur de la zone Valeur. Par exemple, si vous pensez que la correction est trop importante, glissez le curseur Distorsion vers la gauche. Ceci permet de récupérer certaines informations de l'image comme le tableau d'affichage, situé dans la partie supérieure gauche. Cette possibilité d'intervenir sur la correction automatique se révèle particulièrement pratique.

SCOTT KELBY

## Étape 4

Prenons une autre photo. Regardez comment les maisons de cette photo convergent vers l'extérieur. Cliquez sur l'option Activer les corrections de profil. Il ne se passe absolument rien ! Pourquoi ? Parce que cette photo n'a pas de données EXIF incorporées. (Cette photo a peut-être été copiée et collée dans un document vierge, ou bien elle est exportée depuis Lightroom en incorporant un minimum de métadonnées.) Dans ce cas, aucune correction automatique de l'objectif ne peut être appliquée.

**Étape 5**

Ouvrez le menu local Marque de la section Profil d'objectif. Choisissez la marque de l'objectif que vous avez utilisé. (Comme il s'agit d'un objectif Nikon, je choisis Nikon.) Ensuite, je sélectionne mon objectif dans le menu local Modèle. Comme Lightroom n'a pas référencé l'objectif utilisé, je choisis celui qui s'en rapproche le plus. Si vous désirez trouver précisément la référence de votre objectif, ouvrez votre navigateur web et effectuez une recherche sur Google. Il ne vous faudra pas plus de 10 secondes pour le trouver. En effet, Adobe a mis au point un créateur de profil d'objectif qui permet aux utilisateurs de créer leur propre profil. Vous pouvez télécharger cette application à l'adresse http://labs .adobe.com/technologies/lensprofile_creator.

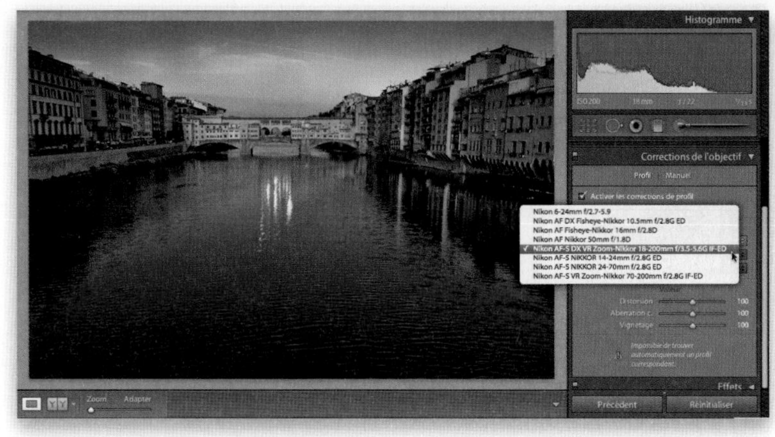


**Étape 6**

Une fois que vous avez sélectionné un modèle, Lightroom corrige automatiquement la déformation. Toutefois, quand ce modèle ne correspond pas exactement à votre objectif, des ajustements manuels sont nécessaires. Ici, je constate que les curseurs de la section valeur sont insuffisants pour corriger convenablement cette image. Alors, je clique sur le bouton Manuel. De nombreux paramètres s'affichaient. Pour ajuster le pont, je glisse le curseur Distorsion vers la droite jusqu'à la valeur +23. Les bâtiments sont toujours inclinés vers l'extérieur. Pour les redresser, je glisse le curseur vertical jusqu'à la valeur +25. Vous constatez que, dès que vous placez le pointeur de la souris sur un curseur, une grille apparaît sur l'image. Utilisez le quadrillage pour corriger les déformations de l'objectif. Il suffit d'aligner les diverses architectures sur les lignes verticales et horizontales.

### Étape 7

Vous remarquez la présence de zones grises autour de l'image. Elles apparaissent dès que vous agissez sur le curseur Horizontal et/ou Vertical de la section Transformation. En effet, la correction se fait par un système d'inclinaison du plan de l'image. Ici, le fait d'intervenir sur le curseur Vertical génère un espace gris dans la partie supérieure de la photo. Vous devez recadrer l'image. Pour cela, cochez tout simplement la case Contraindre le recadrage, située sous les paramètres de la section Transformation.

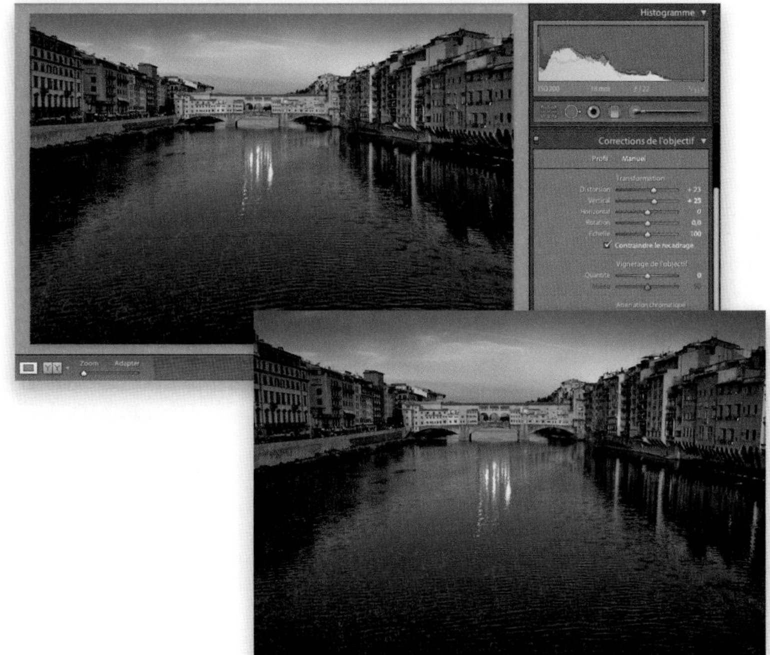

### Étape 8

La photo est alors recadrée. Bien entendu, il est possible d'effectuer un recadrage manuel en activant l'outil Cadre de recadrage. Cochez la case Contraindre jusqu'à déformation. Appuyez sur la touche Entrée pour valider le recadrage.

**INFO** Dans cet exemple, comme mon objectif n'était pas répertorié par Lightroom, j'ai testé d'autres profils Nikon disponibles dans le menu local Modèle. Bien que ma photo n'ait pas été prise avec un objectif fisheye, j'ai tout de même essayé ce profil.
Le résultat obtenu fut surprenant. J'ai simplement agi sur le curseur Vertical de la section Transformation afin de redresser correctement les bâtiments.

# Corriger le vignettage

Le vignettage est un problème d'objectif. Il rend les angles plus foncés que le reste de la photo. Ce problème est beaucoup plus visible lorsque vous travaillez au grand-angle. Toutefois, il peut être causé par d'autres imperfections de l'objectif. Aujourd'hui, la mode est au vignettage. En d'autres termes, certains photographes en créent un quand il n'y en a pas (voir Chapitre 4). Notre propos est ici de montrer comment s'en débarrasser.

### Étape 1

Sur cette photo, le vignettage est concentré dans les angles. Il ne se répand pas vers le centre de l'image. Affichez le panneau Corrections de l'objectif. En haut de ce panneau, cliquez sur Profil. Cochez Activer les corrections de profil. Cette fois encore, en se fondant sur les métadonnées EXIF incorporées dans l'image, Lightroom choisit le bon appareil, le bon objectif et applique la correction adéquate. Si elle se révèle insuffisante, agissez sur le paramètre Vignettage de la section Valeur. Si cela reste encore insuffisant, cliquez sur Manuel et agissez sur les paramètres de la section Vignettage de l'objectif.

SCOTT KELBY

### Étape 2

La section Vignettage manuel contient deux options. La première gère la quantité de lumière, et la seconde ajuste la distance à partir du centre de l'éclaircissement des angles. Ici, le vignettage se concentre dans les angles. Donc, faites glisser le curseur Quantité vers la droite, et gardez un œil attentif sur les angles de votre photo. Plus vous déplacez le curseur et plus les angles s'éclaircissent. Arrêtez-vous dès que la luminosité de ces angles équivaut à celle du reste de l'image. Si le vignettage s'étend vers le centre de l'image, faites glisser le curseur Milieu vers la gauche pour que la luminosité couvre une zone beaucoup plus vaste.

# Améliorer la netteté dans Lightroom

Dans Lightroom, la netteté a toujours été une préoccupation. Deux types de nettetés sont proposés par Lightroom : le premier type, que nous étudierons ici, se nomme netteté de capture. Il correspond à la netteté de l'image appliquée par l'appareil photo numérique aux fichiers JPEG. Si vous photographiez en Raw, cette fonction de l'appareil est désactivée. Vous devez donc améliorer la netteté dans Lightroom. Par conséquent, la lecture de cette section est indispensable.

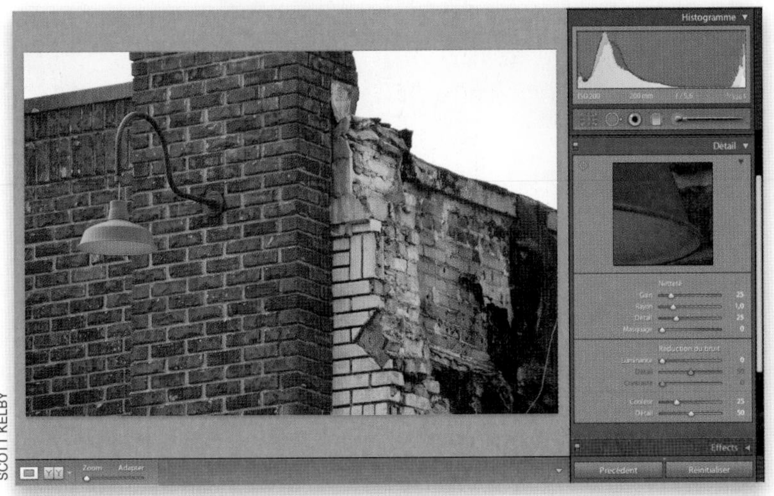


SCOTT KELBY

## Étape 1

Dans les précédentes versions de Lightroom, vous deviez afficher l'image à 100 % (1:1) pour apprécier l'effet de votre réglage. Avec Lightroom 3, vous disposez d'un aperçu supplémentaire. De plus, l'optimisation de la netteté se fait désormais sans détériorer votre photo. Le contrôle se déroule dans le panneau Détails du module Développement. Le panneau Détail dispose d'un aperçu. Si vous ne le voyez pas, cliquez sur le triangle gris foncé situé juste en dessous du mot Détail. Vous profiterez de cet aperçu pour zoomer sur les détails de votre image. Dans la zone d'aperçu, vous laisserez l'image visible en totalité.

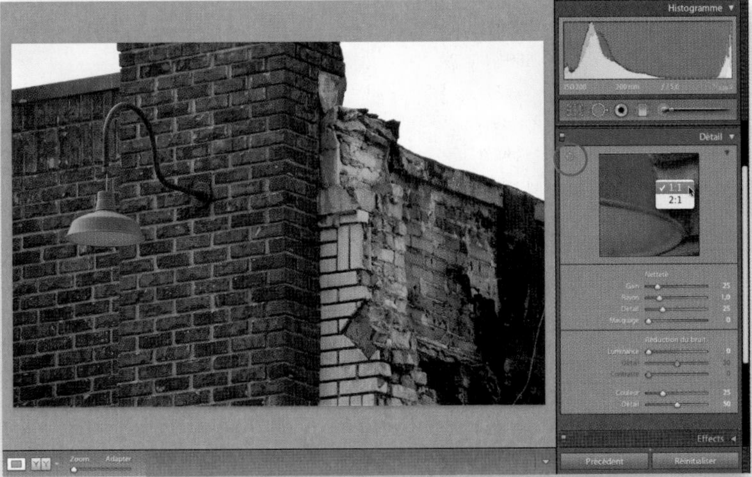


## Étape 2

Pour zoomer sur une zone de l'image spécifique, cliquez sur l'outil Régler la zone de détail (cerclé en rouge ci-contre), puis placez le pointeur de la souris dans la zone de l'image que vous désirez agrandir. Cliquez pour verrouiller l'aperçu du panneau Détail. Pour déplacer l'aperçu, cliquez dedans et faites glisser la souris. Vous pouvez zoomer davantage. Pour cela, faites un clic-droit sur l'aperçu. Dans le menu contextuel, choisissez 2:1. Vous pouvez à tout moment détailler une autre zone. Pour cela, activez l'outil Régler la zone de détail. Ensuite, placez le pointeur de la souris sur la partie concernée de la zone d'aperçu. Cliquez pour verrouiller ce détail. Vous pouvez également activer l'outil Régler la zone de détail, puis faire glisser le curseur sur la zone d'aperçu de l'image. Le contenu de l'aperçu du panneau Détail s'actualise en temps réel. Dès qu'une zone vous convient, cliquez !

## Étape 3

Le curseur Gain contrôle l'intensité de l'accentuation. Ici, je fixe sa valeur à 91. Dans l'aperçu principal, cela ne semble pas changer grand-chose. En revanche, le détail affiché dans l'aperçu du panneau éponyme est bien plus net qu'auparavant. Vous comprenez maintenant l'importance de ce zoom. Le curseur Rayon détermine le nombre de pixels situés à proximité des contours qui seront affectés. En règle générale, je le laisse sur 1,0. Si j'ai besoin d'une accentuation très poussée, je fixe ce réglage sur 2.

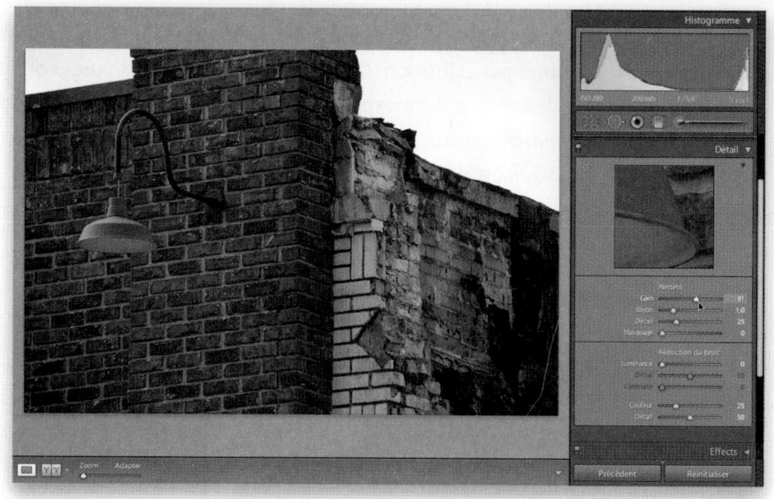


**Astuce : Désactiver la netteté** Pour désactiver temporairement vos modifications, cliquez sur l'interrupteur situé à gauche de l'en-tête du panneau Détail.

## Étape 4

Le curseur Détail est destiné à prévenir la formation de halo sur les contours accentués. Cette imperfection est l'envers de la médaille du renforcement de la netteté. Sa valeur par défaut est de 25. Elle fonctionne pour la majorité des images. En revanche, sur des photos qui nécessitent une accentuation plus importante (comme les clichés de paysage, les images d'architecture, et tout objet aux contours détaillés), vous pouvez fixer le paramètre Détail à 75. Si vous le fixez sur 100, la netteté ressemble à celle obtenue avec le filtre Accentuation de Photoshop.

SCOTT KELBY

## Étape 5

Le dernier paramètre de netteté, Masquage, est pour moi le plus étonnant. Il permet de contrôler les parties de l'image où la netteté sera renforcée. Par exemple, sur certaines images comme un portrait d'une mère et de son enfant, il est essentiel que la peau des sujets reste très douce. Mais, parallèlement à cela, il est essentiel que des éléments comme les yeux, les cheveux, les cils, les sourcils, les lèvres, les vêtements, etc. Soient nets. Pour apprécier l'impact de ce paramètre, travaillons sur un portrait.

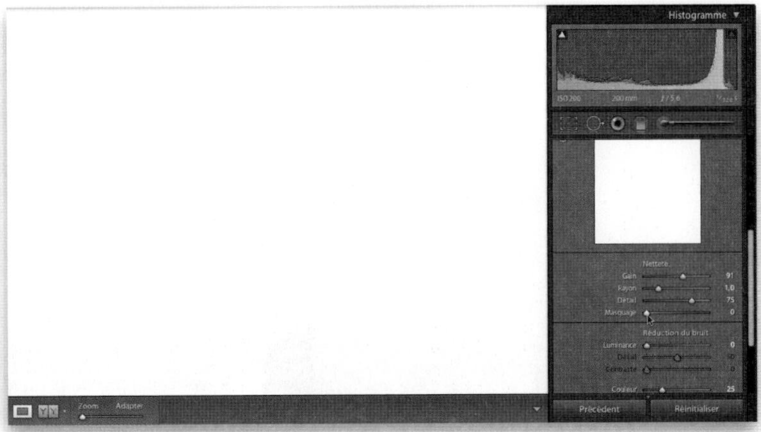


## Étape 6

Pour bien comprendre le fonctionnement du Masquage, appuyez sur la touche Option (Alt), et cliquez sur le curseur Masquage. L'image de l'aperçu principal devient blanche. La couleur banche indique ce qui va être accentué dans l'image. Par défaut, toute l'image verra sa netteté renforcée.

**Étape 7**

Au fur et à mesure que vous glissez le curseur Masquage (touche Option/Alt enfoncée) vers la droite, les zones de l'image deviennent de plus en plus noires. Tout ce qui est noir ne subit pas l'impact des réglages de la netteté. Vous remarquez qu'avec une valeur de 82 seuls les contours des yeux, des lèvres, des cheveux, des narines, etc. vont être accentués, laissant ainsi la peau plus adoucie. En d'autres termes, Lightroom a créé un masque qui protège la peau contre les effets de l'accentuation.

**Étape 8**

Lorsque vous relâchez la touche Option (Alt), vous appréciez les détails qui ont été subtilement accentués. La peau ne subit aucune altération. Je vous rappelle que je n'utilise le curseur Masquage que pour des sujets dont la texture est douce par nature. Retournons maintenant à notre photo urbaine pour terminer son accentuation.

### Étape 9

Si vous ne parvenez pas à trouver le bon équilibre avec les réglages de netteté, appliquez un paramètre prédéfini localisé dans le volet gauche du module Développement. Parmi les Paramètres prédéfinis Lightroom, cliquez sur celui qui porte le nom de Netteté – Contours étroits (panoramique). Il fixe les valeurs suivantes : Gain = 40, Rayon = 0,8, Détail = 35, et Masquage = 0. Le paramètre prédéfini Netteté – Contours larges (faces) est plus subtil. Il fixe le Gain à 35, le Rayon à 1,2, le Détail à 20, et le Masquage à 70.

### Étape 10

Voici la comparaison Avant/Après. Pour obtenir cette image, je suis parti du paramètre prédéfini Netteté – Contours étroits (panoramique). Ensuite, j'ai fixé le Gain à 125 (valeur qui permet de mieux apprécier l'impact de la netteté sur une photo imprimée dans un livre). J'ai fixé le Rayon à 1,0 (une valeur standard pour moi) et le Détail à 75 (car une photo aussi détaillée que celle-ci bénéficie sans conteste d'une accentuation intense). Enfin, j'ai laissé le Masquage à 0 car je désire que toutes les zones de l'image soient accentuées. J'ai sauvegardé ce paramètre prédéfini pour l'appliquer ultérieurement en un simple clic de souris.

# Correction des aberrations chromatiques

Tôt ou tard, vous serez confronté à la situation suivante : les contours de votre sujet présenteront une frange rouge, verte ou violette. Il s'agit d'aberrations chromatiques. Elles sont fréquemment introduites par des appareils photo numériques ou des objectifs d'entrée de gamme. Toutefois, on les rencontre aussi avec des appareils plus sophistiqués. Heureusement, Lightroom sait corriger ce genre de problème.

### Étape 1

Voici une photo qui, si vous regardez de très près, présente une frange rouge sur les bords des pneus. Appliquez un zoom 2:1 de manière à bien apprécier l'impact de vos corrections, et affichez le bord gauche du pneu avant de la voiture. Ensuite, ouvrez le panneau Corrections de l'objectif.

SCOTT KELBY

### Étape 2

Cliquez si besoin sur le bouton Profil, et cochez la case Activer les corrections de profil. Lightroom tente de supprimer la frange en se basant sur l'objectif utilisé pour prendre la photo. Si cela est insuffisant, agissez sur le paramètre Aberration c. Si cela reste encore insuffisant, cliquez sur le bouton Manuel. Agissez alors sur les curseurs Rouge/Cyan et Bleu/Jaune. Ici, le problème étant une frange rouge, j'agis sur le curseur Rouge/Cyan en le déplaçant vers la droite jusqu'à disparition de la frange. Bien souvent, il suffit de sélectionner Tous les contours dans le menu local Supprimer la frange, pour qu'elle disparaisse sans être obligé d'agir sur les curseurs. Une comparaison Avant/Après permet de voir l'impact de la correction.

# Étalonnage de base dans Lightroom

Certains appareils semblent signer chromatiquement vos photos. Si c'est le cas du vôtre, vous risquez de constater que vos clichés sont systématiquement plus rouges que la normale ou qu'ils présentent une légère dominante verte dans les tons foncés, etc. Même si votre matériel produit des couleurs précises, vous aurez peut-être besoin de savoir comment il interprète la couleur de vos images Raw. La procédure d'étalonnage précis d'un appareil photo numérique est très complexe. Elle dépasse le cadre de cet ouvrage. Toutefois, je vais vous montrer comment utiliser le panneau Étalonnage de l'appareil photo, et ainsi amener votre expérience photographique à un niveau supérieur.

SCOTT KELBY

## Étape 1

Avant de commencer, je tiens à vous dire que personne n'est obligé de procéder à un étalonnage de son appareil photo. Une majorité d'utilisateurs n'observeront aucun problème chromatique sur leur matériel. C'est une bonne chose, mais tout le monde n'est pas logé à la même enseigne. Donc, voici un rapide aperçu de l'étalonnage proposé par Lightroom : ouvrez une photo dans le module Développement de Lightroom. Ensuite, affichez le contenu de son panneau Étalonnage de l'appareil photo.

## Étape 2

Le premier curseur permet de corriger la teinte que votre appareil photo ajoute aux tons foncés de vos images. En règle générale, il s'agira d'une couleur verte ou magenta. Si vous regardez la barre du paramètre Teinte, vous constaterez qu'elle va du vert au magenta. En fonction de la dominante introduite dans les tons foncés par votre appareil photo, vous savez exactement dans quelle direction glisser ce curseur Teinte. (Si la dominante est verte, vous glisserez le curseur vers la droite, c'est-à-dire vers le magenta, et inversement.)

### Étape 3

Si votre problème chromatique ne se situe pas dans les tons foncés, agissez alors sur les curseurs des paramètres Rouge, Vert et Bleu primaires. Ils permettent de régler la teinte et la saturation. Supposons que votre appareil introduise systématiquement une légère dominante rouge. Vous ferez glisser le curseur Teinte du paramètre Rouge primaire vers la droite pour l'éloigner autant que nécessaire du rouge. Si besoin, réduisez sa Saturation en glissant le curseur éponyme vers la gauche. Une fois que la couleur vous semble neutre, c'est-à-dire que les gris sont vraiment gris et pas rouges, votre étalonnage personnalisé est terminé.

### Étape 4

Dès que votre réglage vous convient, appuyez sur Cmd+Maj+N (Ctrl+Maj+N) pour ouvrir la boîte de dialogue Nouveau paramètre prédéfini de développement. Donnez un nom à votre étalonnage. Si nécessaire, cliquez sur le bouton Ne rien sélectionner, puis cochez l'option Étalonnage. Enfin, cliquez sur Créer. Vous pourrez l'appliquer depuis le module Développement et le panneau Développement rapide, mais également au moment de l'importation de vos photos. Vous sélectionnerez ce réglage dans le menu local Paramètres de développement de la boîte de dialogue Importer les photos.

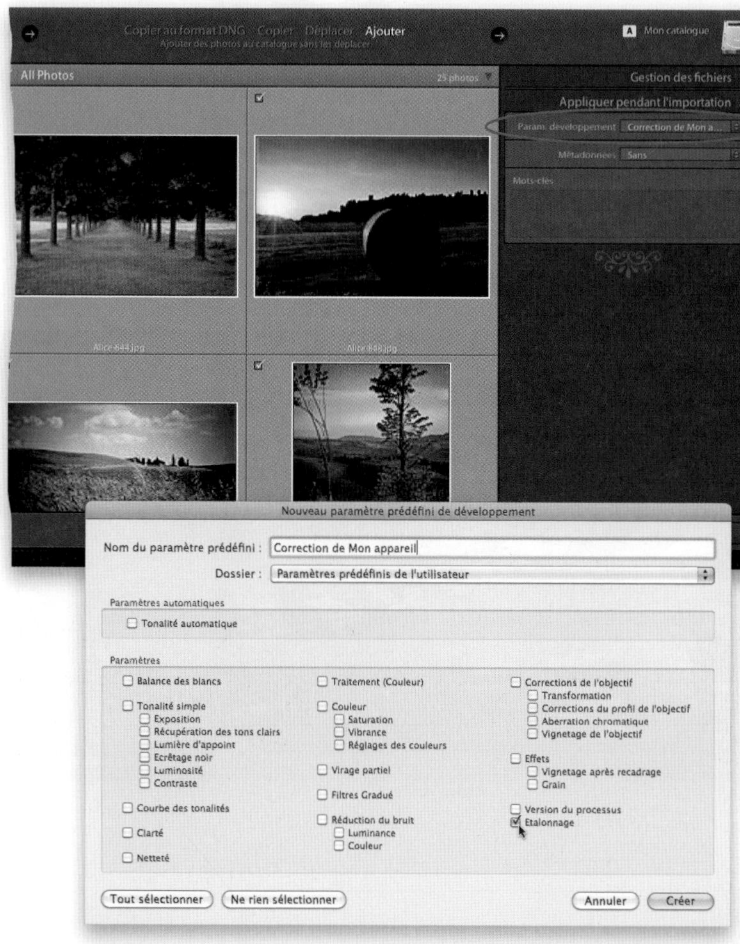


**Info** Si vous comprenez bien l'anglais, approfondissez l'étalonnage des appareils photo en vous rendant à l'adresse www.LightroomKillerTips.com, et lancez une recherche sur « Camera Calibration ». Vous trouverez un lien vers un article de mon ami Matt Kloskowski. Il couvre en détail toute la procédure de l'étalonnage.

# Les petits trucs de Lightroom > >

### ▼ Utiliser l'aperçu du panneau Détail pour supprimer les taches

L'aperçu du panneau Détail est fait pour afficher l'image à 100 % (1:1). Vous appréciez beaucoup mieux les réglages de la netteté et de la clarté. Il est aussi très utile pour effacer les taches. Cela permet d'afficher l'image en mode Adapter dans l'aperçu principal et de vérifier en gros plan la suppression des imperfections.

### ▼ La meilleure stratégie de réduction du bruit

La section Réduction du bruit du panneau Détail accomplit un bon travail mais se révèle limitée dès que les problèmes de bruit deviennent sévères. Il est préférable de passer par Photoshop et d'utiliser un plug-in appelé Noiseware Professionnal. Les résultats obtenus avec ce module sont incroyables. Vous pouvez en télécharger une version d'évaluation à l'adresse **www.noiseware.com**. (Réduisez le bruit avec ce plug-in, puis ouvrez, dans Lightroom, l'image ainsi corrigée dans Photoshop.)

### ▼ Définir la taille du pinceau

Maintenez la touche Cmd (Ctrl) enfoncée. Cliquez et faites glisser l'outil pour définir une sélection autour de votre tache (placez toujours l'outil dans la partie supérieure gauche de la tache, et faites-le glisser selon un angle de 45°). Ainsi, vous définissez dynamiquement le diamètre de l'outil pour qu'il couvre correctement l'élément à corriger.

### ▼ Annulation perpétuelle

Si vous utilisez Photoshop, vous connaissez probablement sa palette Histogramme. Elle gère par défaut vingt étapes de votre travail. Dès que vous fermez le document sur lequel vous travaillez, l'historique est effacé. Dans Lightroom, toutes vos actions consignées dans l'Historique sont

enregistrées avec l'image. Donc, si vous ouvrez votre image dans deux ou trois ans, vous pourrez annuler vos actions.

### ▼ Que faire si vous ne voyez pas les points de contrôle du Pinceau Réglage ?

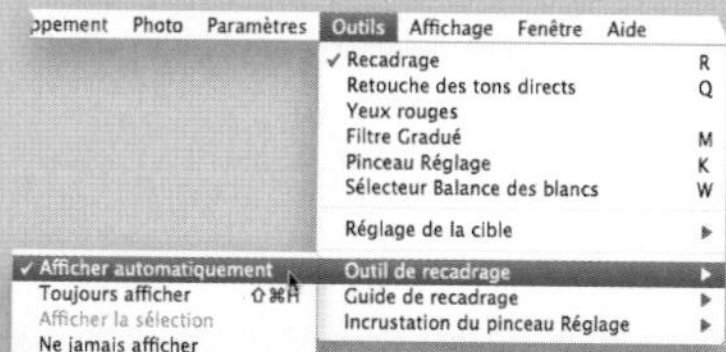


Si vous commencez par peindre et que vous ne voyiez pas les points insérés par l'outil Pinceau Réglage, ouvrez le menu Outil. Cliquez sur Outil de recadrage, et choisissez Afficher automatiquement. Ainsi, dès que le pointeur de la souris sera en dehors de l'image, les points de contrôle disparaîtront. Ils réapparaîtront quand vous placerez de nouveau l'outil sur l'image.

### ▼ Vous pouvez toujours tout recommencer

Dans Lightroom, aucune de vos modifications n'est appliquée physiquement à votre photo. L'application physique de vos réglages se fait lorsque vous basculez vers Photoshop ou que vous exportez l'image au format JPEG ou TIFF. Par conséquent, vous pouvez recommencer vos réglages en cliquant sur le bouton Réinitialiser, situé dans le coin inférieur gauche de l'interface. Encore mieux : si vous travaillez sur une photo et que vous créez une copie virtuelle, vous pouvez réinitialiser cette copie pour voir à quoi ressemblait l'image d'origine quand vous l'avez importée dans Lightroom.

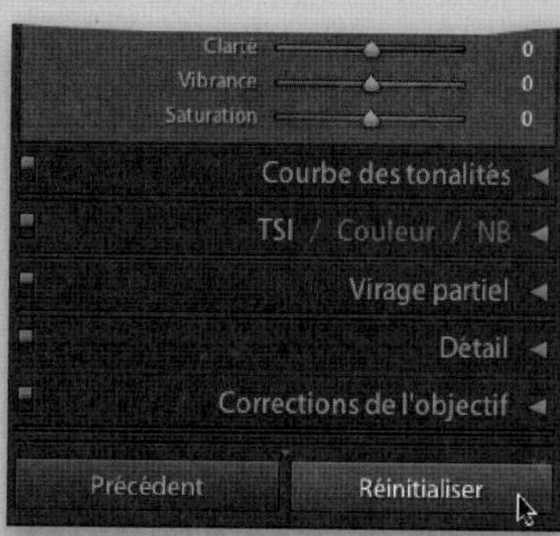


### ▼ Options d'incrustation des outils (Grille)

Lorsque vous utilisez l'incrustation de recadrage en actionnant l'outil éponyme, une grille peut s'afficher sur l'image si et seulement si vous y déplacez le pointeur de la souris. Pour cela, ouvrez le menu local Outil d'incrustation, situé sous l'aperçu, et choisissez Auto.

# Exporter des images

## Enregistrer en JPEG, TIFF et bien d'autres formats

OK ! Je suis le premier à admettre qu'il y a plus excitant que ce nouveau chapitre. Pourtant, force est de constater que l'utilisateur ne connaît pas très bien les tenants et les aboutissants de l'enregistrement des fichiers au format JPEG ou TIFF. Par conséquent, je vous conseille de passer quelques minutes sur ce chapitre. Vous en tirerez des bénéfices inestimables. À cet instant précis de votre lecture, vous vous posez probablement la question suivante : « Pourquoi Scott me dit-il que ce chapitre est ennuyeux alors qu'il est salvateur ? » OK man, tu as raison ! J'avoue avoir rédigé ces quelques lignes tard dans la nuit. La fatigue aidant, je ne tiens pas toujours des propos très cohérents. Je conviens, une fois encore, que je suis l'auteur d'une intro de chapitre complètement inutile. Que voulez-vous, je fais de mon mieux pour capter votre attention. Finalement, je me rends compte que cela ne fonctionne pas si mal que cela. La preuve ? Eh bien, vous l'avez lue, non ?

# Enregistrer au format JPEG

Puisqu'il n'y a pas de commande Enregistrer dans Photoshop Lightroom, comment pouvez-vous enregistrer vos photos au format JPEG ? Dans Lightroom vous n'enregistrez pas, vous exportez ! la procédure est très simple. De plus, Lightroom dispose de quelques fonctions d'automatisation qui peuvent dynamiser votre travail une fois l'exportation terminée.

**Étape 1**

Commencez par sélectionner l'image à exporter au format JPEG (ou TIFF, PSD et DNG). Cette sélection peut se faire dans la Grille de la Bibliothèque ou dans le film fixe de n'importe quel module. Appuyez sur Cmd (Ctrl) et cliquez sur chaque photo à exporter.

SCOTT KELBY

**Étape 2**

Si vous êtes dans le module Bibliothèque, cliquez sur le bouton Exporter, situé dans le coin inférieur gauche de l'interface. Si vous travaillez dans un autre module et que vous sélectionniez les images dans le film fixe, appuyez sur Cmd+Maj+E (Ctrl+Maj+E). Quelle que soit la méthode utilisée, la boîte de dialogue Exporter apparaît (voir l'étape 3).

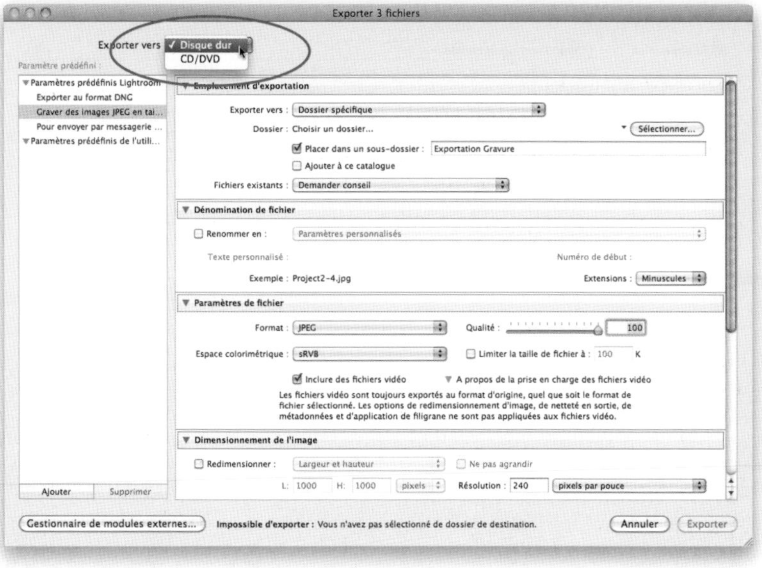


## Étape 3

Le volet gauche de la boîte de dialogue Exporter contient tous les paramètres prédéfinis. Ceux créés par Adobe sont centralisés dans la liste Paramètres prédéfinis Lightroom et les vôtres, dans la liste Paramètres prédéfinis de l'utilisateur. Cliquez sur Graver des images JPEG en taille réelle. Cela définit un certain nombre de réglages généralement employés par la majorité des utilisateurs qui veulent graver leurs images sur un disque. Nous allons personnaliser ces réglages. Ensuite, nous les enregistrerons en tant que paramètre prédéfini pour ne pas être obligé de les redéfinir à chaque nouvelle exportation. Si vous souhaitez enregistrer ces images sur votre disque dur, ouvrez le menu local situé dans le coin supérieur gauche de la boîte de dialogue Exporter. Cliquez sur l'option Disque dur.

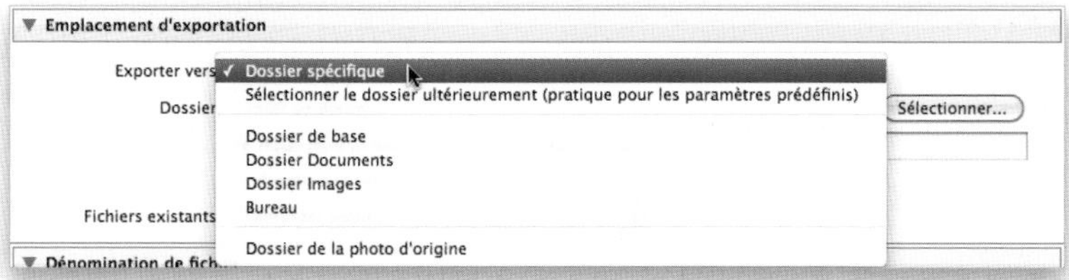


*Choisissez l'emplacement de stockage des images exportées.*

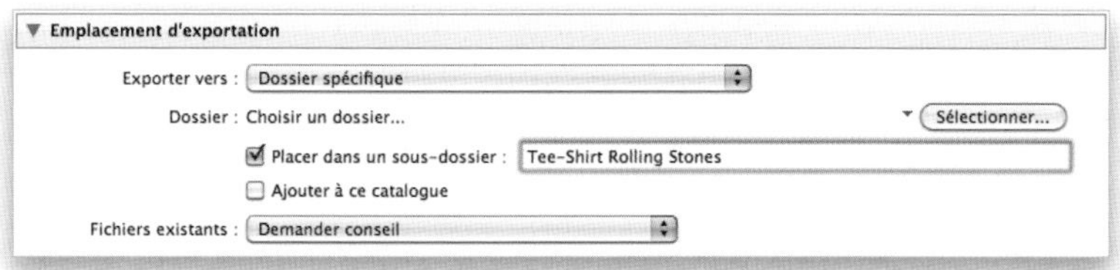


*Cochez l'option Placer dans un sous-dossier pour exporter les images dans un sous-dossier séparé.*

## Étape 4

La section suivante, Emplacement d'exportation, permet d'indiquer le dossier de stockage des photos exportées. Dans le menu local Exporter vers, je choisis Dossier spécifique. Ensuite, je clique sur le bouton Sélectionner pour indiquer à Lightroom dans quel disque dur et dossier il va procéder à l'exportation. Pour utiliser un dossier qui ne se trouve pas dans la liste Sélectionner, cliquez sur le bouton Sélectionner. Ensuite, naviguez jusqu'au dossier adéquat. Vous pouvez aussi enregistrer ces images dans un sous-dossier. Cochez l'option Placer dans un sous-dossier (ici « Tee-Shirt Rolling Stones »). Si vous désirez que vos photos intègrent le catalogue Lightroom, cochez l'option Ajouter à ce catalogue.

## Étape 5

Dans la section Dénomination du fichier, vous pouvez spécifier la méthode de « renomination » des images. Si vous ne désirez pas renommer les fichiers exportés, ouvrez le menu local Renommer en, et choisissez Paramètres personnalisés. Ensuite, j'opte pour Modifier et j'insère les champs Texte personnalisé et N° de séquence (1). Je fixe le Numéro de début à 1. Dans le champ Texte personnalisé, je saisis StonesTeeShirt. La section Exemple montre l'aspect du nom du fichier. Les images porteront séquentiellement le nom Épreuves StonesTeeShirt- 1.jpg, StonesTeeShirt- 2.jpg, etc. Dans Lightroom 3, vous disposez d'un menu local Extension qui permet d'indiquer si l'extension du fichier sera en majuscules (.JPG) ou en minuscules (.jpg).

Dénomination de fichier
Renommer en : Paramètres personnalisés
Texte personnalisé : StonesTeeShirt
Numéro de début : 1
Exemple : StonesTeeShirt-1.jpg
Extensions : Minuscules

## Étape 6

Dans le menu local Format de la section Paramètres de fichier, choisissez le format d'exportation. Par défaut, JPEG est affiché puisque vous avez sélectionné cette exportation d'image au début de la procédure. Si vous choisissez Original, vous effectuez une exportation des fichiers au format Raw. Comme l'exportation est ici de type JPEG, définissez la Qualité de ce format. 80 est un excellent compromis entre précision de l'image et taille du fichier. Si j'envoie ces fichiers à quelqu'un qui ne possède pas Photoshop, je sélectionne l'Espace colorimétrique sRVB. Si vous optez pour le format PSD, TIFF ou DNG, l'option Profondeur apparaît. Avec le format TIFF, vous disposez d'une option supplémentaire : Compression.

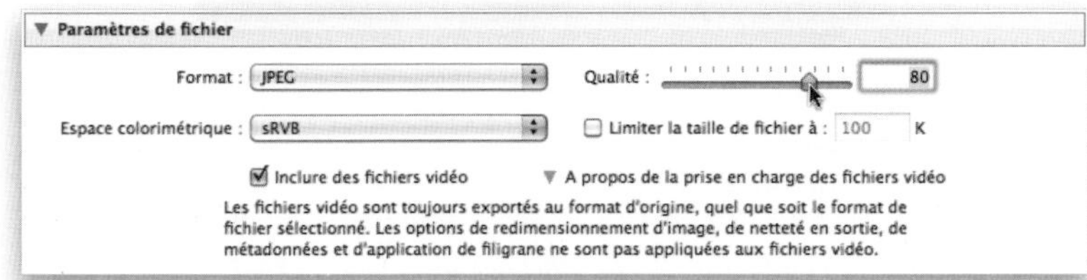

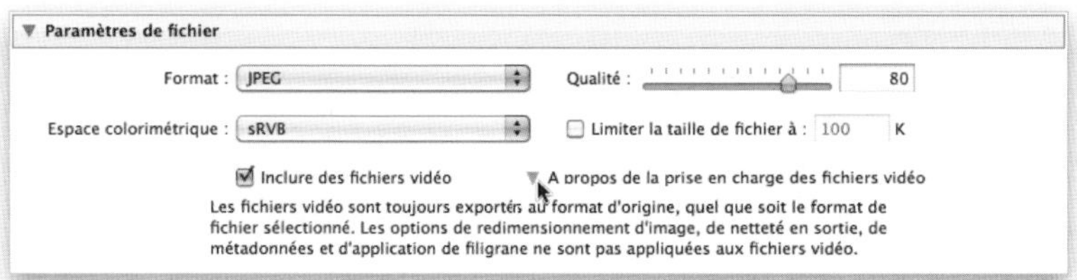


## Étape 7

Supposons que vous souhaitez exporter des photos mais que votre collection de prises de vue contient aussi des fichiers vidéo filmés avec votre reflex numérique. Pour les exporter, cochez l'option Inclure des fichiers vidéo. Il s'agit d'une nouveauté de Lightroom 3. Une explication sur le traitement des fichiers vidéo apparaît sous cette option. Pour masquer ce texte, cliquez sur le triangle gris affiché à droite d'Inclure des fichiers vidéo.

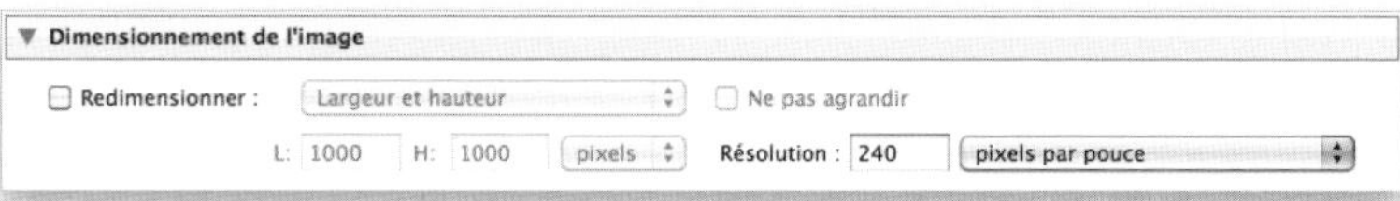


*Vous pouvez ignorer la section Dimensionnement de l'image, sauf si vous devez réduire la taille de l'image à sauvegarder.*

## Étape 8

Par défaut, Lightroom suppose que vous désirez exporter vos photos dans leur taille d'origine. Pour réduire leur dimension, activez l'option Redimensionner de la section Dimensionnement de l'image. Pour éviter tout agrandissement accidentel, cochez l'option Ne pas agrandir. Ensuite, tapez une valeur dans les champs L et H. Dans le champ Résolution, spécifiez la résolution d'exportation de vos images. Dans le menu local Redimensionner, choisissez le type de redimensionnement à appliquer : Bord large, Bord étroit ou encore Mégapixels.

## Étape 9

S'il s'agit d'images finales destinées à l'impression ou à une publication sous forme d'une galerie web, cochez l'option Netteté pour de la section Netteté de sortie. Cette fonction applique un niveau de netteté. Il est défini par le support de diffusion sélectionné dans le menu local adjacent. (Je choisis ici Papier brillant car les images seront imprimées sur ce type de support.) Pour une impression jet d'encre, ouvrez le menu local Gain et choisissez Élevé. (Pour le Web, je sélectionne Standard.)

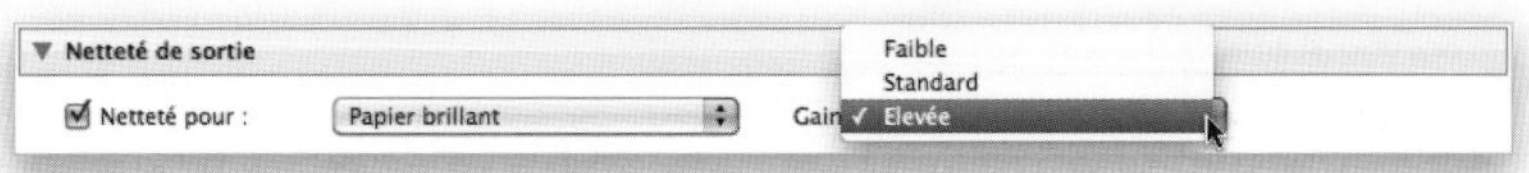


*Vous pouvez appliquer une Netteté de sortie aux images affichées à l'écran, oubliées sur le Web ou bien imprimées.*

## Étape 10

Dans la section Métadonnées, activez l'option Réduire les métadonnées incorporées afin de supprimer toutes les données EXIF. Vous ne conservez que les informations sur le copyright. La section suivante permet d'appliquer un filigrane. Pour cela, cochez la case Filigrane de copyright. Dans le menu local situé à droite de cette option, choisissez le type de filigrane à appliquer ; Lightroom applique ce filigrane sur vos photos. Il se composera des informations de copyright que vous avez spécifiées lors de l'importation des photos dans Lightroom.

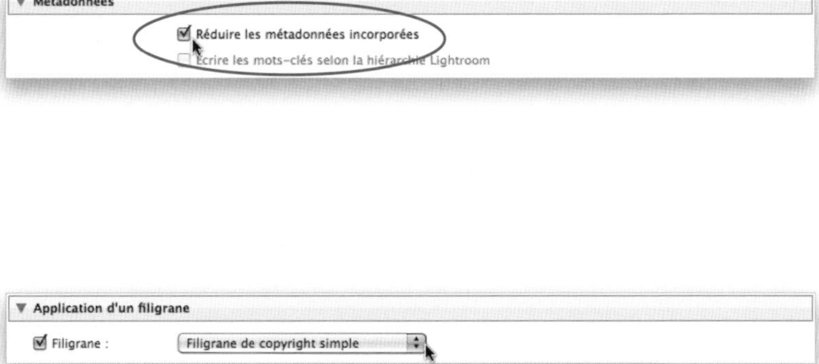

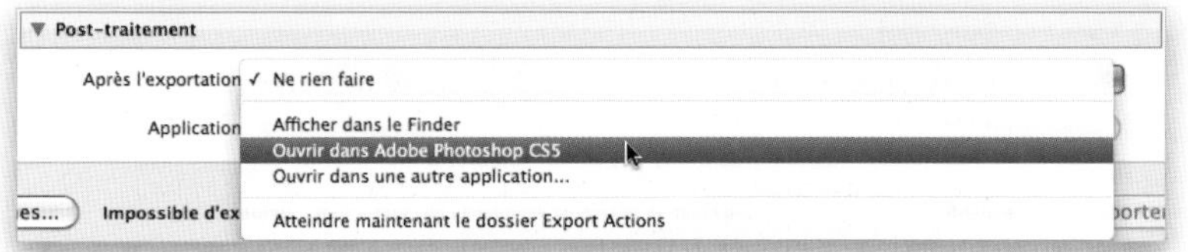


## Étape 11

La dernière section, Posttraitement, vous donne l'occasion d'indiquer ce que doit faire Lightroom une fois l'exportation terminée. Si vous choisissez Ne rien faire, Lightroom exporte les photos dans le dossier spécifié. Si vous optez pour Ouvrir dans Adobe Photoshop CS5, les images s'ouvriront automatiquement dans ce programme. Vous pouvez aussi choisir de les Ouvrir dans une autre application. L'option Atteindre maintenant le dossier Export Actions est étudiée plus loin dans ce chapitre.

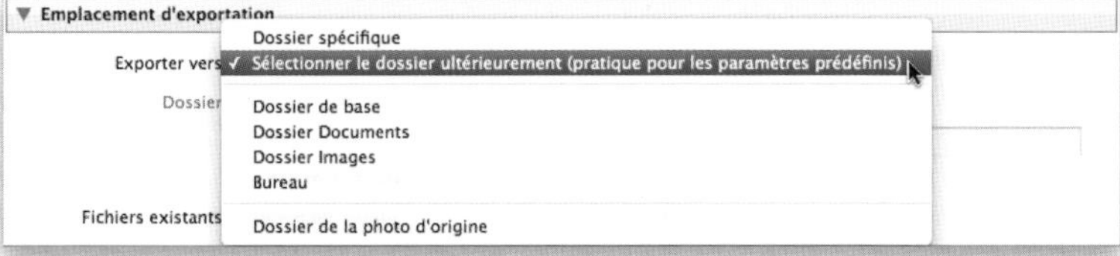


## Étape 12

Avant de cliquer sur le bouton Exporter, il serait judicieux d'enregistrer ces réglages sous la forme d'un paramètre prédéfini afin de l'utiliser à chaque fois que vous voudrez exporter des photos au format JPEG. Je voudrais toutefois vous suggérer quelques modifications qui vont rendre votre préréglage bien plus efficace. Par exemple, si vous enregistrez les réglages actuels en tant que paramètre prédéfini, la prochaine exportation JPEG se fera dans le dossier Tee-Shirt Rolling Stones. Pour éviter cela, ouvrez le menu local Exporter vers de la section Emplacement d'exportation. Là, choisissez Sélectionner le dossier ultérieurement.

## Étape 13

Si vous exportez systématiquement vos fichiers JPEG dans le même dossier, affichez la section Emplacement d'exportation, et cliquez sur le bouton Sélectionner. Dans la liste des dossiers, choisissez le dossier en question. S'il n'y est pas, cliquez sur Sélectionner, et parcourez vos lecteurs pour localiser ledit dossier. Si, au moment de l'exportation, Lightroom rencontre un fichier portant le même nom, doit-il le remplacer par le fichier nouvellement exporté, ou bien lui assigner un autre nom ? Définissez le comportement de Lightroom *via* le menu local Fichiers existants. J'opte pour Choisir un nouveau nom pour le fichier exporté. Ainsi, je ne remplacerai pas accidentellement un fichier existant. Si vous choisissez Ignorer, Lightroom n'exporte pas le fichier portant le même nom qu'un fichier déjà stocké dans le dossier de destination.

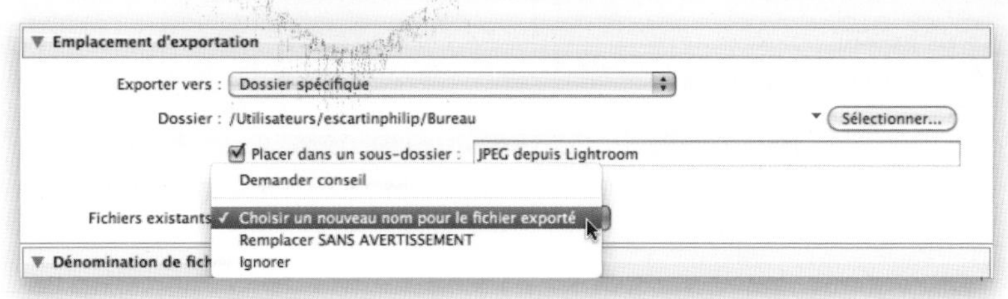


**ASTUCE : RENOMMER DES FICHIERS AVEC UN PARAMÈTRE PRÉDÉFINI**

Avant d'exporter vos photos, vérifiez que vous avez modifié le nom personnalisé des fichiers. Dans le cas contraire, toutes vos nouvelles photos se nommeront StonesTeeShirt, dans notre exemple, bien entendu.

## Étape 14

Enfin, cliquez sur le bouton Ajouter, situé dans le coin inférieur gauche de la boîte de dialogue. Nommez ce paramètre prédéfini « JPEG Haute Résolution/ Disque Dur ». Ainsi, je sais exactement ce que fait ce paramètre d'exportation prédéfini.

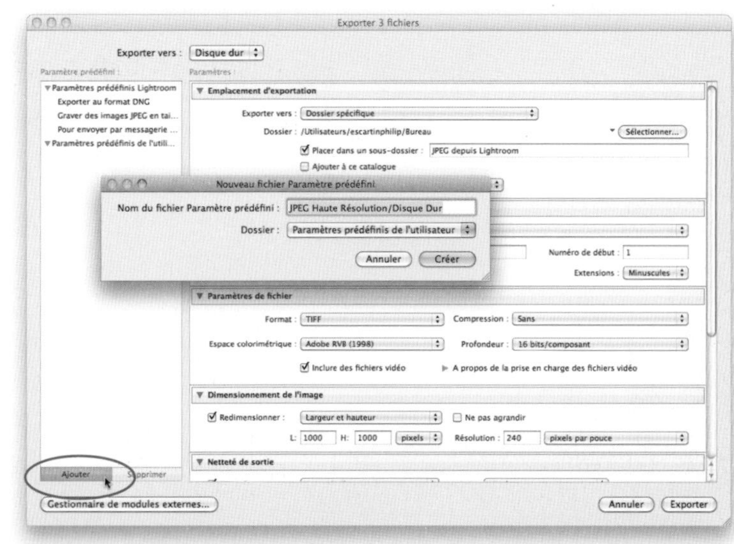

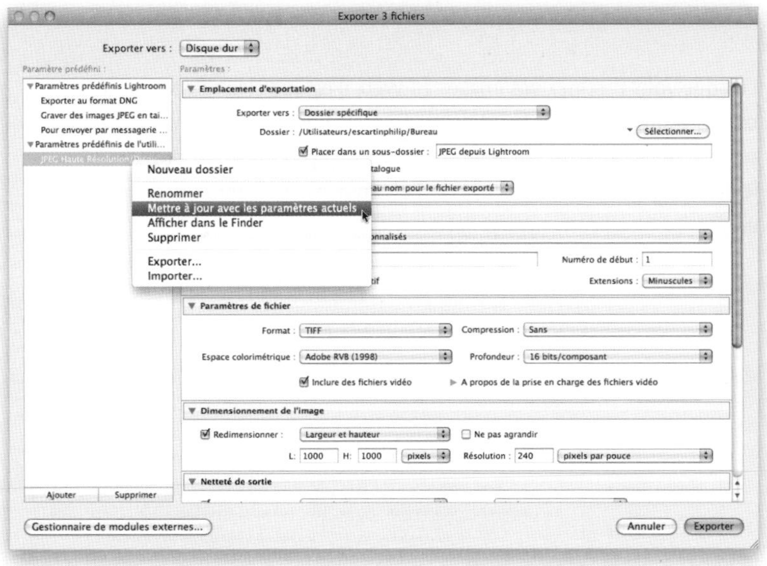


## Étape 15

Cliquez sur le bouton Créer. Le paramètre est ajouté dans le volet gauche de la boîte de dialogue sous la section Paramètres prédéfinis de l'utilisateur. Pour apporter des modifications à ce paramètre prédéfini, il suffit de cliquer dessus. L'ensemble de ses options s'affiche dans la partie droite de la boîte de dialogue. Il suffit de définir de nouveaux paramètres. Si vous pensez utiliser systématiquement ces nouveaux réglages à la place des anciens, sauvegardez-les *via* un clic-droit sur le nom de votre paramètre prédéfini. Dans le menu contextuel, cliquez sur Mettre à jour avec les paramètres actuels.

Vous pouvez aussi créer un second paramètre prédéfini pour, par exemple, enregistrer une version de vos images pour le Web. Commencez par fixer la Résolution à 72. Redimensionnez vos images avec une Largeur et une Hauteur ne dépassant pas les 640 × 480. Dans la section Netteté de sortie, choisissez Écran et optez pour un Gain Standard. Vous pouvez activer l'option Filigrane pour éviter une utilisation de vos images pour d'autres internautes. Cliquez sur Ajouter. Dans la boîte de dialogue Nouveau fichier Paramètre prédéfini, tapez Export JPEG pour le Web.

## Étape 16

Une fois vos paramètres prédéfinis d'utilisateur créés, appliquez-les sans passer par la boîte de dialogue Exporter. Pour cela, sélectionnez vos photos. Ensuite, cliquez sur Fichier > Exporter avec les paramètres prédéfinis. Dans le sous-menu qui s'affiche, cliquez sur le paramètre prédéfini à exécuter. Ci-contre, vous voyez que j'opte pour Export JPEG pour le Web. L'exportation se déroule sans aucune autre intervention de votre part.

# Ajouter un filigrane à vos photos

Lorsque vous destinez vos images au Web, il est judicieux de les protéger contre toute utilisation frauduleuse. Le moyen le plus sûr consiste à ajouter un filigrane visible. Mais, au-delà de toute protection de vos droits, le filigrane sert également à insérer le nom de votre studio ou de votre entreprise. Voici comment procéder.

## Étape 1

Appuyez sur Cmd+Maj+E (Ctrl+Maj+E) pour ouvrir la boîte de dialogue Exporter un fichier. Faites défiler son contenu pour afficher la section Application d'un filigrane. Comme ci-contre, ouvrez le menu local et cliquez sur Modifier les filigranes.

**INFO** J'étudie les filigranes dans ce chapitre consacré à l'exportation car vous pouvez en insérer dans des images JPEG, TIFF, etc. Cette insertion peut aussi s'effectuer lors de l'impression *via* le module Impression, ou bien encore lorsque vous publiez une galerie web *via* le module éponyme.

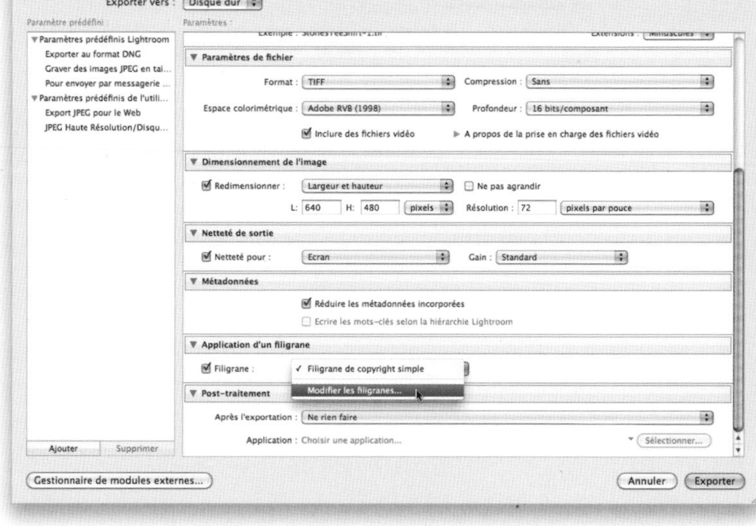


## Étape 2

Dans l'Éditeur de filigrane qui apparaît, vous pouvez : (a) créer un texte ou (b) importer une image comme le logo de votre studio. Pour cela, activez Texte ou Graphique dans la section Style de filigrane. Par défaut, le filigrane se compose du nom de votre profil d'utilisateur. Le texte est affiché dans le coin inférieur gauche de l'image. Vous pourrez le déplacer. Commençons par le personnaliser.

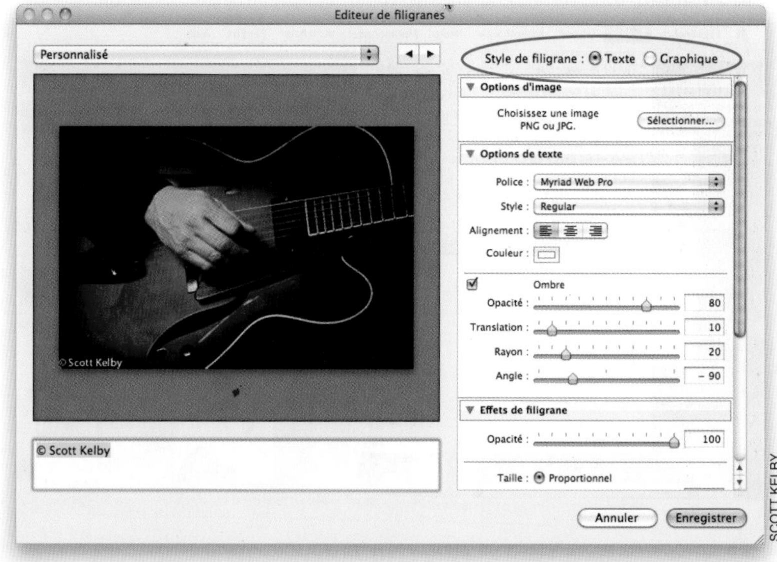


SCOTT KELBY

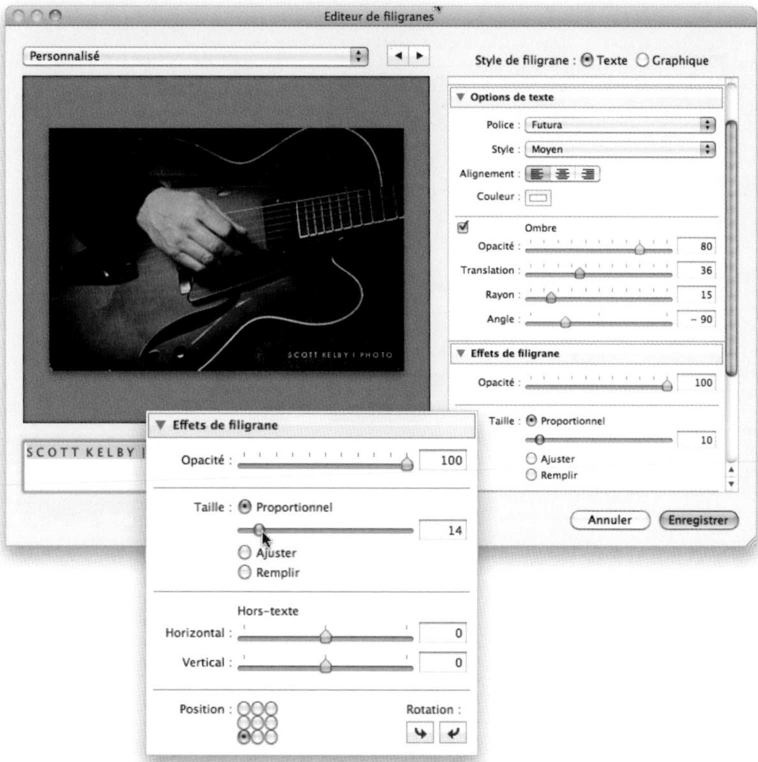


## Étape 3

Remplacez le texte par défaut par le vôtre. Il s'agira probablement du nom de votre studio. Dans la section Options de texte, choisissez une police de caractères comme Futura. Pour éloigner les lettres les unes des autres, j'ai simplement appuyé sur la barre d'espace après la saisie de chaque caractère. En cliquant sur l'indicateur Couleur, vous pouvez modifier la couleur des lettres. Pour modifier la taille du texte, affichez la section Effets de filigrane. Glissez le curseur Taille. L'option Proportionnel permet de conserver la taille standard du filigrane. Avec les options Ajuster et Remplir, le filigrane s'ajustera à la largeur de l'image ou en occupera toute la surface. Lorsque vous placez le pointeur de la souris dans l'aperçu, un cadre de redimensionnement apparaît autour du texte. Agissez sur les poignées pour modifier la taille de votre filigrane.

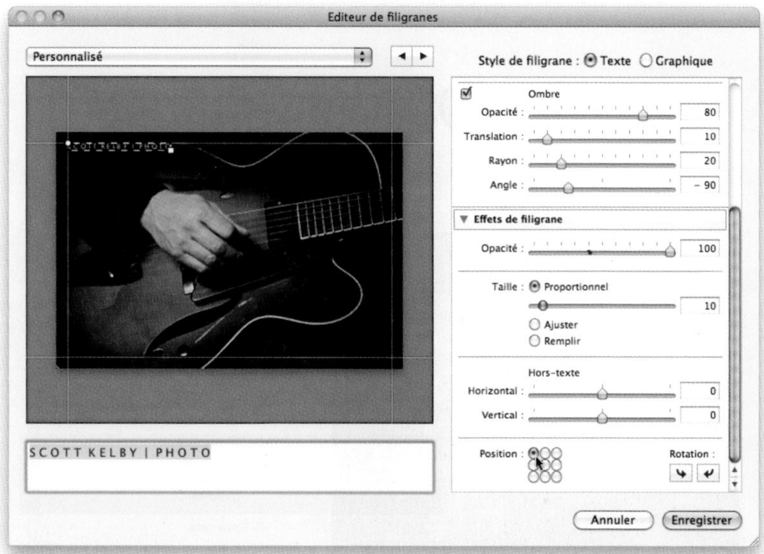


## Étape 4

Dans la section Position, vous déterminez l'emplacement du filigrane sur l'image. Il suffit pour cela d'activer le point d'ancrage correspondant. Ainsi, pour placer le filigrane en haut à gauche de l'image, cliquez sur le point d'ancrage situé en haut à gauche de la matrice Position. Pour le placer au centre de la photo, cliquez sur le point d'ancrage situé au centre de la matrice. À droite de cette matrice, vous disposez de deux boutons de rotation. Ils permettent de positionner le texte verticalement. Pour éloigner le texte du bord de l'image, agissez sur les curseurs Horizontal et Vertical de la section Hors-texte. Lorsque vous déplacez le filigrane, des repères horizontaux et verticaux s'affichent dans l'aperçu. Ils facilitent le positionnement du texte. Enfin, le curseur Opacité contrôle la transparence du filigrane.

### Étape 5

Quand un filigrane se situe sur un fond très clair, ajoutez-lui une ombre portée *via* le paramètre Ombre de la section Options de texte. Son curseur Opacité contrôle la transparence de l'ombre. Le paramètre Translation détermine la distance qui sépare l'ombre du texte. Le Rayon n'est autre qu'un lissage de l'ombre. Plus sa valeur est élevée plus l'ombre est adoucie. Le paramètre Angle définit la position de l'ombre. -90° place l'ombre en bas et à droite. Avec une valeur d'angle de 145, l'ombre s'affiche en haut à gauche. Pour bien apprécier l'impact de l'ombre, cochez et décochez plusieurs fois ce paramètre.

SCOTT KELBY

### Étape 6

Voyons comment utiliser un graphique comme filigrane. L'Éditeur de filigrane ne prend en charge que les fichiers JPEG et PNG. Dans la section Options d'image, cliquez sur le bouton Sélectionner. Dans la boîte de dialogue qui s'affiche, cliquez sur le fichier graphique à utiliser comme filigrane, puis sur le bouton Sélectionner. Le graphique apparaît dans l'aperçu. Appliquez des Effets de filigrane comme s'il s'agissait d'un texte. Vous pouvez donc varier l'Opacité et la Taille du graphique. Les curseurs Hors-texte permettent de décaler le logo des bords de l'image, et la matrice Position définit l'emplacement du filigrane sur l'image. Comme vous travaillez avec un graphique, les Options de texte et d'Ombre sont inaccessibles.

## Étape 7

Pour rendre transparent le fond blanc, ouvrez le fichier dans Adobe Photoshop.

1. Effacez le calque Arrière-plan en le glissant-déposant sur l'icône de la corbeille du panneau Calques.

2. enregistrez votre document au format PNG. Ceci aplatit l'image mais l'arrière-plan du logo est transparent.

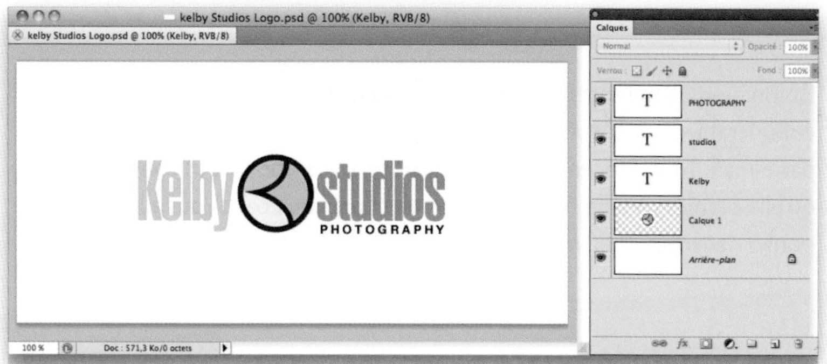


*Dans Photoshop, le calque Arrière-plan est blanc. Il apparaît sur l'image.*

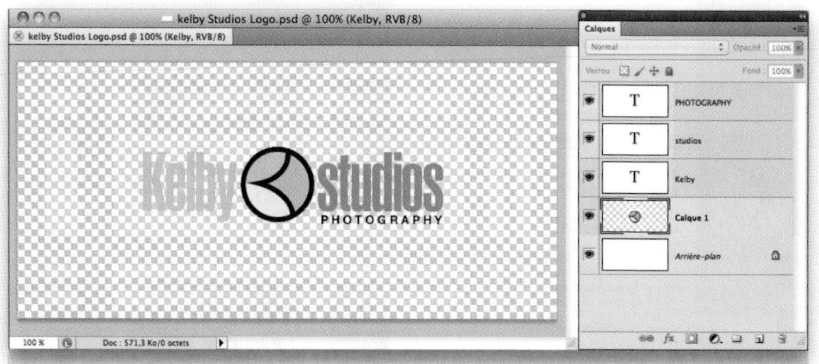


*Glissez-déposez le calque Arrière-plan sur la corbeille. Enregistrez le fichier au format PNG. L'arrière-plan sera transparent.*

## Étape 8

Maintenant, choisissez ce nouveau fichier PNG. Le fond blanc a disparu. Redimensionnez-le et repositionnez-le. Modifiez son Opacité. Une fois que ce filigrane vous convient, sauvegardez-le en tant que paramètre prédéfini. Vous pourrez ainsi l'utiliser dans les modules Impression et Web. Cliquez sur le bouton Enregistrer ou bien ouvrez le menu local situé en haut à gauche de l'Éditeur. Là, exécutez la commande Enregistrer les paramètres actuels en tant que nouveau paramètre prédéfini. Il suffira d'un clic de souris pour utiliser ce filigrane partout où vous en aurez besoin.

# Envoyer des photos par courrier électronique

La fonction de messagerie électronique de Lightroom permet de réduire considérablement la taille de vos fichiers afin de les envoyer plus facilement par e-mail. Toutefois, en approfondissant cette fonction, vous constaterez qu'elle permet de faire beaucoup plus de choses que cela. Vous allez en effet pouvoir envoyer des e-mails directement depuis Lightroom.

## Étape 1

La gestion du courrier électronique dans Lightroom repose sur la fonction d'exportation que nous avons abordée dans la précédente section. Il suffit d'indiquer au programme ce qu'il doit faire une fois l'exportation JPEG terminée. Ici, nous allons lui demander de lancer l'application de messagerie électronique et d'y joindre vos fichiers. Vous paramétrez cette action dans deux emplacements particuliers : (1) dans la boîte de dialogue Exporter, et (2) sur l'ordinateur lui-même. Commencez par ouvrir le menu Fichier, et choisissez Exporter (ou bien appuyez sur Cmd+Maj+E [Ctrl+Maj+E]).

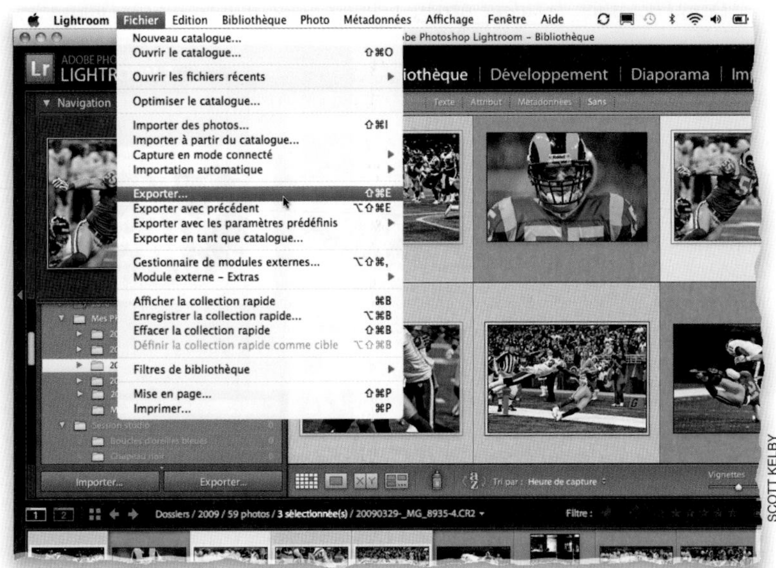


## Étape 2

Lorsque la boîte de dialogue Exporter apparaît, cliquez sur le paramètre prédéfini Pour envoyer par messagerie électronique. Vous définissez ainsi les réglages de base d'une compression JPEG pour les fichiers envoyés par e-mail. Ensuite, dans la section Posttraitement, ouvrez le menu local Après l'exportation, et choisissez Atteindre maintenant le dossier Export Actions.

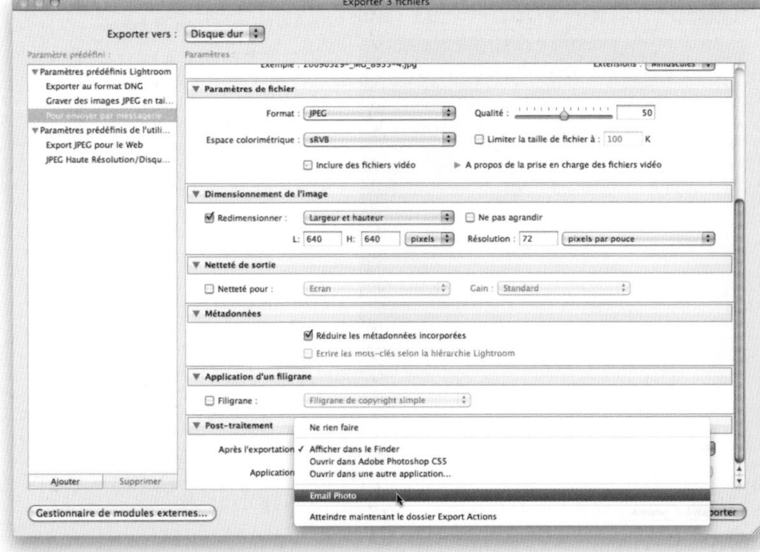

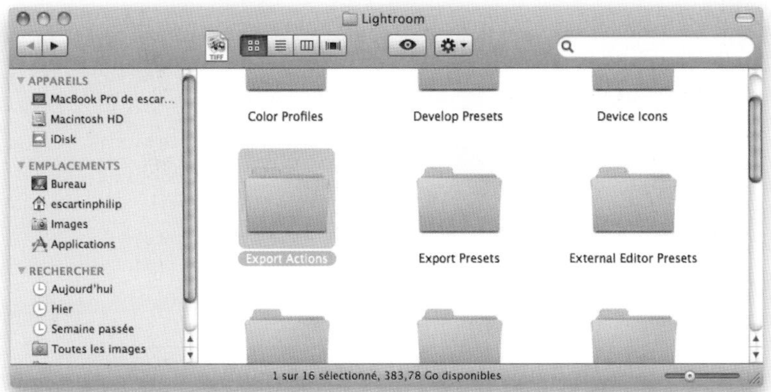


**Étape 3**

Ceci ouvre le dossier de votre ordinateur où sont stockées les actions d'exportation de Lightroom.

**Étape 4**

Laissez cette fenêtre du Finder (ou de l'Explorateur Windows) ouverte. Ensuite, ouvrez une autre fenêtre de cet utilitaire, et affichez-y le contenu du dossier Applications (Programmes). Localisez votre programme de messagerie électronique. Vous allez maintenant créer un alias (sur Mac) ou un raccourci (sur PC). Pour créer un alias, faites un clic-droit sur l'icône du programme. Dans le menu contextuel, exécutez la commande Créer un alias. Sur PC, faites un clic-droit sur l'icône de l'application (*a priori* Windows Live Mail sous Windows 7). Dans le menu contextuel, choisissez Envoyer vers > Bureau (créer un raccourci). Sur Mac, l'alias s'affiche dans le dossier Applications, tandis que sur PC le raccourci apparaît sur le bureau.

## Étape 5

Glissez-déposez l'alias (ou le raccourci) dans le dossier Export Actions. Ouvrez-le pour y voir l'élément en question (voir ci-contre). En général, je renomme cet alias, en l'occurrence Email Photo. Vous devez maintenant créer un paramètre d'exportation personnalisé. Il doit convertir vos photos au format JPEG, ouvrir votre programme de messagerie électronique, et joindre automatiquement les images JPEG à votre message. La procédure est bien plus simple qu'elle semble l'être.

## Étape 6

Revenez dans la boîte de dialogue Exporter. Elle affiche un certain nombre de réglages prédéfinis par le paramètre Pour envoyer par messagerie électronique. Il s'agit de la qualité de la compression, de l'espace colorimétrique, de la résolution, de la taille, etc. Rien ne vous empêche de modifier ces valeurs par défaut. Par exemple, pour obtenir des images de meilleure qualité, augmentez la valeur du paramètre Qualité. Ensuite, affichez le contenu de la section Posttraitement. Ouvrez le menu local Après l'exportation, et choisissez votre action d'exportation Email Photo. Pour enregistrer l'ensemble de ces réglages sous forme d'un paramètre prédéfini de l'utilisateur, cliquez sur le bouton Ajouter, situé dans le coin inférieur gauche du volet Paramètre prédéfini. Nommez ce nouveau paramètre « Envoyer par Email », et cliquez sur le bouton Créer. Maintenant, cliquez sur le bouton Annuler de la boîte de dialogue Exporter. En effet, nous ne l'avons utilisé que pour créer et sauvegarder ce paramètre prédéfini.

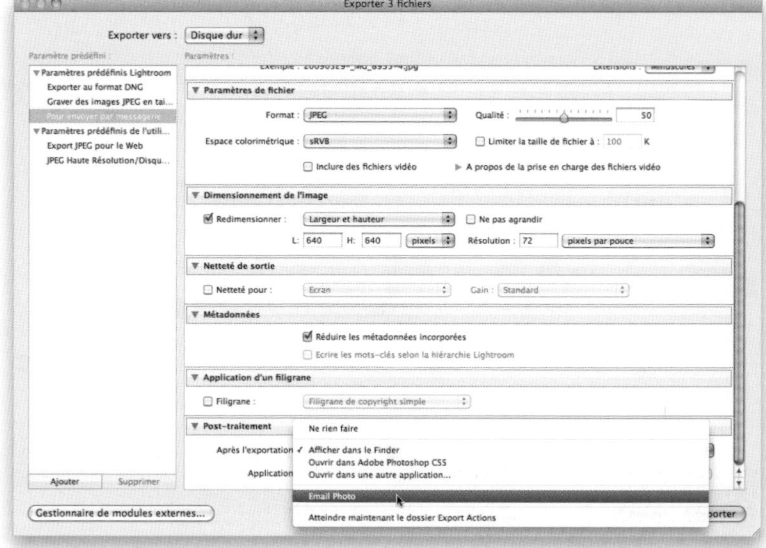

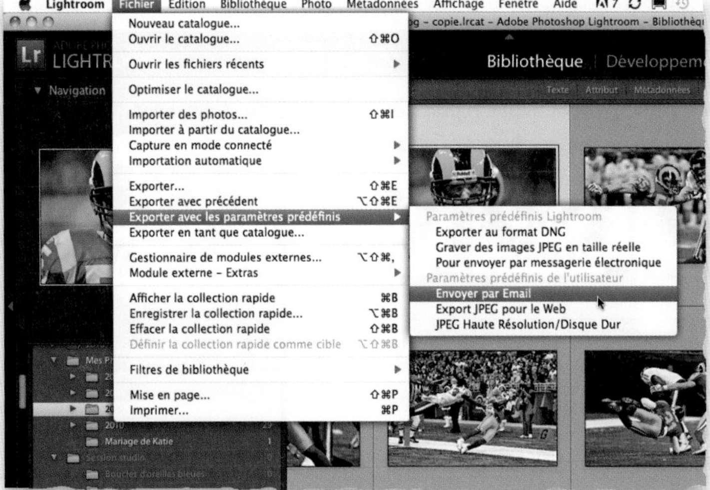

## Étape 7

Si vous utilisez un PC, ce qui suit ne fonctionne qu'avec Microsoft Outlook, et pas avec Windows Live Mail. Vous devez en plus télécharger un script à l'adresse www.sbsutherland.com. Cliquez sur le bouton Lightroom Related, puis sur MapMailer Email Export Plug-in for Lightroom. Téléchargez le fichier MAPI Mailer, et installez-le sur votre PC. Désormais, lorsque vous créez vos paramètres prédéfinis, choisissez MapMailer dans la boîte de dialogue Exporter. Vous n'avez plus besoin d'une action d'exportation. Apportez toutes les modifications nécessaires et ajoutez en tant que nouveau paramètre prédéfini comme expliqué à la fin de l'étape 6. Maintenant, dans Lightroom, sélectionnez les photos à expédier en effectuant Cmd+clic (Ctrl+clic). Ensuite, ouvrez le menu Fichier et cliquez sur Exporter avec les paramètres prédéfinis > Envoyer par Email.

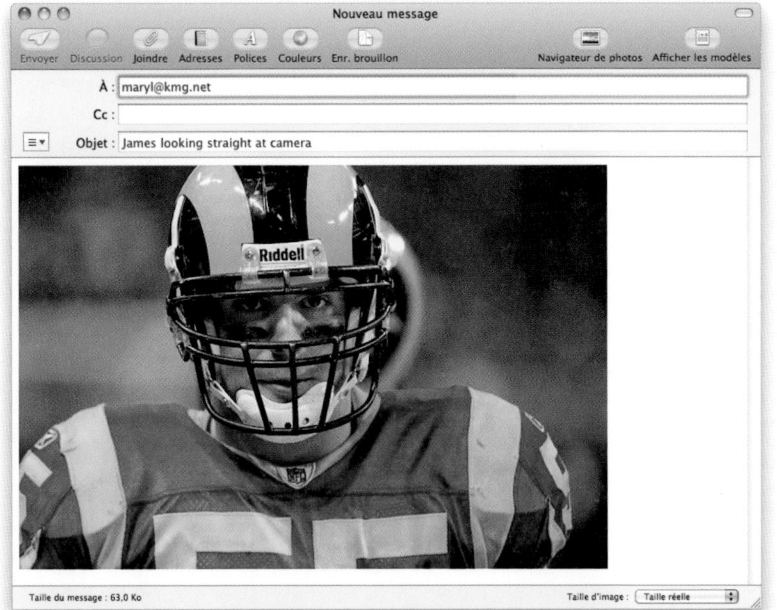


## Étape 8

Lightroom traite les fichiers. Au bout de quelques secondes, un nouveau message électronique s'affiche à l'écran. Il contient en pièces jointes toutes les photos exportées. Il ne vous reste plus qu'à taper l'adresse e-mail du destinataire, à indiquer l'objet du courriel et à cliquer sur le bouton Envoyer. Comment faire plus simple ?

# Exporter vos photos Raw originales

Jusqu'à présent, nous avons exporté en JPEG, TIFF, etc. Comment faire pour exporter les photos originales qui sont au format Raw ? Voici la procédure à suivre.

## Étape 1

Cliquez sur la photo Raw que vous désirez exporter. Lorsque vous exportez un original Raw, les modifications que vous avez appliquées dans Lightroom (y compris les mots-clés, les métadonnées, et même les actions réalisées dans le module Développement) sont enregistrées dans un fichier annexe XMP. Vous devez donc toujours envisager les images Raw et leur fichier XMP comme deux éléments quasi indissociables. Ensuite, appuyez sur Cmd+Maj+E (PC : Ctrl+Maj +E) pour ouvrir la boîte de dialogue Exporter. Cliquez sur le paramètre prédéfini Graver des images JPEG en taille réelle. Dans le menu local, accessible en haut à droite de la fenêtre, choisissez Disque dur. Dans la section Emplacement de destination, choisissez le dossier de stockage de ces fichiers Raw (j'ai choisi le bureau). Dans la section Paramètres de fichier, ouvrez le menu local Format et cliquez sur Original. Alors, la majorité des autres réglages de la fenêtre Exporter ne peut plus être modifiée.

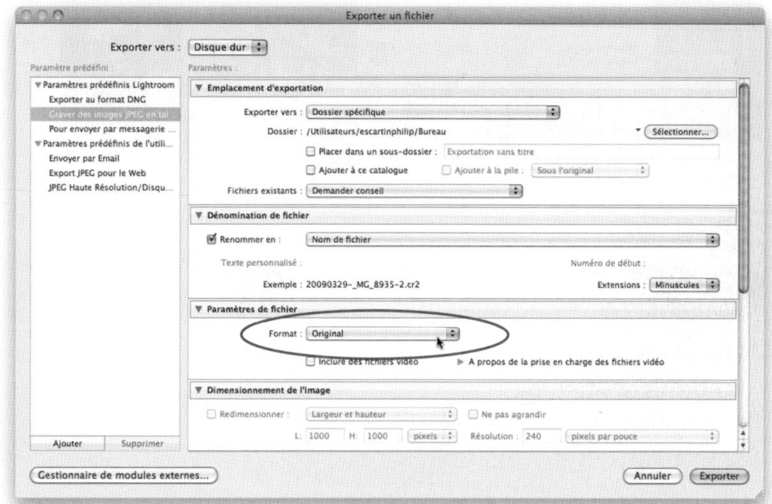

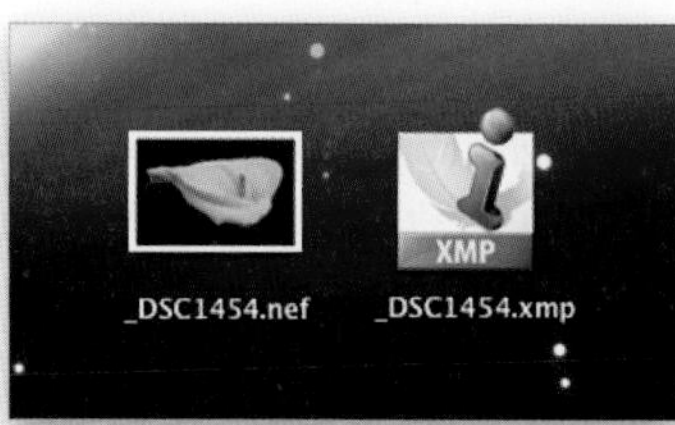


## Étape 2

Cliquez sur Exporter. Comme il n'y a pas de traitement du fichier, l'exportation dure une fraction de seconde. Deux fichiers apparaissent ici sur le bureau. Il s'agit de l'image elle-même et de son fichier XMP. Tant que ces deux fichiers restent au même emplacement, d'autres programmes qui gèrent les fichiers XMP (comme Adobe Bridge et Adobe Camera Raw) utiliseront ses métadonnées pour interpréter le fichier Raw. Si vous envoyez ce fichier à un autre utilisateur (ou si vous le gravez sur disque), n'oubliez jamais d'inclure ces deux fichiers. Toutefois, si vous ne souhaitez pas inclure vos modifications, ne joignez pas le fichier XMP.

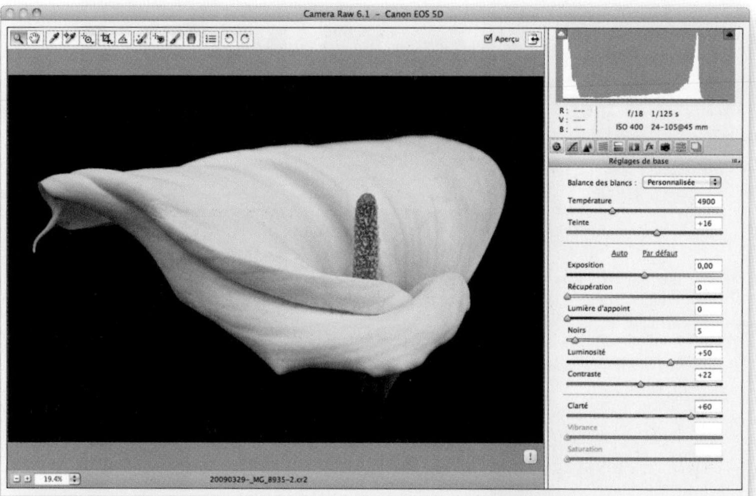


*Version noir et blanc de l'image quand vous incluez le fichier annexe XMP.*

## Étape 3

Une fois que vous avez exporté le fichier Raw d'origine et que vous l'avez envoyé à un autre utilisateur, le fait de double-cliquer dessus l'ouvrira dans Camera Raw. Si le fichier XMP est présent, l'application affichera l'image en tenant compte des modifications qui y sont consignées. L'image du haut ci-contre montre que la photo a été recadrée et convertie en noir et blanc. L'image du bas, en revanche, montre l'aspect de l'image dans Camera Raw lorsque le fichier XMP n'est pas annexé au fichier Raw. Il s'agit de la photo d'origine *stricto sensu*.

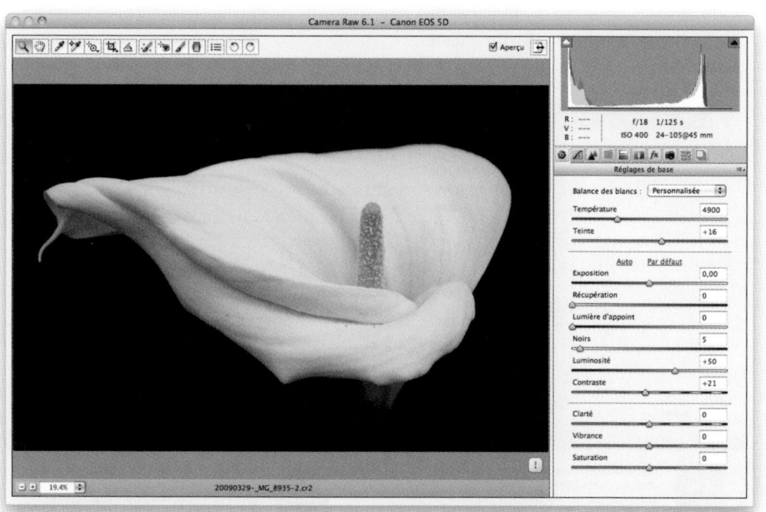


*L'image originale avec une touche de couleur quand le fichier XMP n'est pas inclus.*

# Publier vos photos en deux clics

Dans Lightroom 3, Adobe a intégré une fonction qui permet, par simple glisser-déposer, de partager directement vos images sur des sites comme Flickr, ou bien d'un disque dur à un autre, ou encore sur votre iPhone. Pour réaliser ce type d'opération, Lightroom utilise le panneau Services de publication. Il suffit de configurer ces services pour gagner un temps précieux dans le partage de vos fichiers.

## Étape 1

Le panneau Services de publication, situé sur le côté gauche du module Bibliothèque, propose deux modèles par défaut : (1) votre disque dur et (2) le site de partage de photos en ligne Flickr. Pour paramétrer ces services, cliquez sur leur bouton Configurer. Pour créer un service, cliquez sur le signe + du panneau. Dans le menu local, choisissez Aller à Publishing Manager. Ici, nous allons configurer Flickr.

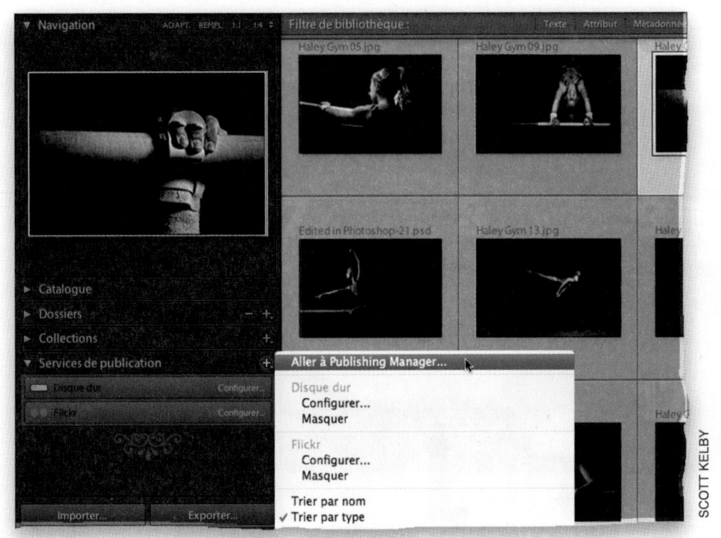


## Étape 2

Cliquez sur le bouton Configurer à droite de Flickr. La boîte de dialogue Gestionnaire de publication Lightroom apparaît. Vous y trouvez un certain nombre de sections consacrées à la configuration de Flickr depuis Lightroom. Commencez par un clic sur le bouton Connexion. Dans le message qui apparaît, cliquez sur Autoriser. Ceci ouvre votre navigateur web sur la page d'inscription à Flickr. Vous devrez revenir dans Lightroom pour terminer la configuration.

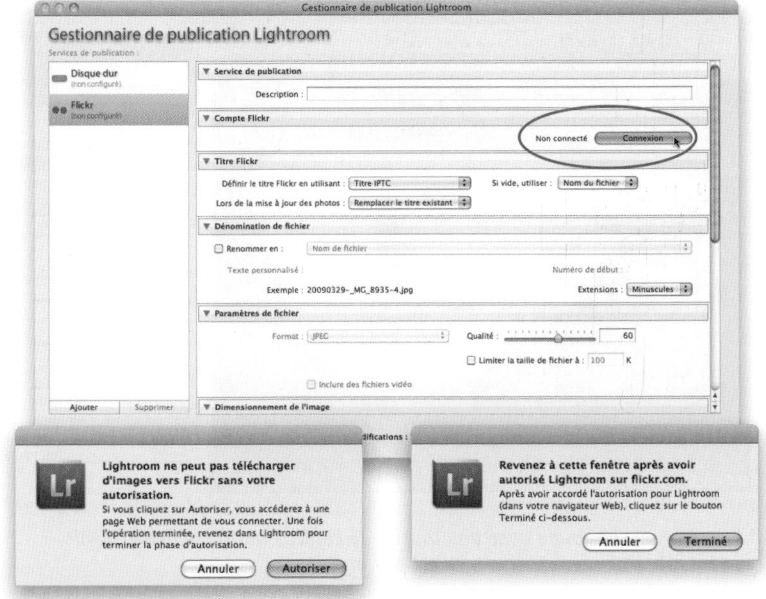

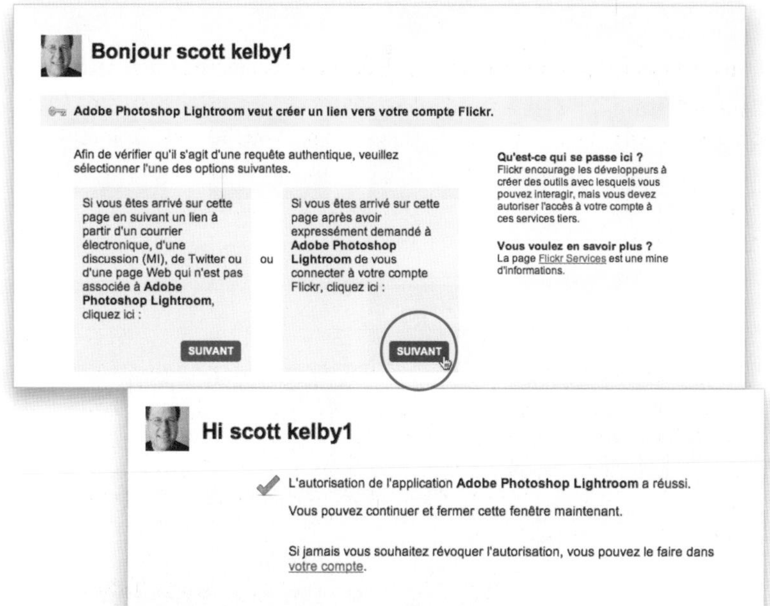


### Étape 3

Connectez-vous à votre compte Yahoo. Si vous n'en possédez pas, créez-en un ! Dès que vous arrivez sur Flickr *via* votre compte Yahoo, attribuez-vous un pseudo Flickr, et cliquez sur Créer un nouveau compte. Dans la nouvelle page, cliquez sur le bouton Suivant, situé sous le message demandant si vous êtes arrivé sur Flickr *via* Lightroom. Dans la nouvelle page, cliquez sur OK, JE L'AUTORISE pour utiliser convenablement Flickr. Une fois l'autorisation confirmée, revenez dans Lightroom.

### Étape 4

Vous devez maintenant configurer les options d'exportation (choix du format de fichier, ajout de netteté, filigrane, etc.). Pour éviter que les utilisateurs fassent n'importe quoi sur le Flickr, vous devez paramétrer le niveau de confidentialité. Pour cela, affichez la section Confidentialité et sécurité en bas de la boîte de dialogue Gestionnaire de publication Lightroom. Ici, j'ai défini une confidentialité privée limitée à mes amis. Cliquez alors sur le bouton Enregistrer.

### Étape 5

Sélectionnez les photos à publier sur Flickr. Glissez-déposez-les sur la section Flux de production du service de publication Flickr. Cliquez sur la collection Flux de production. Les photos à transférer sur Flickr s'affichent comme ci-contre. Cette fonction permet de préparer toute une collection d'images que vous publierez sur ce service en ligne. Cette dernière opération s'effectuera en un seul clic de souris. Pour le moment, publions ces quatre photos.

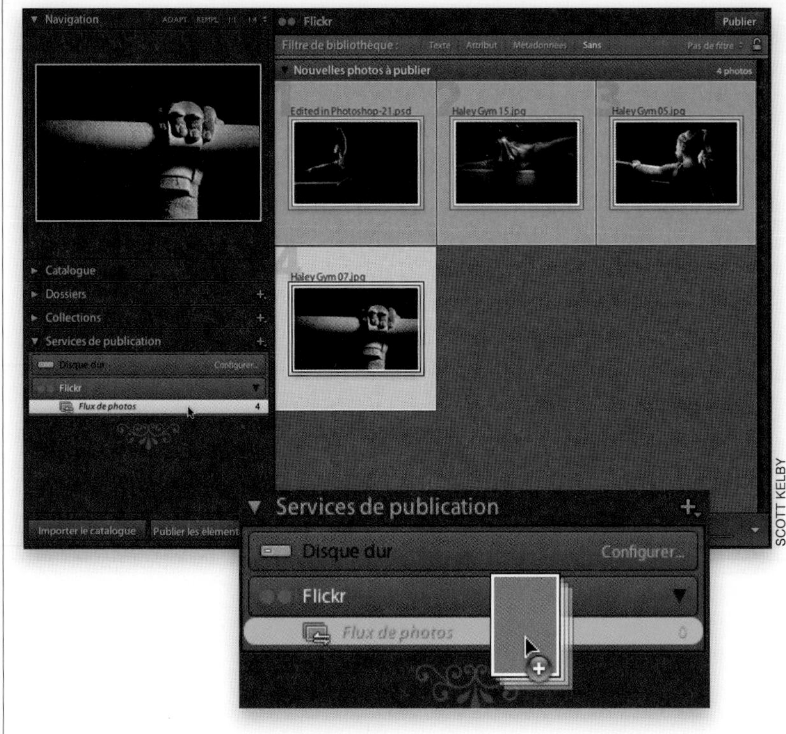


### Étape 6

Cliquez sur le bouton Publier. L'écran de la zone d'aperçu se divise en deux parties. Dans la partie supérieure figurent les images restant à publier, et dans la partie inférieure vous voyez les photos publiées sur Flickr. Une fois que toutes les photos ont été transférées, la zone d'aperçu n'affiche que les photos publiées. (Pendant le transfert, une barre de progression apparaît dans le coin supérieur gauche de l'interface.)

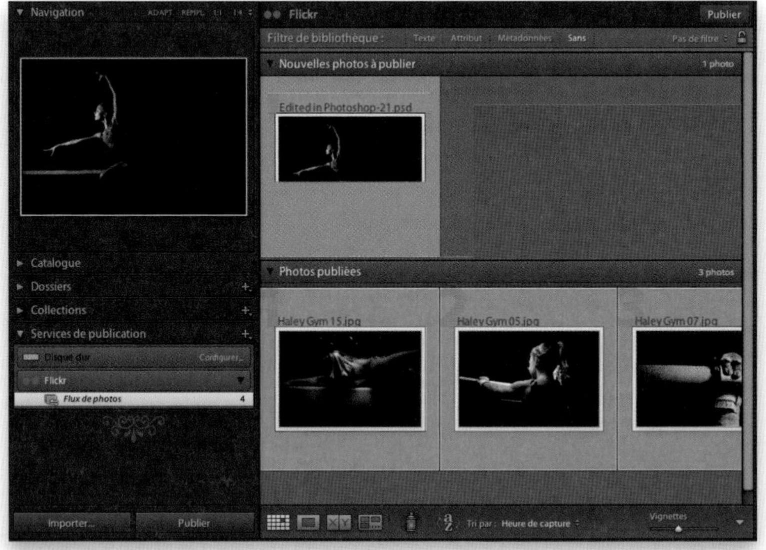

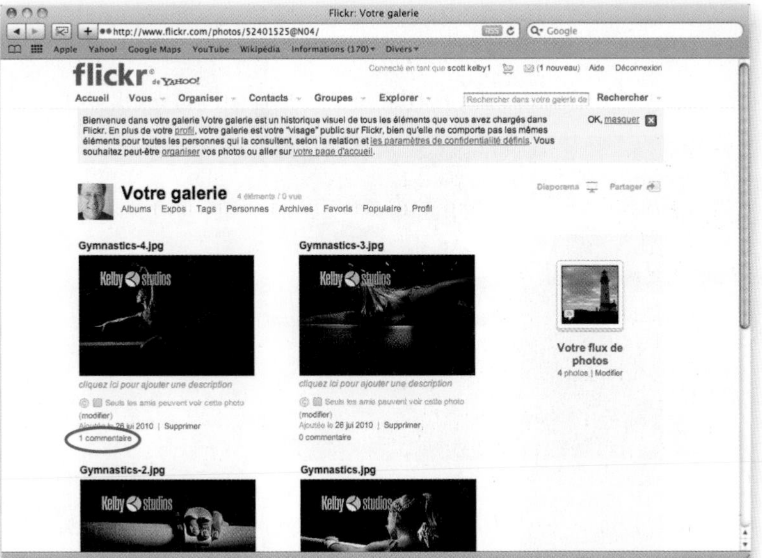


## Étape 7

Ouvrez votre navigateur web. Affichez votre page Flickr. Vous pouvez aller plus loin en récupérant et en synchronisant dans Lightroom les commentaires laissés par vos admirateurs. Ainsi, sur Flickr j'ai ajouté un commentaire à l'une de mes images : « Ce filigrane est un peu grand. Il serait nécessaire de réduire son opacité. »

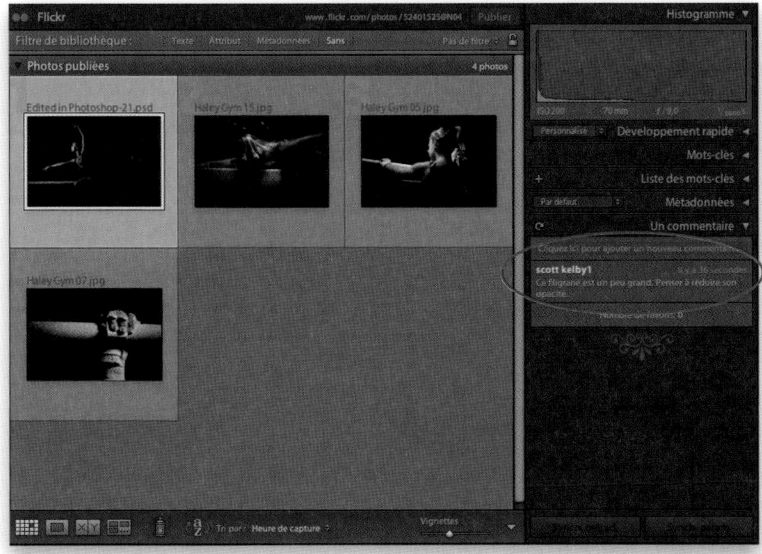


## Étape 8

Pour afficher ce commentaire dans Lightroom, ouvrez le panneau Services de publication. Il affiche les photos que vous venez de publier sur Flickr. Faites un clic-droit sur votre flux de photo. Dans le menu contextuel, choisissez Publier maintenant. Lightroom va télécharger les commentaires. Cliquez sur la première photo. Dans le panneau Commentaire, situé à droite de l'interface, vous pouvez lire le commentaire récemment publié sur cette image.

## Étape 9

Que se passe-t-il si, dans Lightroom, vous apportez des modifications à une image publiée sur Flickr ? si vous disposez d'un compte standard, vous devez d'abord supprimer la photo en question de votre compte Flickr, puis la publier de nouveau. Si vous possédez un compte Pro, voici ce que vous devez faire : tout d'abord, cliquez sur votre flux de photos pour afficher les images publiées sur Flickr. Puis cliquez sur l'image à modifier, et appuyez sur D pour passer dans le module Développement. Je procède à deux corrections : (1) je glisse vers la gauche le curseur Température pour que l'image paraisse moins chaude, puis (2) j'augmente la Lumière d'appoint pour faire ressortir l'athlète. Une fois la correction terminée, vous devez actualiser cette photo sur Flickr.

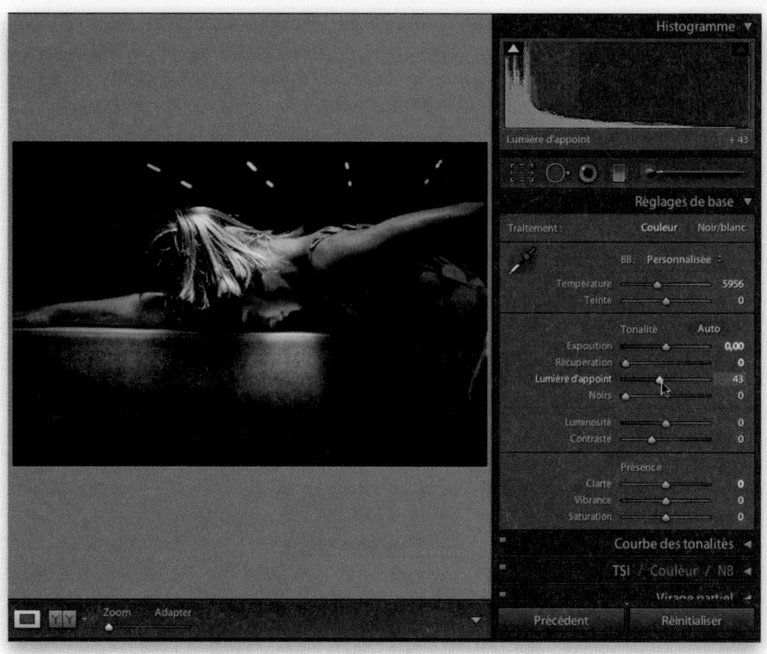

## Étape 10

Revenez dans le module Bibliothèque. Cliquez sur votre flux de photos. Une fois encore la zone d'aperçu se scinde en deux. En haut vous voyez la photo modifiée prête à être publiée. Cliquez sur le bouton Publier. L'image est alors mise à jour sur Flickr. Maintenant, voyons comment travailler avec vos disques durs.

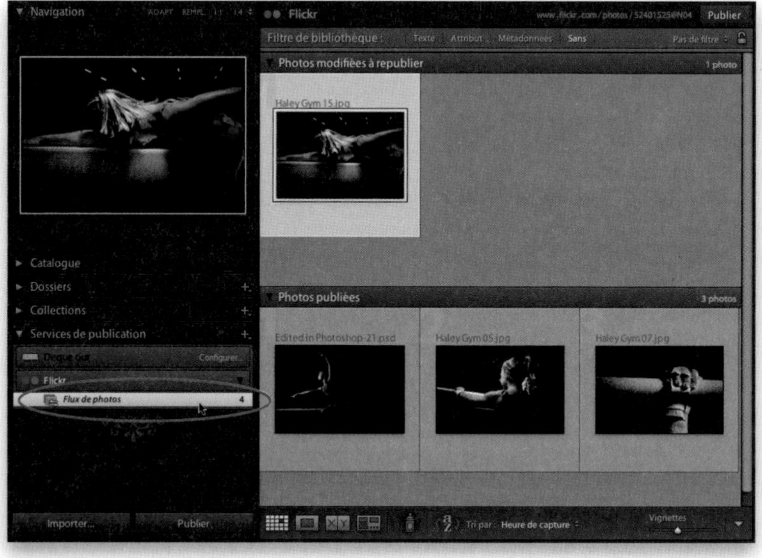

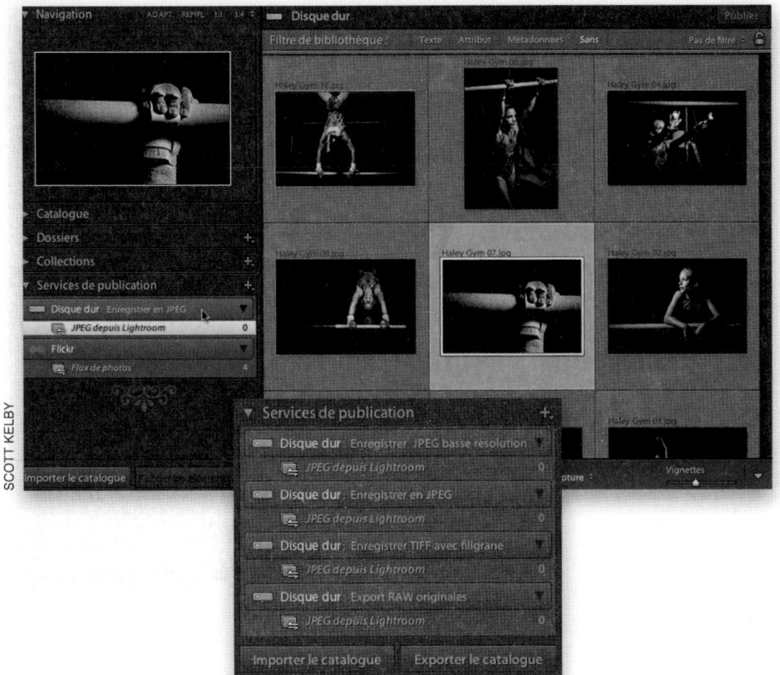

SCOTT KELBY

## Étape 11

Dans le panneau Services de publication, cliquez sur le bouton Configurer, situé à droite de Disque dur. Nous allons le configurer de telle sorte qu'il sauvegarde les images en JPEG haute résolution dès que vous les glissez-déposez sur cette icône du panneau. Donnez à ce service le nom de « Enregistrer en JPEG ». Paramétrez les autres options pour que le format d'enregistrement soit effectivement JPEG. Dans le panneau Services de publication, vous constatez que la mention Enregistrer en JPEG est désormais présente à droite de l'icône Disque dur. Vous pouvez ajouter autant de préréglages de publication que vous le désirez. Vous disposerez ainsi d'un service pour enregistrer les versions originales, les photos pour le courrier électronique, etc.

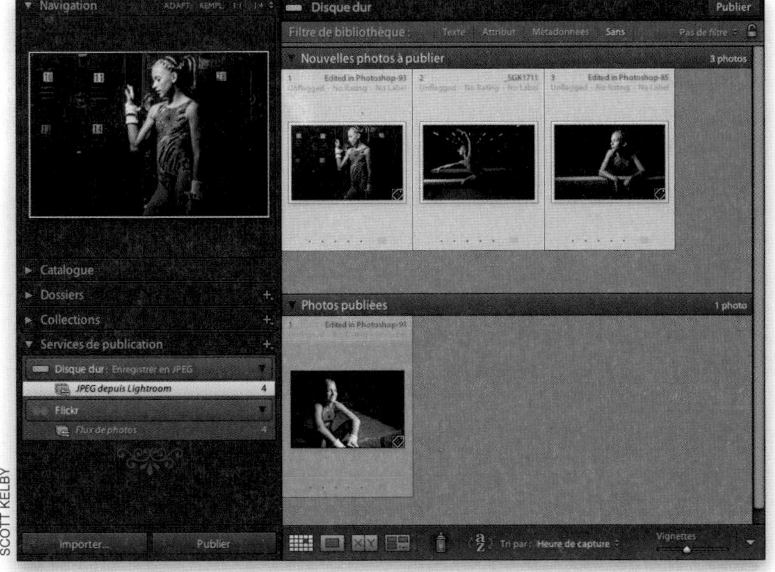

SCOTT KELBY

## Étape 12

Maintenant que vous avez configuré le disque dur, utilisons-le. Dans le module Bibliothèque, sélectionnez les fichiers Raw à convertir en JPEG. Glissez-déposez-les sur Disque dur : Enregistrer en JPEG. La procédure est alors sensiblement la même que pour Flickr. Les photos à publier sont affichées dans la zone d'aperçu. Cliquez sur Publier. Les photos sont converties en JPEG et sauvegardées dans le dossier spécifié lors de la configuration du service.

### ▼Raccourci d'exportation du catalogue

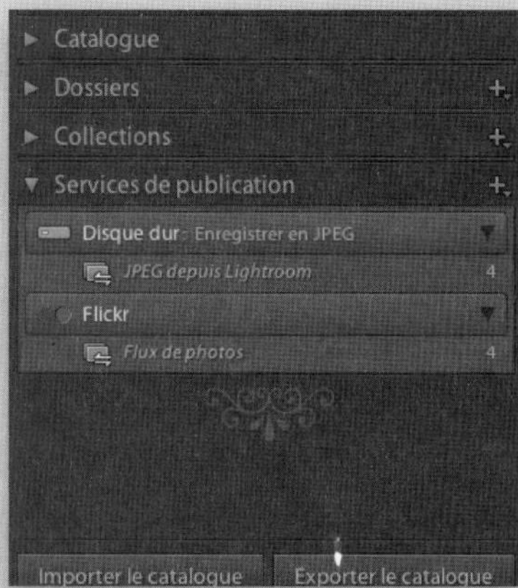


Pour exporter un catalogue entier, appuyez sur Option (Alt), et cliquez sur le bouton Exporter du module Bibliothèque. Le bouton affiche la mention Exporter le catalogue.

### ▼Utiliser vos derniers paramètres d'exportation

Pour exporter des photos avec les paramètres d'exportation que vous avez utilisés lors de votre dernière opération d'export, ouvrez le menu Fichier et choisissez Exporter avec précédent, ou appuyez sur Cmd+Option+Maj+E (Ctrl+Alt+Maj+E). L'exportation se fait alors sans ouvrir la boîte de dialogue Exporter.

### ▼Appliquer des paramètres d'exportation prédéfinis dans la boîte de dialogue Exporter

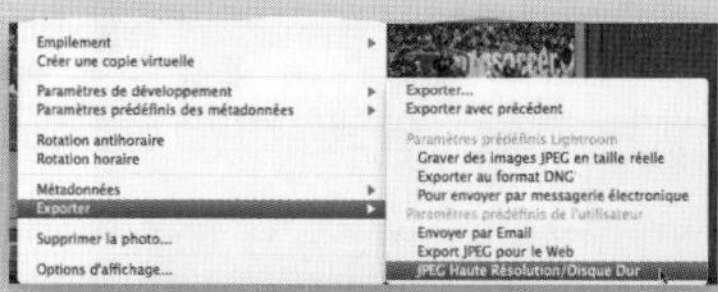


Si vous avez créé vos propres paramètres d'exportation prédéfinis, faites un Ctrl+clic (clic-droit) sur la photo à exporter. Dans le menu contextuel, choisissez Exporter > <Nom du paramètre prédéfini>. L'exportation se fait sans ouverture de la boîte de dialogue Exporter.

### ▼Importer automatiquement dans Lightroom vos photos exportées

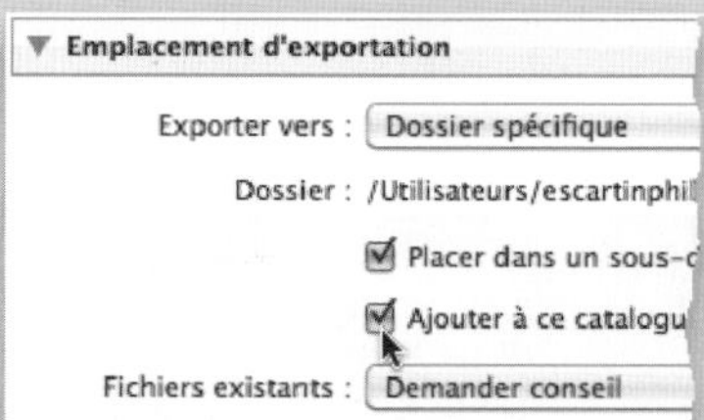


Une des fonctions les plus sympathiques de Lightroom 3 est la possibilité d'ajouter vos photos exportées à votre catalogue. Par exemple, si vous exportez au format JPEG des photos que vous destinez à votre client, elles peuvent être automatiquement importées dans Lightroom. Pour cela, ouvrez la boîte de dialogue Exporter. Dans la section Emplacement d'exportation, cochez la case Ajouter à ce catalogue.

### ▼Partager vos paramètres prédéfinis

Si vous souhaitez qu'un de vos amis ou de vos collaborateurs puisse utiliser des paramètres prédéfinis d'utilisateur que vous jugez très performants, partagez-les *via* Cmd+Maj+E (Ctrl+Maj+E). Dans la boîte de dialogue Exporter,

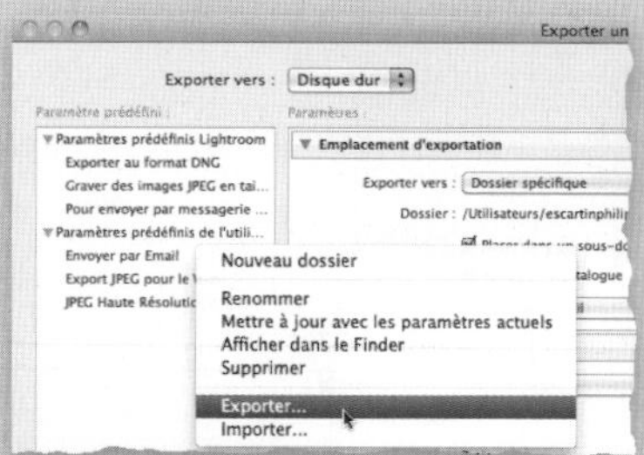


faites un clic-droit sur le paramètre prédéfini. Dans le menu contextuel, choisissez Exporter. Ensuite, communiquez ce fichier à votre collègue et/ou ami. Il devra l'importer dans Lightroom en suivant cette procédure, mais en exécutant la commande Importer du menu Fichier au lieu d'Exporter.

### ▼Mon astuce pour tester les panoramiques

Si vous disposez de plusieurs photos devant former une image panoramique, vous devez les assembler dans Photoshop. Parfois, le résultat est décevant, et vous avez l'impression d'avoir perdu du temps. Donc, pour vérifier un panoramique avant

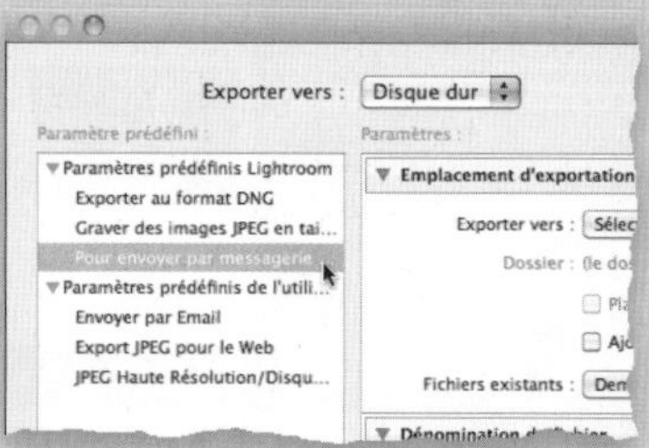

de l'assembler, ouvrez la boîte de dialogue Exporter de Lightroom. Utilisez le paramètre prédéfini d'exportation pour un courrier électronique. Cela permet d'exporter les photos au format JPEG avec une qualité très faible. Ensuite, vous ouvrez ces images dans Photoshop et exécutez la fonction Photomerge. En deux minutes vous avez une idée assez précise de la pertinence du panoramique. Si le résultat est bon, j'ouvre le menu Photo depuis le module Bibliothèque ou Développement. Dans le sous-menu Modifier dans, j'exécute la commande Fusion panorama dans Photoshop. Les fichiers sont envoyés vers cette application en pleine résolution et dans leur qualité optimale. Vous avez alors le temps de boire un café, et peut-être même de déjeuner !

## ▼Exporter directement des photos vers un site web

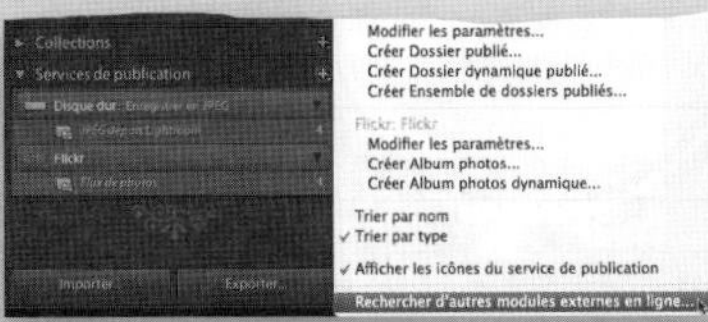


Dans ce chapitre, nous avons appris à publier rapidement des photos sur Flickr grâce au module d'exportation éponyme. Sachez qu'il existe des modules pour la plupart des sites de partage de photos en ligne dont Smugmug, Picasa Web Albums, etc. Cliquez sur le signe + situé à droite du panneau Services de publication. Là, choisissez Recherche d'autres modules externes en ligne.

## ▼Installer des modules d'exportation dans Lightroom 2

Bien que cette fonction ait été introduite dans la version 1.3 de Lightroom, la procédure s'est largement simplifiée avec Lightroom 3. Ouvrez le menu Fichier et choisissez Gestionnaire de modules externes. Dans la boîte de dialogue qui apparaît, cliquez sur le bouton Ajouter. C'est tout !

## ▼Oui ! Accentuez deux fois !

Par défaut, Lightroom accentue la netteté des images Raw. Devez-vous malgré tout accentuer une nouvelle fois quand vous exportez vos photos ? La réponse est : OUI !

## ▼Pour que vos fichiers s'affichent correctement sur un autre ordinateur

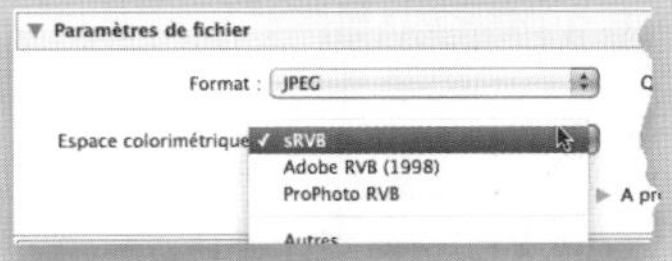


Les utilisateurs se plaignent souvent que les images JPEG affichées sur leur ordinateur n'aient pas le même aspect sur la machine de quelqu'un d'autre. C'est un problème d'espace de couleurs. Pour cette raison je conseille d'envoyer vos photos JPEG en leur assignant l'espace colorimétrique sRVB dans la section Paramètres de fichier de la boîte de dialogue Exporter.

## ▼Pas de XMP avec le DNG

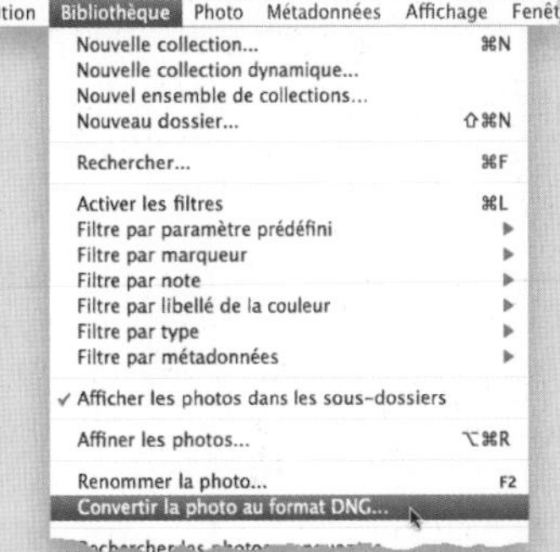


Si vous convertissez vos images Raw en DNG avant d'exporter vos originaux, toutes vos modifications sont stockées dans le fichier DNG lui-même. Vous n'avez donc pas à joindre le fichier annexe XMP. (D'ailleurs, vous ne le trouverez pas !)

## ▼Créer des albums Flickr

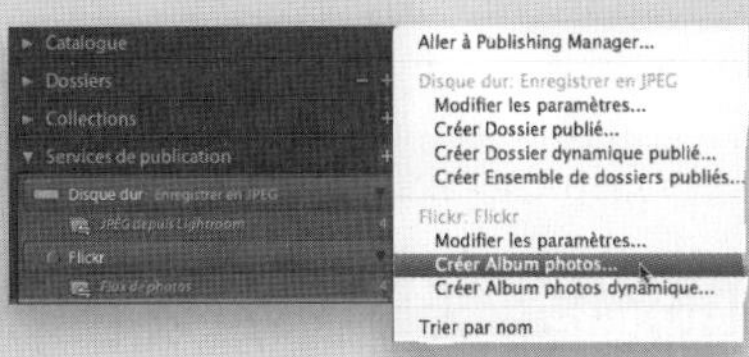


Vous pouvez publier des photos sous la forme d'un album Flickr. Pour cela, cliquez sur le signe + du panneau Services de publication. Dans le menu local, exécutez la commande Créer Album photos ou Créer Album photos dynamique de la section Flickr. Il suffit alors de glisser-déposer vos images sur cette collection pour les publier directement.

# Modifier dans Photoshop
## Quand et comment le faire ?

Nous voici de nouveau dans une introduction de chapitre. À cet instant de la rédaction de ce livre, je me pose une question existentielle de la plus haute importance : avez-vous déjà lu d'autres introductions de chapitre ?
Si ce n'est pas le cas, je vous conseille de revenir *illico presto* au Chapitre 1. Il est alors certain que la lecture de cette première introduction vous poussera à lire toutes les autres. C'est à ce moment précis que vous serez capable de dire si les introductions de mes chapitres sont suffisamment élaborées pour faire voyager votre esprit au-delà de l'informatique de création. Avec toutes ces considérations, vous pouvez légitimement vous demander quel est le sujet de ce nouveau chapitre. Je me dois de vous répondre.

Donc, vous allez découvrir comment utiliser Adobe Photoshop directement depuis Lightroom. Pourquoi faire ? Pour pallier certains de ses manques. Par exemple, Lightroom ne travaille pas avec des calques, des filtres ou encore des modes de fusion. Il ne dispose pas d'outil tel que la Sélection rapide, de fonctionnalités HDR ou encore des possibilités de retouche de portraits avancées. Il est incapable de créer des panoramas. Photoshop n'est pas indispensable à toutes les images.
Il se peut même que, pour beaucoup d'entre vous, Photoshop se révèle un investissement inutile. En fonction de vos besoins de photographe numérique, à vous d'évaluer la nécessité de casser votre tirelire pour vous offrir ce petit bijou de l'image.

# Définir l'édition de vos fichiers dans Photoshop

Lorsque vous ouvrez dans Photoshop une image sélectionnée dans Lightroom, elle est convertie au format TIFF avec le profil ProPhoto RVB incorporé, dans une profondeur de 16 bits, et avec une résolution de 240 ppp. Vous pouvez changer tout cela.

## Étape 1

Appuyez sur Cmd+, (virgule ; Ctrl+,) pour ouvrir les préférences de Lightroom. Cliquez sur l'onglet Édition externe. Si Photoshop est installé sur votre ordinateur, il apparaît comme éditeur externe par défaut. L'illustration ci-contre montre le format dans lequel je désire que mes photos s'ouvrent dans Photoshop : PSD, ProPhoto RVB, 16 bits. Je préfère le format PSD car il crée des fichiers moins volumineux que le TIFF. Adobe préfère l'espace colorimétrique ProPhoto. Enfin, utilisez le mode 16 bits pour un meilleur résultat. Enfin, j'opte pour une résolution de 240 ppp. Vous avez la possibilité de déclarer un second éditeur externe dans la section Éditeur externe supplémentaire.

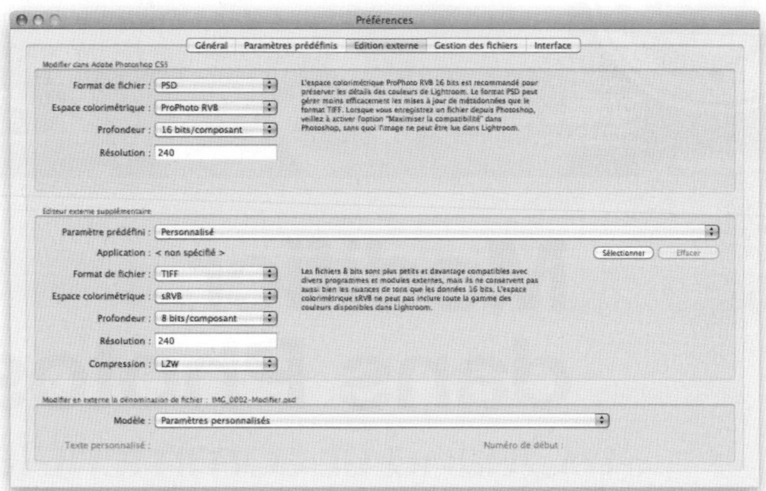


## Étape 2

Vous pouvez nommer vos photos envoyées dans Photoshop. Il suffit de choisir un modèle dans la section Modifier en externe la dénomination de fichier.

Malgré toutes les vertus de Lightroom, ce n'est pas Photoshop ! Lightroom est incapable d'appliquer des effets spéciaux ou de réaliser des retouches délicates. Il n'y a pas de calques, de filtres ni de ces milliers de choses qui font la réputation de Photoshop. À un moment ou à un autre vous aurez besoin d'envoyer vos images dans le logiciel de retouche le plus réputé au monde, puis de les récupérer dans Lightroom pour les imprimer ou les présenter. Ces deux applications ont été faites pour travailler ensemble.

# Comment passer de Lightroom à Photoshop et inversement

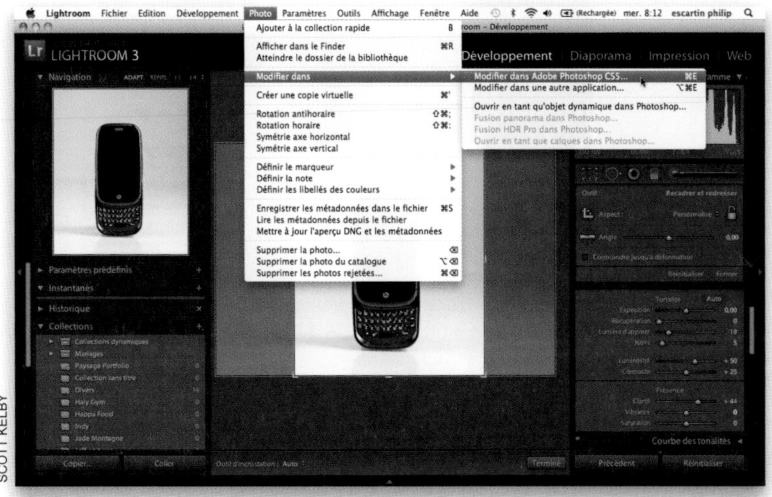




**Étape 1**

Si vous avez besoin d'effectuer une modification que Lightroom ne sait pas faire, passez à Photoshop. Par exemple, sur cette image j'ajoute une lumière d'appoint, et je fixe la Clarté à 44. Je la recadre pour obtenir une image plus haute que large. Comme je souhaite ajouter du texte et procéder à quelques ajustements, je dois intervenir dans Photoshop. Pour envoyer cette image dans Photoshop, cliquez sur Photo > Modifier dans > Modifier dans Adobe Photoshop CS5, ou en appuyant sur Cmd+E (Ctrl+E).

**Étape 2**

Si vous intervenez sur une image JPEG ou TIFF, une boîte de dialogue apparaît. Elle propose trois choix :

1. Créer une copie de l'original avec application de toutes les modifications avant son ouverture dans Photoshop.

2. Créer une copie non modifiée de l'image.

3. Modifier l'original sans appliquer les modifications réalisées dans Lightroom. Cette boîte de dialogue n'apparaît pas quand vous modifiez une photo Raw.

### Étape 3

Dans la boîte de dialogue, vous remarquez la présence de l'option Empiler avec l'original. Je conseille de la laisser cochée. En effet, elle permet de placer cette copie avec le fichier original. Il sera donc plus facile de le retrouver dans Lightroom lorsque vous aurez fini vos modifications dans Photoshop. Cliquez sur le bouton Modifier. Une copie de l'image s'ouvre dans Photoshop. Par défaut, Lightroom ajoute la mention « Modifier » à la fin du nom du fichier. Cette mention n'apparaît à la fin du nom des fichiers Raw que lorsque vous les avez enregistrés.

### Étape 4

Commençons par placer l'arrière-plan de la photo sur un calque indépendant. Activez l'outil Sélection rapide (W), et appliquez-le sur le téléphone. En quelques secondes le voici sélectionné. Si l'ombre du téléphone est également sélectionnée, maintenez la touche Option (Alt) enfoncée, et passez dessus avec l'outil pour la retirer de la sélection.

## Étape 5

Appuyez sur Cmd+Maj+J (Ctrl+Maj+J) pour couper le téléphone du calque d'origine et le faire apparaître sur un nouveau calque. Activez le calque Arrière-plan, et appuyez sur Cmd+A (Ctrl+A) pour en sélectionner le contenu. Appuyez sur Retour arrière. Ceci ouvre la boîte de dialogue Remplir. Dans le menu local Avec, choisissez Blanc, et cliquez sur OK. L'arrière-plan est désormais blanc. Appuyez sur Cmd+D (Ctrl+D) pour désélectionner l'arrière-plan. Dans la boîte à outils, cliquez sur l'indicateur de couleur de premier plan. Définissez une teinte gris clair. Appuyez sur Option+Retour arrière (Alt+Retour arrière) pour remplir l'arrière-plan avec cette couleur.

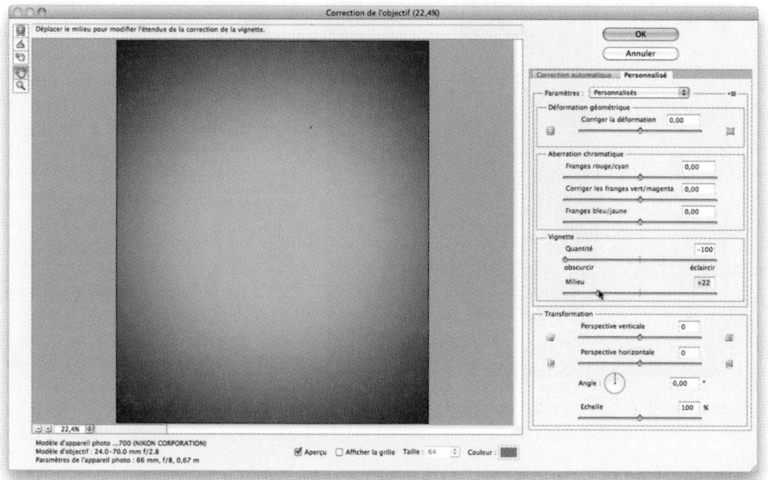


## Étape 6

Ouvrez le menu Filtre et choisissez Correction de l'objectif. Cliquez sur l'onglet Personnalisé. Dans la section Vignette, fixez la valeur du paramètre Quantité sur -100. Ceci assombrit les angles de l'image. Fixez le paramètre Milieu sur +22. Ceci étire le noir des angles vers le milieu de l'arrière-plan. Cliquez sur OK.

**Étape 7**

Le calque Arrière-plan devient un calque standard. Ceci va faciliter notre prochaine intervention. Dupliquez le Calque 0 en appuyant sur Cmd+J (Ctrl+J). Ensuite, appuyez sur Cmd+T (Ctrl+T) pour activer la Transformation manuelle. Cliquez sur la poignée située en haut et au centre du cadre de transformation. Glissez-la vers le bas pour que le contenu du calque ne couvre plus qu'un quart de l'image. Vous simulez ainsi un bord de table sur laquelle reposerait le téléphone. Appuyez sur Entrée pour valider la transformation.

**Étape 8**

Cliquez sur le Calque 0. Appuyez sur Cmd+T (Ctrl+T). Faites glisser vers le haut la poignée inférieure centrale du cadre de transformation, et alignez-le sur le bord supérieur du Calque 0 copie. Validez cette transformation en appuyant sur Entrée.

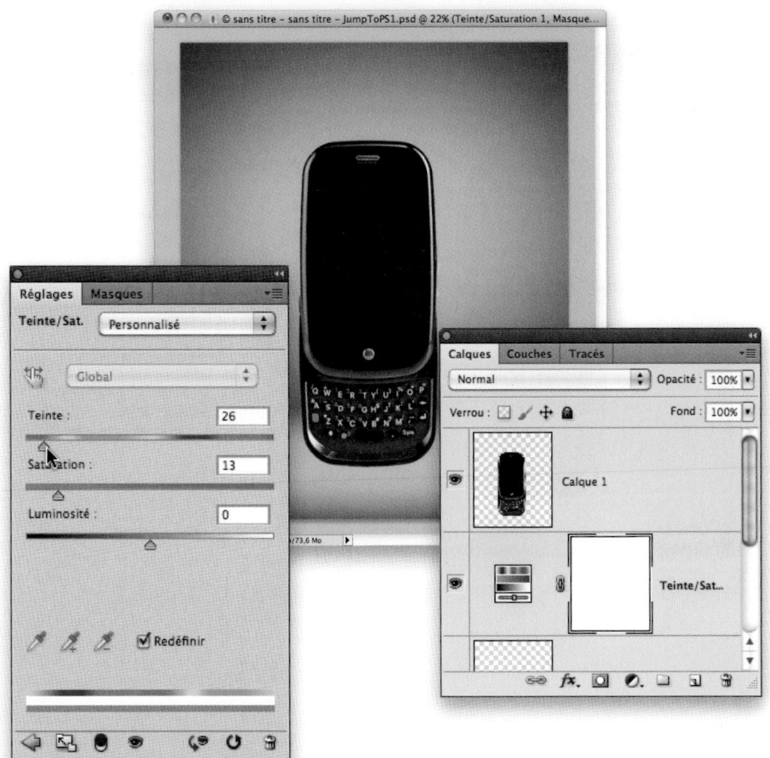


## Étape 9

Le fait d'avoir déterminé un fond gris va permettre d'en modifier la couleur avec le calque de réglage Teinte/Saturation. Cliquez sur le Calque 0 copie. Dans le panneau Réglages, activez le calque de réglage Teinte/Saturation. Un calque de réglage apparaît au-dessus du Calque 0 copie. Dans le panneau Réglages, cochez l'option Redéfinir. Fixez le paramètre Teinte sur 26 et réduisez la Saturation comme ci-contre.

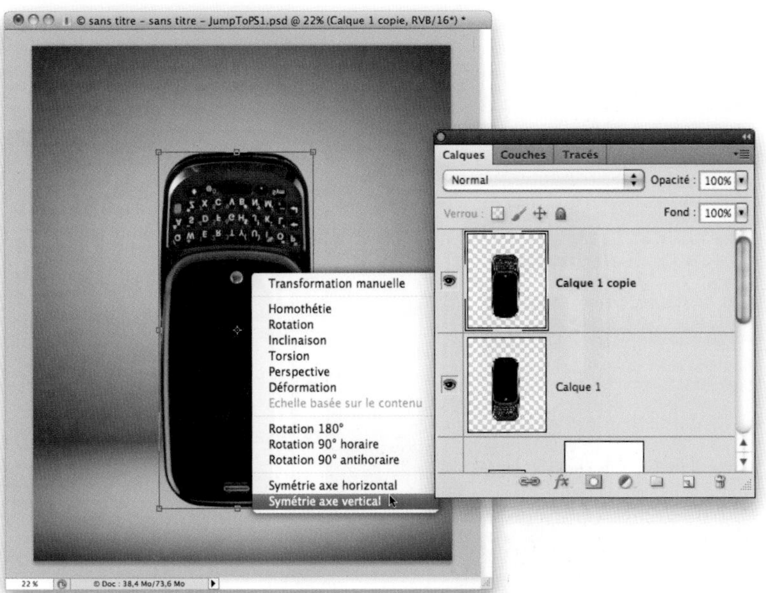


## Étape 10

Créons le reflet du téléphone. Cliquez sur le Calque 1. Appuyez sur Cmd+J (Ctrl+J) pour le dupliquer. Appuyez sur Cmd+T (Ctrl+T) pour activer la Transformation manuelle. Faites un clic-droit sur le téléphone. Dans le menu contextuel, choisissez Symétrie axe vertical. La copie du téléphone se retrouve retournée.

### Étape 11

Faites glisser ce calque vers le bas. Maintenez la touche Maj enfoncée pour que la copie du téléphone reste alignée sur l'originale. Faites en sorte que les deux bases de l'appareil se touchent. Appuyez sur Entrée. Pour simuler le reflet, réduisez l'Opacité du calque à 25 %.

### Étape 12

Ouvrez maintenant la capture d'écran à insérer dans le téléphone. Activez l'outil Déplacement (V). Cliquez sur cette capture et glissez-déposez-la sur l'image du téléphone. Si vous regardez attentivement le téléphone, vous constatez que les bords du mobile ne sont pas tout à fait noirs. Pour corriger ce problème, créez un calque en cliquant sur l'icône éponyme du panneau Calques. Placez ce calque sous celui de la capture d'écran. Activez l'outil Pinceau (B). Définissez une petite forme aux bords durs. Peignez sur les zones plus claires de l'appareil jusqu'à ce qu'elles soient noires.

**Étape 13**

Maintenant que la capture d'écran est en place, vous constatez que la couleur de l'arrière-plan ne convient pas. Pour la modifier, activez le calque de réglage Teinte/Saturation. Fixez la valeur Teinte à 107. L'arrière-plan devient vert. Réduisez la Saturation jusqu'à 9.

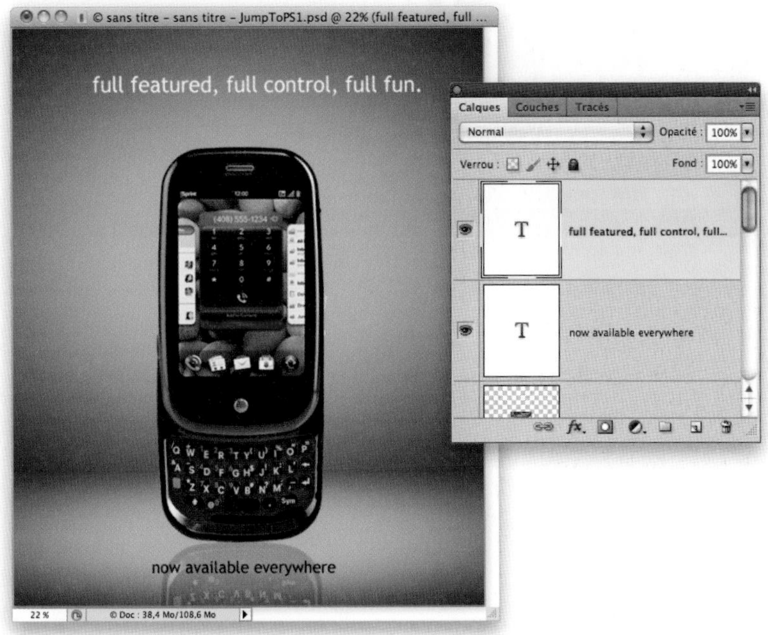


**Étape 14**

Ajoutons le texte. Cliquez sur le Calque 2 pour placer le texte en haut de la pile des calques. Ensuite, appuyez sur T pour activer l'outil Texte horizontal. J'utilise ici la police Trebuchet, mais vous pouvez parfaitement y substituer une autre police sans-sérif. Définissez la taille du texte et sa couleur dans la barre d'options de cet outil.

**Étape 15**

Maintenant que l'édition dans Photoshop est terminée, envoyez cette photo dans Lightroom. Appuyez sur Cmd+S (Ctrl+S) pour enregistrer l'image. Ensuite, fermez-la ! Il n'y a rien d'autre à faire. Maintenant, ouvrez la Bibliothèque de Lightroom. Affichez la Grille. Vous découvrez votre image à côté des autres.

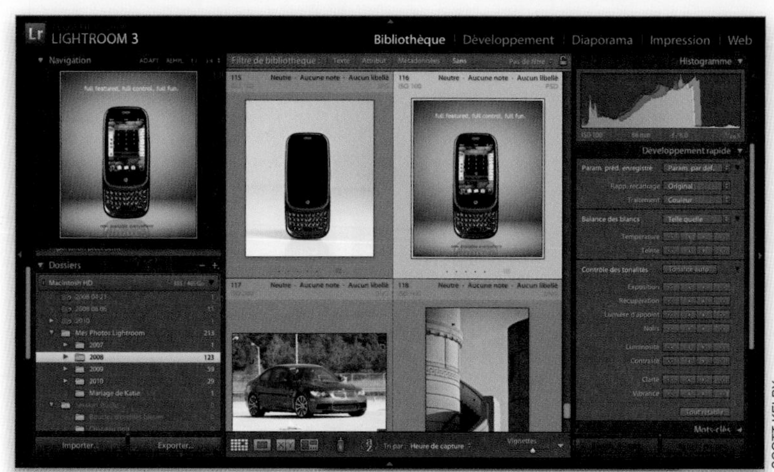


SCOTT KELBY

**Étape 16**

Maintenant que votre photo est dans Lightroom, vous pouvez la traiter comme n'importe quelle autre image. Ici, je souhaite assombrir les touches. Je passe au module Développement. J'active le Pinceau Réglage. Je fixe la valeur du paramètre Exposition sur -0,99. Ensuite, je passe cet outil sur la zone contenant les touches. Elle seule se retrouve assombrie par ce nouveau réglage.

**Astuce : Sauvegarder vos calques**

Lorsque vous travaillez sur une image multicalque que vous n'aplatissez pas avant de l'enregistrer, sachez que Lightroom conserve tous les calques intacts. Si vous la rouvrez dans Photoshop, vous retrouvez l'intégralité de vos calques. Si vous l'ouvrez depuis Lightroom *via* Cmd+E (Ctrl+E), choisissez Modifier l'original dans la boîte de dialogue Retoucher la photo avec Adobe Photoshop CS5. C'est la seule hypothèse où j'ouvre l'original dans Photoshop.

# Ajouter des scripts Photoshop à votre flux de production Lightroom

Vous pouvez automatiser toute la procédure de traitement de vos images. Ainsi, dès que vos photos seront exportées, Photoshop s'exécutera, appliquera vos modifications et enregistrera les fichiers. Bien évidemment, cela n'est possible que si vous enregistrez un script Photoshop. Dès lors, Photoshop peut répéter cette procédure autant de fois que vous le désirez. Votre flux de production s'en trouve grandement accéléré. Voici comment créer un script, et comment le lier à Lightroom.

### Étape 1

Depuis Lightroom, ouvrez un paysage pour le modifier directement dans Photoshop. Pour cela, sélectionnez l'image, et appuyez sur Cmd+E (Ctrl+E). (Si besoin, téléchargez ci-contre l'image sur le site d'accompagnement de cet ouvrage.) Nous allons créer un script qui applique un superbe effet diffus à l'image. Comme vous risquez d'appliquer cet effet sur la majorité de vos paysages et de vos portraits, vous gagnerez du temps en enregistrant la procédure sous la forme d'un script Photoshop.

### Étape 2

Pour créer un script, ouvrez le menu Fenêtre, et choisissez Scripts. La palette éponyme apparaît groupée avec la palette Historique. Cliquez sur le bouton Créer un script, situé en bas de la palette. Ceci ouvre la boîte de dialogue Nouveau script. Nommez ce script. Ici, je lui donne le nom de « Effet Diffus ». Cliquez sur le bouton Enregistrement. Il se nomme ainsi car l'enregistrement de toutes vos actions va commencer.

**Étape 3**

Vous allez dupliquer deux fois le calque Arrière-plan. Pour cela, appuyez deux fois sur Cmd+J (Ctrl+J). Ensuite, dans la palette Calques, cliquez sur le calque du centre ; il est activé. Ouvrez le menu Filtre. Sous Renforcement, choisissez Accentuation. Fixez Gain sur 85 %, Rayon sur 1 et Seuil sur 4. Cliquez sur OK.

**Étape 4**

Appliquez maintenant un flou à cette image. Activez le Calque 1 copie. Ouvrez le menu Filtre. Cliquez sur Atténuation puis Flou Gaussien. Fixez le Rayon sur 25,0. L'image est très floue. Cliquez sur OK.

## Étape 5

Dans le panneau Calques, fixez l'Opacité du calque flou à 20 %. Ouvrez le menu local du panneau Calques et cliquez sur Aplatir l'image. L'image ne se compose plus que du calque d'arrière-plan. Enregistrez l'image en appuyant sur Cmd+S (Ctrl+S). Fermez-la *via* Cmd+W (Ctrl+W).

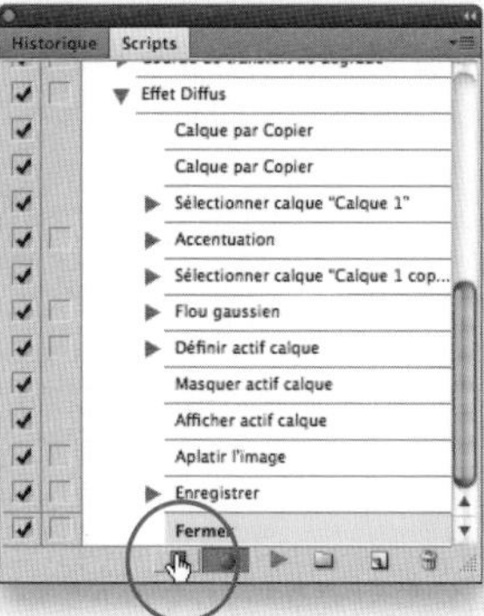


## Étape 6

N'oubliez pas que nous enregistrons un script ! Donc, dans la palette Scripts, cliquez sur le bouton Arrêter. Vous venez d'enregistrer un script qui applique l'effet, fusionne les calques, sauvegarde et ferme le fichier. Après la création d'un script, je le teste systématiquement pour être certain qu'il fonctionne correctement. Ouvrez une autre image. Dans la palette Scripts, cliquez sur Effet Diffus, puis sur le bouton Exécuter la sélection. Le script devrait s'appliquer correctement à cette photo, puis la fermer.

**Étape 7**

Nous devons convertir cette action en droplet. Voici comment fonctionne un droplet : si vous souhaitez traiter une de vos photos avec le script Photoshop que nous venons de créer, inutile d'ouvrir cette application. Glissez-déposez l'image sur le droplet. Il se charge de tout : ouverture de Photoshop, ouverture de la photo, application du script, enregistrement et fermeture de l'image. Pour créer un droplet, ouvrez le menu Fichier. Cliquez sur Automatisation > Créer un droplet.

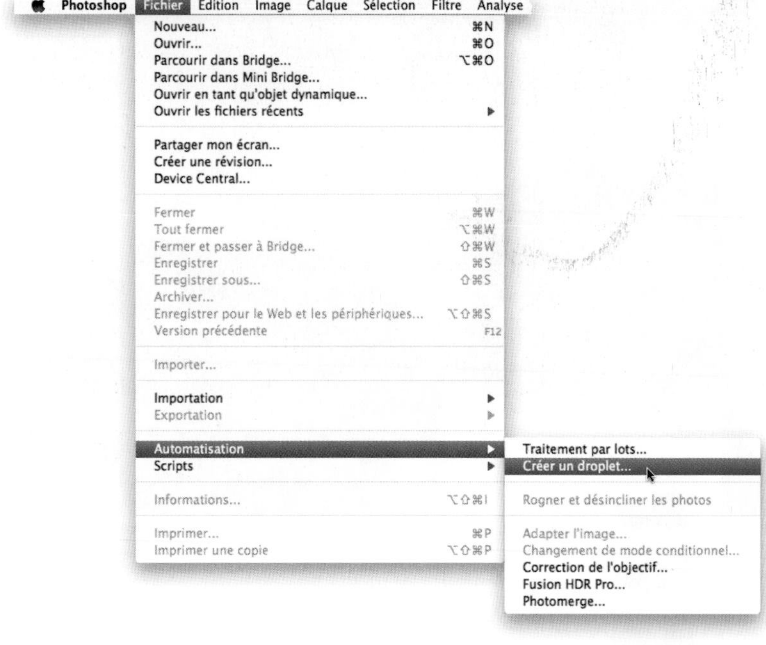


**Étape 8**

Dans la boîte de dialogue Créer un droplet, cliquez sur le bouton Sélectionner. Choisissez le bureau comme emplacement de stockage de cet élément. Donnez au droplet le nom Effet Diffus. Cliquez sur Enregistrer. Dans le menu local Script, sélectionnez votre script, en l'occurrence Effets Diffus. Dans le menu local Destination, choisissez Dossier. Cliquez sur Sélectionner et choisissez Bureau. Créez éventuellement un nouveau dossier, et cliquez sur Sélectionner. Enfin, cliquez sur OK.

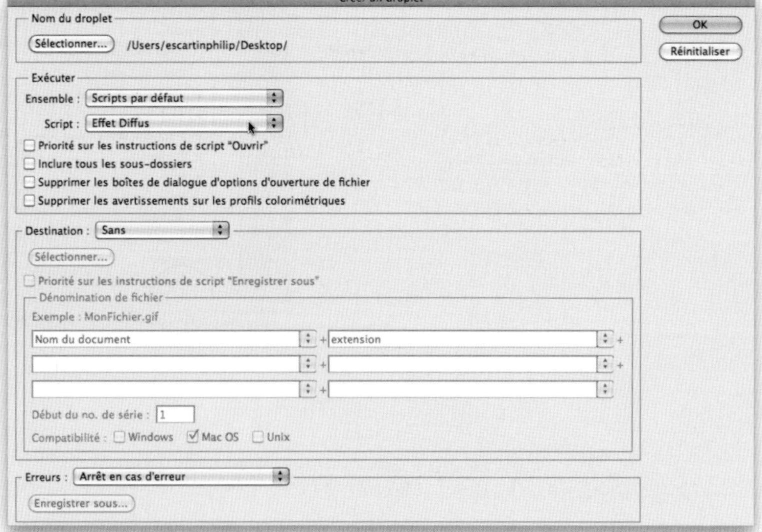

### Étape 9

Sur votre bureau se trouve l'icône du droplet représentée ci-contre.

### Étape 10

Il faut maintenant intégrer ce droplet à Lightroom. Basculez vers ce programme. Ouvrez le menu Fichier, et choisissez Exporter. Dans la section Posttraitement, ouvrez le menu local Après l'exportation, et choisissez Atteindre maintenant le dossier Export Actions.

### Étape 11

Ceci affiche dans le Finder ou l'Explorateur Windows le dossier contenant le dossier Export Actions. Glissez-déposez le droplet dans ce dossier. Fermez ce dossier. Ensuite, revenez dans Lightroom. Cliquez sur le bouton Annuler de la boîte de dialogue Exporter.

### Étape 12

Affichez vos photos en mode Grille dans le module Bibliothèque. Sélectionnez-y la ou les photos auxquelles vous désirez appliquer l'effet de haut contraste. Appuyez sur Cmd+Maj+E (Ctrl+Maj+E) pour ouvrir la boîte de dialogue Exporter. Choisissez le paramètre prédéfini de l'utilisateur Export JPEG pour le Web créé au Chapitre 7. Dans la section Emplacement d'exportation, cliquez sur le bouton Sélectionner, et choisissez le dossier dans lequel vous sauvegardez habituellement vos fichiers JPEG. Dans le champ Texte personnalisé de la section Dénomination de fichier, assignez le nom de votre choix. Affichez la section Posttraitement. Dans le menu local Après l'exportation, choisissez le droplet Effets Diffus. Dès que vous cliquerez sur le bouton Exporter, vos photos seront enregistrées au format JPEG. Ensuite, Photoshop s'ouvrira automatiquement, chargera les photos, leur appliquera le script Effets Diffus, les enregistrera et les fermera. Pas mal, hein !

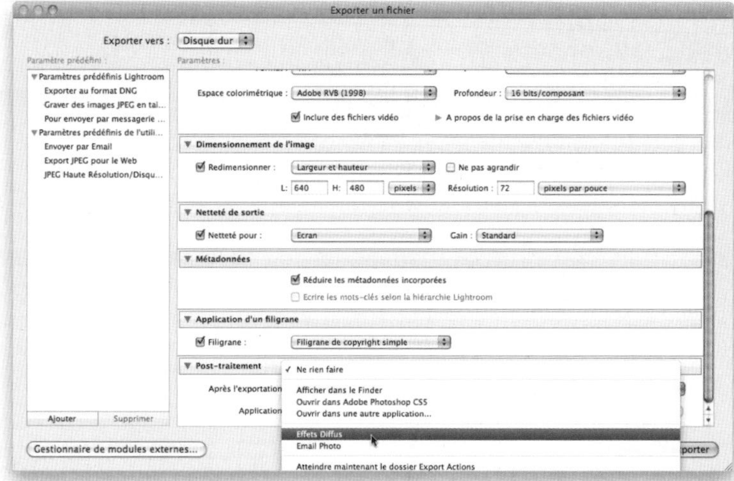


**INFO** Les droplets ne fonctionneront pas avec Mac OSX Leopard 64 bits. Vous devez donc basculer en 32 bits. Si vous possédez Snow Leopard, vous devez installer Rosetta d'Apple.

# Double traitement en ouvrant les photos en tant qu'objets dynamiques

Avec Lightroom 3, il est possible d'ouvrir dans Photoshop une image Raw, JPEG ou TIFF en tant qu'objet dynamique. Nous pouvons alors profiter de la fonction de « double traitement » des objets dynamiques, qui permet la création de deux versions d'une photo. L'une sera exposée pour les tons clairs et l'autre, pour les tons foncés. Nous combinerons ces deux versions pour obtenir le cliché idéal. Cette image disposera d'une plage tonale dont l'étendue dépassera celle des meilleurs appareils photo numériques actuels.

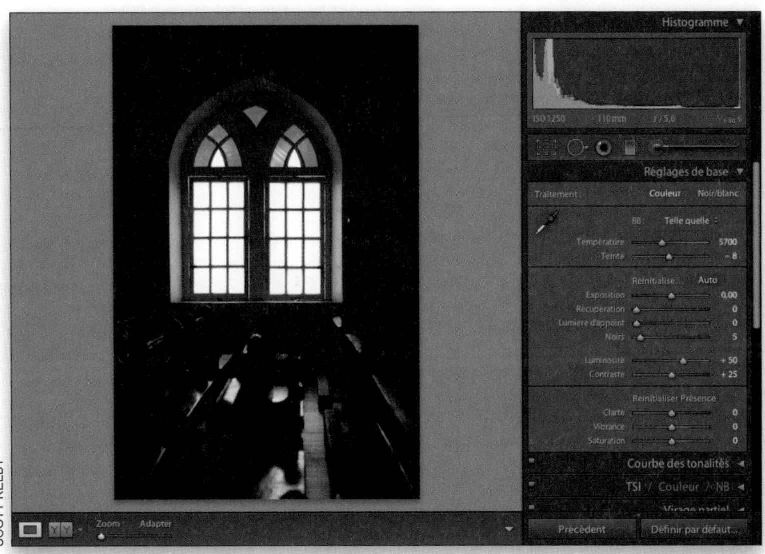


SCOTT KELBY

## Étape 1

Ci-contre, la photo d'origine affichée dans Lightroom manque considérablement de personnalité du fait d'une mauvaise exposition. Cette photo présente deux problèmes : (1) l'intérieur est trop sombre, et (2) la fenêtre est totalement surexposée. Pour corriger ce problème, procédez à un double traitement. Une première version de l'image exposera correctement l'intérieur, et une seconde exposera correctement l'extérieur. La combinaison des deux images produira une photo parfaitement bien exposée.

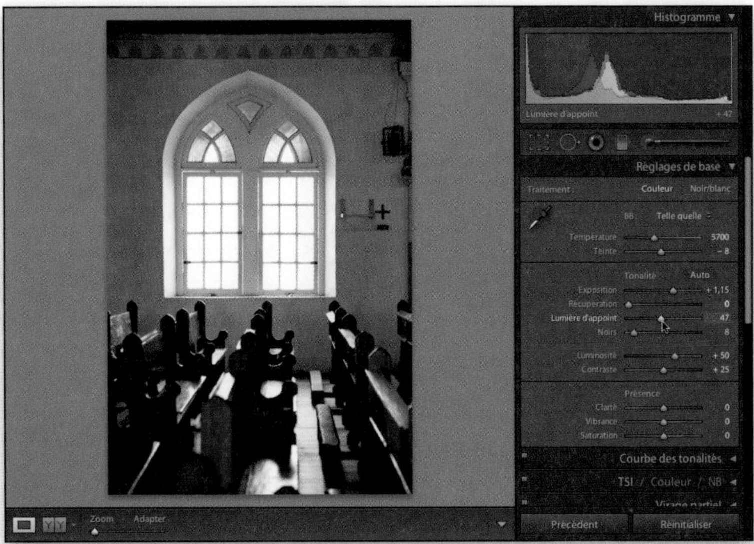


## Étape 2

Dans le module Développement, augmentez la valeur du paramètre Exposition jusqu'à ce que l'intérieur soit plus clair. Ici, je fixe cette valeur à 1,15. Ensuite, augmentez la Lumière d'appoint pour déboucher les ombres en portant sa valeur à 47. Jouez sur le curseur Noirs pour récupérer la saturation des couleurs dans les tons foncés. Fixez cette valeur à 8. À cet instant de la procédure, nous disposons d'une version de l'image exposée pour l'intérieur. Reste à régler le problème de l'extérieur, visible à travers la fenêtre.

### Étape 3

Pour ouvrir notre image dans Photoshop sous forme d'un objet dynamique, cliquez sur le menu Photo de Lightroom, puis sur Modifier dans > Ouvrir en tant qu'objet dynamique Photoshop. Comme cette image est au format Raw, elle s'ouvre en tant que telle dans Photoshop. Ne vous inquiétez pas, le fichier Raw d'origine est toujours présent dans Lightroom.

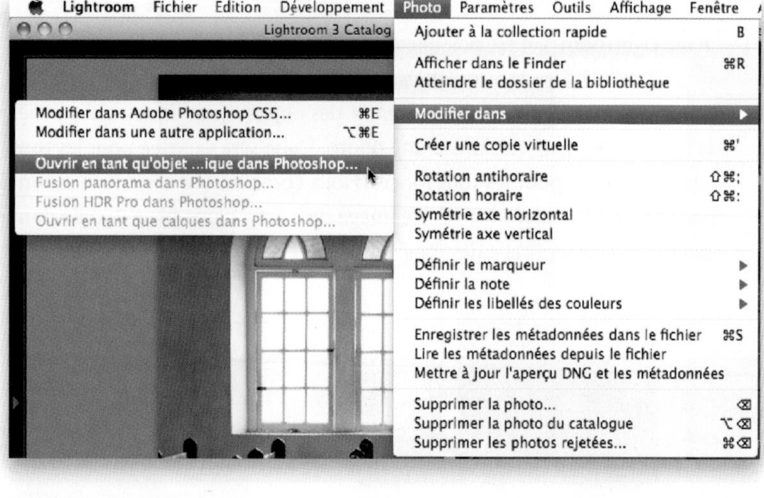


### Étape 4

Dans Photoshop, vous identifiez un objet dynamique dans la palette Calques. En effet, dans le coin inférieur droit de la vignette, vous voyez l'icône d'une page. C'est le signe distinctif des objets dynamiques. Voyons rapidement quels sont les avantages des objets dynamiques : ici, le principal atout est de pouvoir retraiter votre image à n'importe quel moment dans Adobe Photoshop Camera Raw. Cette application dispose des mêmes curseurs et boutons de contrôle que le module Développement de Lightroom. Vous pouvez donc y faire vos modifications, puis cliquer sur OK pour que vos nouveaux réglages soient appliqués à l'image. Vous comprendrez beaucoup mieux tout cela dans quelques minutes. Nous devons maintenant créer une seconde version de cette photographie. Cette version va exposer correctement le ciel. Pour cela, faites un clic-droit sur le calque. Dans le menu contextuel, choisissez Nouvel objet dynamique par Copier.

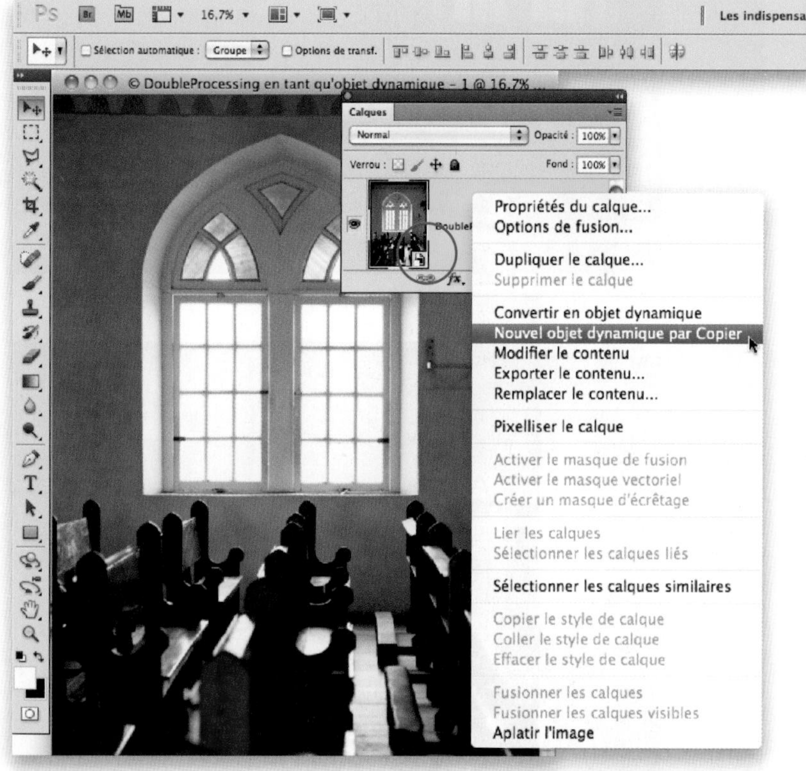

## Étape 5

La fonction Nouvel objet dynamique par Copier permet d'obtenir une nouvelle version de l'image qui ne sera pas liée à la précédente. Par conséquent, toutes les modifications que vous y appliquerez ne se répercuteront pas sur le premier objet dynamique. Dans la palette Calques de Photoshop, double-cliquez sur la vignette de la copie de votre objet dynamique. Cette action ouvre cet objet dynamique dans l'application Camera Raw. Vous constatez que ces curseurs sont identiques et placés dans le même ordre que ceux du panneau Réglages de base de Lightroom. Réduisez la valeur du paramètre Exposition jusqu'à ce que des détails soient visibles à travers la fenêtre. Réduisez la Luminosité jusqu'à ce que les détails soient faciles à identifier.

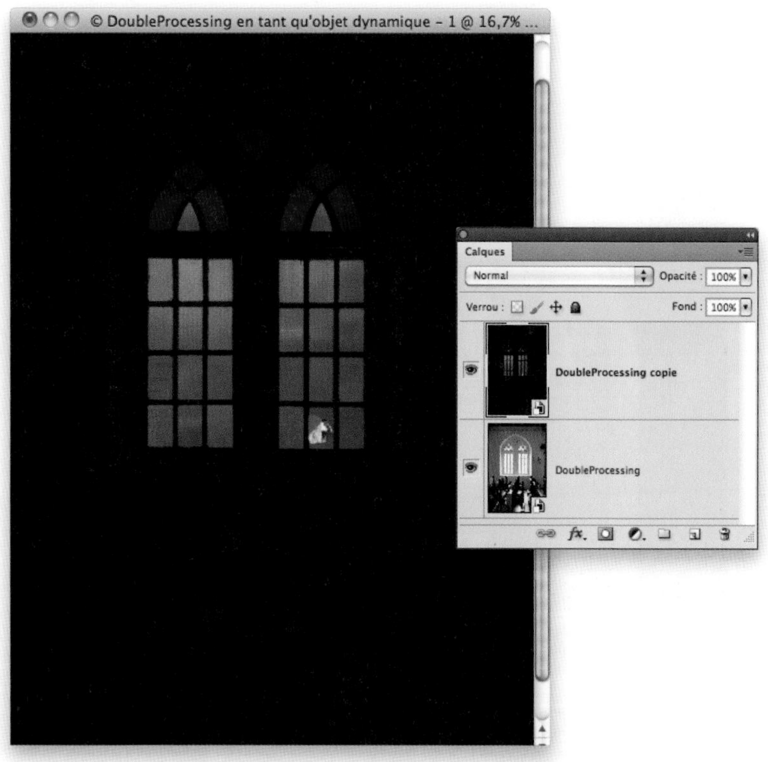


## Étape 6

Cliquez sur OK pour appliquer vos modifications. Comme vous agissez sur une copie de l'objet dynamique d'origine, les nouveaux réglages affectent uniquement la copie en question. L'objet dynamique d'origine conserve l'exposition du bateau et de l'eau telle que vous l'avez définie dans Lightroom. Ces deux versions de l'image sont alignées au pixel près. Il est donc très facile de les fusionner, comme expliqué à la prochaine étape.

## Étape 7

Appuyez sur la touche Option (Alt), et cliquez sur l'icône Ajouter un masque de fusion, située en bas de la palette Calques. Cette action ajoute un masque noir sur la version la plus sombre de votre image. De facto, cette version est dissimulée. Vous ne voyez plus que le contenu de l'objet dynamique d'origine (c'est-à-dire l'exposition la plus claire). Nous allons maintenant révéler les parties les plus sombres qui vous intéressent afin d'équilibrer correctement cette image. Pour cela, vous devez peindre en blanc sur le masque de fusion. Appuyez sur la touche D pour faire du blanc la couleur de premier plan. Ensuite, activez l'outil Pinceau en appuyant sur la touche B. Dans le sélecteur de formes prédéfinies de la barre d'options, choisissez une forme très large aux contours progressifs. Appliquez ce pinceau sur toutes les parties de la fenêtre où des détails de l'extérieur doivent être visibles. Peu importe que vous débordiez sur le pourtour de la fenêtre, car nous éliminerons ces imperfections à la prochaine étape.

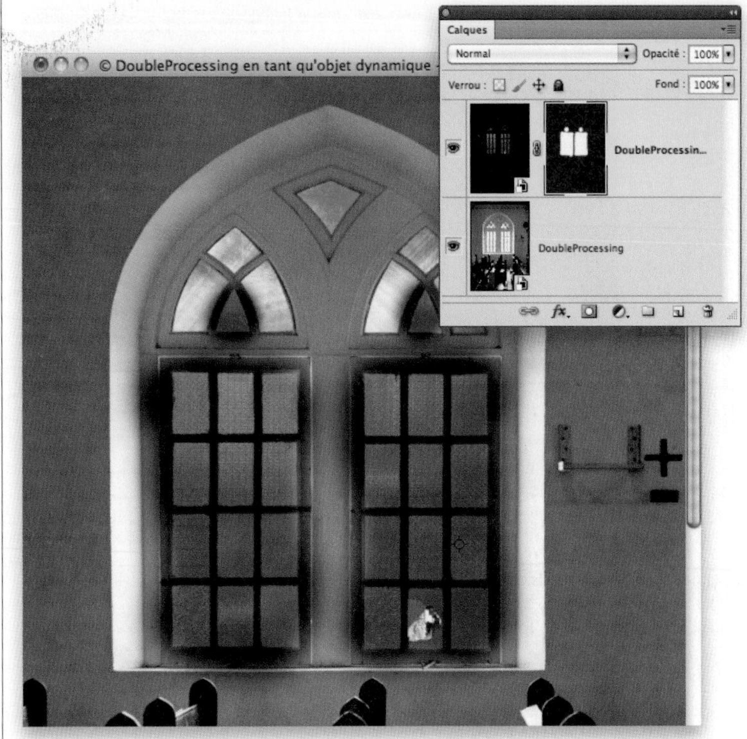


## Étape 8

Appuyez sur X pour faire du noir la couleur de premier plan. Réduisez la dimension de la forme. Placez le curseur en haut du cadre gauche de la fenêtre. Appuyez sur Maj et glissez verticalement l'outil. Vous éliminez le débordement. Faites de même sur tous les bords de cadre de la fenêtre où vous voyez des éléments plus sombres qui ne devraient pas y être. Passez du temps sur ce nettoyage pour que votre retouche gagne en réalisme. Si vous commettez une erreur, rectifiez-la en appuyant sur X afin de peindre de nouveau avec du blanc et ainsi récupérer des éléments que vous auriez accidentellement effacés.

### Étape 9

Après quelques interventions supplémentaires, vous aurez nettoyé correctement les fenêtres. Il suffit d'appliquer la technique ci-dessus sur chaque montant. Faites de même au niveau du vitrail. N'hésitez jamais à varier les dimensions de la forme pour que vos interventions soient très précises.

### Étape 10

Maintenant, vous pouvez enregistrer le fichier en conservant les calques intacts si vous pensez que vous interviendrez ultérieurement sur chacun de ces objets dynamiques. Si vous pensez en avoir terminé et que vous soyez prêt à imprimer ou à envoyer l'image par courrier électronique, ouvrez le menu local de la palette Calques, et exécutez la commande Aplatir l'image. Les objets dynamiques sont convertis en un seul calque : Arrière-plan.

**INFO** Lorsque vous utilisez la fonction Ouvrir en tant qu'objet dynamique de Photoshop, l'image concernée ne s'affiche pas dans Lightroom lorsque vous l'enregistrez et la fermez. Pour l'afficher dans Lightroom, vous devez la réimporter.

Maintenant, vous pouvez ajouter un vignettage de telle sorte que le centre soit bien lumineux. Ci-dessous, appréciez la comparaison avant et après le double traitement. Ce type d'exposition est impossible à réaliser avec des techniques classiques de prise de vue.

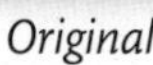

*Original*

*Double traitement*

## Créer des images panoramiques avec Photoshop

Une de mes fonctions préférées de Lightroom 3 est la possibilité d'utiliser une de mes fonctions préférées de Photoshop : Photomerge, qui permet de coller automatiquement, et sans aucun raccord visible, différentes images afin de former un panorama.

### Étape 1

Dans la Grille de Lightroom, sélectionnez les photos que vous souhaitez assembler sous la forme d'un panorama. Dans notre exemple, il s'agit de dix-neuf photographies dont chacune contient environ 20 % d'éléments contenus dans la précédente et dans la suivante. C'est à cette seule condition que vous pourrez réussir un panorama convenable. Une fois les photos sélectionnées dans Lightroom, ouvrez le menu Photo, puis cliquez sur Modifier dans > Fusion panorama dans Photoshop.

### Étape 2

Dans la boîte de dialogue Photomerge qui apparaît, vous remarquez que tous les fichiers utilisés pour le panorama sont répertoriés au centre de cette interface. Il s'agit bien des sept images sélectionnées dans Lightroom. Dans le volet Disposition situé à gauche, conservez l'option Auto par défaut. Ainsi, Photomerge tentera d'aligner automatiquement les images et de les fusionner le mieux possible. Alors, contentez-vous de cliquer sur le bouton OK.

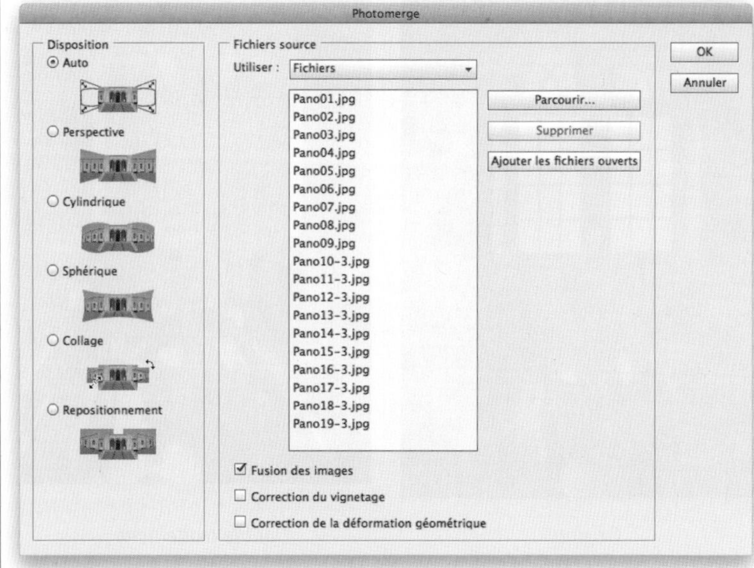

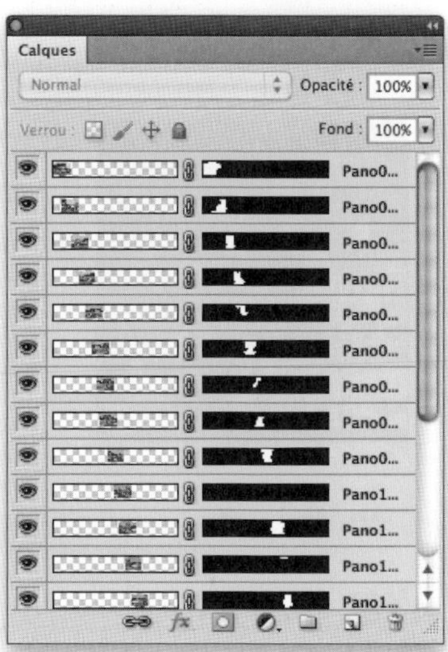


### Étape 3

Lorsque Photoshop a fini d'aligner et de fusionner vos photos, un nouveau document apparaît. Il s'agit d'un panorama composé des sept images sélectionnées dans Lightroom. Dans la palette Calques, vous notez que chaque image a été placée dans un calque indépendant des autres. Vous notez également que la fusion est obtenue grâce à des masques de fusion définis automatiquement par la fonction Photomerge. De ce fait, vous pouvez tout à fait intervenir sur les masques de fusion pour parfaire le panorama. Cependant, vous n'y procéderez pas ici. Contentez-vous de fusionner les calques en ouvrant le menu éponyme et en exécutant la commande Aplatir l'image.

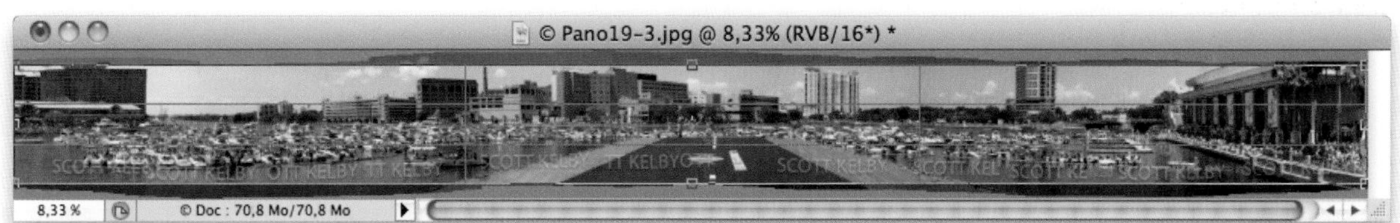


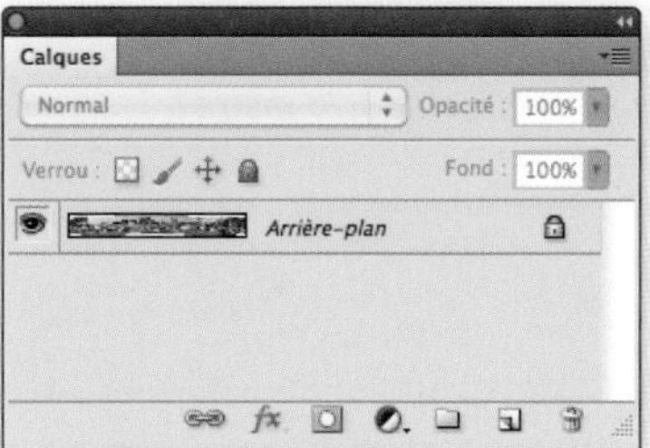


### Étape 4

Maintenant que l'image est aplatie, vous devez la recadrer pour éliminer les zones blanches. Activez l'outil Recadrage (C). Sur cette image, je trace un cadre qui élimine les portions blanches situées en haut et en bas de l'image. Une fois la zone de recadrage déterminée, appuyez sur Entrée pour l'appliquer.

### Étape 5

Pour finaliser l'image, ouvrez le menu Filtre. Cliquez sur Renforcement > Accentuation. Dans la boîte de dialogue qui apparaît, fixez les valeurs suivantes : Gain = 85, Rayon = 1,0, et Seuil = 4. Cliquez sur OK pour appliquer le renforcement de la netteté de l'image. Ensuite, cliquez sur Édition > Atténuer Accentuation. Dans le menu local Mode de la boîte de dialogue, choisissez Luminosité. Cliquez sur OK. Ainsi, vous renforcez uniquement les détails des zones de l'image sans incidence sur la couleur. Ci-dessous, admirez ce fantastique panorama !

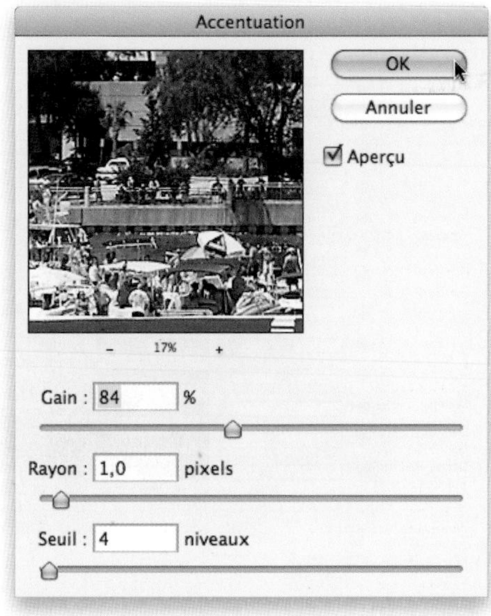

*Un panorama de 1,20 mètre !*

La fusion HDR (*High Dynamic Range*) est devenue très populaire. Elle permet de fusionner une série de photographies d'un même sujet pris avec différents niveaux d'exposition dans le but de capturer une plage tonale très importante. Avec Lightroom 3, vous pouvez tirer parti de ces images en effectuant une fusion HDR directement dans Photoshop *via* la fonction Fusion HDR Pro. Dans cet exemple, j'ai pris cinq photographies du même paysage en leur appliquant un Bracketing de 1 diaph entre chaque exposition. Ainsi, j'obtiens une exposition standard, une autre de 2 diaphs plus sombres, une de 1 diaph plus sombre, une de 1 diaph plus clair, et une de 2 diaphs plus clairs (pour un total de cinq prises de vue).

# Fusion HDR Pro dans Photoshop

## Étape 1

Dans Lightroom, sélectionnez toutes vos prises bracketées. Ici, j'ai sélectionné les cinq photos. Toutefois, vous pouvez parfaitement en utiliser trois. Personnellement, je limite la fusion HDR à trois ou cinq images. Certains photographes en utilisent neuf, mais je pense que cela est exagéré. Une fois que vous avez sélectionné vos images, ouvrez le menu Photo. Cliquez sur Modifier dans > Fusion HDR dans Photoshop.

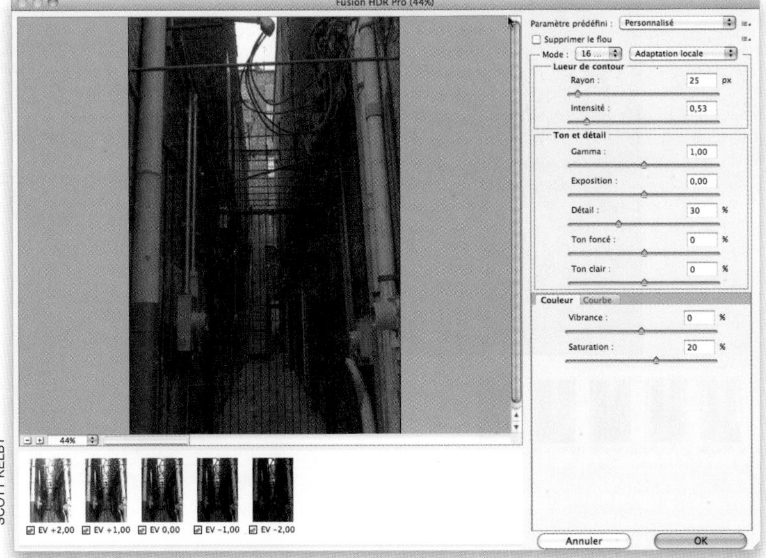


## Étape 2

Ce choix exécute Photoshop et ouvre la boîte de dialogue Fusion HDR. L'aperçu de la photographie est horrible. Toutefois, ne vous laissez pas envahir par cette déception. La photo va s'embellir au fur et à mesure de son traitement. Dans la partie inférieure de la boîte de dialogue, vous disposez des cinq photos utilisées pour obtenir celle de l'aperçu. La vignette centrale de cette section inférieure affiche l'exposition standard, c'est-à-dire celle qui a été prise sans correction de la valeur d'exposition (0,00). À gauche de cette vignette, vous avez les photographies qui ont été exposées respectivement de 1 et de 2 diaphs en plus. À sa droite, vous voyez les photographies exposées de 1 et de 2 diaphs en moins.

## Étape 3

Si vous débutez en création de photos HDR, je vous conseille de partir d'un paramètre prédéfini, puis d'ajuster les différents réglages. J'aime commencer ma fusion avec le paramètre Plus saturé.

**INFO** Dans la partie supérieure de la fenêtre Fusion HDR Pro, vous trouverez la grande nouveauté de Photoshop CS5 en matière d'image HDR, je veux parler du menu local affichant la méthode de fusion Adaptation locale. Si vous choisissez une autre technique que celle-ci, vous retrouverez tous les inconvénients de la fusion HDR réalisée avec Photoshop CS3 ou CS4. Donc, préférez toujours la méthode Adaptation locale.

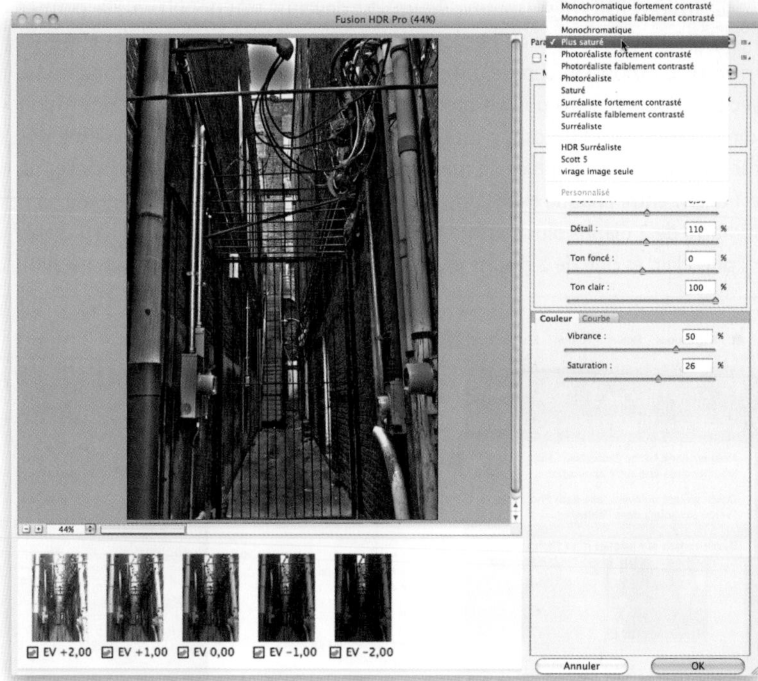


## Étape 4

Pour ajuster l'image, utilisez les différents curseurs de cette fenêtre. Commençons par la section Lueur de couleur. Fixez le paramètre Rayon à 176 et l'Intensité à 0,47. Dans la section Ton et détail, fixez Gamma sur 0,76. Ensuite, faites glisser le curseur Exposition vers la droite pour augmenter la luminosité globale de l'image. Plus vous assignerez une valeur élevée au paramètre Détail, et plus l'image sera renforcée. Jouez sur les curseurs des tons clairs et foncés pour récupérer ces tonalités dans votre image. Enfin, modifiez les valeurs de Vibrance et de Saturation.

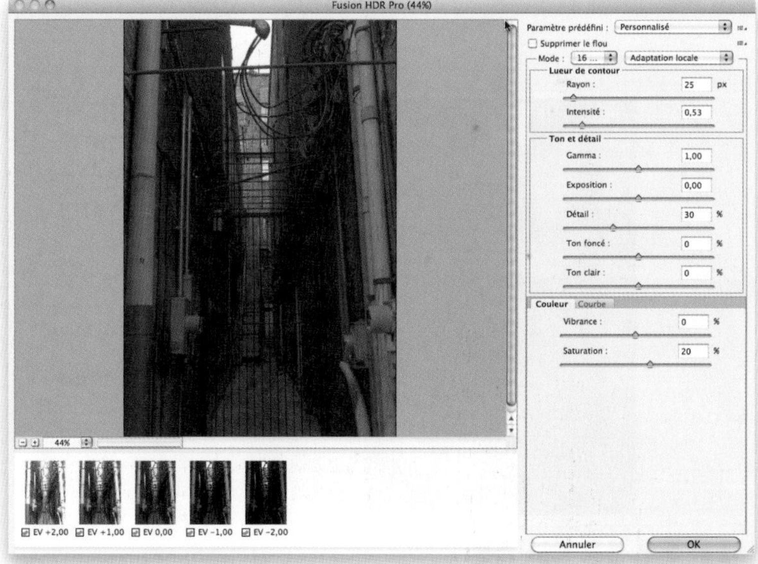

**Étape 5**

Une fois que l'image vous paraît convenable, cliquez sur OK. Photoshop lance la fusion HDR. Ensuite, enregistrez et fermez votre image. Ne la renommez pas et n'utilisez pas la commande Enregistrer sous. Appuyez sur Cmd+S (Ctrl+S) pour l'enregistrer, et sur Cmd+W (Ctrl+W) pour la fermer. L'image HDR est alors envoyée dans Lightroom.

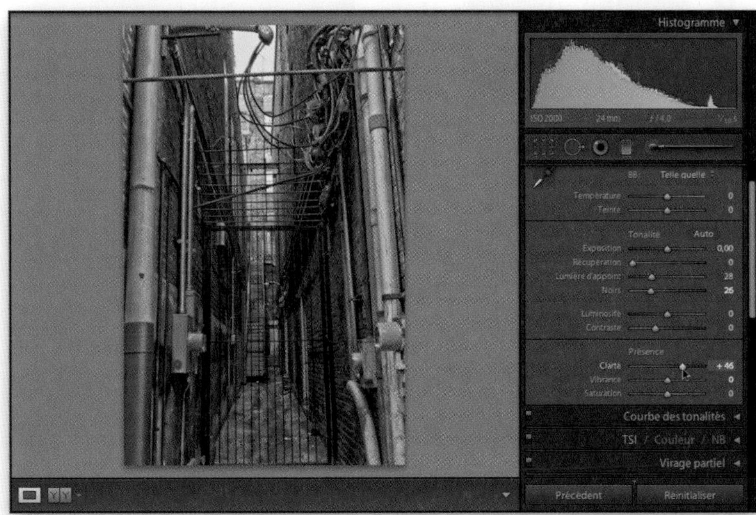


**Étape 6**

Dans le module Développement, augmentez la Lumière d'appoint. Fixez les Noirs à 25 pour équilibrer l'image. Agissez ensuite sur la Clarté (+46) pour faire ressortir les détails. Réduisez la Vibrance à votre convenance.

**Étape 7**

Une marque de fabrique de l'imagerie HDR est le vignettage. Ajoutez-en un *via* le panneau Correction de l'objectif. Fixez la quantité du vignettage à -93. Ceci permet d'obtenir une vignette très sombre. Ensuite, faites glisser le curseur Milieu vers la gauche afin de concentrer davantage la luminosité sur le centre de l'image.

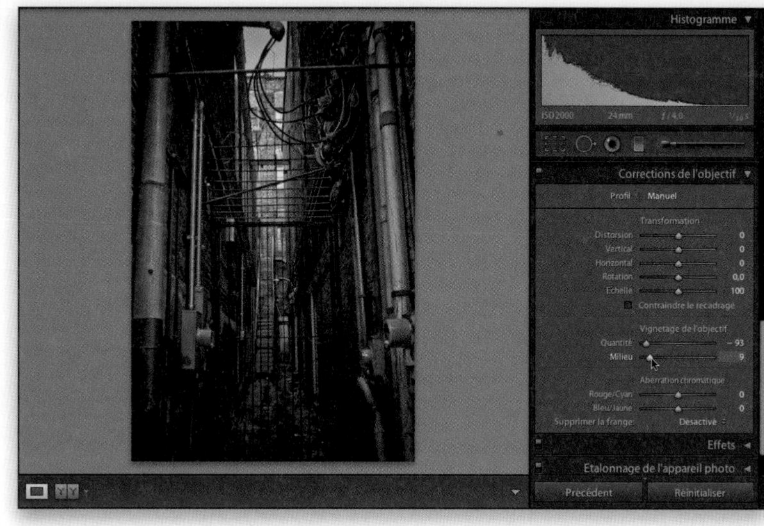


**Étape 8**

Ci-dessous, vous disposez d'une comparaison de l'image d'origine (à gauche) avec le tone mapping HDR (à droite). Si vous désirez créer une image au look HDR plus réaliste, sélectionnez les cinq images et ouvrez de nouveau le menu Photo. Là, cliquez sur Modifier dans, puis sur Fusion HDR Pro dans Photoshop. Dans le menu local Paramètre prédéfini, choisissez Photoréaliste. C'est un excellent point de départ qui améliore les détails et dynamise les couleurs. L'image ne sera pas radicalement différente de la réalité. C'est tout à fait normal. Elle se rapproche de ce que vos yeux voient d'une scène de ce genre.

# Les petits trucs de Lightroom > >

## ▼Définir le nom des fichiers édités dans Photoshop

Dans Lightroom 1, la mention « Modifié dans CS3 » était ajoutée à la fin du nom de toute photo éditée dans Photoshop. Désormais, vous pouvez déterminer ce nom. Appuyez sur Cmd+, (Ctrl+,). Dans l'onglet Édition externe de la boîte de dialogue Préférences, ouvrez le menu local Modèle, et choisissez un des modèles de dénomination que vous avez créés.

## ▼Rompre le lien avec Lightroom

Lorsque vous modifiez un fichier dans Photoshop puis que vous l'enregistrez, cette version modifiée est accessible dans Lightroom. Comment pouvez-vous briser ce lien ? Une fois vos modifications terminées dans Photoshop, ouvrez le menu Fichier, et exécutez la commande Enregistrer sous. Donnez à ce fichier un nouveau nom. Cela suffit à rompre le lien qui existe entre ce fichier modifié et l'application Lightroom.

## ▼Supprimer les anciens fichiers PSD

Lightroom 1 créait une copie de votre photo envoyée vers Photoshop. Une fois les modifications terminées, le fichier était enregistré au format PSD avec l'original. Cette copie était créée même si vous ne faisiez aucune modification dans Photoshop. Par conséquent, vous pouviez rapidement accumuler des dizaines, voire des centaines, de photos PSD ne comprenant aucune modification. Bien entendu, ces copies occupent encore aujourd'hui un espace disque important. Pour les supprimer, ouvrez le module Bibliothèque, et affichez le contenu du panneau Catalogue. Cliquez sur Toutes les photos. Ensuite, dans la section Filtre de bibliothèque, cliquez sur Métadonnées. Dans le menu local de la première colonne, choisissez Type de fichiers. Dans la liste des types de fichiers qui apparaît, cliquez sur Document Photoshop (PSD). Seuls les fichiers de ce type sont affichés dans la Bibliothèque. Vous pouvez alors identifier les fichiers que vous n'avez jamais utilisés, donc qui n'ont jamais été modifiés. Il suffit de les sélectionner puis de les supprimer pour libérer de l'espace disque.

## ▼Comment retrouver vos photos dans Lightroom après avoir exécuté un script d'exportation

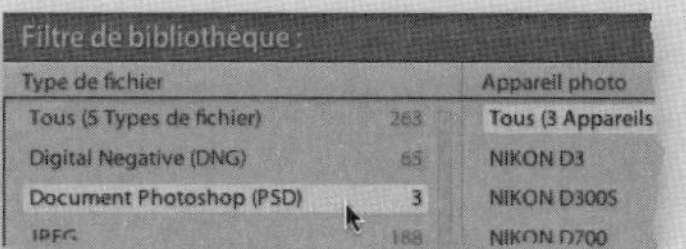


Si vous avez créé un script Photoshop et que vous l'ayez enregistré en tant qu'action d'exportation de Lightroom (voir page 259), l'exécution de ce script traite le fichier dans Photoshop mais ne l'importe pas de nouveau dans Lightroom. Pour que cette importation s'effectue automatiquement, voici ce que vous devez faire : utilisez la fonction d'importation automatique de Lightroom de manière à enregistrer vos images dans un dossier de contrôle (voir Chapitre 1). Ensuite, lorsque vous enregistrez votre script Photoshop, indiquez ce dossier de contrôle comme dossier d'enregistrement du fichier modifié. Alors, une fois le script exécuté, le fichier est enregistré par Photoshop puis automatiquement réimporté dans Lightroom.

## ▼Conserver une cohérence des couleurs entre Lightroom et Photoshop

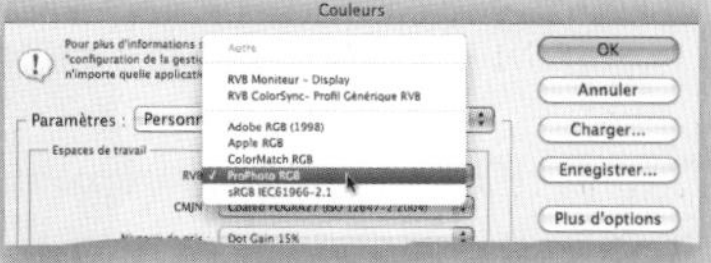


Quand vous passez de Lightroom à Photoshop, je suis certain que vous souhaitez préserver les couleurs entre ces deux programmes. Pour cette raison, vous serez peut-être obligé de modifier l'espace de couleurs dans Photoshop pour qu'il corresponde à l'espace colorimétrique par défaut ProPhoto RVB de Lightroom. Dans le menu Édition de Photoshop, choisissez Couleurs. Dans la section Espaces de travail, ouvrez le menu local RVB et choisissez ProPhoto RVB. En revanche, si vous préférez l'espace Adobe RVB utilisé par Photoshop, ouvrez la boîte de dialogue Préférences de Lightroom. Cliquez sur l'onglet Édition externe. Dans la section Modifier dans Adobe Photoshop CS5, ouvrez le menu local Espace colorimétrique, et choisissez Adobe RVB (1998).

## ▼Comment obtenir une meilleure fusion HDR

Dans ce chapitre, je vous ai montré comment passer de Lightroom à Photoshop pour créer une fusion HDR (High Dynamic Range). Malheureusement, cette fonction prédéfinie de Photoshop n'est pas la meilleure qui existe. Tous les photographes professionnels que je connais préfèrent utiliser un programme appelé Photomatix Pro. (Vous pouvez en télécharger une version d'évaluation sur le site web www.hdrsoft.com.) Après l'avoir testé, je doute que vous utilisiez encore la fonction de fusion HDR de Photoshop.

Photo Scott Kelby Exposition : 1/140 Focale : 112 mm Ouverture : $f$/4.8

# Splendide noir et blanc

## La conversion d'images couleurs en noir et blanc

J'ai un secret. Ce chapitre ne va pas vous dévoiler comment devenir un meilleur photographe, mais comment faire croire aux autres que vous êtes devenu un meilleur photographe. Tout le monde, je dis bien tout le monde, jusqu'à vos animaux de compagnie, se demandera comment vous faites pour obtenir cette lumière si particulière. Le secret, que vous ne transmettrez que sur votre lit de mort, consiste à savoir convertir vos images couleurs en images noir et blanc. Mais ce qui bluffera par-dessus tout votre entourage sera la qualité de vos impressions noir et blanc. Sachez que l'ensemble de ces procédures va se dérouler dans Lightroom. Depuis ce programme, vous lancerez vos impressions ou bien téléchargerez vos photographies sur un laboratoire de développement en ligne. En quelques poussées de curseur, vous passerez du statut du photographe amateur à celui des photographes flirtant avec les meilleurs professionnels. Oui ! Tout ceci n'est qu'un phénomène psychologique. Mais qu'est-ce que cela peut bien faire ? Une fois que vous aurez appris, dans ce chapitre, à convertir vos photos couleurs en photos noir et blanc, il ne vous restera plus qu'à passer directement au chapitre consacré à l'impression pour sortir vos images sur papier.

## Identifier les clichés qui feront de bonnes photos noir et blanc

J'adore les photos noir et blanc. Le problème est que toutes les photos en couleurs ne sont pas des candidates idéales à un passage en niveaux de gris. En réalité, un certain nombre de clichés tout à fait superbes en couleurs sont désastreux en noir et blanc. Mais l'inverse est également vrai. Des photos couleurs totalement dénuées d'intérêt deviennent de véritables chefs-d'œuvre une fois converties en niveaux de gris. Avant de procéder à une conversion en niveaux de gris dans le module Développement de Lightroom, j'utilise le module Bibliothèque pour identifier les photos couleurs qui feront de bons clichés noir et blanc.

### Étape 1

Dans le module Bibliothèque, affichez la collection de photos que vous désirez tester en noir et blanc. Appuyez sur Cmd+A (PC : Ctrl+A) pour sélectionner toutes les images de cette collection. Appuyez sur V pour convertir temporairement les images en noir et blanc. Ensuite, appuyez sur Cmd+D (Ctrl+D) pour tout désélectionner.

### Étape 2

Double-cliquez sur la première photo de la collection. Elle s'affiche en mode Zoom. Appuyez sur la flèche de droite de votre clavier pour passer d'une image à une autre. (Appuyez sur Maj+Tab pour masquer tous les panneaux.) Chaque fois que vous rencontrez une photo qui a une bonne qualité noir et blanc, appuyez sur P pour la marquer comme Retenue. Cette sélection est très rapide. Vous ne passez guère plus de 2 secondes sur chaque image. La sélection n'a pas besoin d'être parfaite. Il s'agit simplement de déterminer si, en noir et blanc, les photos valent ou non la peine de les traiter avec des techniques plus avancées.

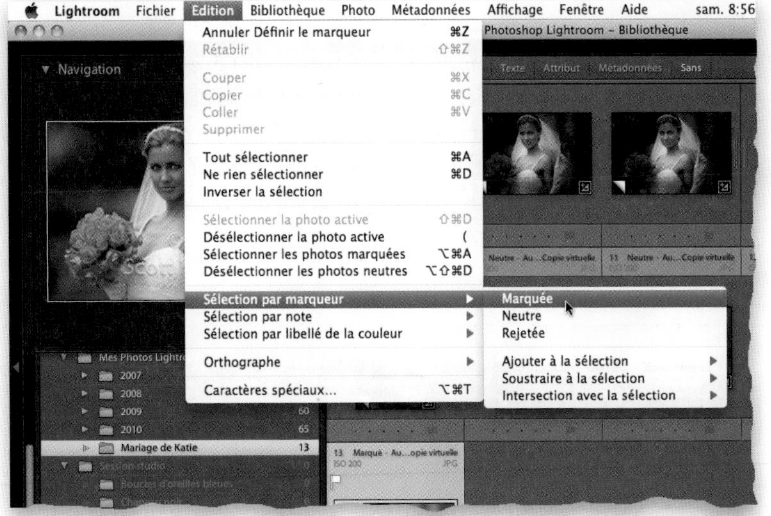


**Étape 3**

Appuyez sur G pour revenir en mode Grille. Ensuite, dans le menu Édition, cliquez sur Sélectionner par marqueur puis sur Marquée. Cela ne sélectionne que les images retenues à l'étape précédente. Maintenant que les images sont affichées, veillez à les sélectionner, et appuyez sur Cmd+' (Ctrl+') pour effectuer des copies virtuelles. Chaque copie est placée à côté de son originale.

**Étape 4**

Revenez dans le menu Édition. Cliquez sur Inverser la sélection. Ainsi, toutes les images sont sélectionnées sauf les copies virtuelles. Appuyez sur V. Les originaux sélectionnés reprennent leurs couleurs. Votre collection contient des originaux en couleurs et des copies virtuelles en noir et blanc. Cliquez sur une des copies, et basculez vers le module Développement. C'est dans ce module que le vrai travail de conversion noir et blanc va commencer.

**ASTUCE : APERÇU EN NIVEAUX DE GRIS DANS LE MODULE DÉVELOPPEMENT**

Il est facile de disposer d'un aperçu en noir et blanc directement dans le module Développement. Cliquez simplement sur NB dans le panneau TSL/Couleur/NB, ou bien appuyez sur V.

# Noir et blanc : on n'est jamais mieux servi que par soi-même

Il existe deux méthodes de conversion automatique des images couleurs en niveaux de gris. Une des méthodes s'exécute depuis le panneau Réglages de base et l'autre, dans le panneau TSL/Couleur/NB. Quelle que soit la méthode utilisée, le résultat est identique. Le noir et blanc obtenu n'a aucune profondeur. Pour cette raison, je procède à une conversion manuelle. Voyons de quoi il retourne.

### Étape 1

Dans le module Bibliothèque, localisez la photographie que vous souhaitez convertir en noir et blanc. Créez-en une copie virtuelle. Pour cela, ouvrez le menu Photo, et cliquez sur la commande Créer une copie virtuelle. Vous pourrez ainsi comparer l'image convertie automatiquement et manuellement en niveaux de gris. Je pense qu'après cette comparaison vous n'utiliserez plus jamais la méthode de conversion automatique. Appuyez sur Cmd+D (Ctrl+D) pour désélectionner la copie virtuelle. Dans le film fixe, cliquez sur la vignette de l'original.

SCOTT KELBY

### Étape 2

Appuyez sur la touche D pour afficher cette image dans le module Développement. Accédez au panneau TSL/Couleur/NB. Cliquez sur NB. C'est une méthode de conversion automatique des images en noir et blanc. Considérez cette photo comme étant la version « Avant » de votre comparaison. Si vous cliquez sur l'interrupteur d'activation et de désactivation de Mélange noir et blanc, vous voyez à quel point l'image noir et blanc aurait été de très mauvaise qualité si Lightroom n'avait pas procédé à une conversion automatique.

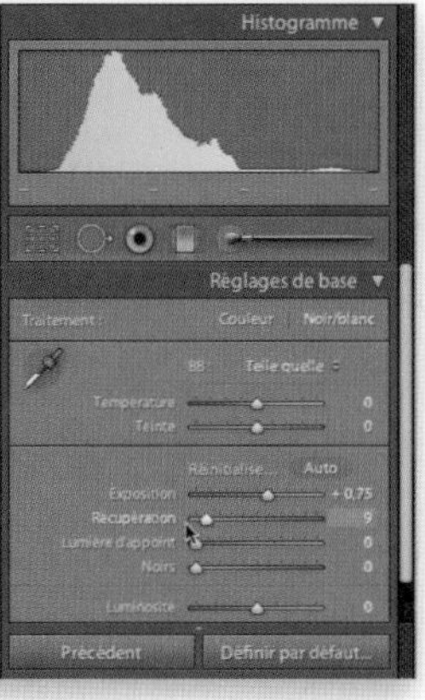


### Étape 3

Appuyez sur la flèche droite du pavé directionnel pour passer à la copie virtuelle. Dans le panneau Réglages de base, cliquez sur l'option Niveaux de gris de la section Traitement. (Vous venez d'exécuter l'autre méthode de conversion automatique.) Je souhaite créer une image noir et blanc beaucoup plus dense et présentant des contrastes élevés. Pour cela, je glisse le curseur Exposition vers la droite jusqu'à ce qu'apparaisse le « triangle blanc de la mort » dans le coin supérieur droit de l'Histogramme. Ensuite, glissez le curseur Récupération jusqu'à ce que ce triangle devienne gris foncé. Voilà ! Vous venez d'éviter l'écrêtage des tons clairs.

### Étape 4

Faites glisser le curseur Noirs vers la droite jusqu'à ce que la photo soit bien plus dense. Bien évidemment, lorsque vous assombrissez les tons foncés, toute l'image devient beaucoup plus sombre. Donc, vous pourriez augmenter la valeur du paramètre Luminosité pour déboucher les tons moyens. Mais, si vous regardez bien son action, vous constatez que, parallèlement aux tons moyens, les tons clairs se retrouvent écrêtés.

**Étape 5**

Nous souhaitons créer un noir et blanc fortement contrasté. Pour cela, je fixe le paramètre Clarté sur +75. Cette action donne aux tons moyens un contraste beaucoup plus important, ce qui intensifie la totalité de la photo.

**Étape 6**

Pour renforcer le contraste global de l'image, n'utilisez pas le curseur Contraste. À la place, affichez le panneau Courbe des tonalités. Dans le menu local Courbe à points, choisissez Contraste moyen. Ce paramètre rend les tons clairs encore plus clairs, et les tons foncés encore plus foncés. Je choisis l'option Contraste moyen car je traite une image JPEG qui provient d'une photo au format Raw. Si je travaillais directement sur l'image au format Raw, j'appliquerais le paramètre Contraste fort car la quantité par défaut du contraste des images Raw est moyenne.

**Étape 7**

La touche finale consiste en un renforcement de la netteté. Le plus simple est d'utiliser ici un paramètre prédéfini. Donc, dans le panneau Paramètres prédéfinis du module Développement, choisissez Netteté – Contours étroits (panoramique). Comparez, comme ci-dessous, votre photo avant et après conversion. Vos modifications ont affecté toute l'image. Comment faire si vous voulez éclaircir uniquement l'eau ? la réponse se trouve dans la prochaine section.

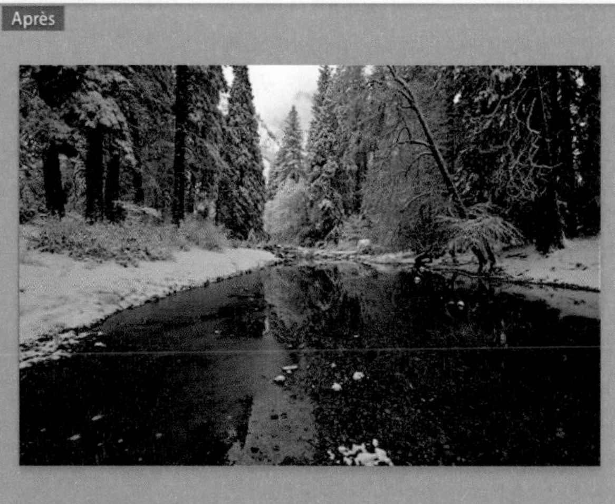

# Régler certaines zones lors d'une conversion en noir et blanc

J'utilise la méthode étudiée dans le précédent exercice pour convertir 95 % de mes photos couleurs en noir et blanc. Cependant, sur certaines photographies, je souhaite appliquer un réglage différent sur une zone particulière de l'image. Ce genre de traitement peut être réalisé dans le panneau TSL/Couleur/NB du module Développement.

### Étape 1

Dans le module Bibliothèque, sélectionnez l'image à convertir en niveaux de gris et créez-en une copie virtuelle. Vous pourrez ainsi comparer l'originale avec la copie virtuelle comme nous l'avons fait précédemment. Créez cette copie en appuyant sur Cmd+' (apostrophe ; Ctrl+'). Ensuite, sélectionnez l'original et appuyez sur la touche D. Ceci ouvre la photo dans le module Développement. Dans le panneau Réglages de base, cliquez sur le bouton Noir/blanc de la section Traitement. Ensuite, appuyez sur la flèche de droite du pavé directionnel pour accéder à la copie virtuelle. Cliquez de nouveau sur ce bouton Noir/blanc.

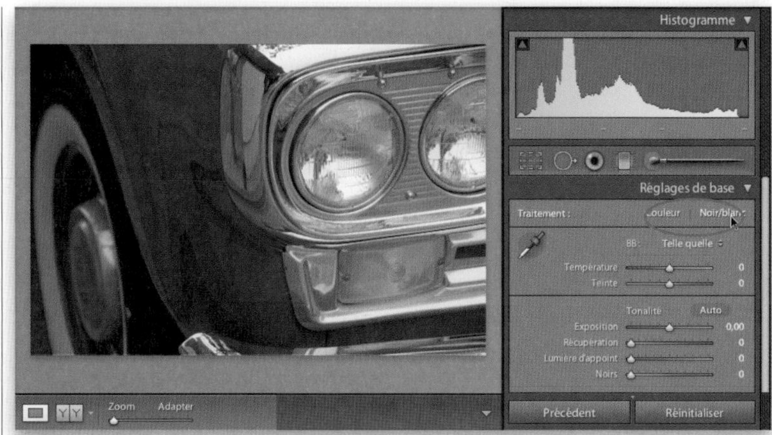


SCOTT KELBY

### Étape 2

La photo manque de densité, elle est donc sans profondeur ni intensité. Faites glisser le curseur Exposition vers la droite jusqu'à ce que les tons clairs commencent à être écrêtés. Je restaure quelques noirs avec le curseur Récupération. Ensuite, faites glisser le curseur Noirs vers la droite jusqu'à ce que les tons foncés soient beaucoup plus riches. Alors, augmentez la valeur du paramètre Clarté en la portant à +75.

### Étape 3

Pour augmenter le contraste global, affichez le panneau Courbe des tonalités. Dans le menu local Courbe à points, choisissez Contraste moyen. Ce choix est dicté par le fait que j'interviens ici sur une image JPEG qui profite déjà de la correction du contraste de la photo Raw originale. Si j'avais directement travaillé sur cet original, j'aurais choisi l'option Contraste fort. La photo est bien meilleure mais le côté de la voiture reste vraiment imparfait. Il nous faut alors ajuster la conversion noir et blanc des couleurs dans le panneau TSL/Couleur/NB.

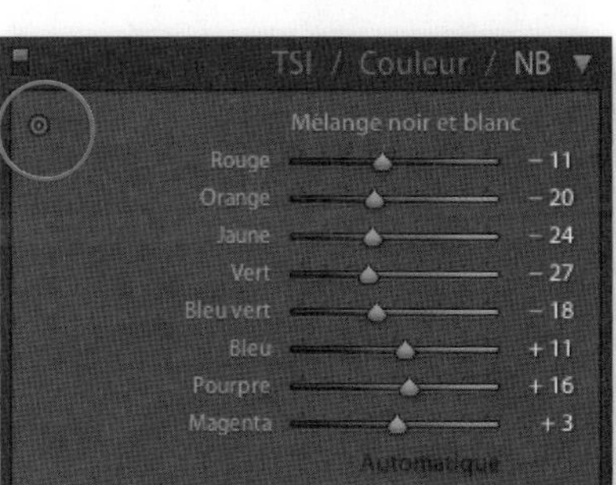


### Étape 4

Dans le panneau TSL/Couleur/NB, affichez la section Mélange noir et blanc. (Cette section devrait être visible par défaut. Si ce n'est pas le cas, cliquez sur la mention NB.) si vous connaissez précisément les curseurs à déplacer, foncez ! Toutefois, il est préférable d'utiliser l'outil Régler mélange noir et blanc par glissement sur la photo. Cliquez sur cet outil affiché dans le coin supérieur gauche du panneau.

### Étape 5

Placez l'outil sur l'image. Positionnez-le directement sur la zone que vous souhaitez modifier. Placez le curseur sur cette zone, donc sur la carrosserie. Vous remarquez que l'outil se compose d'un cercle orné de deux triangles, l'un dirigé vers le haut et l'autre, vers le bas. Ils signifient que, lorsque vous cliquerez sur le ciel, il faudra glisser l'outil vers le haut ou le bas pour modifier les valeurs tonales.

### Étape 6

Pour noter une plus grande différence, déplacez davantage l'outil. Si jamais le résultat ne vous convient pas, notamment si vous atteignez des lumières extrêmes, appuyez sur Cmd+Z (Ctrl+Z).

### Étape 7

Placez l'outil de réglage direct sur le phare. Faites-le glisser vers le bas pour assombrir sensiblement ses tons clairs. Une fois encore, les curseurs des couleurs correspondant à cette zone de l'image se déplacent de concert. L'outil déplace plusieurs curseurs simultanément. Donc, si les couleurs concernées sont présentes dans d'autres parties de l'image, elles seront aussi modifiées.

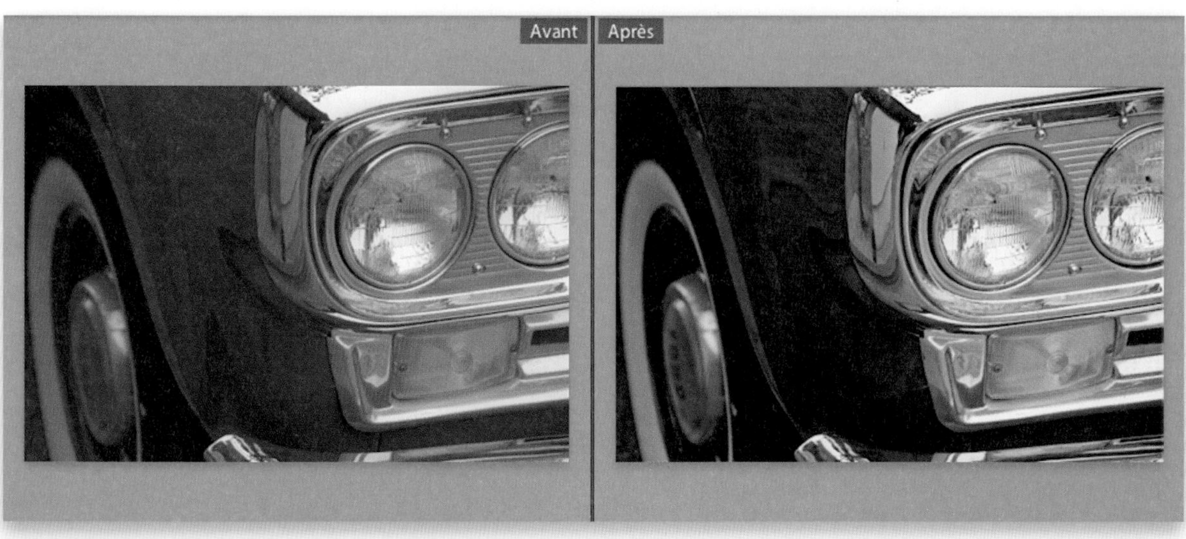

Il existe une technique de laboratoire appelée « virage partiel » qui permet d'appliquer une couleur particulière aux tons clairs et aux tons foncés d'une image. Bien que je ne sois pas un fanatique de cet effet, je me rends compte que depuis son introduction dans la première version de Lightroom il est devenu très populaire.

# Ajouter un effet de virage partiel à vos photos noir et blanc

SCOTT KELBY

**Étape 1**

Voici notre photo couleur d'origine. Elle est affichée dans le module Développement de Lightroom. Pour appliquer un virage partiel, vous devez préalablement convertir la photo en noir et blanc. (Toutefois, il est possible d'effectuer un virage partiel sur une photo en couleurs… Oui, enfin, je conçois que ce n'est plus tout à fait un virage partiel.) Dans le panneau Réglages de base, cliquez sur l'option Noir/blanc de la section Traitement. Votre image est convertie en noir et blanc.

**Étape 2**

Pour améliorer cette conversion, je fixe les Noirs à 6, et je définis la Clarté à +52. J'augmente sensiblement la Récupération pour réduire les halos visibles à travers les fenêtres. J'augmente aussi la Luminosité. Ici, inutile de jouer sur le curseur Contraste car l'image présente une belle densité. Une fois que la version noir et blanc de votre image vous convient, affichez le panneau Virage partiel.

**Étape 3**

Le virage partiel est facile à comprendre : il consiste à ajouter de la couleur dans les tons foncés sans affecter les tons clairs. Dans le panneau Virage partiel, vous trouvez les paramètres Teinte et Saturation pour les Tons clairs et les Tons foncés. Faites glisser le curseur Saturation des Tons foncés aux alentours de 25. Une teinte rougeâtre colorise ces tons foncés.

**Astuce : Réinitialiser vos réglages**

Si cette colorisation ne vous convient pas, appuyez sur la touche Option (Alt). Les mentions Tons clairs et Tons foncés se convertissent en Réinitialiser. Cliquez sur ce terme pour retrouver les réglages par défaut.

**Étape 4**

Maintenant, glissez le curseur Teinte des Tons foncés vers la droite pour lui assigner une valeur située entre 30 et 45. Au-delà de 45, la teinte tire sur le vert. En général, je recherche un aspect sépia, donc virant vers le marron. C'est ce que j'obtiens avec une valeur de 30 à 45. Ici, j'ai fixé Teinte sur 41 et Saturation sur 25.

**Astuce : Voir le niveau de saturation**

Si vous appuyez sur Option (Alt) et que vous cliquiez sur le curseur Teinte, vous apprécierez l'aspect qu'aurait votre photo si la Saturation était de 100 %. Cela permet de bien identifier la couleur que vous utilisez pour votre virage partiel.

Nouveau paramètre prédéfini de développement

Nom du paramètre prédéfini : Virage Partiel de Scott
Dossier : Paramètres prédéfinis de l'utilisateur

Paramètres automatiques
Tonalité automatique
Mélange noir et blanc automatique

Paramètres
Balance des blancs
Tonalité simple
Exposition
Récupération des tons clairs
Lumière d'appoint
Ecrêtage noir
Luminosité
Contraste
Courbe des tonalités
Clarté
Netteté
Traitement (Noir et blanc)
Mélange noir et blanc
Virage partiel
Filtres Gradué
Réduction du bruit
Luminance
Couleur
Corrections de l'objectif
Transformation
Corrections du profil de l'objectif
Aberration chromatique
Vignetage de l'objectif
Effets
Vignetage après recadrage
Grain
Version du processus
Etalonnage

Tout sélectionner
Ne rien sélectionner
Annuler
Créer

### Étape 5

Si le réglage vous convient, enregistrez-le en tant que paramètre prédéfini. Pour cela, cliquez sur le signe + du panneau Paramètres prédéfinis du module Développement. Dans la boîte de dialogue Nouveau paramètre prédéfini de développement, exécutez les deux opérations suivantes : (1) cliquez sur le bouton Ne rien sélectionner, puis (2) cochez les cases Traitement (Noir et blanc) et Virage partiel. Nommez le paramètre, et cliquez sur Créer.

### Étape 6

Pour créer un effet de virage partiel qui ne soit pas une simple bichromie, partez toujours d'une belle photo en noir et blanc. Assignez une teinte aussi bien aux tons foncés qu'aux tons clairs. Ici, je fixe la Teinte et la Saturation des tons clairs respectivement sur 18 et 27. Ensuite, je règle celles des tons foncés respectivement sur 214 et 27.

**Étape 7**

Vous pouvez modifier la couleur. Pour cela, cliquez sur l'indicateur situé à droite de la mention Tons clairs. Dans le sélecteur de couleurs qui apparaît, cliquez sur le petit rectangle jaune. Une dominante jaune s'affiche dans les tons clairs de l'image noir et blanc. Pour fermer le sélecteur, cliquez sur le X situé dans son coin supérieur gauche.

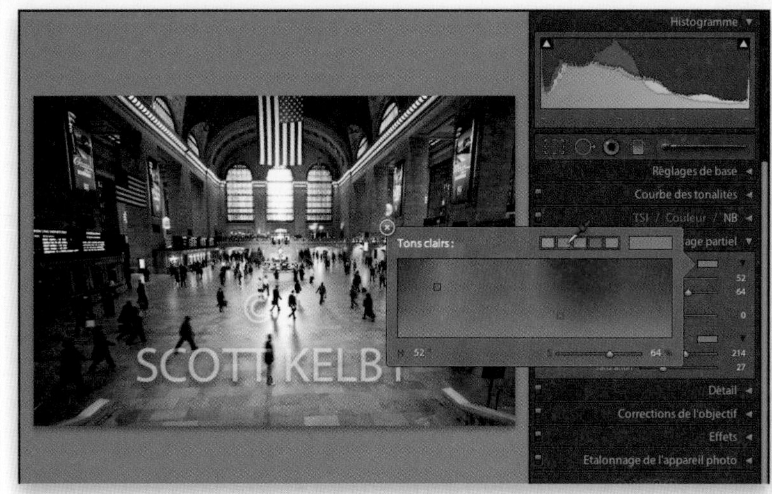


**Étape 8**

Cliquez sur l'indicateur des Tons foncés et procédez comme ci-dessus. Cette fois, cliquez sur le rectangle bleu. Le curseur Balance permet d'équilibrer le mélange des couleurs entre les tons clairs et les tons foncés. Ainsi, lorsque vous désirez que la couleur des tons foncés prédomine, glissez ce curseur vers la droite. Pour obtenir l'effet inverse, glissez-le vers la gauche. Si cette combinaison de virage partiel vous plaît, enregistrez-la en tant que paramètre prédéfini.

# Les petits trucs de Lightroom > >

## ▼Séparer les noir et blanc virtuels des noir et blanc réels

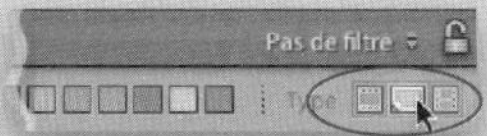


Dans ce chapitre, je vous ai expliqué comment créer une collection de copies virtuelles. Elle nous a permis d'identifier les candidats potentiels à une conversion en niveaux de gris. Toutefois, il est possible de convertir une seule photo en noir et blanc, puis de décider d'en faire une copie virtuelle. Ensuite, vous pourrez en créer une autre, puis encore une autre, et ainsi de suite, au point qu'il deviendra difficile de vous rappeler quelle est l'image originale. En effet, cette photo d'origine est regroupée avec les copies dans le film fixe. Pour afficher uniquement vos copies virtuelles, ouvrez le Filtre de bibliothèque (s'il n'est pas visible, appuyez sur la touche $), et cliquez sur Attribut. À l'extrême droite de la barre d'outils des attributs, cliquez sur l'icône Copies virtuelles (elle représente une page cornée). Pour voir l'image d'origine, cliquez sur l'icône Photo principale, située à gauche de l'icône Copies virtuelles. Pour afficher toutes les images, cliquez sur le bouton Sans du Filtre de bibliothèque.

## ▼Effectuer une comparaison Avant/Après de vos réglages noir et blanc

Pour effectuer cette comparaison, vous ne pouvez pas appuyer sur la touche Y. Pourquoi ? Parce que vous obtiendriez une comparaison de l'originale couleur avec sa conversion en niveaux de gris. Il existe deux manières de contourner cette difficulté : (1) dès que vous avez réalisé une conversion en noir et blanc, appuyez sur Cmd+N (Ctrl+N) pour enregistrer la conversion en tant qu'instantanée. À partir de cet instant, vous pouvez accéder à tout moment à l'original en niveaux de gris. Il suffit pour cela de cliquer sur l'instantané dans le panneau éponyme du volet gauche du module Développement. Ou bien, (2) une fois que vous avez réalisé votre conversion en niveaux de gris, appuyez sur Cmd+' (PC : Ctrl+') afin d'en créer une copie virtuelle. Ensuite, effectuez toutes vos modifications sur cette copie. Vous pouvez alors appuyer sur Y pour comparer la conversion originale avec la copie virtuelle modifiée.

## ▼Les astuces d'utilisation de l'outil Réglage direct

Si vous utilisez l'outil Réglage direct du panneau TSL/Couleur/NB pour régler vos images en noir et blanc, vous savez qu'il suffit de le placer dans l'image, de cliquer et de le faire glisser vers le haut ou le bas. En fonction des réglages automatiques qu'il effectue, les curseurs de la section Mélange noir et blanc se déplacent en conséquence. Lorsque vous désirez effectuer un réglage précis avec cet outil, placez-le sur la zone de l'image dont vous souhaitez modifier le contraste, et appuyez sur les flèches Haut et Bas du pavé directionnel de votre clavier. Si vous maintenez enfoncée la touche Maj tout en appuyant sur ces flèches, les valeurs concernées varient dans une proportion beaucoup plus importante.

## ▼Peinture bichromique

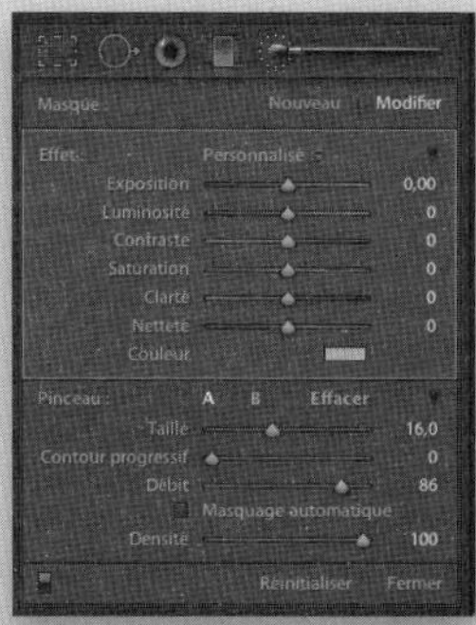


Vous pouvez appliquer un effet bichromique sur une image en noir et blanc *via* l'outil Pinceau Réglage. Dans le menu local Effet, choisissez Couleur. Ensuite, cliquez sur l'indicateur de couleur situé en bas de cette section Effet. Dans le sélecteur de couleurs, définissez la teinte que vous souhaitez utiliser pour créer l'effet bichromique. Ensuite, fermez le sélecteur en question. Décochez l'option Masquage automatique, et peignez sur la photo.

## ▼Astuce pour la conversion en noir et blanc

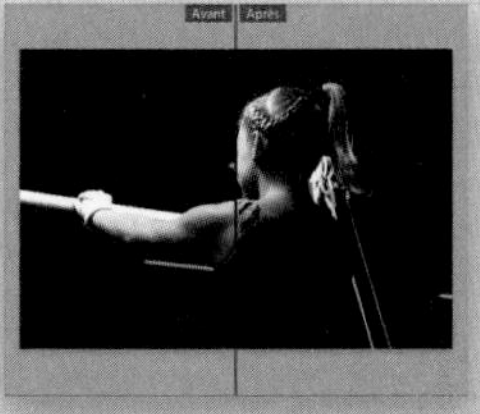


Si vous cliquez sur la mention Noir/blanc du panneau TSL/Couleur/NB, vous convertissez votre photo en noir et blanc. En règle générale, vous obtenez une image au contraste assez faible. Pour obtenir une image intéressante, vous devez agir sur les différents curseurs de la section Mélange noir et blanc. Le problème est que vous ne savez pas sur quel curseur de couleur agir puisque votre image est en noir et blanc. Donc, essayez ceci : une fois que vous avez réalisé votre conversion, appuyez sur Maj+Y. Ainsi, votre photo est divisée en deux. Sur la gauche, vous voyez la version Avant de votre image et sur la droite, la version Après. En d'autres termes, vous avez d'un côté l'image en couleur et de l'autre l'image en noir et blanc. Il devient plus facile de savoir sur quel curseur de couleur agir pour parfaire la version noir et blanc de la photographie.

## ▼Intervenir dans le panneau TSL/Couleur/NB ? OK ! Mais corrigez d'abord vos couleurs

Avant de convertir une image en noir et blanc par un clic sur le bouton NB du panneau précité, corrigez correctement vos couleurs (balance de l'exposition, noir, contraste, etc.). Vous obtiendrez ainsi une bien meilleure conversion.

Photo Scott Kelby | Exposition : 1/8 | Focale : 700 mm | Ouverture : $f/11$

# Diaporama
## Partager vos photos à l'écran

Vous connaissez les difficultés qu'il y a à créer une présentation informatique intéressante accompagnée d'une musique chargée en émotion. En règle générale, ce type de présentation est également appelé « diaporama ». Bien que l'appellation ne me semble pas tout à fait justifiée, elle n'en demeure pas moins très usitée dans le milieu de l'image et de la présentation. Dans Lightroom, vous trouverez un module portant ce nom spécifique. Il est assez drôle de parler de diaporama dans un univers entièrement numérique. En tant que photographe, je possède un certain nombre de diapositives. Cependant, il ne m'a jamais été possible de réunir les conditions d'une projection traditionnelle telle que nous, hommes mûrs vieillissants, en avons connu dans notre enfance. Je suis donc partisan de proposer une nouvelle terminologie. Laquelle ? est-ce que je vous en pose, moi, des questions ! Non, non et non. À chacun son travail. Personnellement, j'écris des livres sur les logiciels, et mon activité ne consiste pas à localiser en français toutes les applications du monde. Aux ingénieurs de chez Adobe de trouver la bonne dénomination pour identifier le format numérique de nos bons vieux diaporamas analogiques. Je ne sais pas, mais peut-être que « Projection » serait une bonne idée. (Oui mais, voilà, tout le monde ne diffuse pas ses photos par l'intermédiaire d'un projecteur vidéo.) J'espère que dans les années à venir les futures versions de Lightroom intégreront un module Diaporama qui portera un nom spécifique à l'univers de la photo numérique. Pour le moment, contentons-nous de ce que Lightroom 3 veut bien nous donner.

# Créer un diaporama standard

Voici comment créer rapidement un diaporama en utilisant les modèles prédéfinis livrés avec Lightroom. Vous serez surpris de la facilité avec laquelle vous allez partager vos photos sous cette forme sympathique. Toutefois, la puissance du module Diaporama tient dans la possibilité de personnaliser vos diffusions, et même de créer vos propres modèles.

**Étape 1**

Affichez le contenu du module Diaporama en appuyant sur Cmd+Option+3 (PC : Ctrl+Alt+3). Ce module affiche un panneau Collections dans son volet gauche à l'instar du module Bibliothèque. Vous gardez ainsi un accès direct aux photos de n'importe quelle collection. Commencez par cliquer sur la collection contenant les photos à diffuser sous forme d'un diaporama.

**INFO** Si les photos que vous souhaitez utiliser ne font pas partie d'une collection, créez-en une ! Pour cela, retournez dans le module Bibliothèque (appuyez sur G), et utilisez son panneau Collections pour créer une collection dans laquelle vous regrouperez l'ensemble des images à diffuser sous la forme d'un diaporama. Cette collection sera accessible dans le panneau éponyme du module Diaporama.

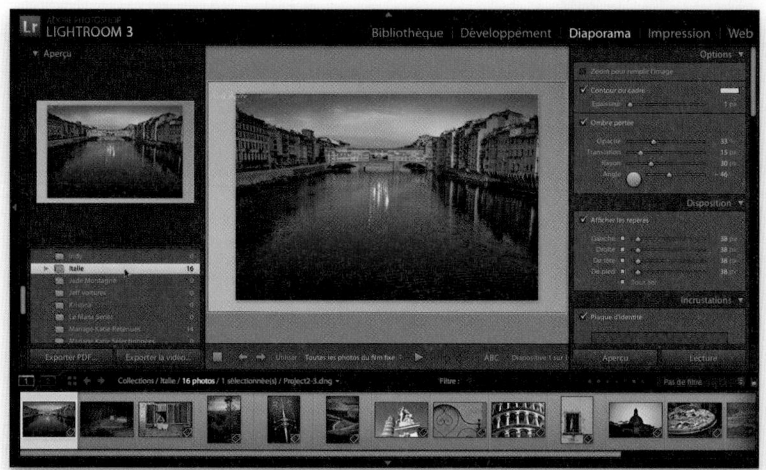


SCOTT KELBY

**Étape 2**

Par défaut, les diapositives sont diffusées dans l'ordre des photos affichées dans le film fixe (de la première à gauche jusqu'à la dernière à droite). La transition entre les images est un simple fondu enchaîné. Si vous souhaitez limiter le diaporama à certaines photos de votre collection, ouvrez le menu local Utiliser de la barre d'outils, et choisissez photos sélectionnées.

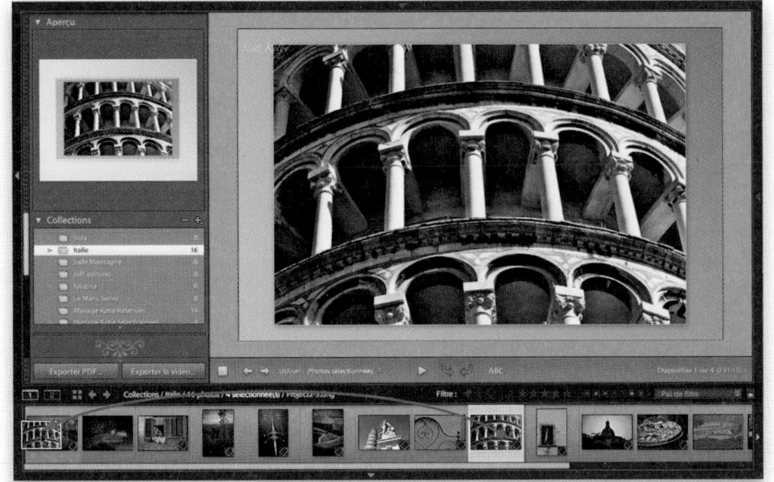

**Étape 3**

Pour modifier l'ordre des diapositives, glissez-déposez-les à une nouvelle position dans le film fixe. Sur l'illustration ci-contre, vous voyez que j'ai cliqué sur une photo située au centre du film fixe pour la déposer en début de diaporama. Avec cette technique, réorganisez vos photos selon vos désirs.

**INFO** Vous pouvez modifier l'ordre à n'importe quel moment en effectuant un glisser-déplacer des vignettes dans le film fixe.

**Étape 4**

L'aperçu principal montre la diapo actuellement sélectionnée dans le film fixe. Lorsque vous ouvrez le module Diaporama pour la première fois, les photos sont affichées dans un modèle par défaut où l'arrière-plan est noir, et où une plaque d'identité est affichée dans le coin supérieur gauche de l'image. Pour changer cela, choisissez un autre modèle. Dans le volet gauche du module, affichez le contenu du panneau Explorateur de modèles. Cliquez sur la flèche située à gauche de Modèles Lightroom.

**Étape 5**

Testez un modèle en cliquant par exemple sur Légende et note. La photo s'affiche alors sur un arrière-plan dégradé gris clair, dans un cadre aux traits blancs fins, et avec sa note (étoiles) dans le coin supérieur gauche. Si vous avez ajouté une légende dans le panneau Métadonnées du module Bibliothèque, elle apparaît sous l'image. Lorsque vous choisissez un modèle de diaporama, vous pouvez en afficher un aperçu en plaçant le pointeur de la souris sur son nom dans le panneau Explorateur de modèles. L'aperçu apparaît dans le panneau Aperçu. Gardez ce modèle, et poursuivons notre découverte.

**Étape 6**

Si vous désirez effectuer un aperçu rapide du diaporama, cliquez sur le bouton Aperçu du diaporama, situé au centre de la barre d'outils. Il s'agit du symbole universel de lecture de tous les appareils audiovisuels. Le diaporama se diffuse alors dans la zone d'aperçu principale. Il se diffuse sans repères, avec des transitions et de la musique. (Nous verrons l'aspect musical un peu plus tard.) Pour arrêter l'aperçu, cliquez sur le bouton Arrêter le diaporama, situé à gauche sur la barre d'outils. Si vous cliquez sur le bouton affichant deux barres verticales (en lieu et place du bouton de lecture), vous mettez simplement le diaporama en pause.

**ASTUCE : LA VIE EST UNE SUCCESSION DE HASARDS** Vous savez que le diaporama diffuse les photos de gauche à droite en respectant l'ordre défini dans le film fixe. Pour que Lightroom effectue cette lecture dans un ordre aléatoire, affichez le panneau Lecture, situé dans la partie droite du module Diaporama, et cochez l'option Ordre aléatoire.

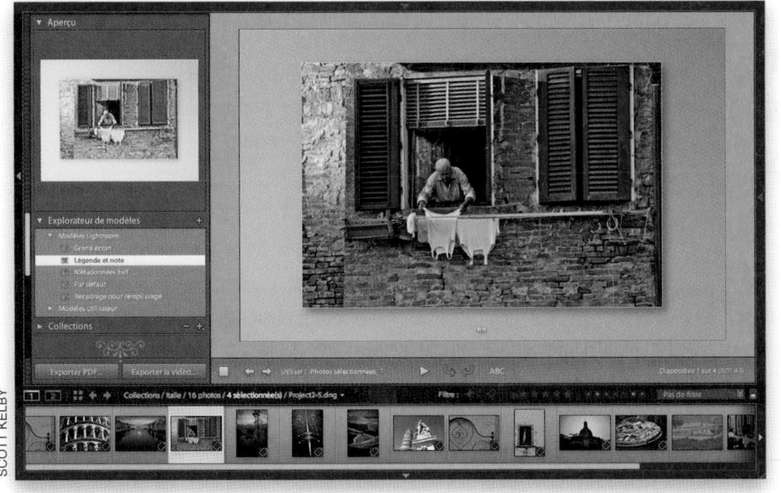

SCOTT KELBY

### Étape 7

Pour supprimer une diapositive, donc une image, cliquez dessus dans le film fixe, et appuyez sur la touche Retour arrière. Ou bien ouvrez le menu local Utiliser, puis choisissez photos sélectionnées. Ensuite, désélectionnez la photo que vous ne souhaitez pas diffuser. Tout ceci confirme l'avantage des collections sur dossiers. Avec un dossier, vous seriez obligé d'effacer la photo de Lightroom et de l'ordinateur pour qu'elle ne soit pas diffusée.

### Étape 8

Dès que vous cliquez sur le bouton Lecture (en bas à droite), votre diaporama est diffusé en Plein écran (voir ci-contre). Pour quitter ce mode, et revenir au module Diaporama, appuyez sur la touche Esc (Échap) de votre clavier. Voilà ! Vous venez de créer un diaporama standard. Dans la suite de ce chapitre, vous allez apprendre à le personnaliser, mais aussi à créer le diaporama de vos rêves.

**ASTUCE : CRÉER UN DIAPORAMA INSTANTANÉ** J'ai déjà évoqué l'existence de ce diaporama dans un précédent chapitre. Je pense qu'il est utile d'en rappeler ici le fonctionnement. À tout moment, vous pouvez créer un diaporama sans passer par le module éponyme. Il vous suffit de sélectionner, dans le film fixe, les photos que vous désirez diffuser sous cette forme. Ensuite, appuyez sur Cmd+ Entrée (PC : Ctrl+Entrée). Les images s'affichent sous la forme d'un diaporama qui utilise les derniers réglages définis dans ce module.

# Personnaliser l'apparence de vos diapositives

Les modèles prédéfinis sont globalement très intéressants. Toutefois, après avoir créé un ou deux diaporamas, vous aurez la très nette impression de vous répéter. Naîtra alors en vous l'envie de créer quelque chose de bien plus personnalisé.

### Étape 1

Les modèles de diaporama proposés par Lightroom sont d'excellents points de départ à la personnalisation de vos diapositives. Ici, nous allons créer le diaporama d'un mariage. La première chose à faire est de sélectionner un ensemble de photos dans le panneau Collections du module Diaporama. Là, cliquez sur une des collections de photos de mariage dont vous souhaitez utiliser les clichés dans votre diaporama. Ensuite, ouvrez le panneau Explorateur de modèles. Dans les modèles Lightroom, cliquez sur Métadonnées EXIF. (Vos photos reposent sur un arrière-plan noir et sont encadrées d'une très fine bordure blanche. Des informations sur la photo sont affichées dans les coins supérieur et inférieur droits. Votre plaque d'identité apparaît dans le coin supérieur gauche de la diapositive.)

SCOTT KELBY

### Étape 2

Une fois le modèle sélectionné, appuyez sur F7 pour masquer le volet gauche. Ma première modification consiste à supprimer toutes les informations EXIF. (En effet, qui a besoin de connaître la sensibilité ISO ou les réglages d'exposition que vous avez utilisés.) Ouvrez le panneau Incrustations et décochez l'option Incrustations de texte. Votre plaque d'identité, quant à elle, est toujours visible.

**ASTUCE : REDIMENSIONNER UN TEXTE PERSONNALISÉ** Lorsque vous créez un texte personnalisé, vous pouvez en modifier la taille en cliquant dessus pour le sélectionner. Ensuite, agissez sur les poignées d'angle du cadre de sélection. Faites glisser la poignée vers l'extérieur pour augmenter la taille du texte et vers l'intérieur pour la réduire.

## Étape 3

Choisissez maintenant la taille de vos photos. Pour des raisons esthétiques, vous allez légèrement réduire leurs dimensions pour pouvoir les positionner dans la partie supérieure de la diapositive. Suite à ce déplacement, vous pourrez placer votre plaque d'identité sous la photo. Par défaut, votre photo se situe à l'intérieur de quatre repères définis par quatre traits blancs. Vous pouvez modifier ces repères en affichant le contenu du panneau Disposition. Ces repères sont liés les uns aux autres. Par conséquent, si vous fixez la valeur de la marge de gauche à 81 pixels, toutes les autres marges seront elles aussi définies sur cette valeur. Ce n'est pas du tout ce que nous souhaitons. Donc, décochez la case Tout lier. Ensuite, faites glisser le curseur de pied jusqu'à la valeur 216 pixels, et le curseur de tête jusqu'à 144. La taille de la photo diminue pour laisser place à une marge inférieure de grande dimension.

### Astuce : Déplacement des repères

En réalité, vous ne redimensionnez pas les photos de vos diapositives. Vous ne faites que déplacer les repères qui définissent la mise en page de la diapositive. Sachez qu'il est possible de modifier la position de ces repères de manière dynamique. Dans ce cas, vous n'êtes pas obligé de passer par le panneau Disposition. Placez simplement le pointeur de la souris sur un des repères. Cliquez et faites glisser ce repère de manière à redimensionner la photo. Si vous placez le pointeur de la souris dans un angle, faites-le glisser diagonalement pour redimensionner simultanément les deux repères concernés.

## Étape 4

Notre photo est correctement positionnée. Plaçons la plaque d'identité sur l'image. Cliquez dessus et faites-la glisser juste en dessous de la photo. En théorie, le petit carré accroché à votre plaque d'identité est fait pour vous aider à centrer votre texte en le positionnant sur un des bords de la diapositive.

### Astuce : Zoom pour remplir l'image

Si vous apercevez un espace entre les bords de votre photo et les repères, vous pouvez le combler instantanément. Pour cela, ouvrez le panneau Options et cochez la case Zoom pour remplir l'image. Testez ce paramètre ! Vous l'utiliserez beaucoup plus souvent que vous ne le pensez.

## Étape 5

Pour personnaliser le texte de votre plaque d'identité, ouvrez le panneau Incrustations. Cliquez sur le petit triangle situé dans le coin inférieur droit de l'aperçu de la plaque d'identité. Dans le menu local qui apparaît, choisissez Modifier. Tapez le mot qui doit apparaître sous chaque photographie. Ici, j'ai saisi le nom de mon studio de photographie. J'ai harmonisé la couleur des deux mots, et j'ai sélectionné la même police et la même taille de caractères. Validez par un clic sur OK. Définir la taille des caractères n'est pas une opération définitive. Vous pouvez en effet la modifier à tout moment en agissant sur le curseur Échelle de la section Plaque d'identité du panneau Incrustations. Une autre méthode consiste à cliquer directement sur la plaque d'identité affichée sous la photographie. Il suffit alors d'agir sur les poignées du cadre de sélection pour opérer un redimensionnement dynamique.

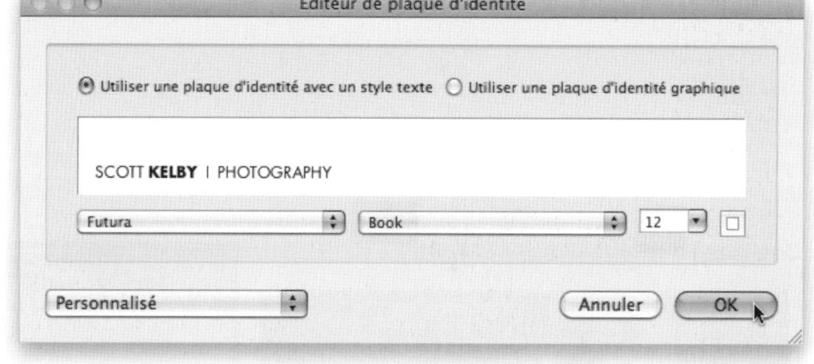

## Étape 6

Affichez votre disposition personnalisée sans les repères. Pour cela, appuyez sur Cmd+Maj+H (PC : Ctrl+Maj+H), ou bien ouvrez le panneau Disposition et décochez l'option Afficher les repères. Si vous regardez le texte affiché sous la photo, vous constatez qu'il n'est pas complètement blanc. Cela s'explique par le fait que j'ai réduit la valeur du paramètre Opacité de la section Plaque d'identité. (L'illustration ci-contre montre une valeur d'opacité de 60 %.) Vous pouvez faire pivoter la plaque d'identité. Cliquez dessus pour la sélectionner, puis sur les flèches de rotation cerclées en rouge sur la figure ci-contre.

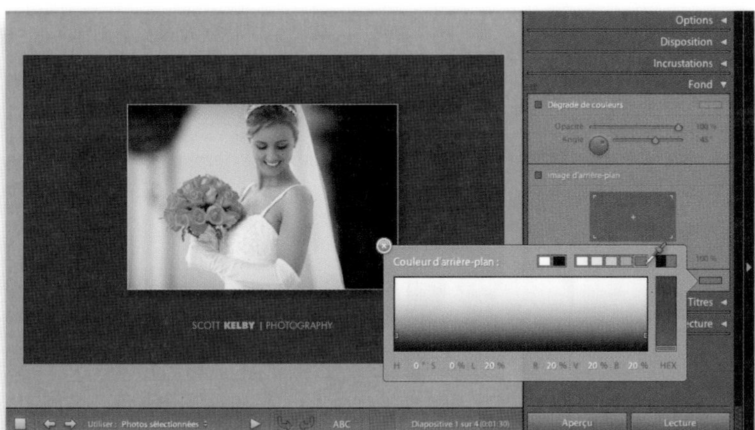

## Étape 7

Vous pouvez changer la couleur d'arrière-plan. Pour cela, ouvrez le panneau Fond. Cliquez sur l'indicateur de couleur affiché à droite du paramètre Couleur d'arrière-plan. Dans le sélecteur de couleurs qui apparaît, cliquez sur un des rectangles de teintes prédéfinies, comme le gris foncé. Pour en savoir plus sur la personnalisation de l'arrière-plan, poursuivez ce projet.

**Astuce : Appliquer une ombre portée à la plaque d'identité** Si l'arrière-plan de la diapositive est très clair, vous pouvez ajouter une ombre au texte de votre plaque d'identité. Cliquez sur cette plaque pour la sélectionner. Ensuite, ouvrez le panneau Incrustations et cochez l'option Ombre. Vous pouvez encontrôler l'opacité, la translation, c'est-à-dire l'importance du décalage de cette ombre par rapport au texte principal, le rayon (flou), et son angle (direction). Si vous désirez modifier la couleur d'arrière-plan de votre diapositive, ouvrez le panneau Fond.

**Info** Au moment où ce livre a été écrit et traduit, cette fonction n'était pas disponible sur la version PC de Lightroom 3.

### Étape 8

Maintenant que le fond est gris et non plus noir, vous constatez que le modèle Métadonnées EXIF applique une ombre portée à la photo. Vous pouvez en contrôler la taille, l'opacité, la direction, comme cela est expliqué page 312. Ouvrez le panneau Options, et agissez sur les différents curseurs des paramètres disponibles. Augmentez le Rayon pour adoucir l'ombre, et réduisez l'Opacité pour lui donner un bien meilleur aspect.

### Étape 9

Donnons à cette mise en page une apparence plus artistique en encadrant l'image. Malgré l'absence d'outils pour exécuter cette tâche, la création d'un cadre est très simple. Avec les repères, formez un carré. Ensuite, ouvrez le panneau Options et cochez la case Zoom pour remplir l'image. L'image remplit le carré formé par les repères. Réglez le paramètre Contour du cadre en faisant glisser le curseur Épaisseur. (Vous en saurez davantage à la page 312.)

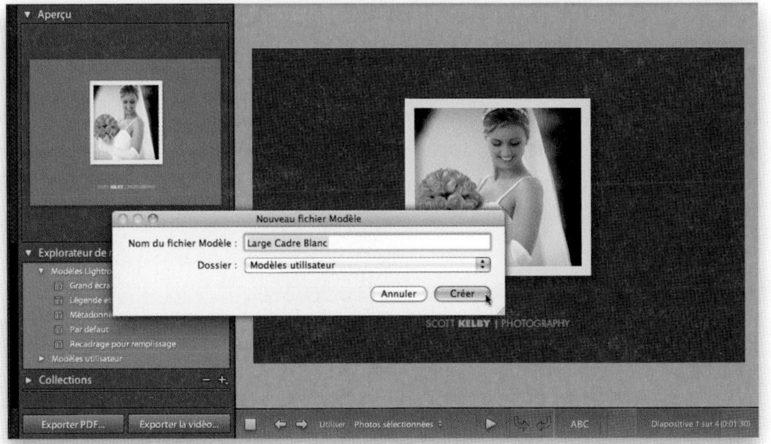


**Étape 10**

Maintenant, nous devons sauvegarder notre modèle pour l'appliquer ultérieurement à d'autres collections en un seul clic de souris. Pour cela, appuyez sur la touche F7 afin d'ouvrir le volet de gauche. Dans le panneau Explorateur de modèles, cliquez sur le signe +. Dans la boîte de dialogue Nouveau fichier modèle qui apparaît, donnez un nom au modèle et cliquez sur le bouton Créer. (J'enregistre mes modèles dans le dossier Modèles utilisateur. Bien entendu, vous pouvez créer votre propre dossier et décider d'y sauvegarder votre modèle.)

SCOTT KELBY

**Étape 11**

Vous pouvez très facilement appliquer ce modèle à d'autres collections. Il suffit de cliquer sur son nom dans les Modèles utilisateur du panneau Explorateur de modèles. Toutes les photos de la collection auront absolument l'aspect des diapositives déterminé par votre modèle.

# Utiliser une photo comme arrière-plan d'un diaporama

Vous pouvez très bien remplacer l'arrière-plan uni ou dégradé de vos diapositives par une photographie. Vous en contrôlerez l'opacité pour créer un subtil effet d'incrustation. Le grand reproche que je peux faire à cette fonction est que le même arrière-plan apparaît sur chaque diapositive. Il est impossible d'assigner un effet particulier à chacune d'elles. Voici comment utiliser une photo comme arrière-plan.

**Étape 1**

Tout d'abord, procédez à ce petit paramétrage : dans l'Explorateur de modèles, cliquez sur le modèle Lightroom intitulé Légende et note. Ensuite, simplifiez la disposition : ouvrez le panneau Options, et cochez la case Zoom pour remplir l'image. Placez le pointeur de la souris sur le repère inférieur droit, et faites-le glisser vers l'intérieur de manière à obtenir une photo plus petite mais plus large (voir ci-contre). Dans ce même panneau, assignez à l'option Contour du cadre une couleur noire, et portez la valeur du paramètre Épaisseur à 2 pixels. Décochez l'option Ombre portée. Ouvrez le panneau Incrustations. Désactivez les options Notes sous forme d'étoiles et Incrustations de texte de manière à ne pas afficher ces informations sur votre photo.

**Étape 2**

Affichez le film fixe. Localisez la photo que vous souhaitez utiliser comme arrière-plan. Affichez ensuite le contenu du panneau Fond. Cochez l'option Image d'arrière-plan. Glissez-déposez la photographie dans le rectangle situé au centre du panneau. L'image apparaît instantanément derrière la photo principale de la diapositive. Par défaut, l'opacité de l'arrière-plan est fixée à 100 %. Elle risque de perturber considérablement la visibilité de la photo principale. Vous allez donc être obligé d'estomper cet arrière-plan.

### Étape 3

Lorsque vous regardez le contenu du panneau Fond, vous constatez que l'option Dégradé de couleurs est active. Par conséquent, un estompage dégradé est appliqué à l'image. En fonction de la photographie l'effet est plus ou moins réussi. En règle générale, je désactive le dégradé de couleurs. Faites de même. Ensuite, fixez le paramètre Opacité de la section Image d'arrière-plan à 20 %. Si vous préférez que la photo s'estompe en noir, appliquez une teinte noire à l'option Couleur d'arrière-plan.

SCOTT KELBY

### Étape 4

Lorsque vous cliquez sur le bouton Aperçu ou Lecture, les diapositives apparaissent avec la photo sélectionnée comme arrière-plan. Si vous voulez désactiver cette fonction, décochez la case Image d'arrière-plan du panneau Fond.

### Étape 5

Si vous utilisez des images spécialement conçues pour être appliquées en arrière-plan d'un diaporama, vous obtenez une présentation totalement différente. Ci-contre, j'ai acheté une image sur le site iStockphoto (www.istockphoto.com) puis je l'ai importée dans Lightroom. Je l'ai alors ajoutée à la collection d'images devant être présentée sous la forme d'un diaporama. Ensuite, j'ai procédé comme expliqué dans les étapes précédentes.

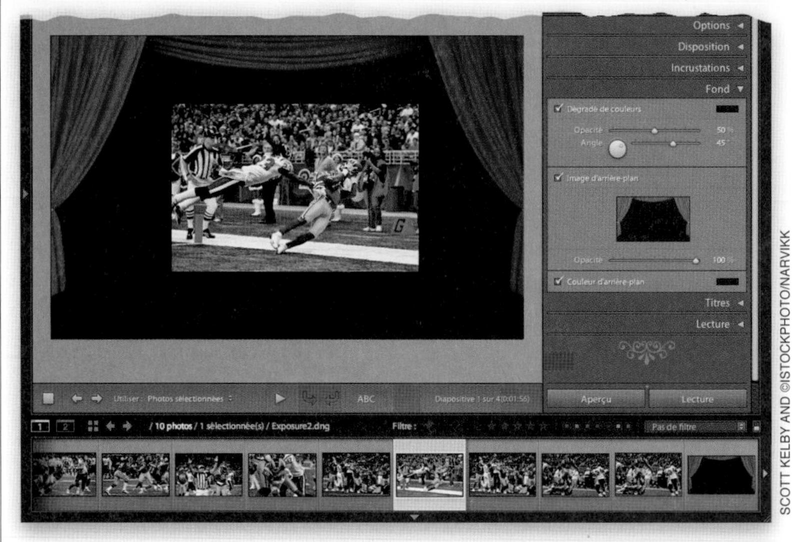


SCOTT KELBY AND ©ISTOCKPHOTO/NARVIKK

### Étape 6

Voici un exemple très simple d'arrière-plan que vous pouvez télécharger pour améliorer vos diaporamas. Une fois l'image importée dans Lightroom, placez-la dans la collection à afficher sous forme d'un diaporama, puis glissez-déposez-la dans le rectangle de la section Image d'arrière-plan. Vos photos s'afficheront sur l'écran de ce téléphone portable. Comment y parvenir ? Comme ceci : (1) ouvrez le panneau Options et cochez la case Zoom pour remplir l'image ; ensuite, (2) ouvrez le panneau Disposition, et décochez l'option Tout lier. Affichez les repères, et déplacez-les de telle sorte qu'ils aient à peu près la même taille que l'écran du téléphone.

SCOTT KELBY AND ©ISTOCKPHOTO/ PAVLO VAKHRUSHEV

SCOTT KELBY AND ©ISTOCKPHOTO/RANPLETT

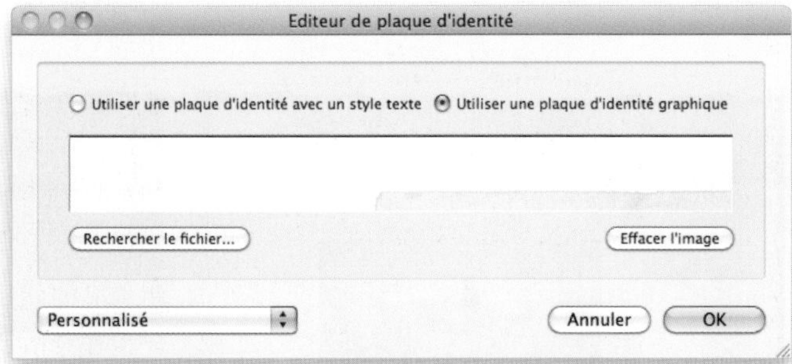


## Étape 7

Voici une technique pour placer votre photo dans l'arrière-plan auquel on ajoute une ombre portée : ici, vous allez utiliser la plaque d'identité comme arrière-plan. Dans cet exemple, j'ai utilisé une diapositive achetée sur iStockphoto. Je l'ai ouverte dans Photoshop afin de supprimer l'image de la diapo. Pour cela, j'ai sélectionné ce support pour le placer sur son propre calque. Ensuite, j'ai sélectionné le centre de l'image, donc la photo elle-même, et je l'ai supprimée, créant alors un « trou » dans la diapo. J'ai ajouté une ombre portée et supprimé le calque Arrière-plan. Enfin, j'ai enregistré cette image au format PNG pour conserver la transparence. J'ai alors utilisé cette image comme plaque d'identité de Lightroom. Pour l'insérer comme arrière-plan du diaporama, j'ai ouvert le panneau Incrustations et coché la case Plaque d'identité. Ensuite, j'ai cliqué sur le triangle situé dans le coin inférieur droit de l'aperçu de cette plaque. Dans le menu local, j'ai choisi Modifier. Dans la boîte de dialogue Éditeur de plaque d'identité, j'ai activé l'option Utiliser une plaque d'identité graphique. Ensuite, j'ai cliqué sur le bouton Rechercher le fichier. Je localise ma diapo, et je clique sur OK. Une fois la plaque affichée dans l'aperçu, je redimensionne et la plaque et l'image pour bien réussir mon incrustation. Pour me faciliter la tâche, j'active l'option Zoom pour remplir l'image du panneau Options.

**Bonus vidéo** J'ai un supplément vidéo à partager avec vous. Il montre étape par étape comment créer une plaque d'identité incluant des transparences. Découvrez cette merveille à l'adresse www.kelbytraining.com/books/LR3.

### Étape 8

iStockphoto propose de nombreux cadres permettant de créer des diaporamas originaux. En fonction du cadre que je choisis, je modifie la couleur d'arrière-plan. Maintenant que vous mesurez le potentiel de ces arrière-plans et des plaques d'identité, regroupons les deux pour créer des dispositions réellement créatives.

SCOTT KELBY AND ©ISTOCKPHOTO/RUDI WAMBACH

### Étape 9

Ouvrez l'Explorateur de modèles. Sélectionnez Légende et note. Ensuite, dans le panneau Incrustations, décochez les options Notes sous forme d'étoiles et Incrustations de texte. En revanche, activez Plaque d'identité. Dans le panneau Fond, désactivez Dégradé de couleurs. Dans le panneau Options, décochez Ombre portée et Contour du cadre. Utilisez alors les repères pour redimensionner votre image et lui donner un aspect des plus propres.

SCOTT KELBY

### Étape 10

J'ai téléchargé une vieille carte depuis le site iStockphoto. Je l'ai importée dans Lightroom, puis placée dans la collection candidate au diaporama. Je peux alors la glisser-déposer dans le panneau Fond pour en faire l'arrière-plan du diaporama.

SCOTT KELBY AND ©ISTOCKPHOTO/JAVARMAN3

### Étape 11

En cherchant sur iStockphoto, j'ai trouvé ce cadre typique. Je décide de l'utiliser comme plaque d'identité. Il faut d'abord intervenir dans Photoshop pour « vider » le cadre de son image et ainsi créer un espace transparent pour nos photos du diaporama (voir la procédure ci-dessus). Une fois l'image enregistrée en PNG, ouvrez le panneau Incrustations. Activez l'option Plaque d'identité, et cliquez sur le triangle gris situé dans le coin inférieur droit de l'aperçu de la plaque. Là, exécutez Modifier. Dans l'Éditeur de plaque d'identité, activez l'option Utiliser une plaque d'identité graphique. Ensuite, localisez le fichier PNG, et cliquez sur OK. Dans Lightroom, redimensionnez la plaque et l'image pour les ajuster l'une par rapport à l'autre.

### Étape 12

Décochez l'option Rendu derrière l'image si vous désirez que le cadre s'applique sur la photo. En activant cette option, vous remarquerez que l'aspect de la diapo est légèrement différent. Lorsque la photo est devant le cadre, son ombre portée est visible sur le cadre en lui-même. La disposition finale dépend entièrement de l'option Rendu derrière l'image. Voilà ! J'espère que ces quelques pages vous ont donné de belles idées pour créer des diaporamas artistiques.

# Travailler avec des ombres portées et des contours

Si vous concevez un diaporama dont le fond est clair, il est recommandé d'ajouter une ombre portée à vos images. Ainsi, elles se détacheront de l'arrière-plan. Vous avez aussi la possibilité d'ajouter un contour, c'est-à-dire une sorte de cadre numérique. Voyons comment personnaliser ce genre d'ornement.

---

**Étape 1**

Pour ajouter l'ombre portée, ouvrez le panneau Options. Cochez la case Ombre portée. Vous allez principalement intervenir sur les paramètres Opacité et Rayon. Ce dernier contrôle la progressivité de l'ombre. Le réglage Translation contrôle la distance de l'ombre par rapport à la photo. Pour donner l'impression de lévitation de l'image, augmentez la valeur de ce paramètre. Le curseur Angle détermine la direction de la lumière provoquant l'ombre portée. Par défaut, l'ombre se dirige vers le bas et la droite.

SCOTT KELBY

**Étape 2**

Ajustons l'ombre : fixez l'Opacité à 18 %, ce qui a pour effet de l'éclaircir. Portez la Translation à 100. Vous donnez ainsi l'impression que l'image est détachée du fond. Ensuite, fixez le Rayon à 48 %. Cochez Contour du cadre. L'épaisseur est de 1 px. Pas facile à distinguer sur un fond clair. Pour modifier la couleur du contour, cliquez sur l'indicateur rectangulaire. Dans le sélecteur de couleurs, optez pour du noir. Ensuite, fixez l'Épaisseur à 12 px.

Nous savons que la plaque d'identité permet d'ajouter du texte à votre diaporama. Toutefois, vous pouvez aussi en ajouter à partir des données EXIF de la photo ou bien des métadonnées que vous avez ajoutées lors de l'importation de vos images dans le logiciel. Il est également possible d'insérer un filigrane fort utile lorsque vous adressez votre diaporama à un client ou que vous publiez sur le Web.

# Ajouter du texte et un filigrane

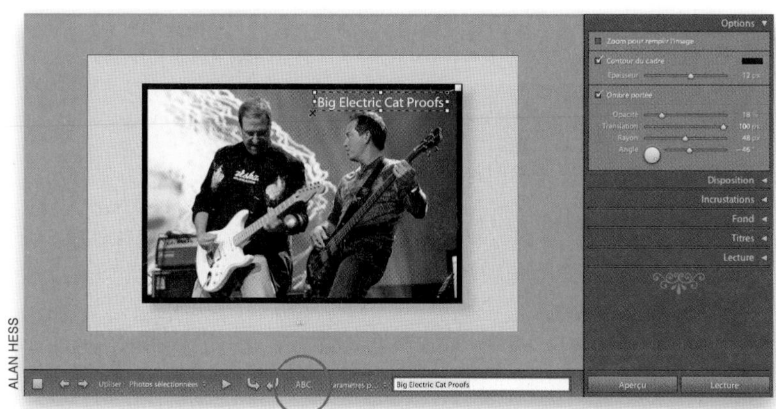


ALAN HESS

## Étape 1

Pour ajouter du texte, cliquez sur le bouton ABC. Cette action active un champ de saisie. Tapez-y votre texte. Validez-le en appuyant sur la touche Entrée. Le texte apparaît alors sur la diapositive. Il est sélectionné, comme le montre le cadre en pointillé et les poignées de redimensionnement. Pour redimensionner ce texte, il suffit de faire glisser une des poignées d'angle. Pour déplacer le texte, placez le pointeur de la souris à l'intérieur du cadre, puis glissez-déplacez-le sur l'image. Si vous cliquez sur les deux petits triangles de l'outil Texte personnalisé, un menu local vous permet de choisir quel type de métadonnées vous souhaitez afficher sur votre image. Par exemple, si vous choisissez Date, la date de la prise de vue apparaîtra sur la photo.

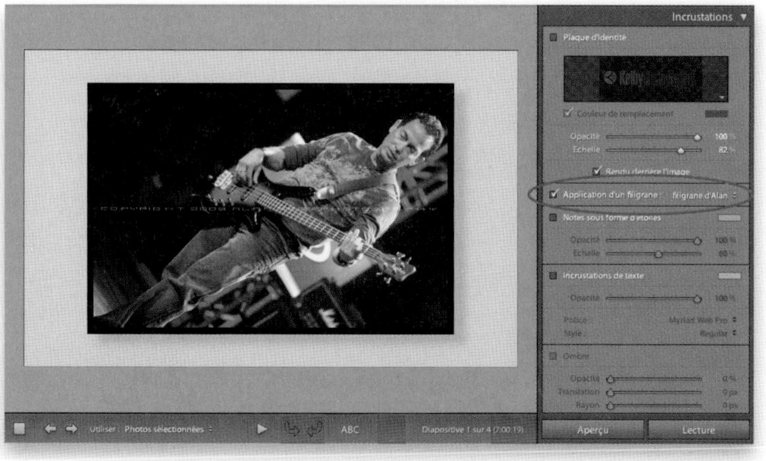


ALAN HESS

## Étape 2

Si vous avez créé un filigrane comme expliqué à la page 230, ajoutez-le à la diapositive. Pour cela, ouvrez le panneau Incrustations. Là, activez l'option Application d'un filigrane. Dans le menu local de cette fonction, choisissez le filigrane à incruster. Vous pouvez réduire son opacité pour qu'il soit présent sur la diapo, mais sans parasiter la totalité de l'image.

# Ajouter des diapositives d'ouverture et de fermeture

Vous pouvez personnaliser votre diaporama en insérant des diapositives qui vont introduire et conclure le diaporama. (Généralement, je ne crée que la diapositive d'ouverture.) à mon sens, la diapositive d'ouverture est très importante : elle permet de cacher à votre client la première image du diaporama. Ainsi, le diaporama ne commencera véritablement que lorsque vous cliquerez sur le bouton Lecture.

### Étape 1

Les diapositives d'ouverture et de fermeture sont appelées écran d'introduction et écran de fin par Lightroom. Vous les créerez dans le panneau Titres du module Diaporama. Il suffit d'ouvrir le panneau en question puis de cocher l'option Écran d'introduction. Malgré cette activation, la zone d'aperçu affiche encore soit la première diapositive, soit celle qui est sélectionnée dans le film fixe. Pour afficher l'aperçu de l'écran d'introduction, maintenez le bouton de la souris enfoncé sur le curseur Échelle ! Pour ajouter du texte, cochez la case Ajouter une plaque d'identité. Alors, la plaque d'identité dernièrement utilisée apparaît dans la section d'aperçu du panneau Titres.

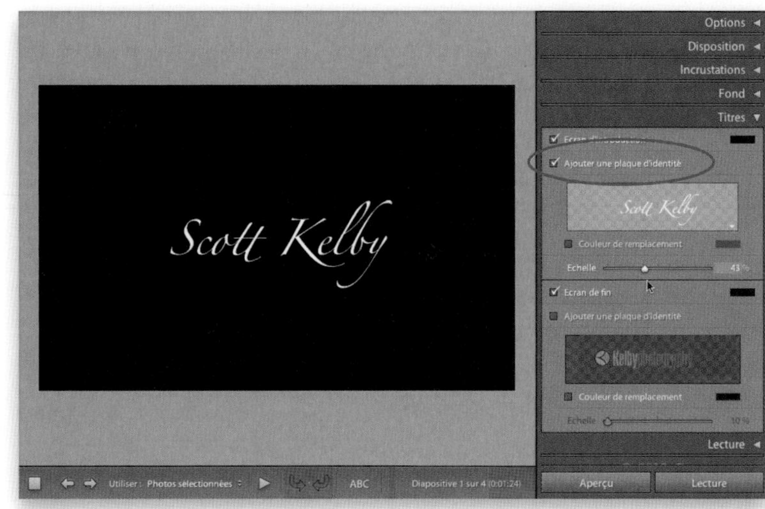


### Étape 2

Pour personnaliser la plaque d'identité, cliquez sur le petit triangle situé dans son coin inférieur droit. Dans le menu local qui s'affiche, choisissez Modifier. Cette action ouvre l'Éditeur plaque d'identité. Vous pouvez sélectionner le texte existant, en taper un nouveau, choisir une police de caractères différente, un style et une taille. Cliquez sur OK pour appliquer ce texte à votre diapositive d'introduction.

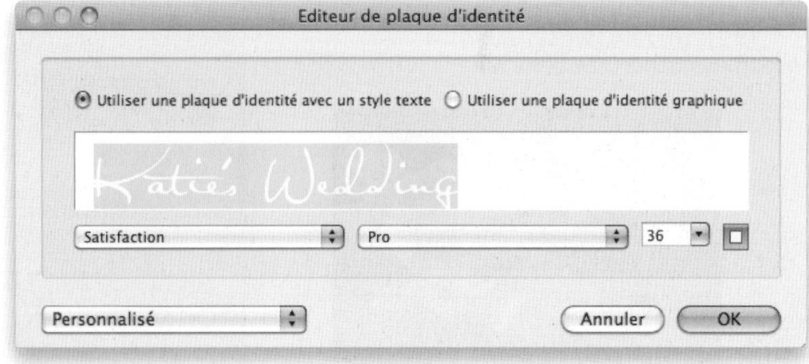

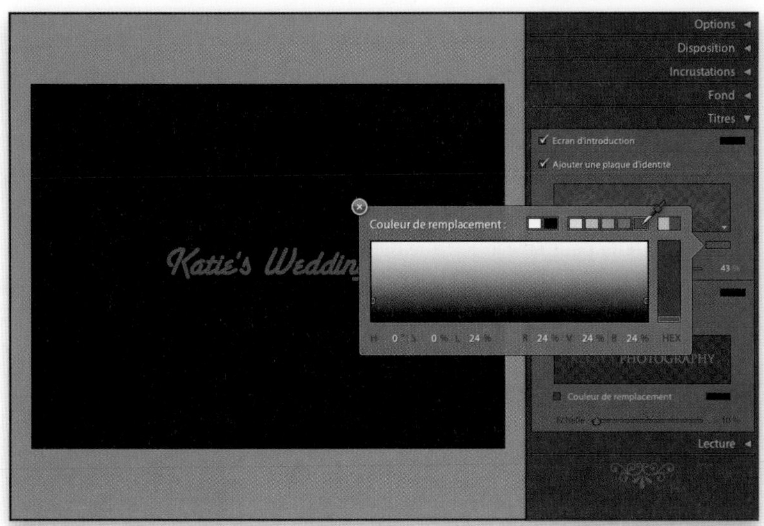

**Étape 3**

Vous pouvez contrôler la couleur de votre plaque d'identité en cochant l'option Couleur de remplacement. Dès que cette case est décochée, la couleur de remplacement par défaut est appliquée à votre texte. Il s'agit du noir. De facto, le texte d'introduction n'est plus visible puisqu'il repose sur un arrière-plan noir. Pour modifier la couleur de remplacement, cliquez sur son indicateur situé juste à sa droite. Vous ouvrez ainsi un sélecteur de couleurs. Cliquez dans le vaste nuancier situé au centre de ce sélecteur. Faites glisser la pipette pour redéfinir la teinte de votre choix. À chaque déplacement de la pipette, le texte de l'écran d'introduction s'affiche dans la zone d'aperçu. Vous pouvez donc facilement contrôler sa couleur. (Ici, je choisis le dernier nuancier gris foncé.) Vous pouvez également contrôler la taille du texte de l'écran d'introduction. Il suffit de glisser le curseur Échelle de la section Écran d'introduction.

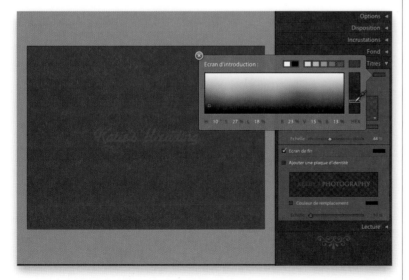

**Étape 4**

Pour modifier la couleur de fond de l'écran, cliquez sur l'indicateur situé à droite de l'Écran d'introduction. J'applique ici une couleur qui tire vers le marron. Je modifie alors celle de la couleur de remplacement pour établir une cohérence chromatique entre le fond et le texte. Une fois le texte mis en forme, vous pouvez prévisualiser le diaporama. Pour afficher le diaporama en Plein écran, cliquez sur le bouton Lecture. Le diaporama commence par votre diapositive d'introduction. Pour définir un écran de fin, c'est-à-dire une diapositive de conclusion, répétez la procédure ci-dessus mais en agissant dans la section Écran de fin du panneau Titres.

# Ajouter une musique de fond

Le choix d'une musique d'arrière-plan est primordial. Il fera toute la différence entre une présentation standard et une présentation qui fait véritablement pâlir de jalousie le public, vos amis et vos collègues. La musique doit être sélectionnée avec soin. Il faut savoir s'adapter à l'ambiance et à l'atmosphère des images constituant le diaporama. Lightroom permet d'ajouter une musique de fond à vos diapositives. Mais il y a une petite restriction : la musique d'arrière-plan ne peut être jouée que depuis Lightroom. Cerise sur le gâteau : avec Lightroom 3, vous pouvez incorporer cette musique dans votre diaporama.

**Étape 1**

Dans le volet droit, ouvrez le panneau Lecture. Cochez l'option Bande-son. Cliquez sur le bouton Sélectionner musique. Dans la boîte de dialogue qui apparaît, choisissez votre fichier audio, et cliquez sur Choisir. Pour l'instant, la procédure est très simple.

En revanche, la sélection de la chanson à lire pendant le diaporama demande un peu plus d'effort. Cette procédure n'est pas la même si vous utilisez un Mac ou un PC.

**INFO** Lightroom ne prend en charge que des musiques au format MP3 ou AAC. Il ne reconnaît donc pas les fichiers WAV. Si vous utilisez iTunes d'Apple, sélectionnez un titre dans votre bibliothèque musicale. Ensuite, cliquez sur le menu Avancé et exécutez la commande Créer une version MP3. iTunes crée une copie qu'il place sous l'original dans votre bibliothèque.

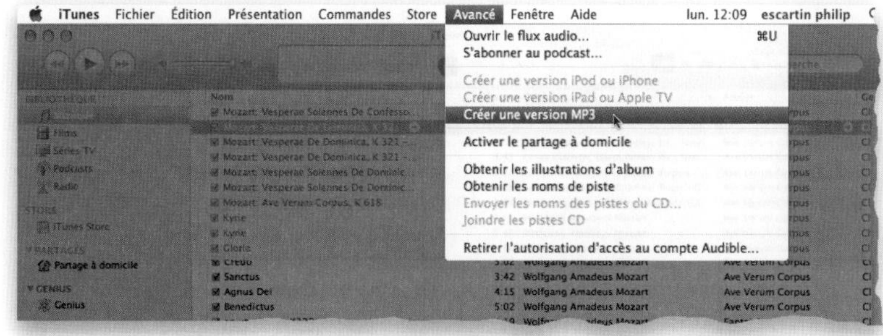

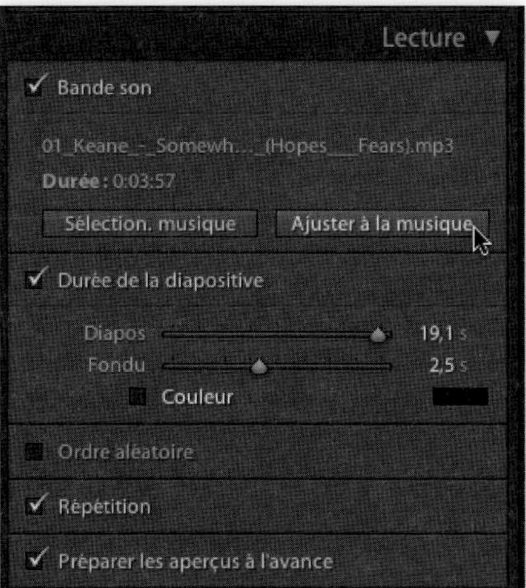


### Étape 2

À cet instant de la procédure, je lance un aperçu de mon diaporama pour être certain que la musique de fond correspond bien à l'atmosphère dégagée par chacune des diapositives. Pour cela, cliquez sur le bouton Aperçu. Si vous désirez que Lightroom adapte automatiquement le diaporama à la durée du morceau, cliquez sur le bouton Ajuster à la musique. Lightroom va alors régler les transitions en fonction de cette durée.

# Définir les préférences de votre diaporama

Dans le panneau Lecture, vous pouvez définir la durée d'affichage de chaque diapositive, la durée de la transition entre les images et même la couleur de cet effet spécifique. Vous pouvez demander à Lightroom d'exécuter le diaporama dans un ordre aléatoire. Enfin, décidez ou non d'une lecture en boucle.

**Étape 1**

Commencez par définir la durée d'affichage des diapositives à l'écran. Il suffit pour cela de faire glisser le curseur Diapos du panneau Lecture. Lorsque vous glissez ce curseur vers la droite vous augmentez la durée d'affichage, et vers la gauche vous la diminuez. Par défaut, le diaporama diffuse les photos dans l'ordre où elles apparaissent dans le film fixe. Si vous cochez l'option Ordre aléatoire, Lightroom détermine un ordre sur lequel vous n'avez aucun contrôle. Vous pouvez cocher la case Répétition pour déterminer une lecture en boucle du diaporama. La lecture du diaporama s'exécutera jusqu'à ce que vous en décidiez l'arrêt. Enfin, l'option Préparer les aperçus à l'avance assure la fluidité de votre diaporama.

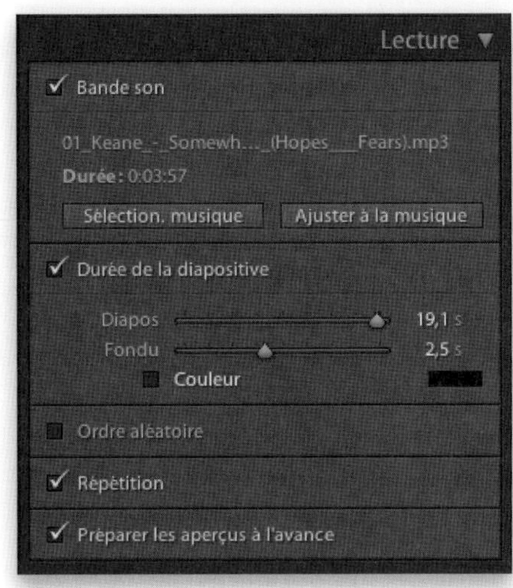


**Étape 2**

Le curseur Fondu permet de définir la durée de la transition entre deux diapositives. Vous pouvez également définir la couleur du fondu. Par défaut, le diaporama applique un fondu au noir. Pour changer cette couleur, cochez la case éponyme, puis cliquez sur l'indicateur noir situé juste à sa droite. Dans le sélecteur de couleurs qui apparaît, définissez une nouvelle couleur unie. (Dans cet exemple, j'ai défini une couleur de transition bleutée.)

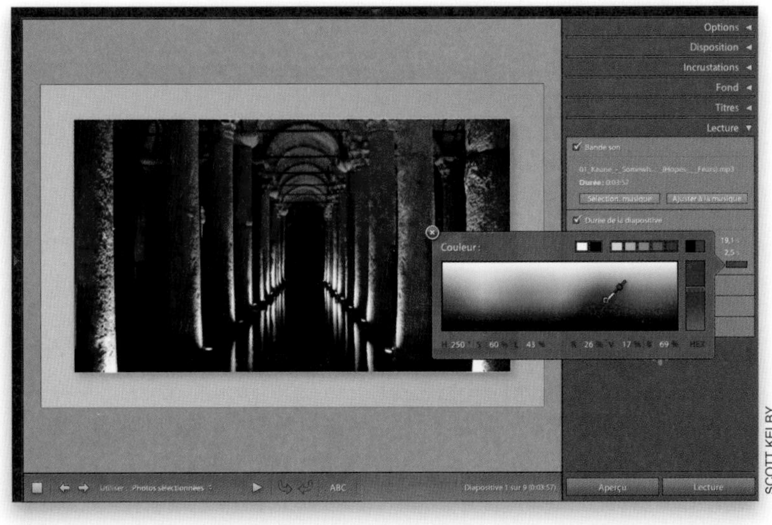


SCOTT KELBY

# Partager votre diaporama

Bien entendu, vous pouvez montrer votre diaporama à des personnes installées devant votre ordinateur. Force est de constater que cette situation est relativement rare. Donc, le meilleur moyen de partager vos diaporamas consiste à les exporter sous forme de vidéos au format Windows, QuickTime, et H.264. Ainsi, le destinataire y retrouvera vos images, votre mise en page, l'arrière-plan, la musique et les transitions. Vous pouvez aussi enregistrer votre diaporama au format PDF. Dans ce cas, il se diffusera sans musique de fond.

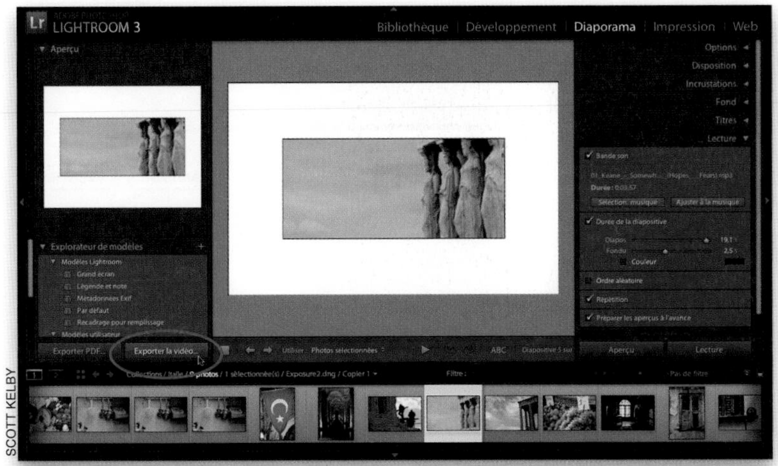


SCOTT KELBY

**Étape 1**

Pour enregistrer votre diaporama dans un format vidéo (avec la musique de fond), cliquez sur le bouton Exporter la vidéo, situé dans la partie inférieure gauche de l'interface.

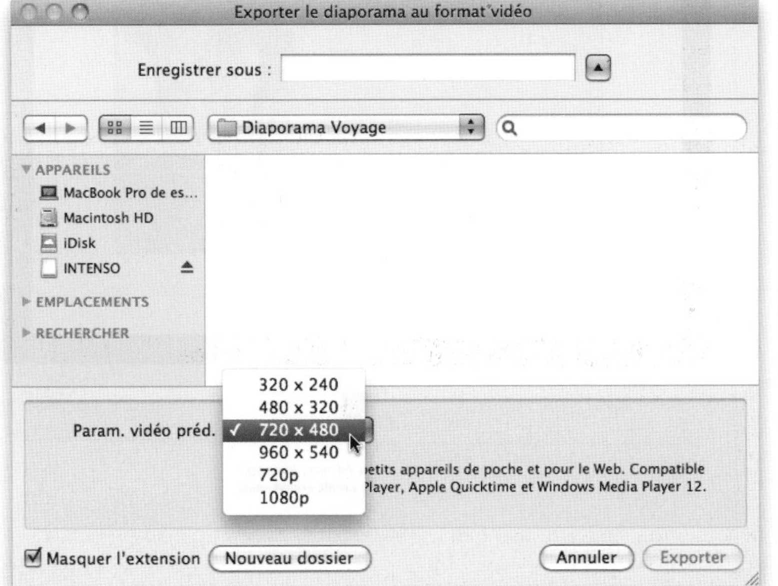


**Étape 2**

Cette action ouvre la boîte de dialogue Exporter le diaporama au format vidéo. Ouvrez le menu local Paramètre vidéo prédéfini pour sélectionner une taille d'images. Dès que vous sélectionnez une dimension, une petite description s'affiche sous ce menu local. Elle vous indique pour quel type de périphérique de lecture ce format est le mieux adapté. Donnez un nom à votre diaporama, sélectionnez une taille que vous jugez adaptée à sa lecture, et cliquez sur le bouton Exporter (Enregistrer). Lightroom crée le fichier à votre place en respectant l'ensemble de vos paramètres.

## Étape 3

L'autre option d'exportation concerne le format PDF. Ce format est idéal pour expédier vos diaporamas par courrier électronique car le fichier généré par Lightroom est considérablement compressé. L'inconvénient de ce format est de ne pas rendre en charge le contenu audio. Par conséquent, si vous avez ajouté une bande-son à vos diapositives, elle ne sera pas lue au format PDF. Si ce n'est pas un problème pour vous, n'hésitez pas à cliquer sur le bouton Exporter PDF. Ceci ouvre la boîte de dialogue Exporter le diaporama au format PDF. En règle générale, j'applique une Qualité de 80, et j'active l'option Afficher automatiquement en plein écran. Ainsi, le destinataire regardera votre diaporama sans aucun autre élément susceptible de détourner son attention. La dimension est automatiquement calculée par Lightroom. Si vous désirez expédier ce fichier par e-mail, réduisez cette dimension. Une fois que vous avez terminé, cliquez sur Exporter (Enregistrer).

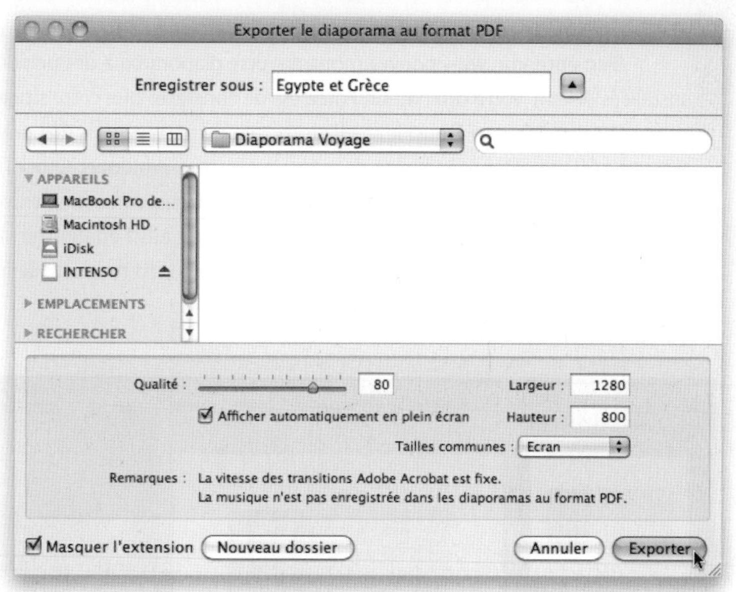


## Étape 4

Lorsque le destinataire recevra votre e-mail, il n'aura plus qu'à double-cliquer sur le fichier PDF pour exécuter le programme Adobe Reader. La lecture du diaporama se lance automatiquement. La seule différence avec le diaporama que vous avez créé dans Lightroom est que celui du fichier PDF ne contient pas de musique de fond. Il se diffuse en plein écran, avec une fluidité parfaite des transitions.

**Astuce : Ajouter des noms de fichiers à un PDF** Lorsque vous envoyez un diaporama PDF à des fins de validation par votre client, n'oubliez pas d'activer l'option Incrustations de texte dans le panneau Incrustations du module Diaporama. Ainsi, le nom des fichiers sera visible sur les diapositives. Le client sera alors capable de vous indiquer le nom des photos qu'il a validées.

SCOTT KELBY

### ▼Un meilleur départ de votre diaporama

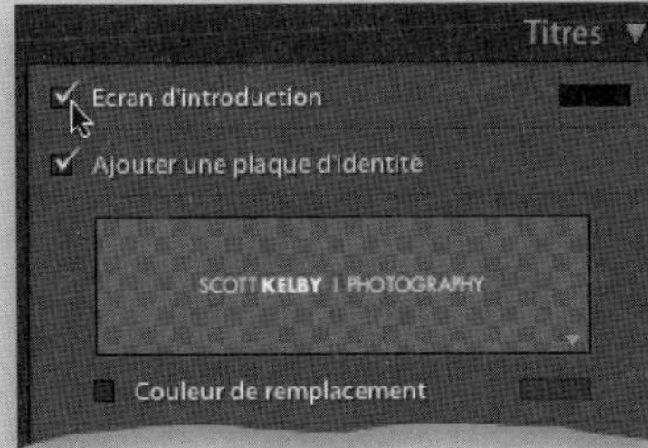


La plus grande critique que j'ai faite sur Lightroom 1 est que le diaporama démarrait immédiatement sur la première photographie. (Par exemple, lorsque vous montriez le diaporama d'un mariage, les personnes qui assistaient à cette projection entraient dans le vif du sujet sans aucune musique, aucune émotion particulière.) Dans ce chapitre, vous avez appris à créer un écran d'ouverture et de conclusion. Poussez un peu plus loin vos investigations en créant une diapositive comprenant un titre. (Toutefois, rien ne vous empêche de commencer le diaporama avec une diapositive noire et d'activer la fonction Écran d'introduction dans le panneau Titre du module Diaporama.) Maintenant, voici une astuce : lorsque vous créez un diaporama destiné à l'un de vos clients, lancez-en la lecture et appuyez immédiatement sur la barre d'espacement pour le mettre en pause. Ainsi, lorsque votre client s'assoit pour regarder la présentation, il est face à un écran noir. Dès que tout le monde est prêt, appuyez de nouveau sur la barre d'espace pour lancer la lecture du diaporama.

### ▼Conception précise des diapositives

Bien que vous puissiez créer vos diapositives directement dans Lightroom, il y a un certain nombre de conceptions graphiques que vous ne pouvez pas réaliser. Par conséquent, pour créer des diapositives sophistiquées, utilisez le programme Photoshop. Une fois vos diapositives réalisées dans ce programme, enregistrez-les au format JPEG. Ensuite, importez-les dans Lightroom. Il ne vous reste plus qu'à réaliser un diaporama à partir de ces diapositives très élaborées.

### ▼Prévisualiser l'apparence de vos photos

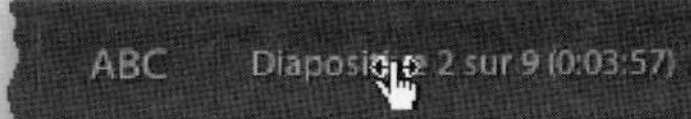


Dans la barre d'outils située sous la zone d'aperçu principale, un texte vous indique le numéro de la diapositive actuellement affichée par rapport au nombre total des diapositives que contient le diaporama. Si vous placez le pointeur de la souris sur ce texte, il prend la forme d'une main avec un doigt pointé au bout duquel deux flèches sont accrochées. Cliquez et faites glisser le pointeur vers la droite ou la gauche pour passer à la diapositive suivante ou à la diapositive précédente. C'est une manière de naviguer parmi les diapositives de votre diaporama.

### ▼Quelle est la fonction des flèches de rotation ?

Dans la barre d'outils située sous les diapositives, vous remarquez la présence de deux flèches grisées. Vous ne pouvez pas les utiliser car il n'y a pas de photo ou de texte à pivoter. (Vous pouvez ajouter un texte personnalisé en cliquant sur le bouton ABC de la barre d'outils.)

### ▼Les collections se souviennent du dernier modèle utilisé

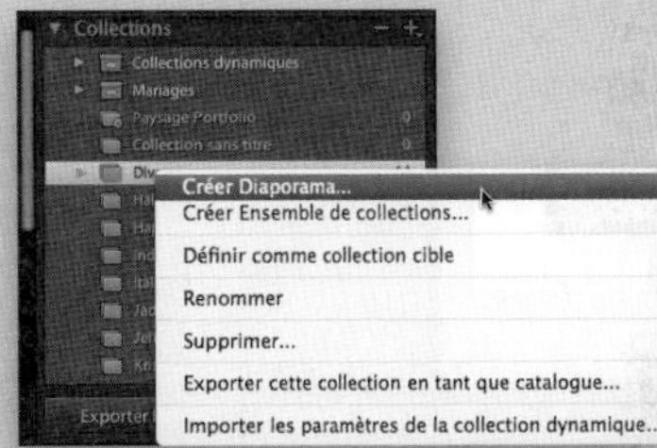


Le module Diaporama affiche le même panneau Collections que le module Bibliothèque. Il faut savoir que les collections ont une mémoire. Je veux dire ici qu'elles se souviennent du dernier modèle de diaporama que vous avez utilisé pour les photos d'une collection bien particulière. Mais elles sont incapables de se rappeler les photos que vous avez intégrées au diaporama. Pour créer rapidement un diaporama à l'identique avec les photos d'une autre collection, faites ce qui suit : effectuez un Ctrl+clic (PC : clic-droit) sur le nom de la collection et, dans le menu contextuel, exécutez la commande Créer diaporama. Ceci crée une nouvelle collection avec les photos que vous avez utilisées pour ce diaporama particulier. Tous les paramètres du diaporama en question sont appliqués.

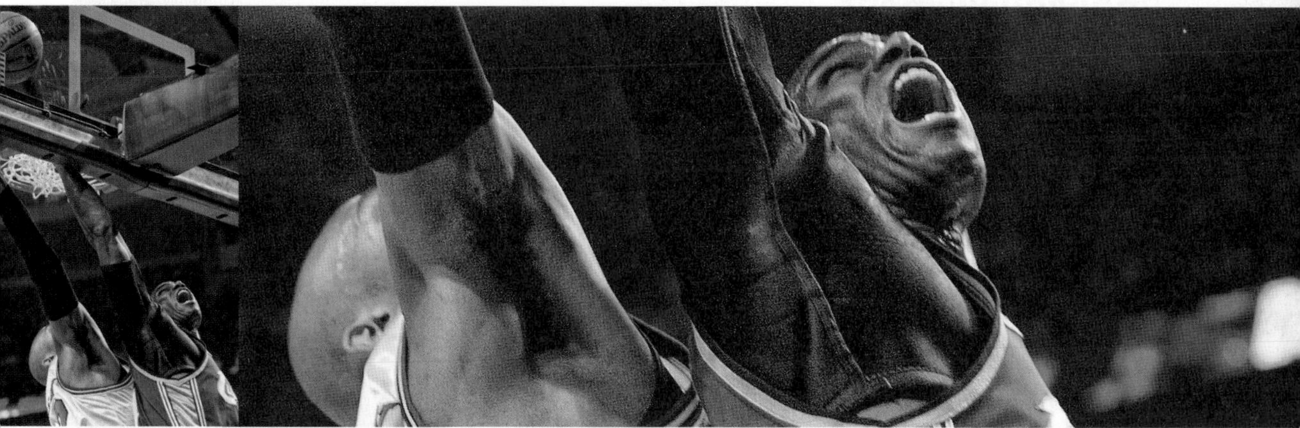

# Imprimer
## Faire bonne impression

Au chapitre consacré au noir et blanc, je vous ai montré comment préparer vos impressions noir et blanc de manière à passer pour un pro de la photo. Vous savez, ce n'est pas parce que vous photographiez en numérique que vos images sont uniquement destinées à un affichage sur écran. Mettons tout ceci en perspective : il nous faut en moyenne 1/2000e de seconde pour prendre une photographie, alors que nous passons au moins 10 minutes à la traiter dans Lightroom. Dans l'esprit, cette démarche n'est pas très photographique. Elle est davantage informatique. Pourtant, lorsque le public regarde vos images, il ne pense jamais au temps que vous avez passé dans Lightroom pour améliorer la balance des blancs, la netteté ou encore la densité. Pour lui, vous êtes contemporain de la scène que vous avez photographiée. Donc, cette photographie précise témoigne du temps qu'il vous a fallu pour la capturer. En revanche, lorsque vous affichez une image sur un écran informatique, l'esprit du public ne réagit pas de la même manière. Il crée un lien ténu entre votre moniteur, votre photographie et les logiciels potentiels que vous avez utilisés pour la trafiquer. Vous comprenez que pour la majorité des gens une photo est une photographie uniquement quand elle est imprimée sur du papier. Sinon elle n'est que l'expression de diverses manipulations informatiques. Vous devenez alors une sorte de Dr Frankenstein de l'imagerie numérique.

# Imprimer vos photos individuellement

Je pense que vous allez tomber totalement amoureux du module Impression. Aucun logiciel ne dispose d'une interface aussi exceptionnelle, simple, conviviale et fonctionnelle. Les modèles prédéfinis facilitent la procédure d'impression et représentent un excellent point de départ pour personnaliser et enregistrer vos propres modèles.

## Étape 1

Dans le module Impression, commencez par cliquer sur le bouton Mise en page. Dans la boîte de dialogue qui apparaît, choisissez la taille du papier. Ouvrez l'Explorateur de modèles, et cliquez sur Bordure artistique. La première image de la collection active s'affiche dans l'aperçu. Si vous avez préalablement sélectionné une photo, c'est elle qui apparaît au centre de Lightroom. Pour imprimer une autre collection, sélectionnez-la dans le panneau Collections du module Imprimer. Quelques lignes d'informations apparaissent dans la partie supérieure gauche de votre photo. Elles ne s'impriment pas sur la feuille. Si elles détournent votre attention, ouvrez le menu Affichage et cliquez sur Afficher l'incrustation d'informations afin de décocher l'option et ainsi de masquer ces données. Vous obtiendrez le même résultat en appuyant sur la touche I de votre clavier.

SCOTT KELBY

## Étape 2

Pour imprimer plusieurs photos en utilisant ce modèle, affichez le film fixe. Appuyez sur Cmd (Ctrl) et cliquez sur les photos à imprimer avec ce modèle. Lightroom ajoute autant de pages qu'il le faut pour imprimer les photos ainsi sélectionnées. Dans l'Explorateur de modèles, vous trouverez trois styles de mise en page qui impriment des planches contact. Cela place les photos dans des cellules que vous pouvez redimensionner. Pour afficher cette cellule, ouvrez le panneau Repères, et cochez l'option Afficher les repères. Ils prennent l'apparence de petits traits gris clair.

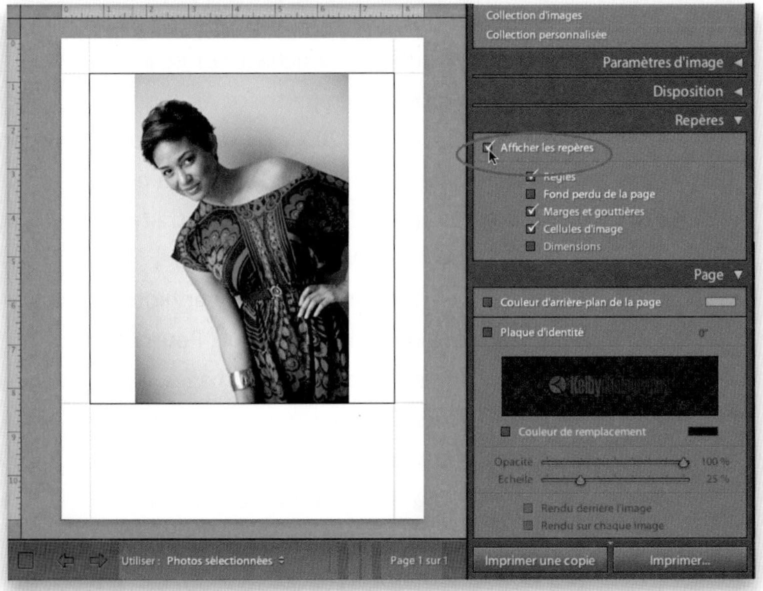

**Étape 3**

Vous observez que votre image unique remplit intégralement la cellule. Cela a pour effet de créer un espace vide entre le bord de l'image et celui de la cellule. En effet, la mise en page fait en sorte que la totalité de l'image soit visible dans la cellule. Pour corriger cela, ouvrez le panneau Paramètres d'image, et cochez l'option Zoom pour remplissage. L'inconvénient est que cela recadre la photo. L'avantage est que ce type de recadrage permet de produire des mises en page très design.

**Étape 4**

Travaillons maintenant sur ce concept de cellule. Comme la photo remplit la cellule, si vous redimensionnez cette cellule la taille de votre image ne changera pas. Donc, en réduisant la taille de la cellule vous ne faites ni plus ni moins qu'un recadrage. Pour ajouter un espace entre les cellules, ouvrez de nouveau le panneau Disposition. Faites glisser les curseurs Vertical et Horizontal de la section Espacement des cellules. (Pour obtenir les mêmes résultats que moi, ouvrez le menu local Unités de la règle, et choisissez le pouce.) Un espace est ajouté entre les cellules, sans porter atteinte aux marges.

**Étape 5**

Replacez le curseur Hauteur sur la droite. Faites glisser le curseur Largeur vers la gauche afin de rétrécir l'image. Vous créez ainsi une photo en mode portrait fort originale. Si vous déplacez maintenant les repères situés en haut et en bas, vous effectuez un recadrage. Si vous glissez le curseur Largeur, vous constatez que la taille de l'image est automatiquement adaptée jusqu'à ce que cette adaptation ne soit plus possible. C'est uniquement à ce moment-là qu'intervient un recadrage sur la largeur de la photo. Avec un tel recadrage, vous risquez de perdre des éléments de l'image qui vous tiennent à cœur. Nous pouvons corriger ce problème.

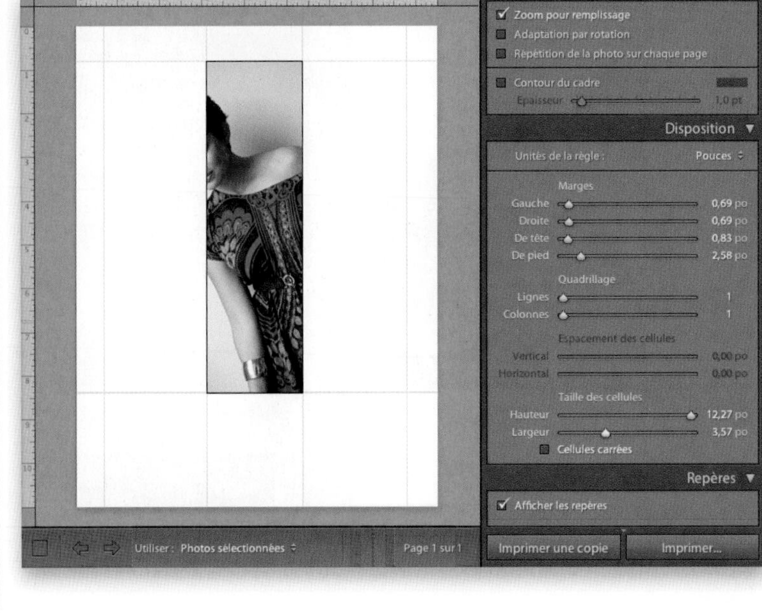


**Étape 6**

Heureusement, vous pouvez repositionner votre image dans la cellule. Placez le pointeur de la souris à l'intérieur de la photo. Il prend la forme d'une main. Cliquez et faites glisser la photo de manière à afficher, dans la cellule, la partie qui vous intéresse.

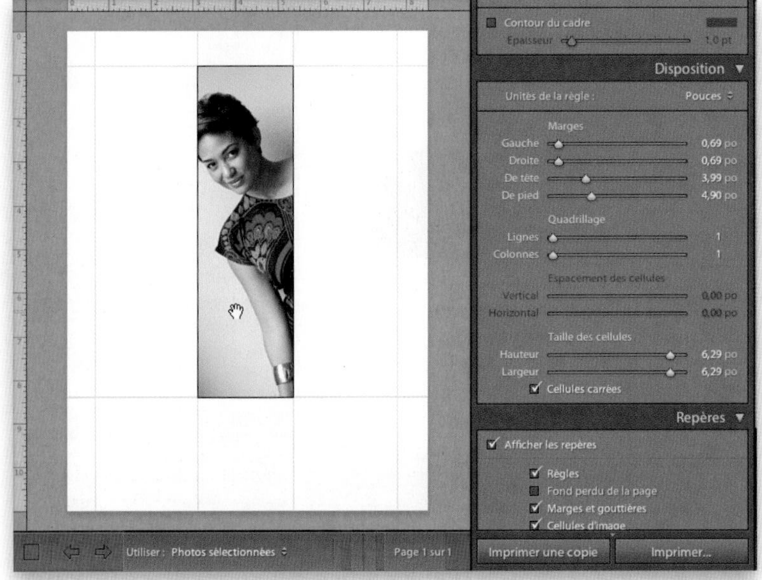

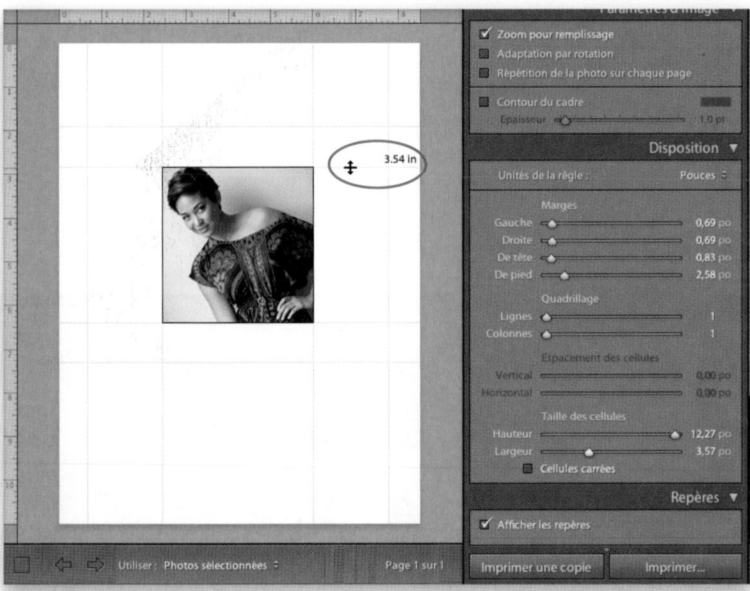


## Étape 7

En bas de la section Taille des cellules, vous notez la présence de l'option Cellules carrées. Cochez-la ! la hauteur et la largeur de la cellule ont alors les mêmes dimensions. Ceci a pour effet de redimensionner l'image dès lors que vous avez coché l'option Zoom pour remplissage. Voyons une autre manière de redimensionner : faites glisser les bordures des cellules verticalement et horizontalement. Ici, j'agis sur le bord supérieur de la cellule contenant la photo. Il suffit de le glisser vers le haut pour augmenter la taille de l'image et vers le bas pour la diminuer. Vous constatez qu'une cellule est une sorte de fenêtre pour votre photo.

**ASTUCE : PIVOTER LES IMAGES** Si vous affichez une image haute dans une cellule large, vous pouvez faire en sorte que la photo occupe le plus d'espace possible dans cette cellule. L'idéal ici est de la faire pivoter. Pour y procéder rapidement, activez l'option Adaptation pour rotation du panneau Paramètres d'image.

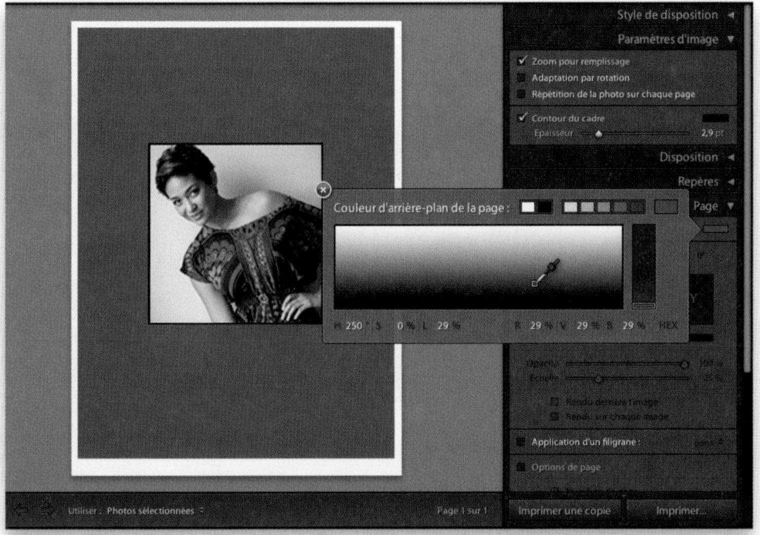


## Étape 8

Terminons par une de mes fonctionnalités préférées de Lightroom 3 : changer la couleur d'arrière-plan de la page. Pour cela, affichez le panneau Page. Cochez l'option Couleur d'arrière-plan de la page. Ensuite, cliquez sur l'indicateur de couleur, situé juste à droite de ce paramètre. Dans le sélecteur de couleurs, définissez la teinte à utiliser comme couleur d'arrière-plan de la page. Ici, j'ai défini un gris foncé. Vous pouvez aussi ajouter un contour depuis le panneau Paramètres de l'image. Il suffit de cocher l'option Contour du cadre. Ensuite, définissez une couleur et fixez l'Épaisseur du contour.

# Imprimer plusieurs photos sur une même page

Il est rare que vous vouliez gaspiller du papier, souvent cher, pour n'imprimer qu'une seule photo sur une page. L'intérêt des cellules est justement de pouvoir imprimer différentes photos sur la même page.

## Étape 1

Dans le volet gauche du module Impression, affichez l'Explorateur de modèles et cliquez sur le modèle prédéfini Cellules 2x2. Cela crée une page contenant quatre cellules. Pour placer des photos dans chaque cellule, il suffit de les sélectionner *via* Cmd+clic (Ctrl+clic) directement dans le film fixe. Cette sélection peut s'effectuer avant de choisir le modèle. Si vous en sélectionnez plus de quatre, Lightroom crée les pages supplémentaires. Ici, j'ai sélectionné dix-neuf images. Lightroom crée cinq pages. Cette disposition n'est malheureusement pas très bonne. Cela s'explique par la présence de photos en mode paysage et portrait sur une même page. Nous allons remédier à cela.

SCOTT KELBY

## Étape 2

La première solution consiste à commencer par sélectionner uniquement des images en mode portrait. Ainsi, aucune page ne contiendra des photos de type paysage et de type portrait. Une fois cette première page imprimée, il vous suffit de ne sélectionner que les photos en mode paysage, de leur assigner un modèle affichant plusieurs cellules par page et alors de les imprimer. La seconde solution consiste à ouvrir le panneau Paramètres d'image et à cocher l'option Zoom pour remplissage. Ainsi, chaque photo présente sur la page, quelle que soit son orientation, remplit la totalité de la cellule qui lui est octroyée.

Toutefois, un zoom pour remplissage recadre systématiquement les images. Vous risquez de perdre sur certaines d'entre elles des éléments qui vous tiennent à cœur. Dans ce cas, n'oubliez pas qu'il est possible de repositionner l'image à l'intérieur de la cellule, comme nous l'avons vu précédemment dans ce chapitre.

## Étape 3

Ce que vous souhaitez, c'est de pouvoir imprimer vos images avec un minimum de recadrage préalable. Voici une astuce : dans le panneau Paramètres d'image, cochez l'option Adaptation par rotation. Bingo ! Toutes les images en mode paysage pivotent pour occuper la totalité de la cellule. Attention car cette action s'applique à toutes les pages créées par Lightroom en fonction du nombre d'images que vous avez sélectionnées dans le film fixe. Pour afficher les autres pages, il suffit de cliquer sur la flèche dirigée vers la droite, située dans le coin inférieur gauche de l'aperçu.

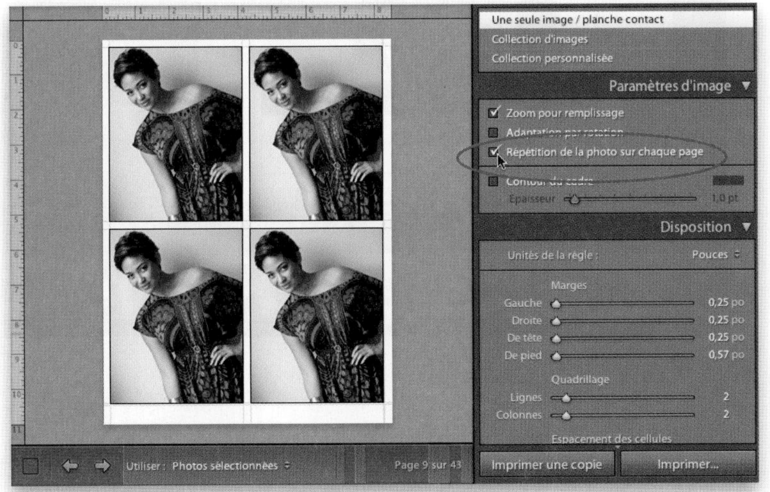


## Étape 4

Maintenant, si vous désirez imprimer la même photo à la même dimension, mais en la disposant plusieurs fois sur la même page, il vous suffit d'ouvrir le panneau Paramètres d'image. Cette fois, cochez l'option Répétition de la photo sur chaque page. En revanche, si vous souhaitez l'imprimer en différentes tailles, reportez-vous à la page 342.

### Étape 5

Si vous choisissez un autre modèle de mise en page comme Planche contact 4x5, toutes les photos sélectionnées sur plusieurs pages se retrouvent regroupées sur une seule page qui ressemble trait pour trait aux traditionnelles planches contact argentiques. Le nom de la photo apparaît sous chaque vignette. Pour désactiver cette fonction, ouvrez le panneau Page, et décochez l'option Informations sur la photo. Il est tout à fait possible d'afficher un autre texte sous chaque vignette. Pour cela, ne décochez pas Informations sur la photo, puis cliquez sur le menu local situé à droite de cette option. Là, sélectionnez le type de texte à afficher sous chaque image de la planche contact. Une fois encore, la disposition des vignettes n'est pas très esthétique. Donc, dans le panneau Paramètres d'image, cochez l'option Zoom pour remplissage. Bien entendu, certaines vignettes se retrouvent recadrées. Cela vous pose problème, décochez l'option Zoom pour remplissage. Dans ce cas, vous ne pourrez pas empêcher le recadrage automatique appliqué par Lightroom.

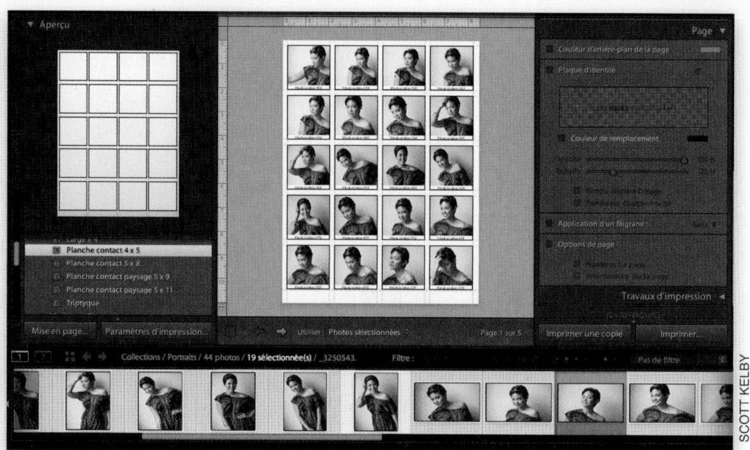


SCOTT KELBY

### Étape 6

Pour l'instant, nous n'avons fait qu'utiliser des modèles prédéfinis proposés par Lightroom. Sachez qu'il est très facile de créer les vôtres. Votre seule limitation dans cet exercice est de ne pas pouvoir définir des cellules de différentes tailles. Ainsi, il ne sera pas possible pour vous de disposer d'une image carrée et de deux autres rectangulaires. Elles seront soit toutes carrées soit toutes rectangulaires. Ne vous inquiétez pas ! Nous verrons plus tard comment placer sur une même page des photos qui n'ont pas la même dimension. Pour le moment, utilisons la puissance des modèles de planche contact pour créer le nôtre. Dans le film fixe, sélectionnez entre huit et neuf photos. Ensuite, cliquez sur le modèle appelé « Agrandissement ». Ensuite, décochez l'option Adaptation par rotation.

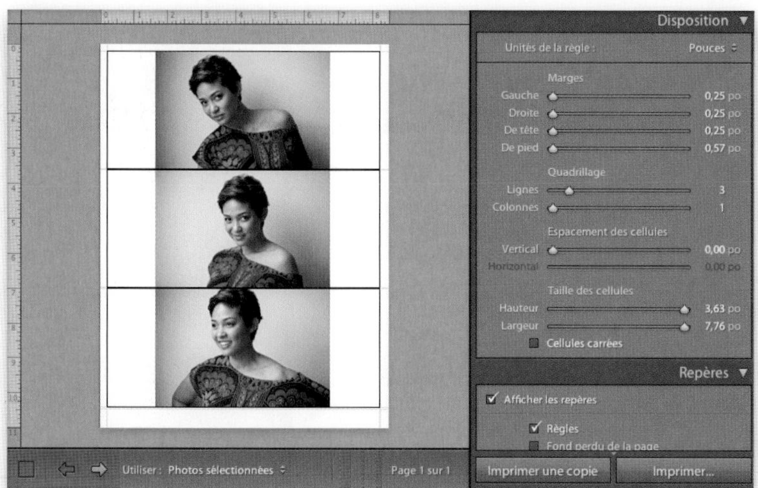


## Étape 7

Ouvrez le panneau Disposition. Vous y découvrez une section appelée Quadrillage. Elle permet de définir le nombre de lignes et de colonnes de cellules que comptera votre page. Commencez par faire glisser le curseur Lignes jusqu'à la valeur 3. Immédiatement, trois photos sont visibles sur la page. Elles sont alignées verticalement. Il n'y a aucun espace qui les sépare.

INFO Les lignes noires qui entourent les cellules ne sont que des repères. Elles permettent d'identifier les bordures de chaque cellule. Vous pouvez les masquer en ouvrant le panneau Repères. Là, décochez l'option Afficher les repères. En règle générale, ces traits noirs ne servent pas à grand-chose car vous pouvez identifier les cellules grâce aux petits traits gris clair visibles sur la page.

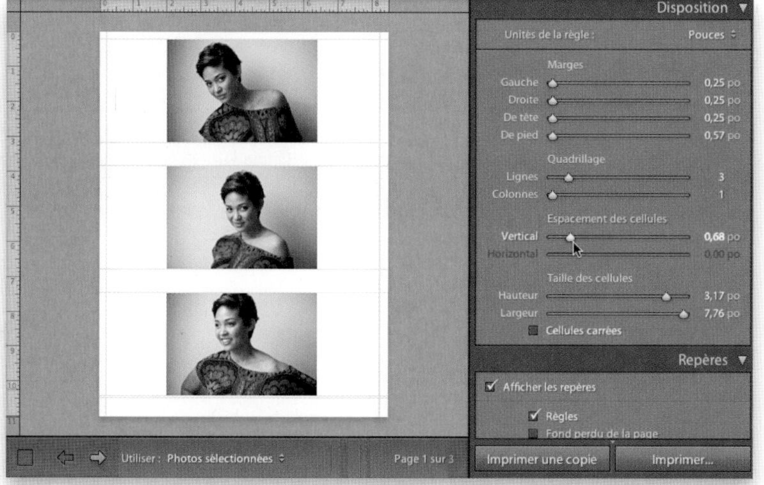


## Étape 8

Pour insérer des espaces verticaux entre vos photos, localisez la section Espacement des cellules. Faites glisser le curseur Vertical vers la droite pour insérer un espace d'environ 0,68 pouce.

### Étape 9

Maintenant, dans la section Quadrillage, faites glisser le curseur Colonnes jusqu'à la valeur 3. Vous disposez désormais d'une mise en page comprenant trois lignes et trois colonnes, donc susceptibles d'accueillir jusqu'à neuf images. Par défaut, les colonnes ne sont pas espacées.

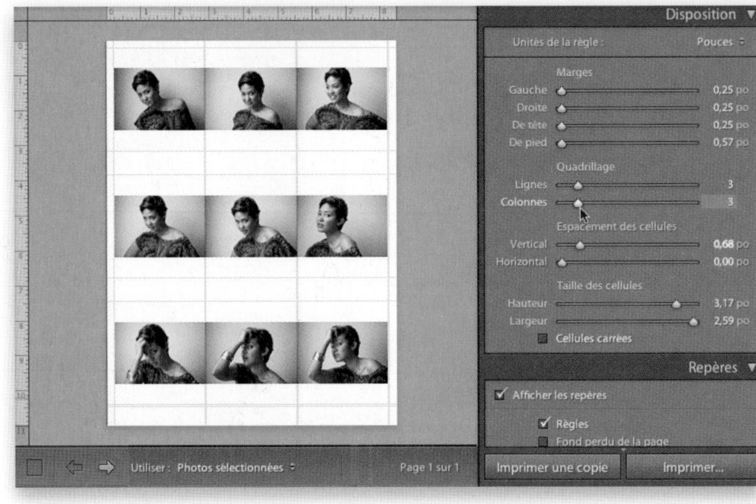


### Étape 10

Pour espacer les colonnes, agissez sur le curseur Horizontal de la section Espacement des lignes. Maintenant que les colonnes sont espacées, intéressez-vous aux marges de la page. Il y a beaucoup trop d'espaces vides en haut et en bas de la page. En revanche, sur les côtés cet espace est relativement limité mais tout de même présent.

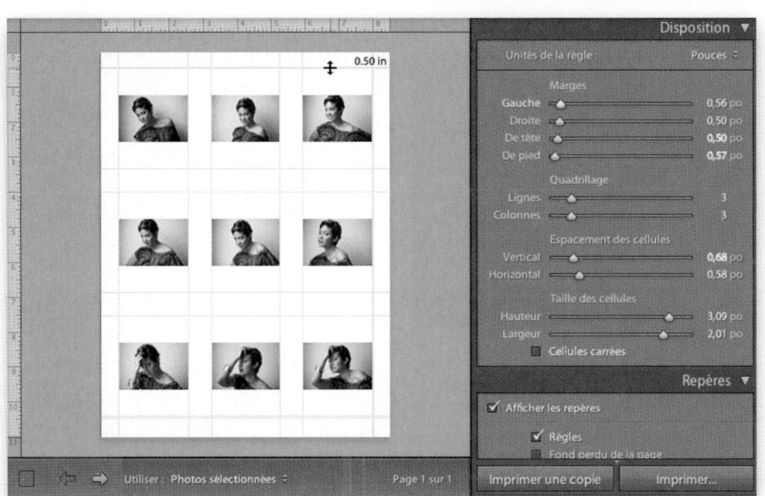


**Étape 11**

Vous pourriez modifier les marges en agissant sur les curseurs de la section éponyme. Cependant, il existe une méthode beaucoup plus visuelle. Il s'agit de placer le pointeur de la souris sur le trait gris clair situé dans la partie supérieure de la page et de le faire glisser vers le haut ou le bas. Ici, j'ai agi aussi bien sur la marge de tête que la marge de pied. Ensuite, j'ai agi sur les marges de gauche et de droite pour ne laisser qu'un espace d'environ un demi-pouce.

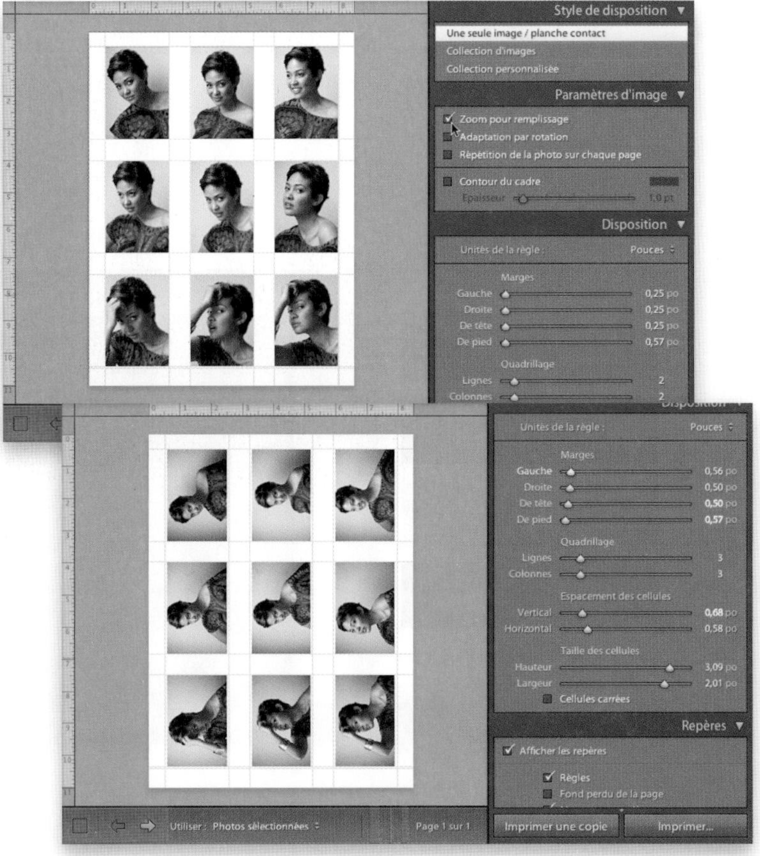


**Étape 12**

Si vous regardez l'aspect de vos images, vous constatez qu'elles sont plus larges que hautes. Or elles résident toutes dans des cellules de grande taille. Pour profiter de la pleine largeur de vos images, ouvrez le panneau Paramètre d'image. Cochez l'option Zoom pour remplissage. Ainsi, chaque image remplit la totalité de la cellule. Comme cette action a pour effet négatif de recadrer votre image, cochez l'option Adaptation par rotation. Alors, les images pivotent et occupent la plus grande partie des cellules avec un minimum de recadrage.

## Étape 13

Voyons quelques exemples de mises en page supersympa que vous pouvez créer avec des styles Planche contact. Commencez par cliquer sur le bouton Mise en page en bas à droite de l'interface. Choisissez une taille de 8 × 12 pouces. Ensuite, ouvrez le panneau Paramètres d'image. Cochez la case Zoom pour remplissage. Dans le panneau Disposition, fixez les paramètres Lignes et Colonnes de la section Quadrillage respectivement sur 1 et 3. Dans Taille des cellules, désactivez si besoin l'option Cellules carrées. Ensuite, fixez toutes les marges à environ 0,75 pouce à l'exception de la marge de pied, que vous fixez à 2,75. Ceci laisse de l'espace pour insérer votre Plaque d'identité. Dans la section Taille des cellules, fixez la Hauteur à 7,5 et la Largeur à 2,2 (ou sensiblement moins). Maintenant, sélectionnez trois photos, puis activez la fonction Plaque d'identité du panneau Page. Augmentez sa taille et centrez-la en bas de la page. J'ai également désactivé les repères, qui détournent considérablement l'attention.

SCOTT KELBY

## Étape 14

Créons maintenant un panorama. Pour cet exercice, vous n'êtes pas obligé d'utiliser de vrais panoramas. Avec des images standard, vous simulerez de beaux panoramas. Commencez par créer une mise en page comportant 4 lignes et 1 colonne. Ensuite, fixez les marges de la manière suivante : droite et gauche = 0,50, de tête = 0,75 et de pied = 1,30. Décochez Cellules carrées. Ensuite, fixez la Largeur à 7,33 et la Hauteur à 1,83. (Si ces valeurs ne fonctionnent pas, approchez-vous-en le plus possible.) Créez un espace entre vos faux panoramas en jouant sur le curseur Vertical dont vous fixez la valeur à 0,50. Il m'a suffi de sélectionner quatre photos dans le film fixe pour composer instantanément cette mise en page.

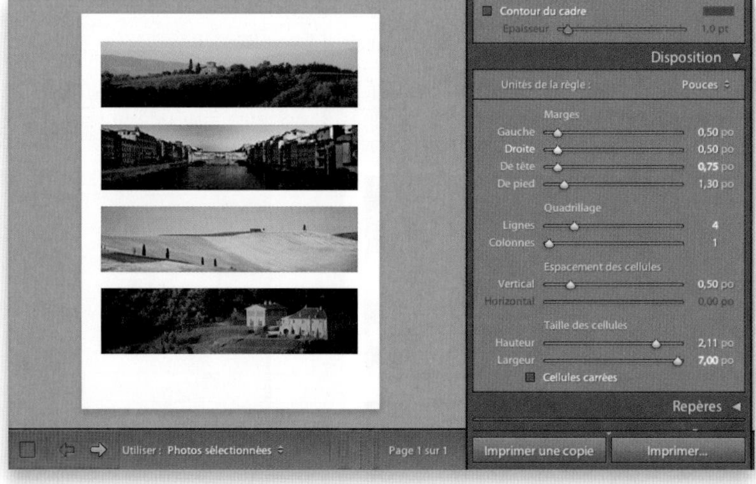


SCOTT KELBY

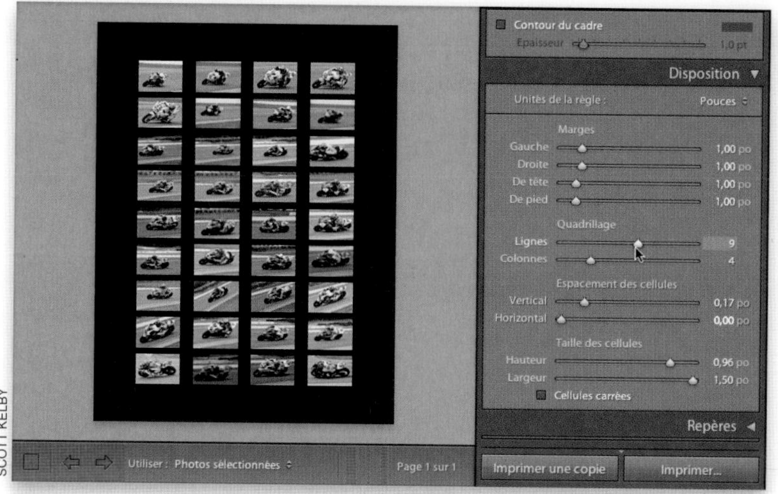

SCOTT KELBY

### Étape 15

Comment créer un poster contenant trente-six photos ? Facile ! Commencez par créer une collection contenant toutes ces images. Dans le panneau Paramètres d'image, désactivez Zoom pour remplissage. Dans le panneau Disposition, fixez toutes les marges à 1 pouce. Dans la section Quadrillage, définissez 9 lignes et 4 colonnes. Définissez un espacement Horizontal de 0 et Vertical de 0,17. Enfin, dans le panneau Page, cochez l'option Couleur d'arrière-plan de la page. Ensuite, cliquez sur l'indicateur de couleur et choisissez une teinte noire.

SCOTT KELBY

### Étape 16

Voici maintenant un effet très design où une photo est divisée en cinq cellules verticales. Cliquez sur le bouton Mise en page et optez pour l'orientation Paysage. Dans le film fixe, faites un clic-droit sur la photo à mettre en page. Dans le menu contextuel, choisissez Créer une copie virtuelle. Répétez encore trois fois cette action pour disposer d'un total de cinq images identiques. Dans le panneau Paramètres d'image, cochez Zoom pour remplissage. Ensuite, dans le panneau Disposition, fixez les marges Gauche et Droite sur 1,50 et les marges de pied et de tête sur 1. Dans la section Quadrillage fixez Lignes sur 1 et Colonnes sur 5. Ajoutez un petit espace Horizontal en le fixant à 0,39. Dans la section Taille des cellules, fixez la Hauteur à 6,5 et la Largeur à 1,4. Dans le panneau Page, activez l'option Couleur d'arrière-plan de la page. Cliquez sur l'indicateur et définissez cette fois un gris foncé. Sélectionnez vos cinq images dans le film fixe. Une fois les images présentes dans les cellules, vous remarquez qu'elles affichent toutes la même portion de la photo. Faites glisser leur contenu de manière à recréer votre image complète.

# Créer des mises en page personnalisées

Dans Lightroom 3 vous pouvez utiliser des structures de cellules prédéfinies pour créer vos propres mises en page. Voici comment définir des dispositions et des tailles de cellules personnalisées.

### Étape 1

Dans le panneau Style d'image, cliquez sur Collection personnalisée. Ajoutez des photos à votre page en les glissant-déposant sur cette page depuis le film fixe. L'image s'affiche alors dans une cellule totalement redimensionnable. Pour la redimensionner, il suffit d'agir sur les diverses poignées de son cadre de sélection. (L'image ci-contre s'affichait dans une toute petite taille. Je l'ai redimensionnée pour qu'elle occupe une grande partie de la page.) le redimensionnement s'effectue proportionnellement. Pour effectuer un redimensionnement libre, il suffit de décocher l'option Verrouiller le rapport L/H de la photo en bas du panneau Cellules. Dans ce cas, la cellule agit comme si vous utilisiez l'option Zoom pour remplissage. Vous en saurez davantage dans une minute.

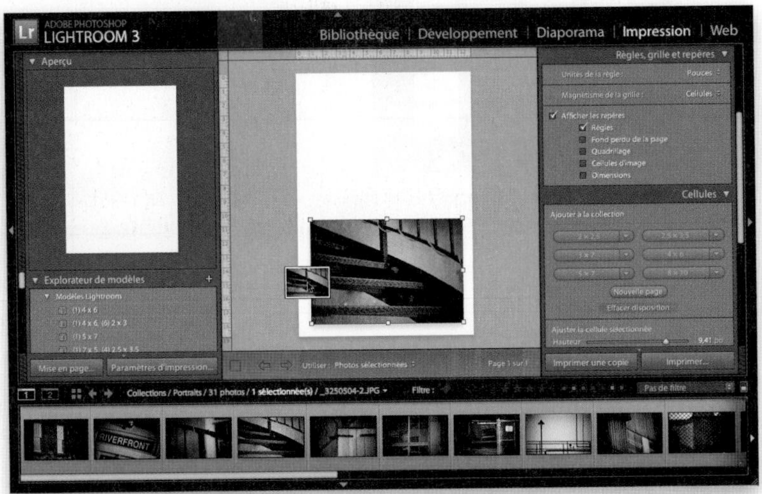


SCOTT KELBY

### Étape 2

Cliquez sur le bouton Effacer disposition pour tester une autre méthode de placement des images dans vos cellules. Elle consiste à créer des cellules dans lesquelles vous glisserez-déposerez vos photos. Ouvrez le panneau Cellules. Dans la section Ajouter à la collection, cliquez sur la dimension de cellules que vous souhaitez utiliser. Par exemple, pour insérer des cellules d'une dimension de 3×7 pouces, cliquez sur le bouton idoine. Une cellule vide apparaît sur la page. Maintenant, glissez-déposez-y une photo depuis le film fixe.

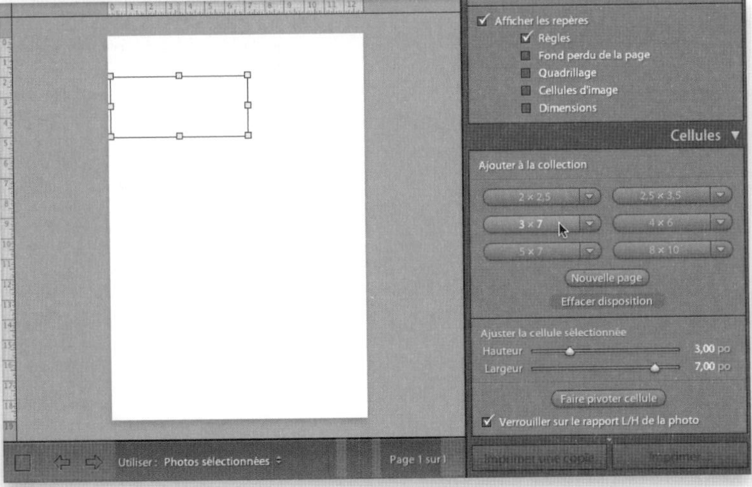

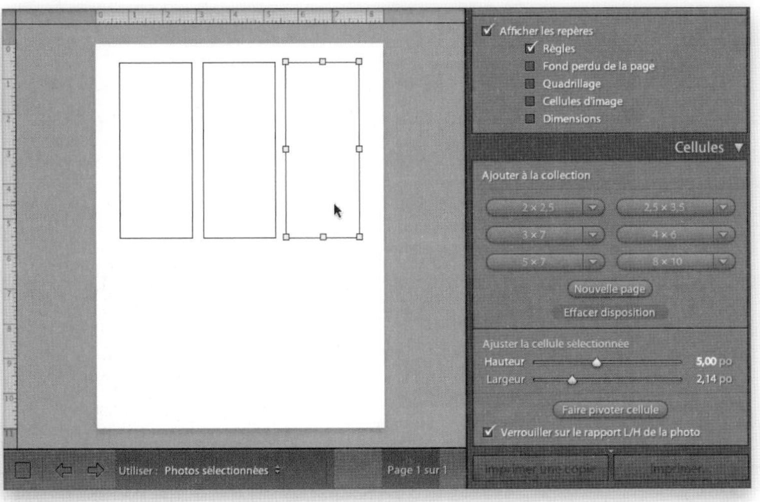


## Étape 3

Poursuivons en créant une disposition personnalisée. Videz cette page par un clic sur Effacer la disposition. Ensuite, cliquez sur le bouton 3×7. Vous insérez une cellule relativement large. Ensuite, cliquez sur le bouton Faire pivoter la cellule. Cette fois, la cellule se présente verticalement. Elle est donc plus haute que large. Vous pouvez redimensionner cette cellule soit en agissant sur ses poignées, soit en ajustant les curseurs du paramètre Ajuster la cellule sélectionnée. Dans cet exemple j'assigne à la cellule une Hauteur de 5. Ajoutons deux autres cellules. Pour les créer rapidement, appuyez sur Option (Alt), et cliquez dans la cellule existante. Faites-la glisser vers la droite pour la dupliquer. Répétez cette opération pour disposer d'un total de trois cellules. Ensuite, disposez-les côte à côte par simple glissement sur la page. (Une fonction de magnétisme permet d'aligner aisément les cellules.)

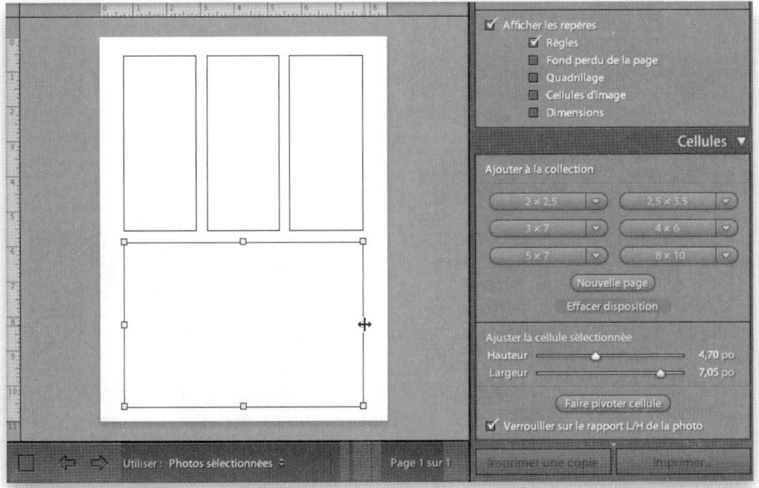


## Étape 4

Ajoutons une photo de plus grande taille en bas de notre disposition actuelle. Cliquez sur le bouton 4×6. Ceci place une grande cellule sous les trois premières. Pour que cette cellule occupe la même largeur que les trois autres, faites glisser vers la droite sa poignée de droite comme ci-contre. La disposition est terminée. Toutefois, voici ce que vous devez faire avant d'insérer des photos : comme les cellules supérieures sont hautes et étroites, décochez l'option Verrouiller sur le rapport L/H de la photo. Sinon la cellule s'élargira pour afficher la totalité de l'image.

## Étape 5

Maintenant, glissez-déposez des images dans vos cellules. Vous pouvez repositionner les photos dans chaque cellule en appuyant sur la touche Cmd (Ctrl) et en glissant l'image à l'intérieur des cellules.

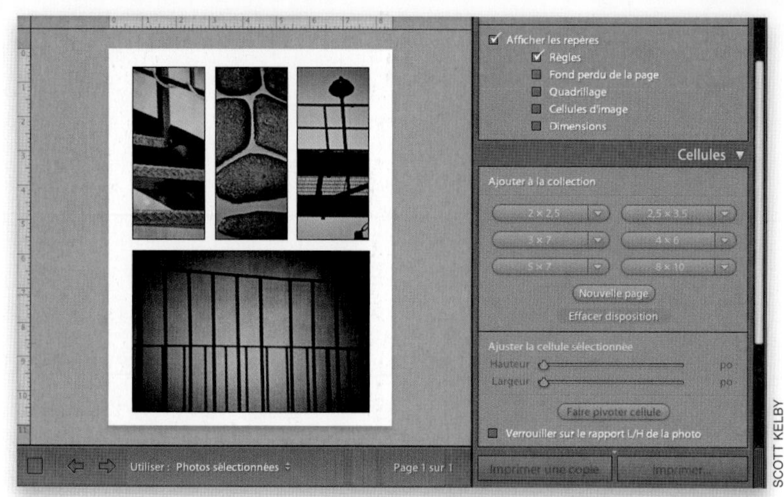


SCOTT KELBY

## Étape 6

Vous pouvez chevaucher vos images comme s'il s'agissait de calques Photoshop. Redémarrons une nouvelle mise en page par un clic sur le bouton Effacer la disposition. Ensuite, faites pivoter votre page en mode paysage. Dans le panneau Cellules, cliquez sur le bouton 8×10. Redimensionnez cette cellule et repositionnez-la pour qu'elle occupe une grande partie supérieure de la page. Ensuite, cliquez sur le bouton 2×2,5. Placez cette petite cellule dans la partie inférieure de la page en la faisant empiéter sur la première cellule. Dupliquez deux fois cette deuxième cellule. Désormais, trois petites cellules parfaitement alignées empiètent sur la partie inférieure de la grande cellule. Glissez-déposez des photos dans vos cellules. Pour bien les distinguer les unes des autres, ajoutez des bordures. Cochez l'option Bordure de photo du panneau Paramètres d'image. Essayez de basculer votre page en mode portrait. Vous serez surpris du résultat. Les deux mises en page ci-dessous montrent la souplesse d'utilisation de cette fonction de Lightroom 3. En modifiant la disposition et la taille des cellules, en changeant l'épaisseur de la bordure et en activant l'option Contour interne, les variantes sont quasi infinies. Il ne faut pas plus de 30 secondes pour obtenir chacune des mises en page illustrées ci-dessous.

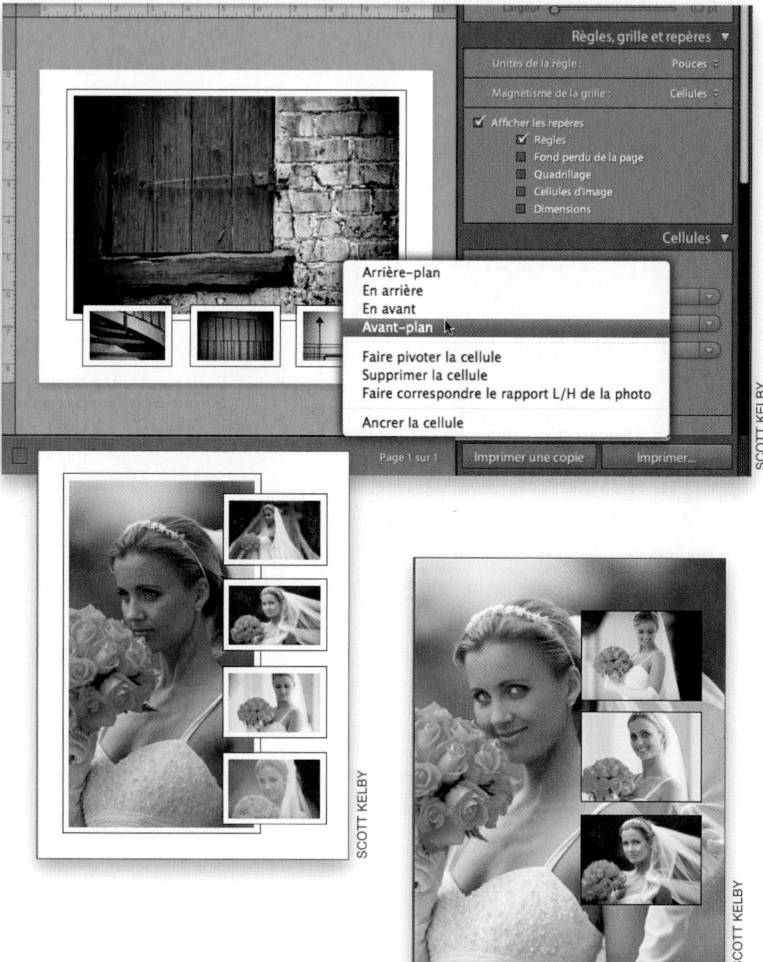


SCOTT KELBY

SCOTT KELBY

SCOTT KELBY

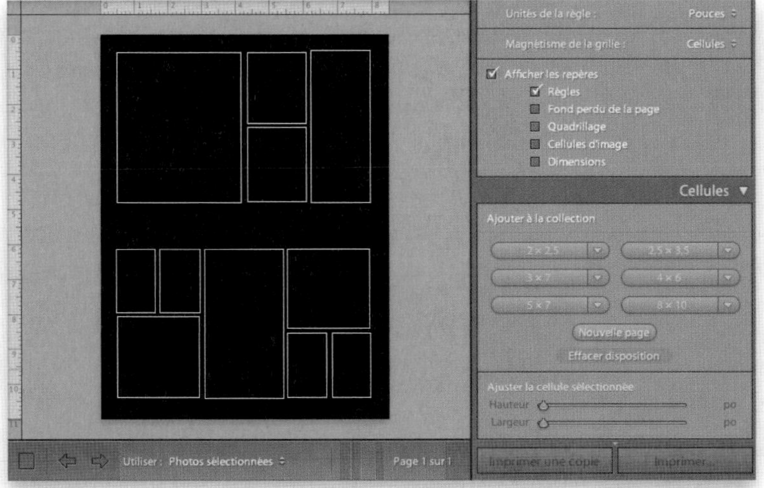


## Étape 7

Allez ! Recommençons ! Cliquez sur Effacer la disposition. Ensuite, dans le panneau Page, cochez Couleur d'arrière-plan de la page. Cliquez sur l'indicateur de couleur. Dans le sélecteur, choisissez une teinte noire. Ensuite, désactivez l'option Verrouiller sur le rapport L/H de la photo. Puis, dans le panneau Cellules, cliquez sur divers boutons pour créer un jeu de cellules. Redimensionnez et repositionnez-les pour obtenir une mise en page comme celle illustrée ci-contre. Laissez un espace au centre de la page pour y insérer votre plaque d'identité.

SCOTT KELBY

## Étape 8

Placez vos photos dans les cellules. La petite bordure est uniquement faite pour vous montrer comment chaque photo prend place dans sa cellule. Si vous désirez vraiment afficher et imprimer un contour, activez l'option Contour interne du panneau Paramètres d'image. Ensuite, cliquez sur l'indicateur de couleur afin de choisir une teinte de contour dans le sélecteur de couleurs. Enfin, j'ajoute ici ma plaque d'identité. Il suffit de cocher l'option Plaque d'identité du panneau Page. Ensuite, dans la disposition, redimensionnez cette plaque et positionnez-la au centre de la page.

# Ajouter du texte à vos dispositions d'impression

Il est facile d'ajouter du texte à des mises en page destinées à l'impression de vos photos. Comme avec les modules Diaporama et Web, vous pouvez demander à Lightroom d'insérer vos métadonnées sous forme de texte. Bie entendu, vous pouvez personnaliser du texte et/ou ajouter votre plaque d'identité. Voici comment travailler avec du texte dans le module Impressio

### Étape 1

Commencez par sélectionner une photo. Appliquez-lui le modèle Bordure artistique. Activez Zoom pour remplissage. La méthode la plus simple pour ajouter du texte consiste à ouvrir le panneau Page et à y cocher la case Plaque d'identité. Le contenu de cette plaque s'affiche sur la page d'impression. (Si vous ne savez pas comment créer et/ou modifier une plaque d'identité, reportez-vous au Chapitre 3.) Faites glisser cette plaque d'identité à l'emplacement qui convient le mieux à votre mise en page (dans cet exemple, je l'ai positionnée en bas et au centre de la page). Vous constatez que ma plaque contient deux lignes de texte. Pour créer une telle ligne supplémentaire, vous devez modifier votre plaque d'identité. Dans l'éditeur, placez le point d'insertion à la fin du premier texte. Appuyez sur Option+ Entrée (Alt+Entrée). Ensuite, appuyez vingt fois sur la barre d'espace pour centrer la seconde ligne sur la première. Appliquez à chaque ligne de texte une police et une taille différentes. C'est un peu fastidieux mais cela marche !

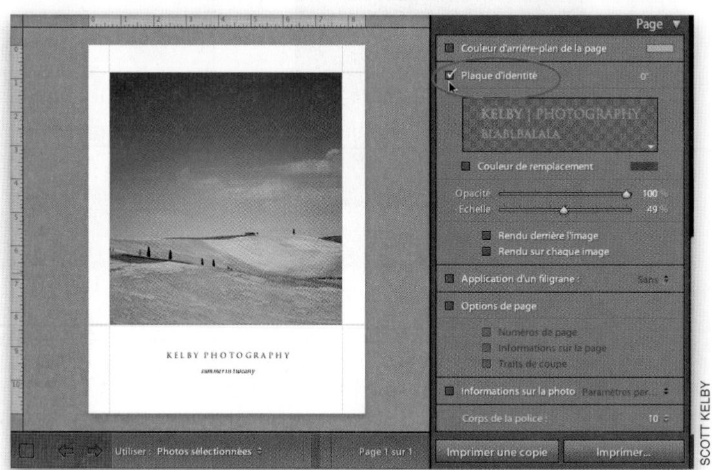


SCOTT KELBY

### Étape 2

Vous pouvez ajouter du texte extrait des métadonnées de la photo. Par exemple, vous insérerez les réglages d'exposition, la marque et le modèle de votre appareil photo, le nom du fichier, ou une légende que vous avez ajoutée manuellement dans le panneau Métadonnées du module Bibliothèque. Pour cela, ouvrez le panneau Page. Cochez l'option Informations sur la photo. Cliquez sur les deux petites flèches situées à droite de ce paramètre. Dans le menu local qui apparaît, sélectionnez le type d'informations que vous souhaitez ajouter sur la page d'impression. Vous pouvez modifier la taille de cette information en ouvrant le menu local Corps de la police. Cependant, la taille maximale est de 16 points. Cela est vraiment très petit, comme vous pouvez le constater sur l'illustration ci-contre.

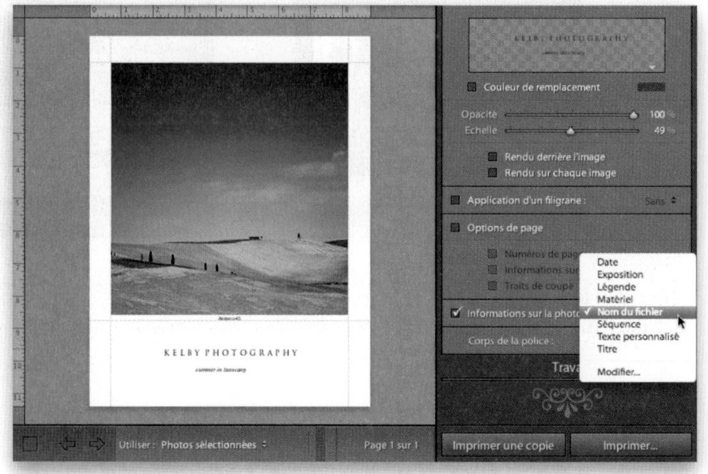

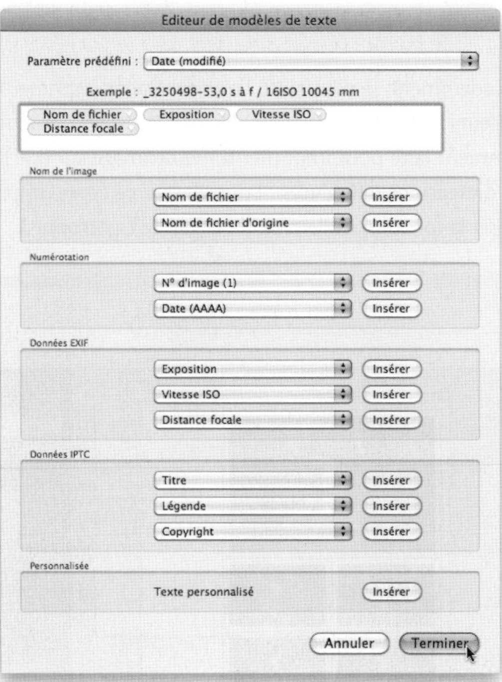


## Étape 3

Bien entendu, vous pouvez créer un texte personnalisé. Le gros inconvénient de ce texte est que vous ne pouvez pas le repositionner, comme vous avez pu le faire avec la plaque d'identité. Pour cette raison, je préfère utiliser une plaque d'identité qu'un texte personnalisé. Pour ajouter ce type de texte, ouvrez le menu local Informations sur la photo, et sélectionnez l'option Texte personnalisé. Ouvrez de nouveau ce menu local et choisissez Modifier. Vous affichez l'Éditeur de modèle de texte.  Vous pouvez y définir votre propre liste de données personnalisées que Lightroom a récupérées dans les métadonnées de chaque photographie. Ces informations s'imprimeront sous cette image. Il suffit de sélectionner la donnée dans l'un des menus locaux, puis de cliquer sur le bouton Insérer correspondant. Maintenant, à vous de juger de l'opportunité d'imprimer ce type d'informations sur votre image.

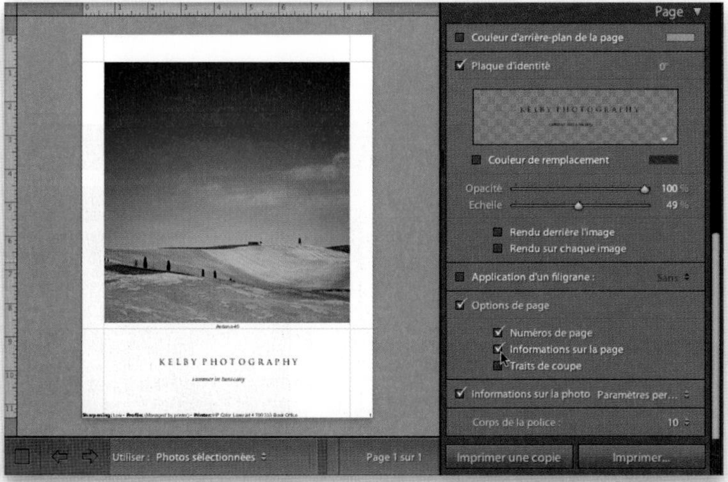


## Étape 4

Si vous imprimez des pages pour un book, Lightroom peut automatiquement les numéroter. Dans le panneau Page, cochez la case Options de page.  Ensuite, activez le paramètre Numéros de page. Enfin, si vous effectuez une série d'impressions test, vous pouvez insérer les paramètres d'impression tout en bas de la page. Pour cela, cochez l'option Informations sur la page de la section Options de page.

# Imprimer plusieurs photos sur une même page

Précédemment, je vous ai expliqué comment imprimer la même photo plusieurs fois sur une même page mais dans des dimensions identiques. Comment faire pour imprimer la même image sur une même page dans des dimensions différentes ? Pour obtenir ce type d'impression, vous devez utiliser la fonction Collection d'images de Lightroom 3.

### Étape 1

Cliquez sur la photo que vous souhaitez imprimer plusieurs fois sur la même page. Dans le volet gauche du module Impression, affichez l'Explorateur de modèles et cliquez sur le modèle prédéfini (1) 4×6,(6) 2×3. (Les mesures des modèles prédéfinis sont exprimées en pouces.) Vous obtenez la disposition d'images illustrée ci-contre. Si vous regardez le contenu du panneau Style de disposition, vous remarquez que la fonction utilisée se nomme Collection d'images.

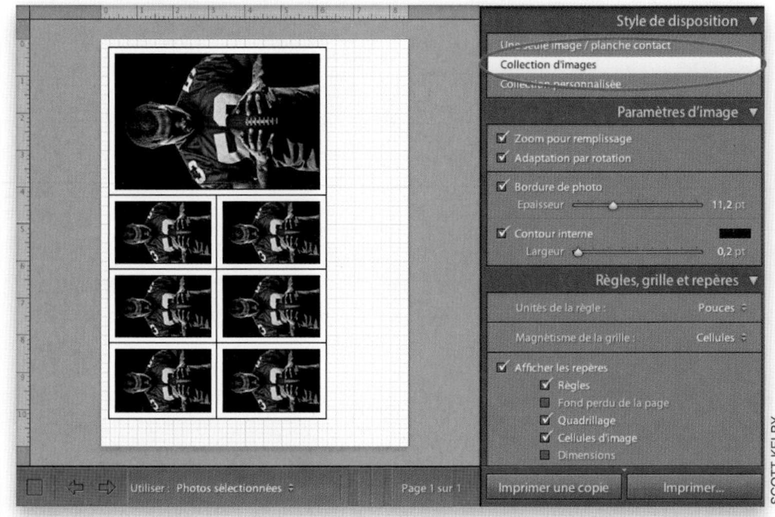


SCOTT KELBY

### Étape 2

Par défaut, une bordure blanche encadre chaque photographie. Pour supprimer ce cadre, décochez l'option Bordure de photos du panneau Paramètre d'image. L'option Zoom pour remplissage est également active par défaut. Si vous souhaitez afficher l'intégralité de la photo, décochez cette option.

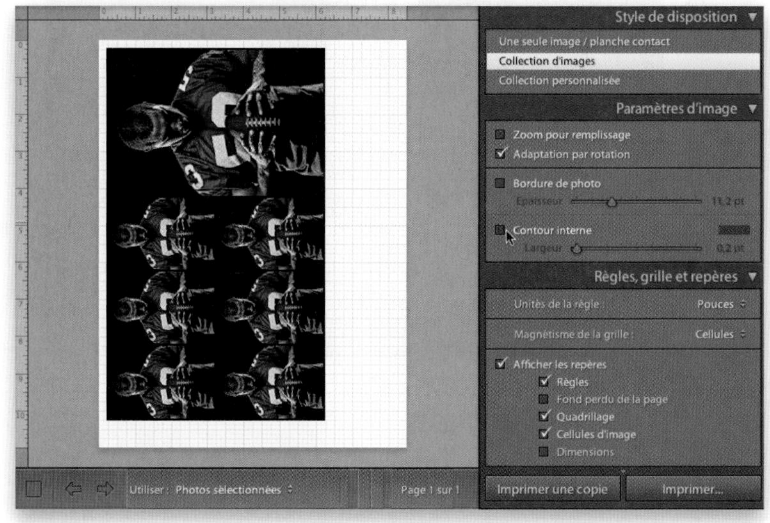

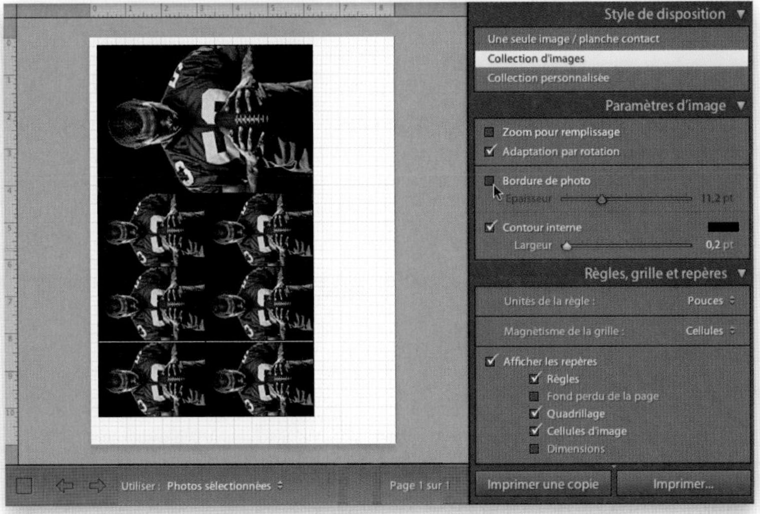


**Étape 3**

Une autre option, active par défaut, trace un contour noir autour de chaque image. Vous pouvez contrôler la taille de ce trait en faisant glisser le curseur Largeur du paramètre Contour interne. Pour supprimer ce trait, décochez la case Contour interne. Cette fois, un trait particulièrement fin sépare chaque image. Dès lors, vos images retrouvent leur taille d'origine et sont adaptées au cadre qui leur est alloué dans cette collection d'images. Par conséquent, si cette disposition des photos vous convient, n'oubliez pas de l'enregistrer sous forme d'un modèle personnalisé. Il suffit d'accéder au panneau Explorateur de modèles et de cliquer sur son signe +.

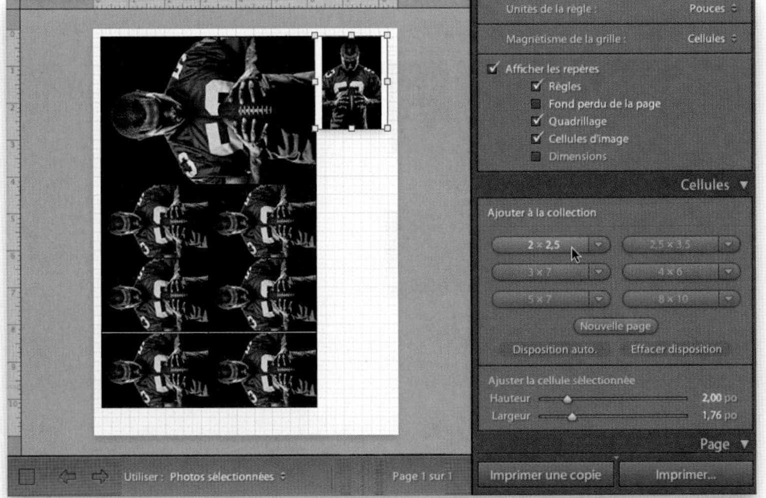


**Étape 4**

Il est très facile d'ajouter d'autres occurrences de cette photographie dans la mise en page actuelle. Ouvrez le panneau Cellules. Vous y découvrez un certain nombre de boutons mentionnant, en centimètres, la dimension des nouvelles photos que vous pouvez insérer dans la mise en page. Cliquez sur l'un de ces boutons. (Par exemple, j'ai cliqué sur le bouton 2x2,5. Ceci a ajouté une nouvelle cellule.) Pour supprimer des cellules, cliquez dessus, et appuyez sur la touche Suppr de votre clavier.

**Info** Si l'ajout d'une cellule crée une seconde page, glissez-déplacez cette cellule sur la première page. Repositionnez-la de telle sorte qu'elle n'en chevauche aucune autre. Ensuite, cliquez sur le bouton X de la seconde fenêtre. Voilà !

**Étape 5**

Si vous désirez créer votre propre collection d'images personnalisées en ne partant pas d'un modèle prédéfini, ouvrez le panneau Cellules et cliquez sur le bouton Effacer la disposition. Vous pouvez alors démarrer une collection d'images sur une page blanche.

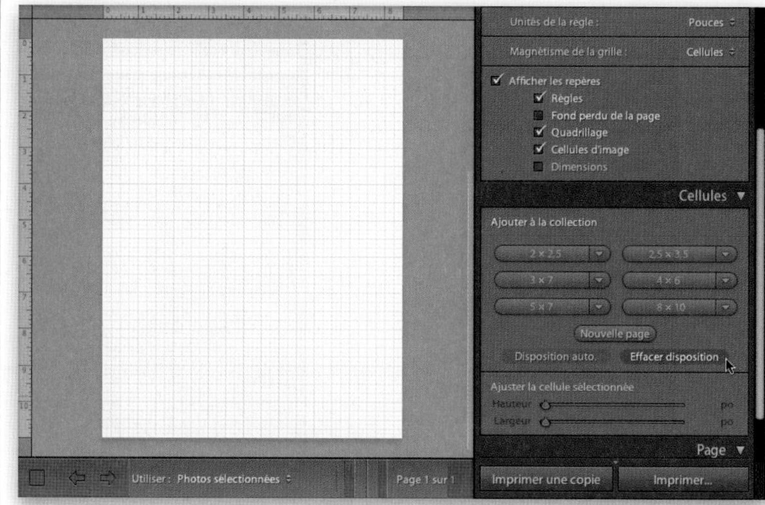


**Étape 6**

Vous n'avez plus qu'à cliquer sur les boutons des dimensions d'image de la section Ajouter à la collection. À chaque clic, une photo identique est ajoutée à la disposition. Vous constaterez que cette fonction ne positionne pas les photographies de manière optimale. Mais Lightroom est capable de corriger ce problème à votre place.

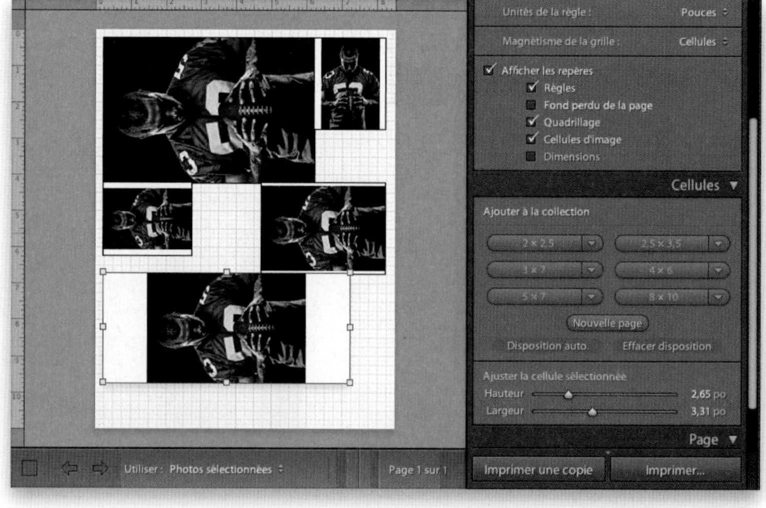

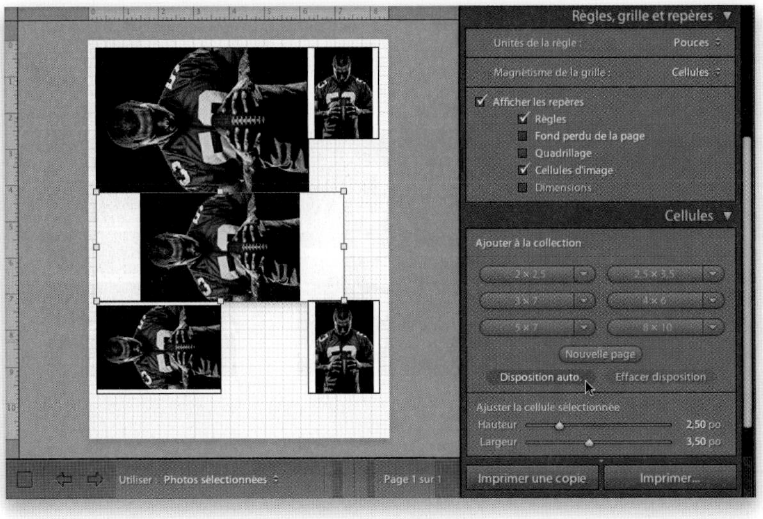


## Étape 7

Si vous cliquez sur le bouton Disposition automatique du panneau Cellules, Lightroom essaie d'organiser le plus logiquement possible les photos ajoutées à la collection. Il dégage ainsi un espace supplémentaire pour ajouter d'autres photos. Pour le moment, cliquez sur le bouton Effacer la disposition de manière à vider totalement la page. À partir de cette page vierge, nous allons découvrir une autre fonction très pratique.

**ASTUCE : GLISSER ET COPIER** Pour dupliquer une cellule, appuyez sur la touche Option (Alt) et glissez-déposez une des photographies à un nouvel emplacement. La copie se fait automatiquement. Lorsqu'une photographie en chevauche une autre, une petite icône d'avertissement s'affiche dans le coin supérieur droit de votre page.

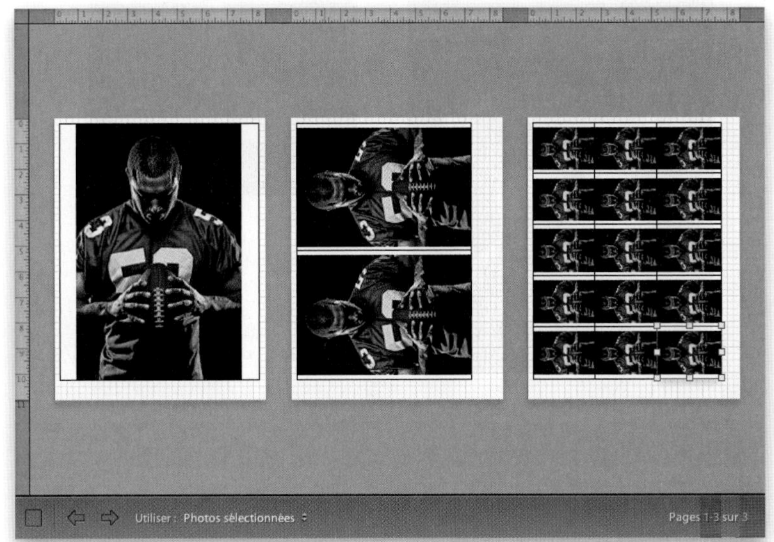


## Étape 8

Si vous ajoutez beaucoup trop de cellules, elles ne tiendront pas sur une seule page. Dans ce cas, Lightroom crée automatiquement des nouvelles pages de manière que vous puissiez imprimer toutes les photos insérées dans la disposition actuelle. Par exemple, j'ai commencé par ajouter une photo 8×10. J'ai redimensionné sa cellule pour qu'elle tienne sur la totalité d'une page A4. Ensuite, j'ai souhaité ajouter une photo 5×7. Comme elle ne pouvait pas tenir sur la première page, Lightroom en a créé une deuxième. J'ai dupliqué cette photo de manière à obtenir deux fois la même image 5×7. Ensuite, j'ai cliqué sur le bouton 2×2,5 pour remplir ma page de petites images. À tout moment, vous pouvez insérer une page vierge dans votre disposition. Il suffit pour cela de cliquer sur le bouton Nouvelle page du panneau Cellules.

**Étape 9**

Si vous souhaitez supprimer une page ajoutée par Lightroom, placez le pointeur de la souris dessus. Immédiatement, un X rouge apparaît dans le coin supérieur gauche de la page. Cliquez dessus. La page disparaît. Ensuite, cliquez sur chacune des images composant la deuxième page et appuyez sur la touche Suppr afin de les supprimer. Dans le panneau Paramètres d'image, activez l'option Zoom pour remplissage.

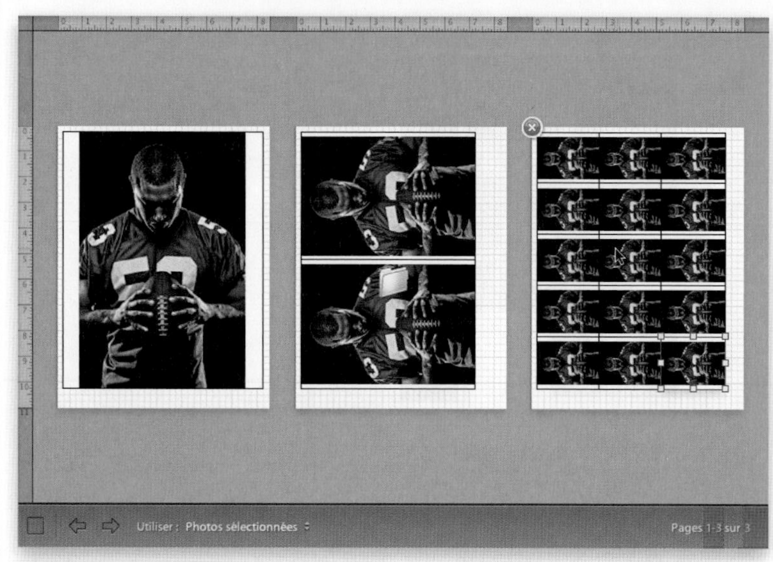


**Étape 10**

Nous allons voir comment ajuster manuellement la taille de chaque cellule (ce qui est une méthode très pratique pour recadrer vos images à la volée, si vous avez activé la fonction Zoom pour remplissage). Cliquez deux fois sur le bouton 3×7 pour insérer deux occurrences de la même photo sur la seconde page vierge. Vous allez recadrer les images en réduisant la taille des cellules. Cliquez sur la poignée inférieure de la cellule du bas et faites-la glisser vers le haut. Vous obtiendriez le même effet en agissant sur les curseurs de la section Ajuster la cellule sélectionnée. Le problème de la fonction Collection d'images de Lightroom par rapport à celle de Photoshop est que vous ne pouvez pas disposer différentes photos dans vos cellules. Vous répétez inlassablement la même image.

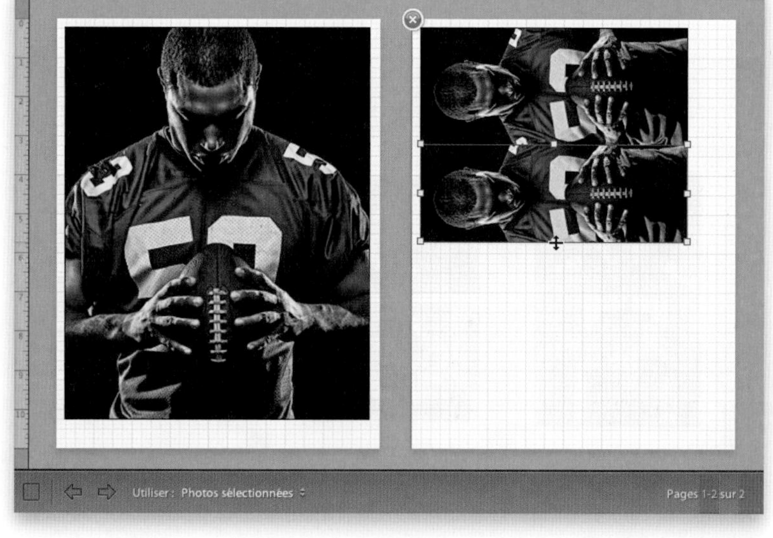

Si une mise en page vous satisfait particulièrement, sauvegardez-la en tant que modèle. Mais, au-delà de cette possibilité, les modèles d'impression ont ceci d'extraordinaire qu'ils mémorisent absolument tout de la taille du papier au nom de votre imprimante, en passant par les paramètres de gestion de la couleur.

# Sauvegarder vos mises en page personnalisées

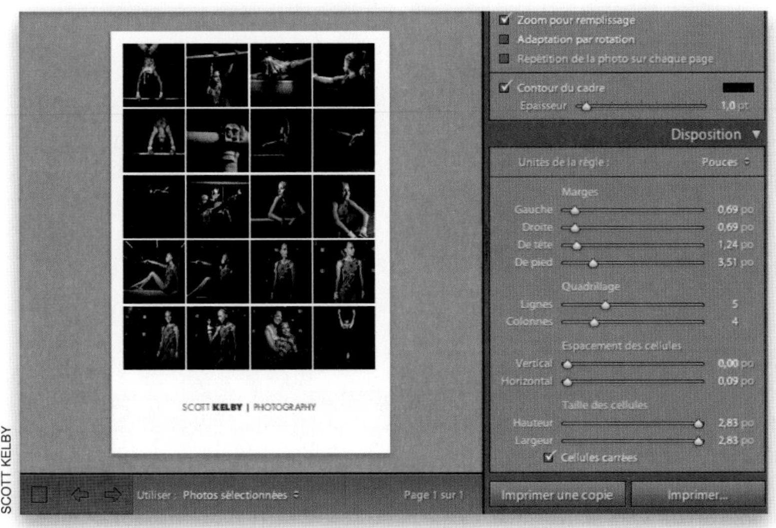


SCOTT KELBY

### Étape 1

Créez une mise en page qui vous plaît. J'ai basé la mienne sur une page faisant 13 × 19 pouces. Ensuite, dans la section Quadrillage, définissez une matrice de 5 lignes sur 4 colonnes. Les cellules obtenues sont carrées. J'ai activé l'option Contour du cadre ainsi que Plaque d'identité. Je coche aussi la case Zoom pour remplissage.

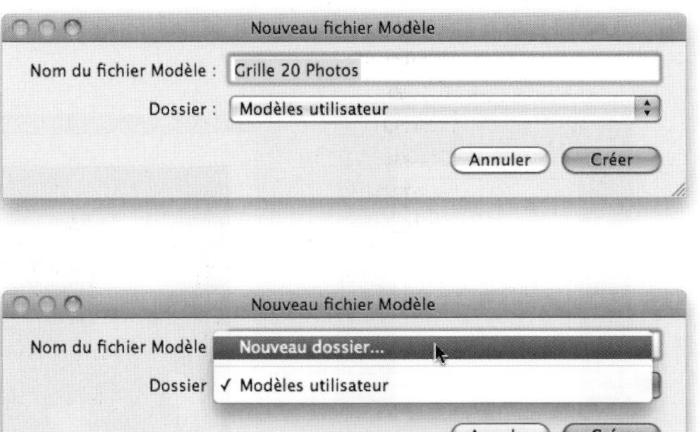


### Étape 2

Une fois cette disposition définie, ouvrez le panneau Explorateur de modèles, et cliquez sur le bouton +. La boîte de dialogue Nouveau fichier Modèle apparaît. Par défaut, tout modèle est enregistré dans le dossier Modèles d'utilisateurs. Sachez que vous pouvez organiser vos modèles dans d'autres dossiers. Pour cela, et pour préserver un chemin d'accès connu de Lightroom, ouvrez le menu local Dossier et cliquez sur Nouveau dossier. Une fois ce dossier créé (ou pas), donnez un nom au modèle et cliquez sur Créer. Lorsque vous placez le pointeur de la souris sur ce modèle, un aperçu s'affiche dans le panneau éponyme.

# Pour que Lightroom mémorise vos dernières mises en page

Le panneau Collections du module Impression a une fonction cachée. Lightroom mémorise la dernière mise en page appliquée aux images d'une collection, et ceci même si vous l'avez entièrement créée et sans l'avoir sauvegardée en tant que modèle. Cependant, il existe un énorme problème que vous devez connaître pour ne pas y être confronté.

## Étape 1

Créez une mise en page de 13 × 19 pouces. Ensuite ouvrez le panneau Collections du module Impression. Puis ouvrez le panneau Collections, qui se situe dans le volet gauche de ce module. Cliquez sur une collection. Affichez le film fixe, appuyez sur la touche Cmd (Ctrl), et cliquez sur les images que vous désirez imprimer. Toujours dans ce volet gauche, ouvrez l'Explorateur de modèles et cliquez sur le modèle Lightroom Triptyque. Dans le panneau Disposition, fixez la marge Gauche, Droite, et de tête sur 0,75. Fixez la marge de pied sur 5. Dans la section Quadrillage, définissez une matrice de 1 ligne et de 3 colonnes. Décochez l'option Adaptation par rotation et cochez Zoom pour remplissage. Activez aussi la Plaque d'identité. Supposons que vous avez imprimé cette mise en page ou que vous l'avez enregistrée sous forme d'un fichier JPEG (ce qui n'est pas nécessaire pour l'imprimer).

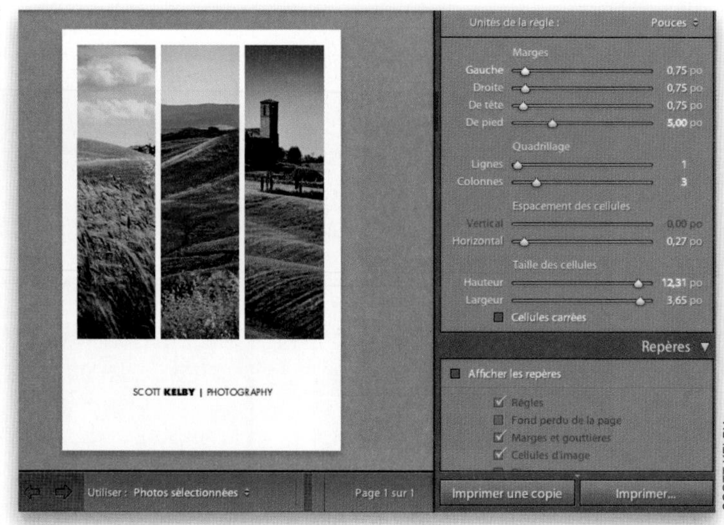


SCOTT KELBY

## Étape 2

Passez à une autre collection. Sélectionnez une ou plusieurs photos. Dans l'Explorateur de modèles, choisissez Bordure artistique. Si vous affichez le panneau Collections et que vous cliquez sur la collection que vous avez utilisée à l'étape 1, Lightroom lui applique la disposition que vous aviez définie pour elle, et ceci même si vous ne l'avez pas enregistrée.

SCOTT KELBY

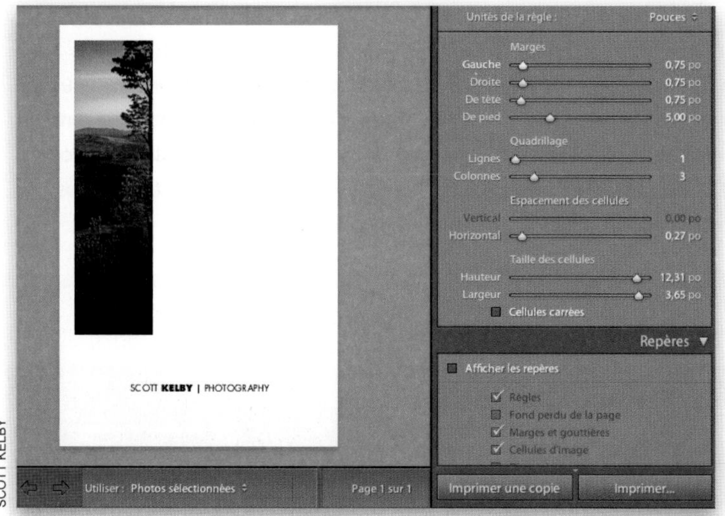


SCOTT KELBY

## Étape 3

Imaginez ceci : quelques semaines après avoir imprimé les trois photos de l'étape 1, votre client vous appelle pour vous demander de les imprimer de nouveau. Génial ! Vous pensez qu'il suffit de revenir à cette collection pour retrouver cette fabuleuse mise en page. Donc, très sûr de vous, vous cliquez sur la collection en question. Pourtant, la disposition de trois photos sur une même page ne s'affiche pas. Que s'est-il passé ? Bien entendu, vous n'avez plus aucun souvenir des trois images qui étaient positionnées sur la page. Que faire ? Demander à votre client de vous envoyer par e-mail l'impression que vous lui avez expédiée il y a quelques semaines ? Cela ne fait pas très professionnel !

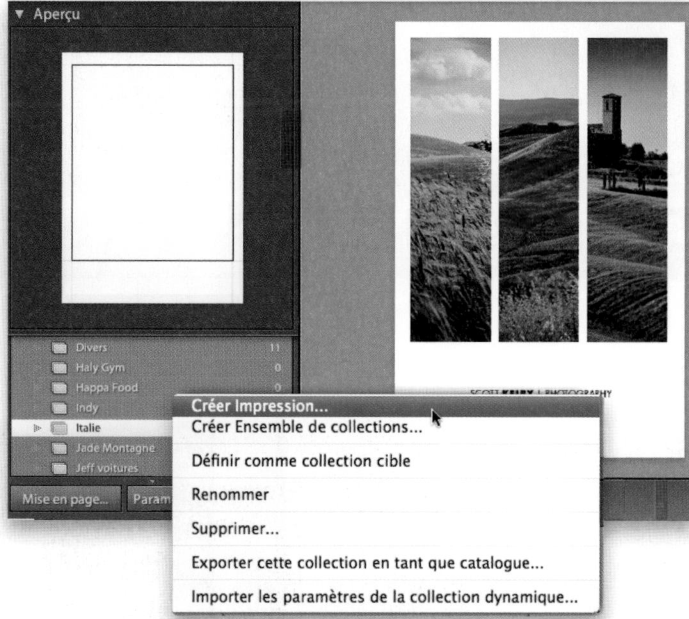


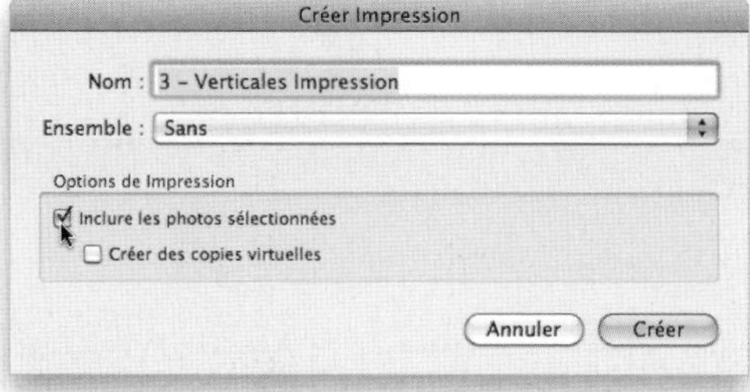


## Étape 4

Voici comment éviter ce genre de déconvenue : lorsque vous avez imprimé une mise en page, et que la disposition vous séduit totalement, faites un Ctrl+clic (clic-droit) directement sur cette collection. Dans le menu contextuel qui apparaît, exécutez la commande Créer Impression. Ceci ouvre la boîte de dialogue Créer Impression. L'option clé de cette boîte de dialogue se nomme Inclure photos sélectionnées. Lorsque vous cochez cette case, vous créez une nouvelle collection ne contenant que les photographies utilisées dans la disposition actuellement affichée par le module Impression.
Ce type de collection ressemble à n'importe quel autre. La grande différence est qu'elle est identifiée par le mot « impression » ajouté comme suffixe au nom de la collection. Je recommande de ne pas supprimer ce suffixe. Ainsi, vous ferez rapidement la différence entre une collection standard et une collection d'impression. Vous saurez en effet que cette collection ne contient que des images dont la disposition est destinée à être imprimée sur papier. Cliquez sur le bouton Créer. Vous n'avez plus qu'à sélectionner ces trois images dans le film fixe afin de reproduire la mise en page demandée.

# Créer un arrière-plan pour les pages de vos albums

Bien que le module Impression de Lightroom soit extraordinaire, il ne vous permet pas de créer un arrière-plan photographique tel que nous pouvons en rencontrer dans les albums de mariage. Dans cette nouvelle section, vous allez donc apprendre à créer ce type d'image de fond, à insérer des photos de petite taille et à leur ajouter une ombre portée.

**Étape 1**

Commencez par sélectionner la photo que vous souhaitez utiliser comme arrière-plan. Ensuite, ouvrez le module Développement et affichez le contenu du panneau Courbe des tonalités. La courbe à points doit être parfaitement visible. Pour cela, cliquez sur la petite icône affichée à droite du mot Linéaire.

SCOTT KELBY

**Étape 2**

Pour donner à cette image un aspect estompé incrusté, faites glisser le point inférieur gauche de la courbe vers le haut. Placez-le dans le premier quart supérieur de l'histogramme de la courbe.

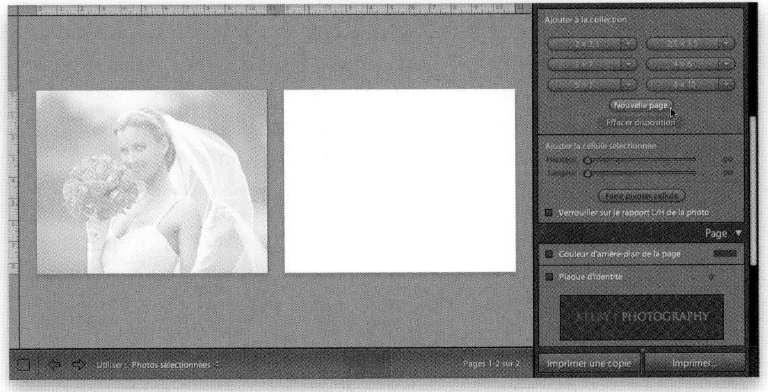


## Étape 3

Maintenant, basculez vers le module Impression. Dans la partie inférieure gauche, cliquez sur le bouton Mise en page et choisissez un papier d'une dimension de 8,5 × 11 pouces en mode paysage. Malheureusement, vous ne pouvez pas glisser-déposer une autre photo sur cet arrière-plan car Lightroom considérera que vous voulez la remplacer. Pour contourner cette difficulté, ouvrez le panneau Style de disposition, et cliquez sur Collection personnalisée. Ensuite, affichez le panneau Cellules, et cliquez sur le bouton Effacer disposition. Vérifiez que le paramètre Verrouiller sur le rapport L/H. De la photo est désactivé. Depuis le film fixe, glissez-déposez la photo de votre arrière-plan sur la page. Ensuite, redimensionnez l'image en agissant sur les poignées de son cadre de sélection. La photo doit couvrir la totalité de la page. (Vous serez probablement obligé de désactiver les options Adaptation par rotation, Bordure de photos et Contour interne.) Enfin, cliquez sur le bouton Nouvelle page pour ajouter une page vierge à votre album.

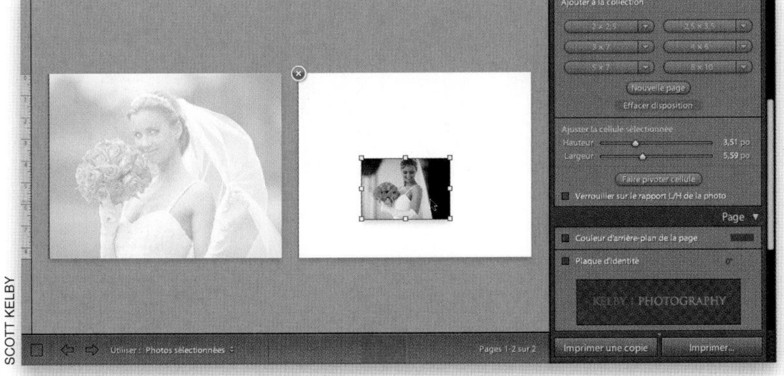


SCOTT KELBY

## Étape 4

Placez une image sur cette page vierge. Pour cela, affichez le film fixe et glissez-déposez la photo de votre choix directement sur cette page.

## Étape 5

Ensuite, glissez-déplacez cette vignette sur la première page, c'est-à-dire celle qui contient votre arrière-plan incrusté. Lightroom ne remplace pas l'image de fond car la nouvelle photo dispose de sa propre cellule. (Cette procédure est fastidieuse mais c'est la seule qui fonctionne.) Maintenant, fermez la page vide en cliquant sur le bouton X situé dans son coin supérieur gauche. Redimensionnez et repositionnez la photo que vous venez de placer sur le fond incrusté. Nous devons maintenant créer l'ombre portée.

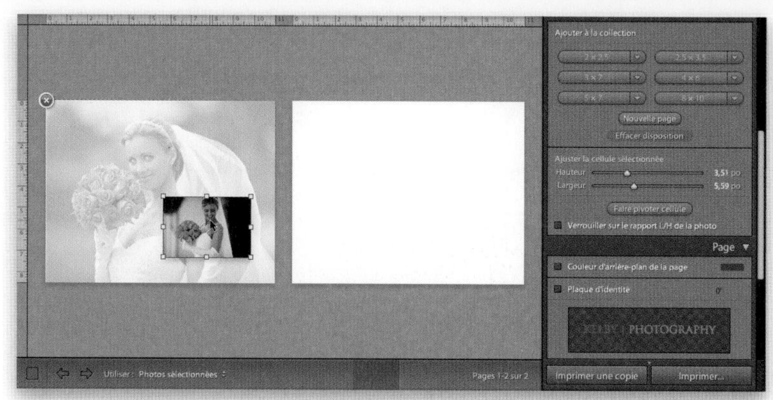


## Étape 6

Lightroom ne permet pas d'ajouter une ombre portée depuis le module Impression. Nous devons donc la créer dans Photoshop (ou Photoshop Elements). Ensuite, nous l'importerons en tant que plaque d'identité. Donc, ouvrez Photoshop et créez un document de 6 × 4 pouces dans une résolution de 150 ppp. Dans le panneau Calques, cliquez sur l'icône Créer un calque. Ensuite, activez l'outil Rectangle de sélection (M). Tracez un rectangle comme ci-contre. Appuyez sur la touche D pour faire du noir la couleur de premier plan. Appuyez sur Option+Retour arrière (Alt+Retour arrière) pour remplir la sélection en noir. Enfin, appuyez sur Cmd+D (Ctrl+D) pour désélectionner.

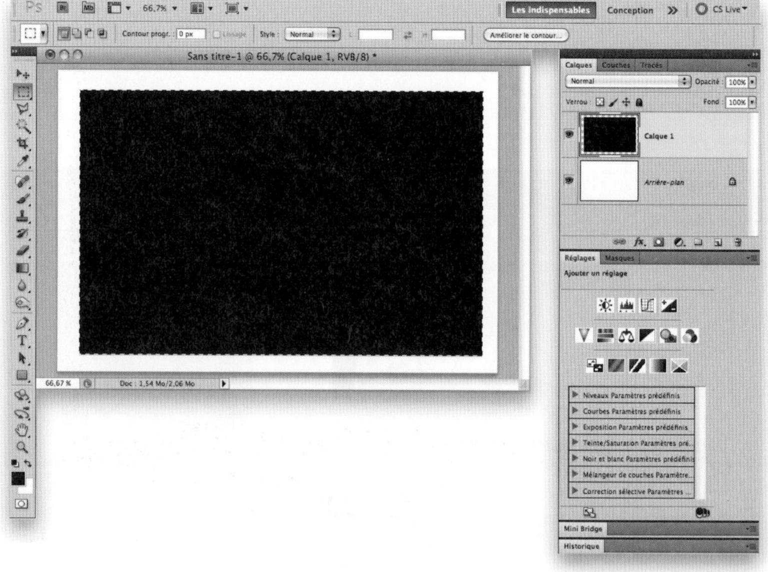

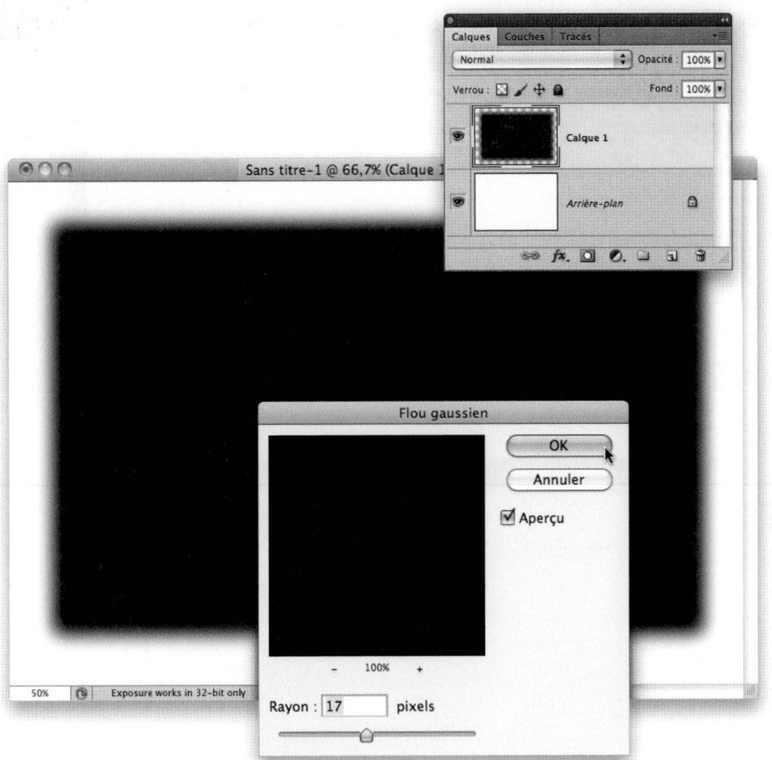


## Étape 7

Ouvrez le menu Fichier, et cliquez sur Atténuation puis Flou Gaussien. Dans la boîte de dialogue qui apparaît, fixez la valeur du paramètre Rayon sur 17 pixels. Ceci applique un contour progressif au rectangle noir. Validez par un clic sur OK.

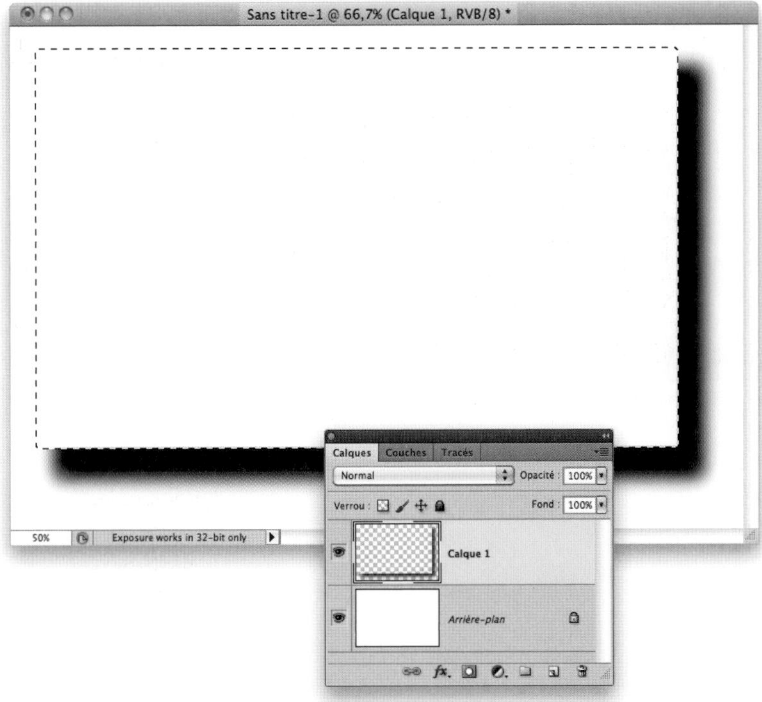


## Étape 8

Maintenant, activez de nouveau l'outil Rectangle de sélection et tracez une sélection rectangulaire qui va permettre de simuler une ombre portée comme ci-contre. Appuyez sur la touche Retour arrière pour faire un trou dans l'ombre noire. Vous obtenez ainsi une sorte de rectangle blanc avec une ombre portée. Désélectionnez l'ensemble.

## Étape 9

Comme vous allez utiliser cette ombre portée dans Lightroom, tout doit être transparent à l'exception de l'ombre. Pour obtenir cet effet, glissez-déposez lecalque Arrière-plan sur l'icône de la corbeille du panneau Calques. Pour conserver cette transparence dans Lightroom, vous devez enregistrer votre fichier au format PNG. Donc, ouvrez le menu Fichier puis exécutez la commande Enregistrer sous. Dans le menu local Format de la boîte de dialogue éponyme, choisissez PNG. Dans la boîte de dialogue Options PNG, conservez l'option Non et cliquez sur OK.

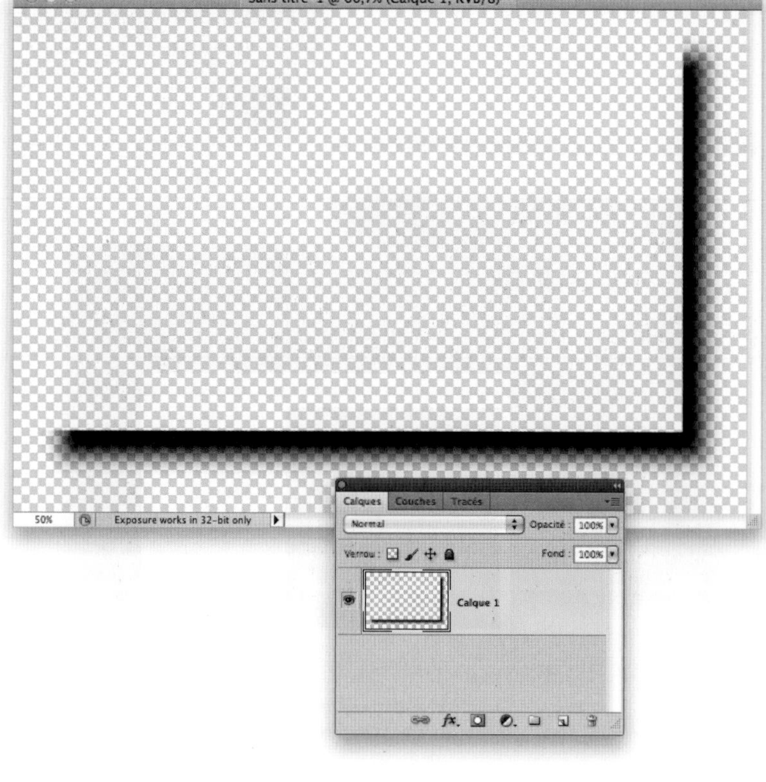


## Étape 10

Revenez maintenant dans Lightroom. Ouvrez le panneau Page. Activez le paramètre Plaque d'identité. Cliquez sur le petit triangle situé dans le coin inférieur droit de la plaque et exécutez la commande Modifier. Dans l'Éditeur de plaque d'identité, activez l'option Utiliser une plaque d'identité graphique. Cliquez sur le bouton Rechercher le fichier. Dans la boîte de dialogue qui s'affiche, localisez votre fichier PNG, et cliquez sur le bouton Sélectionner. Enfin, cliquez sur le bouton OK.

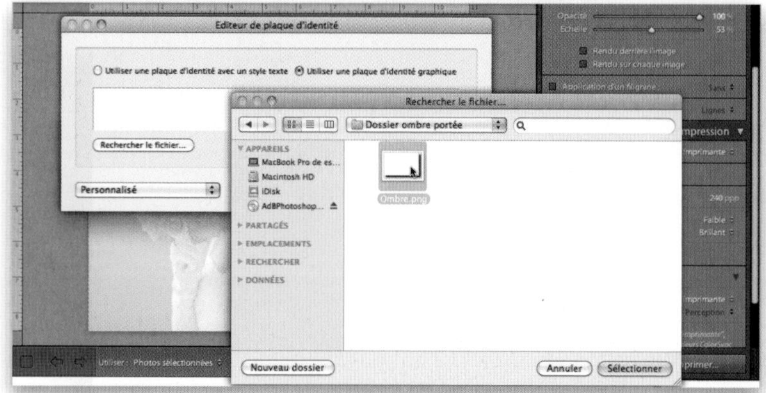

**Étape 11**

Dès que vous cliquez sur OK, l'ombre portée apparaît sur la page. Il faudra probablement la redimensionner et la repositionner. Pour cela, maintenez la touche Maj enfoncée et faites glisser vers l'intérieur ou l'extérieur l'un des angles du cadre de redimensionnement. La taille de l'ombre portée doit s'ajuster à celle de la photographie.

**Étape 12**

Placez cette ombre dans la partie inférieure droite de la photo. Veillez à ne pas créer d'espace entre le bord de la photo et l'ombre. Je réduis sensiblement l'opacité de l'ombre pour la rendre plus claire. Maintenant que la page est terminée, enregistrez-la en JPEG haute résolution *via* le panneau Travaux d'impression. Dans le menu local Imprimer au format, choisissez Fichier JPEG.

# L'impression et les paramètres de gestion de la couleur

Une fois que vous avez défini la mise en page à partir de la disposition désirée, vous devez procéder à quelques réglages dans le panneau Travaux d'impression. Ainsi, vos images seront imprimées le mieux possible sur papier. Je vous explique ici sur quel bouton cliquer, quand, et pourquoi.

**Étape 1**

Définissez la mise en page de votre choix. Sur l'illustration ci-contre, j'ai cliqué sur le bouton Mise en page situé dans le coin inférieur gauche de l'interface. Dans la boîte de dialogue Format d'impression, j'ai cliqué sur l'orientation de type paysage. Ensuite, dans l'Explorateur de modèles, j'ai choisi Agrandissement. Enfin, j'ai ajouté ma plaque d'identité sous la photographie. Une fois cette disposition terminée, vous devez définir les options d'impression dans le panneau Travaux d'impression. Il se situe dans la partie inférieure droite du volet droit de l'interface.

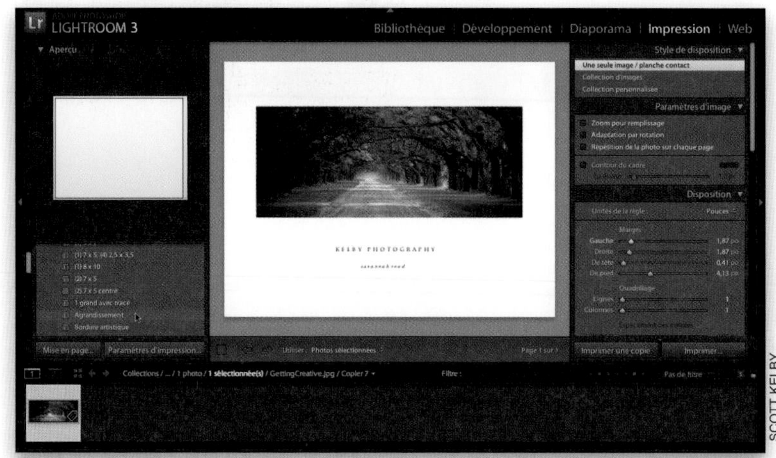


SCOTT KELBY

**Étape 2**

Dans Lightroom 3, vous avez la possibilité d'effectuer une sortie de votre image vers une imprimante, ou tout simplement de créer un fichier JPEG haute résolution de la disposition de la mise en page de votre photo. (Vous pouvez envoyer ce fichier à un laboratoire de développement argentique ou numérique, l'envoyer par e-mail à votre client en tant qu'épreuve haute résolution, ou utiliser cette mise en page sur un site web, etc.) Pour sélectionner la destination de votre mise en page, ouvrez le menu local Imprimer au format, et choisissez l'option qui vou convient. Si vous désirez imprimer un fichier JPEG, passez directement à l'exercice suivant de ce chapitre pour apprendre à définir les paramètres JPEG et la méthode d'exportation du fichier.

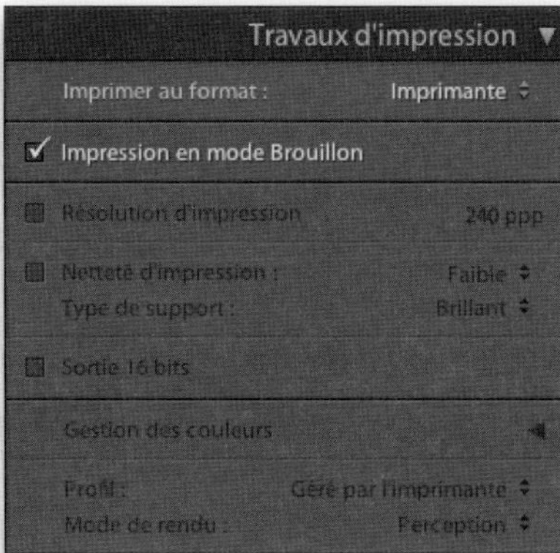


## Étape 3

Le paramètre suivant s'intitule Impression en mode Brouillon. Lorsque vous l'activez, vous choisissez délibérément la vitesse au détriment de la qualité. En fait, vous imprimez la version basse résolution JPEG incorporée au fichier. Je conseille cette option lorsque vous imprimez les photos d'une planche contact. En effet, comme les vignettes sont de petite taille, les défauts d'impression ne se verront pas. Vous remarquez que l'activation du mode Brouillon empêche l'accès aux autres options d'impression. Par conséquent, limitez l'usage de cette option à l'impression de vos planches contact.

## Étape 4

Vérifiez que l'option Impression en mode Brouillon est désactivée. Vous pouvez alors définir la résolution d'impression. Pour cela, cochez l'option éponyme. La résolution d'impression par défaut est de 240 ppp. Cette résolution convient à la plupart des imprimantes jet d'encre. Personnellement, j'utilise des imprimantes Epson. J'ai découvert que certaines résolutions d'impression donnaient de meilleurs résultats selon les dimensions du papier. Par exemple, j'utilise 360 ppp pour les petits formats, 240 pour les impressions 30 × 40 et 180 ppp pour un format 50 × 60 ou supérieur. (Plus la dimension d'impression est grande, moins la résolution d'impression est élevée.) Ici, j'imprime sur une Epson Stylus Pro 3880 en utilisant une feuille 50 × 60. Donc, je fixe la résolution à 180 ppp.

**INFO** Si la résolution d'impression 180 ppp vous fait peur, laissez-la à 240. Toutefois, je vous conseille de faire un test à 180 ppp sur une image de grande dimension. Comparez-la avec une impression à 240 ppp, et vous me direz si vous constatez une différence.

### Étape 5

Ensuite, intéressez-vous à l'option Netteté d'impression. Depuis Lightroom 2, Adobe en a fait un outil très puissant. Lorsque vous indiquez à Lightroom le papier sur lequel vous imprimez et que vous sélectionnez un niveau de netteté, le programme analyse la résolution de votre imprimante et applique la quantité de netteté adaptée à votre support d'impression. Donc, commencez par activer l'option Netteté d'impression. Ensuite, dans le menu local Type de support, choisissez Mat ou Brillant. Après cela, sélectionnez le niveau de netteté à appliquer. (En règle générale, j'utilise Élevée pour du papier brillant et Standard pour du papier mat, comme le papier Velvet Fine Art d'Epson.) C'est tout ce que vous avez à faire. Lightroom se charge du reste.

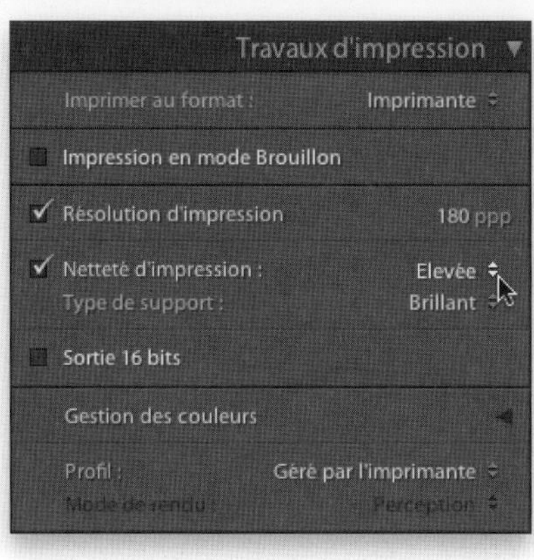


### Étape 6

L'option suivante se nomme Sortie 16 bits.

**Info** Au moment où ce livre a été publié, l'impression 16 bits de Lightroom 3 n'était disponible que pour Mac OS X Leopard ou supérieure. Il y a fort à parier que cette fonction sera disponible pour les utilisateurs de Windows dès qu'Adobe aura effectué une mise à jour de son programme.

Si vous possédez une imprimante qui gère l'impression 16 bits, comme certaines imprimantes Canon (ou si vous avez téléchargé un pilote d'impression 16 bits, comme ceux réalisés par Epson début 2008), vous pouvez cocher la case Sortie 16 bits.

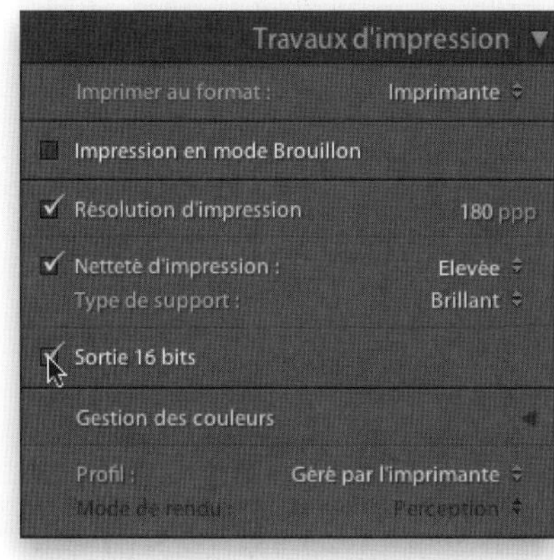

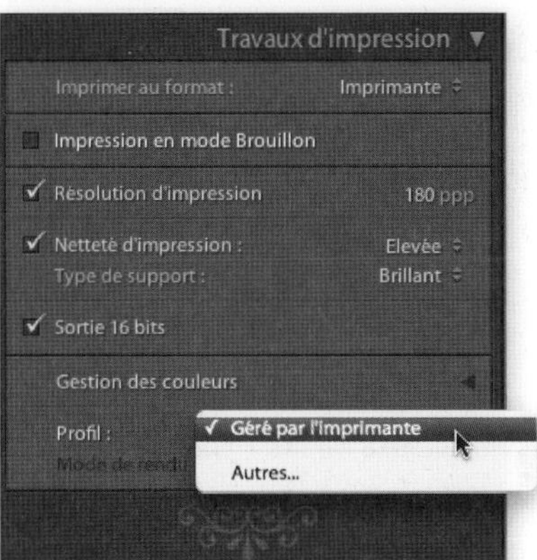


**Étape 7**

Vous devez maintenant définir les options de Gestion des couleurs. Il est important que vous obteniez à l'impression une image aussi proche de celle que vous voyez à l'écran. (Il est quasi impossible d'obtenir cette correspondance sans procéder à un étalonnage matériel de votre écran. J'utilise le système de calibration X-Rite i1Display 2.) Ici, vous n'avez que deux choses à faire : (1) sélectionner le profil de l'imprimante, et (2) définir le mode de rendu. Par défaut, le profil est géré par l'imprimante. Cela signifie que votre imprimante prend en charge la gestion des couleurs. Si vous souhaitez une impression plus précise, poursuivez votre lecture.

**Étape 8**

Vous obtiendrez une meilleure impression si vous utilisez un profil adapté à votre imprimante et à votre papier. Vous devez récupérer ce profil auprès du site web du constructeur de votre imprimante ou du fabricant de votre papier. Sur le site, cherchez les profils de couleurs ICC. Ensuite, téléchargez gratuitement ceux qui correspondent à votre matériel : (a) le profil du papier que vous utilisez dans l'imprimante, et (b) le profil de votre imprimante. Comme j'imprime avec une Epson Stylus Pro 3880 sur un papier Exhibition Fiber d'Epson, je télécharge gratuitement le profil de couleurs adapté à mon imprimante. Je n'ai plus qu'à l'installer. Sur Mac, les profils sont localisés dans Bibliothèque/ColorSync/Profiles. Sous Windows 7, faites un clic-droit sur le fichier pour le dézipper et choisissez Install Profile.

**Étape 9**

Dès que votre profil de couleurs est installé, cliquez sur le menu local Profil, et choisissez Autres. Une boîte de dialogue apparaît. Elle contient tous les profils installés sur votre ordinateur. Faites défiler le contenu de cette liste et localisez le profil du papier correspondant à votre imprimante. Comme j'utilise le papier Epson Exhibition Fiber Paper, j'identifie mon profil grâce aux lettres EFP. Je coche la case du profil en question. Cliquez sur OK pour ajouter le profil au menu local.

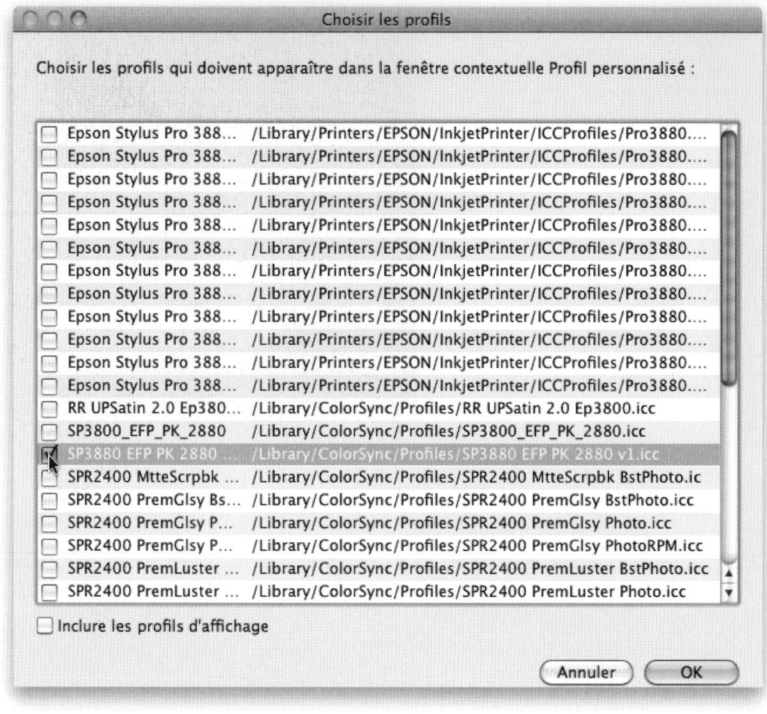


**Étape 10**

Ouvrez de nouveau le menu local Profil. Dans la liste des profils de couleurs disponibles, choisissez celui que vous venez de télécharger, d'installer et de sélectionner. (Il s'agit en l'occurrence de SP3880_EFP_PK_2880, c'est-à-dire le code secret Epson pour identifier le profil de l'imprimante Stylus Pro 3880 lorsqu'on utilise le papier Exhibition Fiber Paper à 2 880 ppp.) à partir de cet instant, Lightroom sait exactement comment gérer la couleur de votre imprimante sur ce type de papier particulier. Cette étape est la clé de la réussite de votre impression. C'est à cette seule condition que vous aurez une concordance entre l'image affichée à l'écran et celle imprimée sur le papier sélectionné.

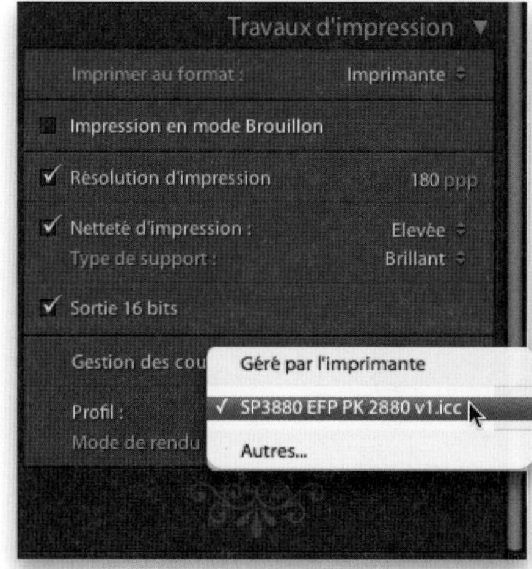

**Étape 11**

La dernière option concerne le mode de rendu. Vous disposez de deux choix : Perception et Relatif. En théorie, le mode de rendu Perception produit l'impression la plus plaisante car il essaie de conserver la cohérence de la chaîne graphique. En revanche, ce n'est pas le mode le plus précis pour reproduire ce que vous voyez à l'écran. Le mode Relatif donne une interprétation plus précise des tons de la photo. Vous risquez par contre de ne pas aimer la couleur finale. Alors, quel est le meilleur mode ? Celui qui donne le meilleur résultat sur votre imprimante. Le mode Relatif est le plus utilisé. Personnellement, j'opte pour le mode Perception car j'aime les couleurs riches et saturées. Il donne le meilleur résultat sur mon imprimante. Pour connaître le mode de rendu le mieux adapté à votre matériel, effectuez des tests. Ensuite, comparez les impressions.

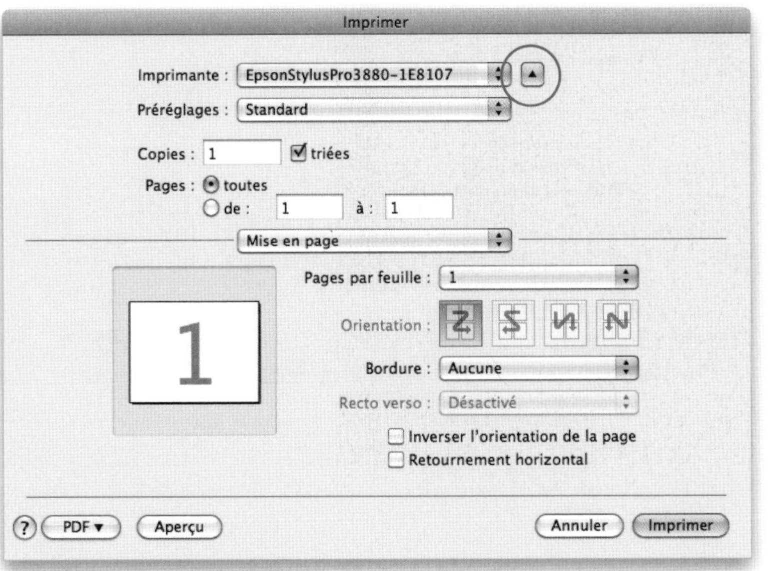


**Étape 12**

L'heure est venue de cliquer sur le bouton Imprimer. Il se situe dans le coin inférieur droit du volet droit. Cette action ouvre la boîte de dialogue Imprimer. Si vous utilisez un Mac et que la boîte de dialogue n'affiche que deux menus locaux, cliquez sur le triangle situé à droite du menu local Imprimante. Vous accédez à des options supplémentaires.

**Étape 13**
Maintenant, dans le menu local central, choisissez l'option Configuration imprimante. Les options qui apparaissent contrôlent la gestion de la couleur. Le contenu varie en fonction de votre imprimante. Sur PC, vous devez cliquer sur le bouton Propriétés. Pour gérer la couleur, vous devrez probablement choisir Couleur dans le menu local central.

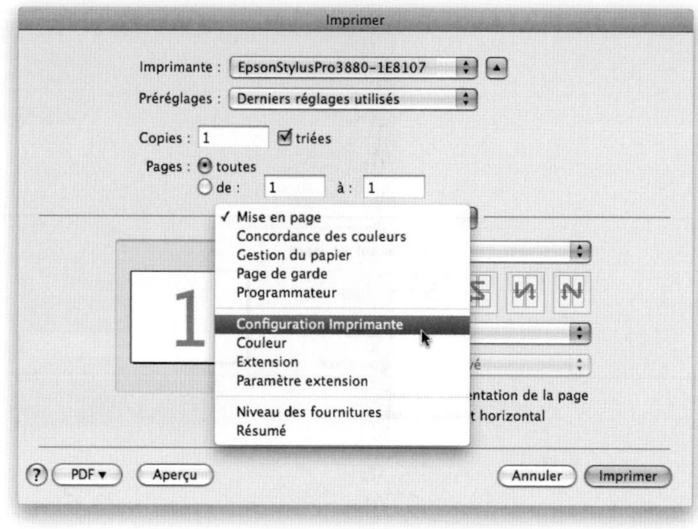


**Étape 14**
Par défaut, un mode de calibration des couleurs sera activé dans la boîte de dialogue Imprimer. Ici, il faut faire preuve de logique. Puisque vous avez demandé à Lightroom de gérer vos couleurs, inutile d'y ajouter une gestion par l'imprimante elle-même. En effet, vous obtiendriez une impression catastrophique ou tout au moins ne correspondant pas du tout à ce que vous escomptiez. Alors, activez l'option Désactivé (Pas de calibrage couleur).

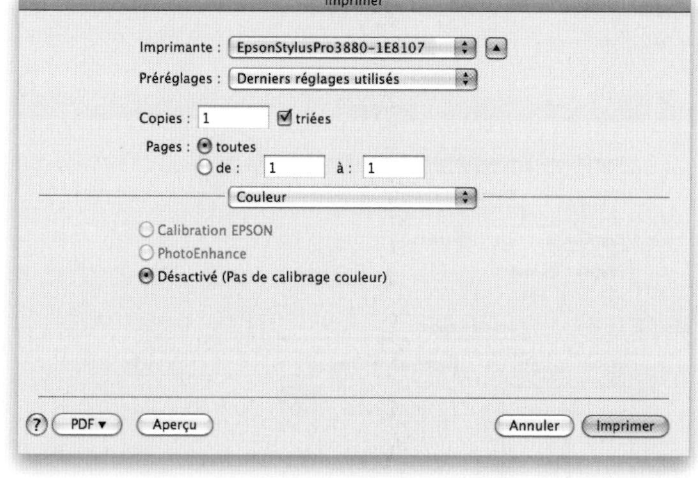

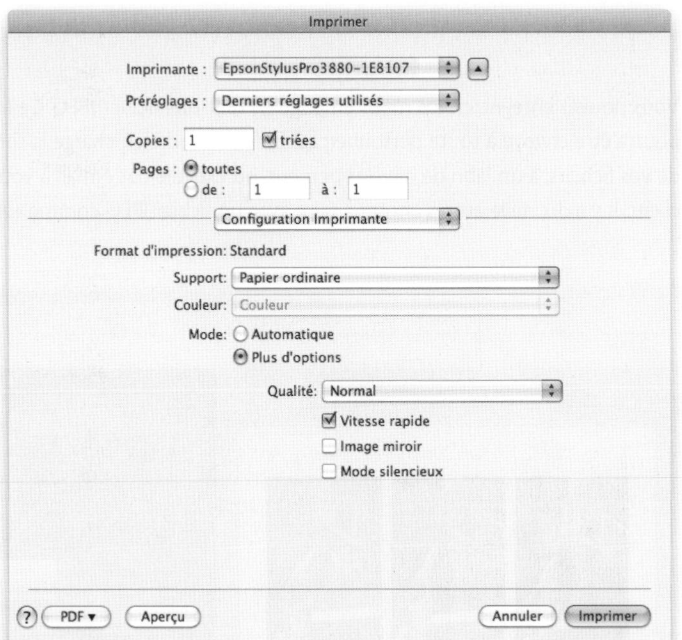


### Étape 15

Dans cette section de configuration de l'imprimante, activez le bouton radio Paramètres avancés (ou Plus d'options en fonction de votre imprimante). Cochez l'option Vitesse rapide (High Speed). Sélectionnez le support papier précis que vous utilisez, comme Ultra Premium Photo Paper Luster, qui est recommandé par Epson pour imprimer sur son papier Exhibition Fiber Paper.

### Étape 16

Ensuite, sélectionnez la qualité SuperPhoto - 1 440 dpi dans le menu local Qualité. Si l'option Vitesse rapide est active, décochez-la. Je rappelle que l'ensemble de ces réglages concerne les imprimantes Epson. Comment ? Vous utilisez une autre marque d'imprimante ! Quelle honte ! Non, je plaisante ! Je veux dire que, si vous n'utilisez pas d'imprimante Epson, vous n'utilisez probablement pas du papier Epson. Dans ce cas, sélectionnez la qualité qui se rapproche le plus de la meilleure qualité d'impression que vous pouvez obtenir sur le type de papier utilisé. Activez la case Sortie 16 bits (16 bits Output) si vous utilisez une imprimante dotée de cette fonctionnalité. (Sur PC, l'ensemble de ces choix s'effectue dans le pilote d'impression de votre imprimante.) Enfin, cliquez sur le bouton Imprimer ! Patientez, vous pourrez bientôt admirer votre chef-d'œuvre.

# Enregistrer votre mise en page sous forme de fichier JPEG

Vous pouvez enregistrer vos mises en page en tant que fichier JPEG. Ce fichier pourra être envoyé à toute personne capable de prendre en charge la sortie de vos fichiers, à un labo de développement, ou expédié par e-mail à votre client. Il y a dix mille autres choses à faire avec un fichier JPEG comme celui-ci.

## Étape 1

Dès que votre mise en page est correctement réalisée avec toutes les options de disposition adéquate, ouvrez le menu local Imprimer au format du panneau Travaux d'impression, et choisissez Fichier JPEG.

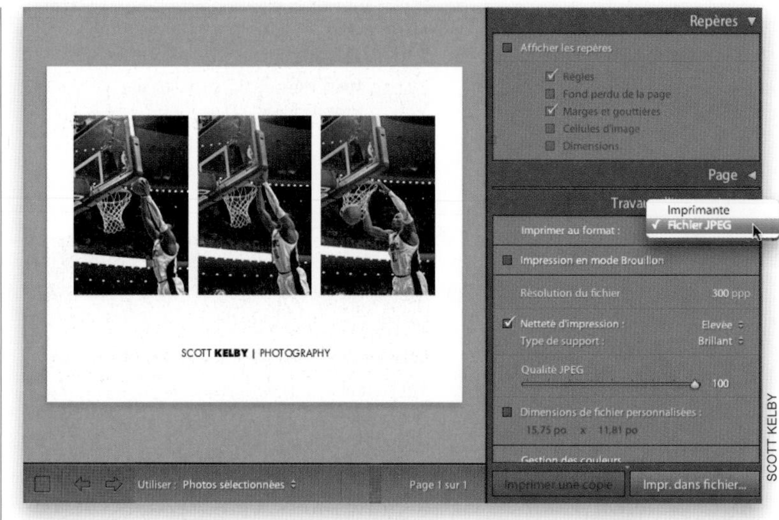


## Étape 2

Lorsque vous choisissez d'imprimer sous forme d'un fichier JPEG, de nouvelles options apparaissent. Ignorez la première, c'est-à-dire Impression en mode Brouillon. (Je ne conseille le mode Brouillon que pour imprimer des planches contact.) la Résolution du fichier est de 300 ppp par défaut. Pour la modifier, placez le pointeur de la souris sur cette valeur. Il prend la forme d'une main ornée de deux flèches. Cliquez et faites glisser le pointeur vers la gauche pour diminuer cette valeur, ou vers la droite pour l'augmenter.

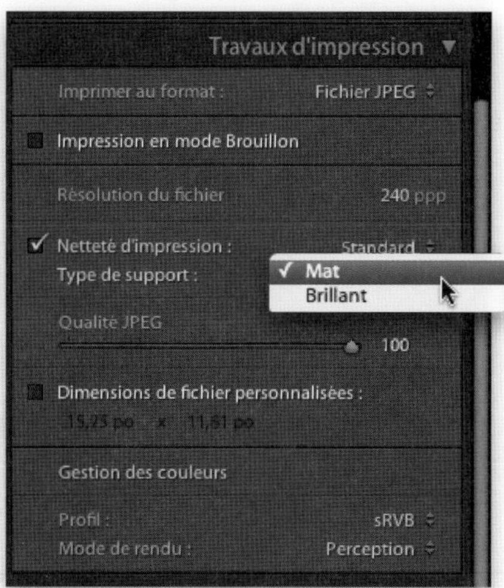


**Étape 3**

Ensuite, dans le menu local Netteté d'impression, indiquez au programme le niveau de netteté à appliquer en fonction du type de support utilisé. Vous avez le choix entre Mat et Brillant. Ensuite, spécifiez le niveau de netteté voulu : Faible, Standard ou Élevée. Si vous ne souhaitez pas appliquer de netteté au moment de l'impression, décochez cette option.

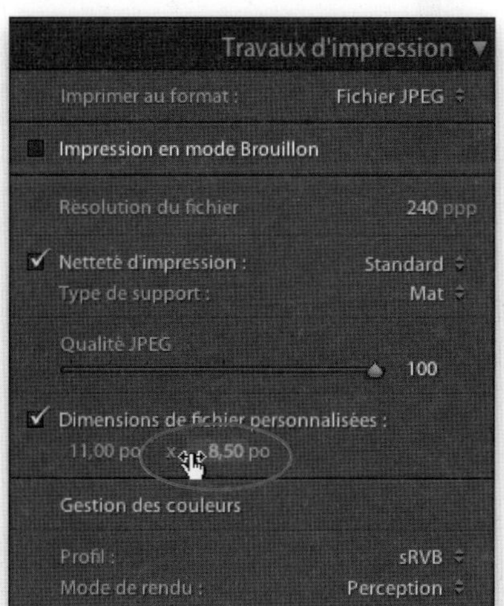


**Étape 4**

Vous devez procéder à d'autres réglages avant de créer le fichier. Dans la section Qualité JPEG, je définis généralement une qualité de 80. C'est un bon compromis entre qualité de l'image et taille du fichier. Dans la section Dimensions de fichier personnalisées, les valeurs affichées correspondent à la taille du papier sélectionnée dans la boîte de dialogue Format d'impression. Pour modifier ces dimensions, cochez la case. Ensuite, placez le pointeur de la souris sur les champs numériques. Il prend la forme d'une main dotée de deux flèches. Cliquez et faites glisser le curseur pour redéfinir la dimension du support d'impression. Enfin, vous arrivez à la section Gestion des couleurs. Le profil utilisé par défaut est sRVB. (De nombreux laboratoires de développement utilisent ce profil. Si vous ne connaissez pas celui de la société où vous désirez faire tirer vos images, demandez-lui l'espace de couleurs dans lequel vous devez livrer votre image.) Pour utiliser un profil personnalisé, reportez-vous au précédent exercice. Maintenant, cliquez sur le bouton Imprimer dans fichier.

# Encadrer vos photos

Beaucoup d'utilisateurs, moi le premier, auraient souhaité que Lightroom dispose d'une fonction prédéfinie permettant d'ajouter des bordures personnalisées, des contours et des cadres autour de leur photographie. Malheureusement, ce logiciel ne dispose pas de pareille fonctionnalité. Toutefois, vous pouvez combler cette lacune. Il suffit d'utiliser la plaque d'identité pour la détourner de sa fonction première et ainsi de créer directement dans Lightroom des effets de cadres.

## Étape 1

Comme pour le cadre de diapositive du Chapitre 10, vous devez utiliser Photoshop pour créer votre contour. Ici, j'ai téléchargé un cadre sur le site iStockphoto. Le cadre est constitué d'un seul calque. Vous constatez qu'il s'agit d'une surface presque entièrement noire reposant sur un arrière-plan blanc. Appuyez sur Cmd+Maj+J (PC : Ctrl+Maj+J) pour placer ce cadre sur son propre calque. Avec le Rectangle de sélection, tracez un cadre de sélection autour de la zone noire unie. Appuyez sur Retour arrière pour vider cette zone. Comme le cadre doit reposer sur un fond transparent, glissez-déposez le calque Arrière-plan (blanc uni) sur l'icône de la poubelle du panneau Calques. Voilà ! Il ne reste plus qu'à enregistrer le fichier au format PNG.

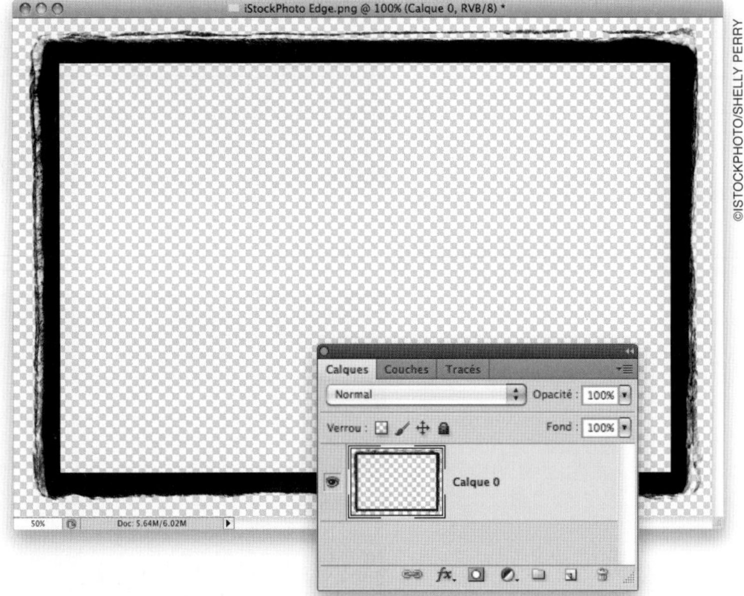




## Étape 2

Le travail dans Photoshop est terminé. Basculez vers Lightroom. Cliquez sur la photo que vous souhaitez encadrer. Ensuite, affichez le module Impression. Dans ce module, ouvrez le panneau Page. Cochez la case Plaque d'identité. Cliquez sur le petit triangle situé dans le coin inférieur droit de la plaque et, dans le menu local qui apparaît, exécutez la commande Modifier. Dans l'Éditeur de plaque d'identité, activez le bouton radio Utiliser une plaque d'identité graphique. Cliquez sur le bouton Rechercher le fichier. Dans la boîte de dialogue qui apparaît, localisez le fichier de votre cadre, enregistré au format PNG. Cliquez sur le bouton Sélectionner pour charger ce graphique dans l'Éditeur de plaque d'identité.

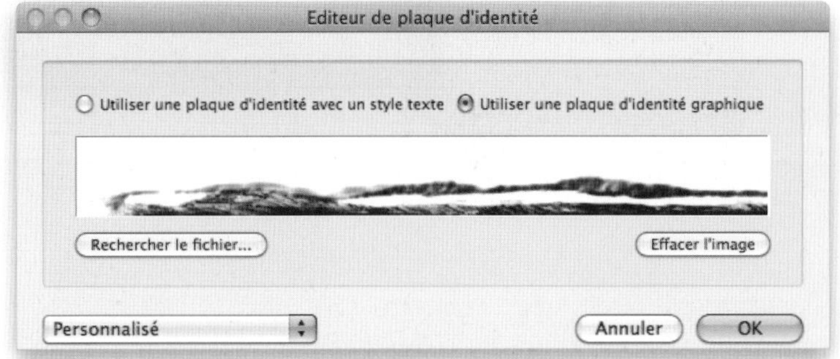

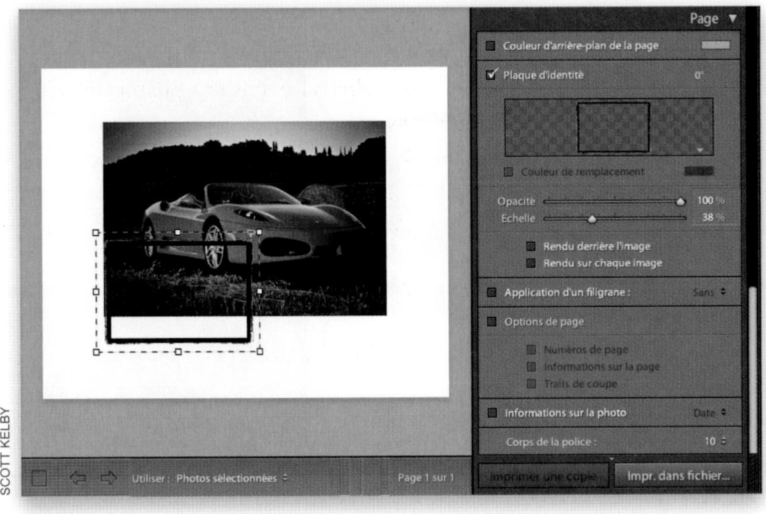


SCOTT KELBY

**BONUS VIDÉO** J'ai tourné une petite vidéo qui explique pas à pas la création d'une plaque d'identité transparente. Vous la découvrirez à l'adresse suivante : www.kelbytraining.com/books/LR3.

## Étape 3

Dès que vous cliquez sur OK, votre cadre apparaît en superposition sur l'image. Vous allez être obligé de redimensionner ce graphique pour l'adapter à votre photographie. (Nous y procéderons à la prochaine étape.) Que remarquez-vous ? Que le centre de notre cadre est totalement transparent. Donc, la photo est visible à l'intérieur du cadre en question. Ce résultat justifie l'enregistrement d'un fichier PNG depuis Photoshop, fichier dont le calque contenant le graphique est transparent.

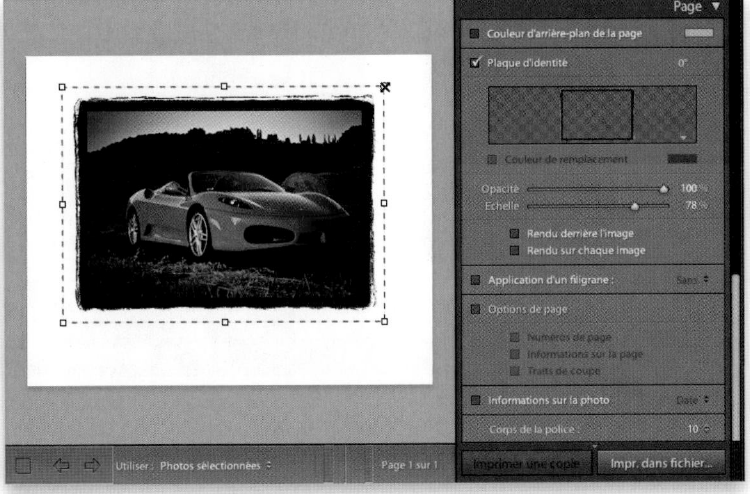


## Étape 4

Deux méthodes permettent de redimensionner le cadre : la première consiste à faire glisser une des poignées d'angle vers l'extérieur. La seconde consiste à faire varier la valeur du paramètre Échelle du panneau Page. Vous pouvez repositionner le cadre en plaçant le pointeur de la souris à l'intérieur. Il prend la forme d'une main. Cliquez, et repositionnez le cadre selon vos désirs. Si vous avez besoin de redimensionner votre image pour qu'elle entre parfaitement dans le cadre, agissez sur les curseurs Marges du panneau Disposition.

**Étape 5**

Dès que le positionnement du cadre vous convient, cliquez en dehors de l'image. La photo apparaît parfaitement encadrée, comme ci-contre. Si vous souhaitez utiliser ce contour pour d'autres photographies, ouvrez de nouveau l'Éditeur de plaque d'identité. Dans le menu local Personnalisé, cliquez sur Enregistrer sous. Dans la boîte de dialogue Enregistrer la plaque d'identité sous, donnez un nom à cette plaque et cliquez sur le bouton Enregistrer. Enfin, cliquez sur le bouton OK. Désormais, cette plaque d'identité sera disponible dans le menu local Plaque d'identité du panneau Incrustations. Ainsi, vous encadrerez vos photographies plus vite qu'il ne faut pour le dire.

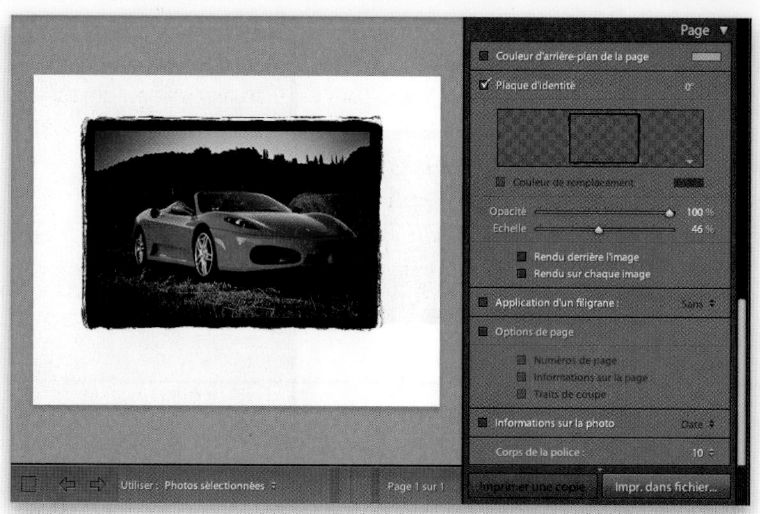


**Étape 6**

Dans les étapes précédentes, nous avons appliqué un cadre à une photo en mode portrait. Mais comment appliquer ce même cadre à une photo dont l'orientation est de type paysage (horizontal) ? si vous changez la mise en page en sélectionnant l'orientation paysage (par un clic sur le bouton Mise en page du volet gauche), la plaque d'identité opérera automatiquement une rotation pour s'ajuster à cette nouvelle orientation. En revanche, si vous imprimez une photo horizontale dans une configuration de type portrait, vous pouvez faire pivoter la plaque d'identité en cliquant sur la valeur exprimée en degrés (affichée à droite de l'option Plaque d'identité). Dans le menu local qui apparaît, choisissez l'angle de rotation. Vous serez probablement obligé de redimensionner et de repositionner le cadre pour l'ajuster aux dimensions de la photo.

SCOTT KELBY

# Mes dispositions d'impression à votre service

J'ai besoin de partager avec vous un certain nombre de dispositions d'impression que j'ai mises au point. Tous ces exemples sont fondés sur une page dont la dimension et de 13 × 19 pouces. Donc, commencez par définir cette page par un clic sur le bouton Mise en page du module Impression. Fixez toutes les marges sur 0. Une vidéo explique comment j'ai réalisé les plaques d'identité utilisées dans ces exemples. Vous la trouverez à l'adresse **www.kelbytraining.com/books/LR3**. Amusez-vous bien !

SCOTT KELBY

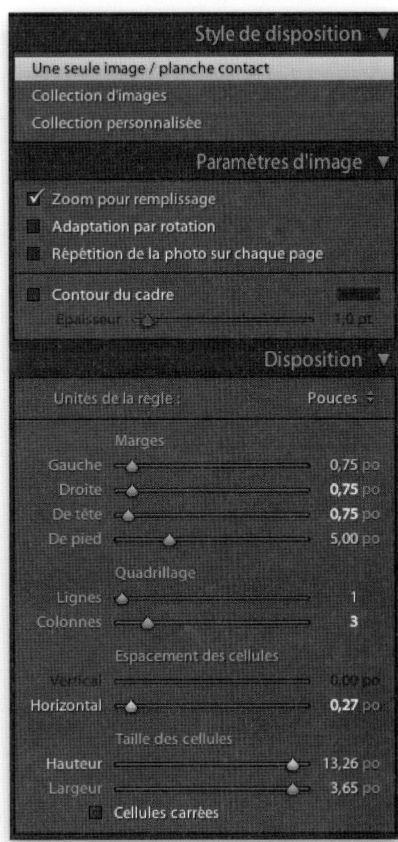

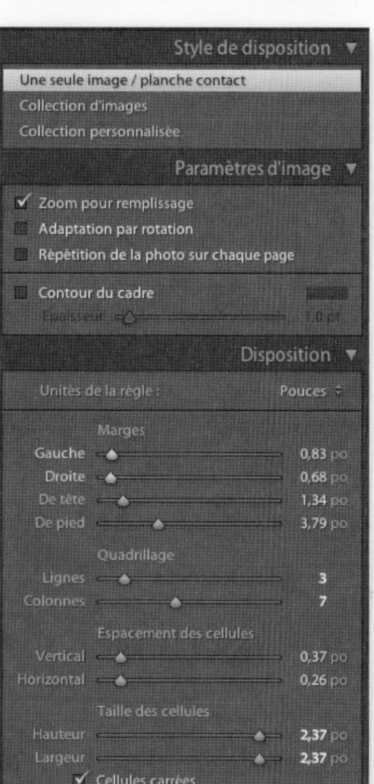


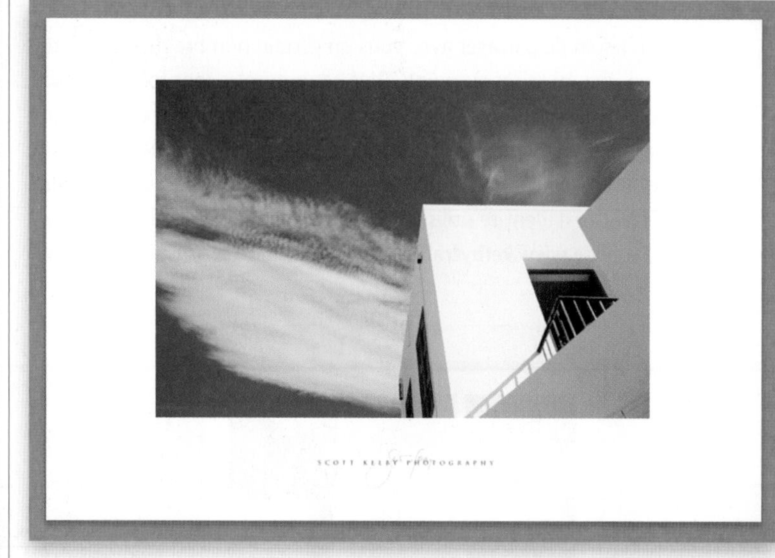


SCOTT KELBY

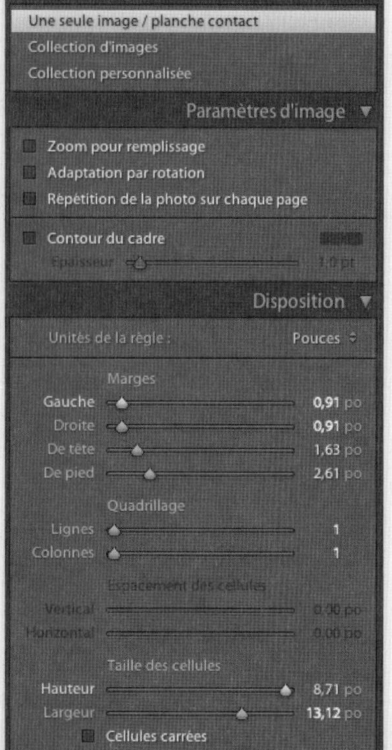


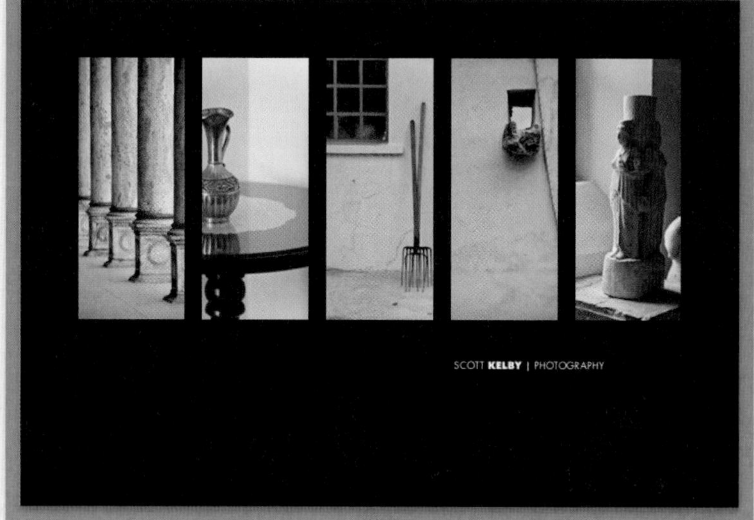


SCOTT KELBY

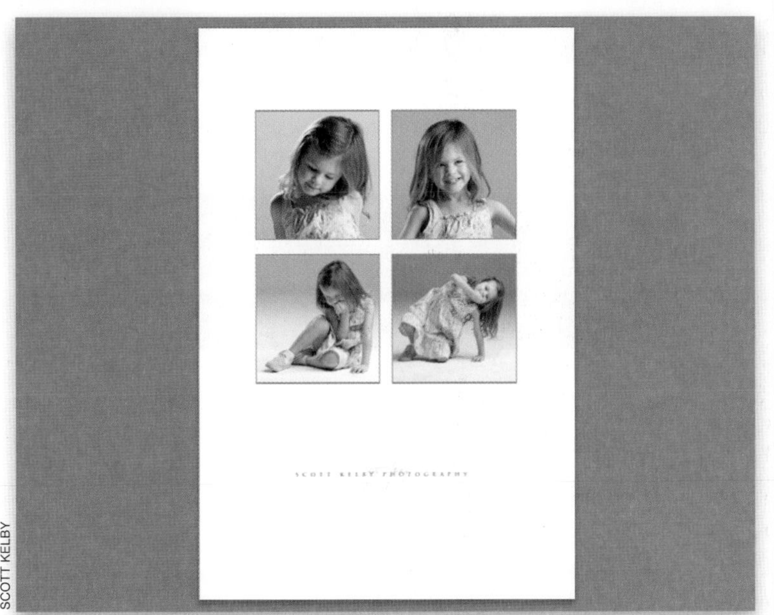
SCOTT KELBY PHOTOGRAPHY
SCOTT KELBY

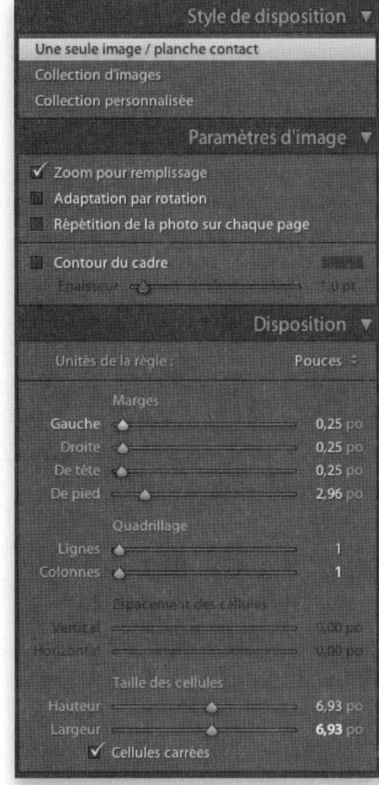
Style de disposition
Une seule image / planche contact
Collection d'images
Collection personnalisée
Paramètres d'image
Zoom pour remplissage
Adaptation par rotation
Répétition de la photo sur chaque page
Contour du cadre
Disposition
Unités de la règle : Pouces
Marges
Gauche 0,25 po
Droite 0,25 po
De tête 0,25 po
De pied 2,96 po
Quadrillage
Lignes 1
Colonnes 1
Taille des cellules
Hauteur 6,93 po
Largeur 6,93 po
Cellules carrées

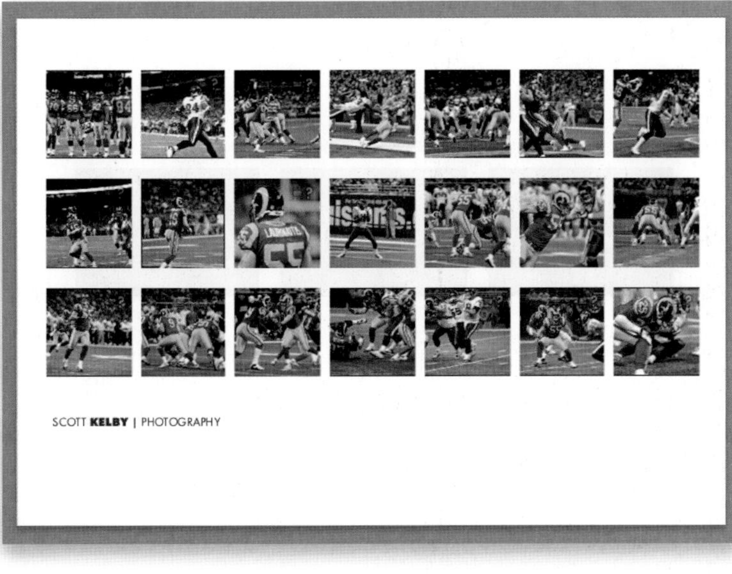
SCOTT KELBY | PHOTOGRAPHY
SCOTT KELBY

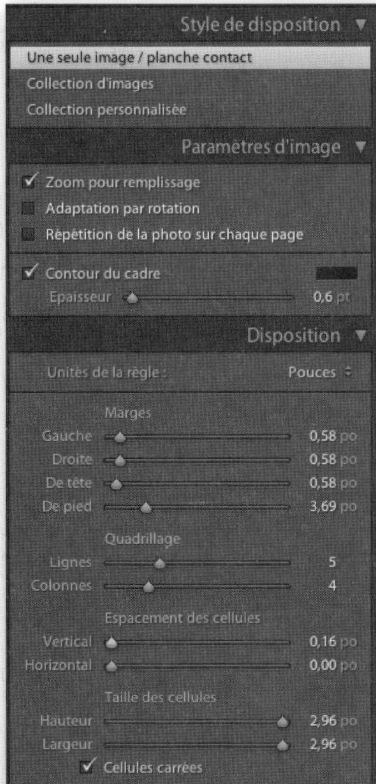
Style de disposition
Une seule image / planche contact
Collection d'images
Collection personnalisée
Paramètres d'image
Zoom pour remplissage
Adaptation par rotation
Répétition de la photo sur chaque page
Contour du cadre
Epaisseur 0,6 pt
Disposition
Unités de la règle : Pouces
Marges
Gauche 0,58 po
Droite 0,58 po
De tête 0,58 po
De pied 3,69 po
Quadrillage
Lignes 5
Colonnes 4
Espacement des cellules
Vertical 0,16 po
Horizontal 0,00 po
Taille des cellules
Hauteur 2,96 po
Largeur 2,96 po
Cellules carrées

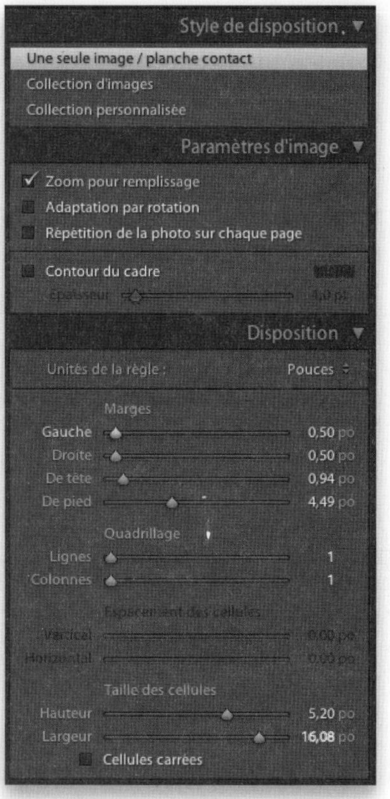


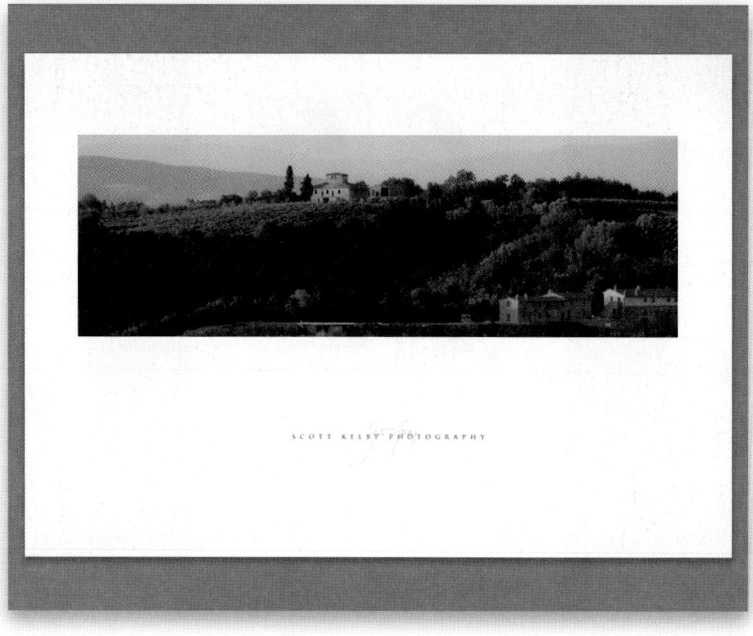


SCOTT KELBY

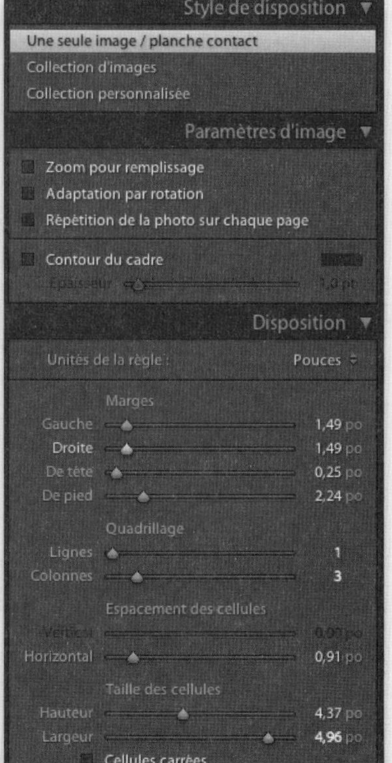


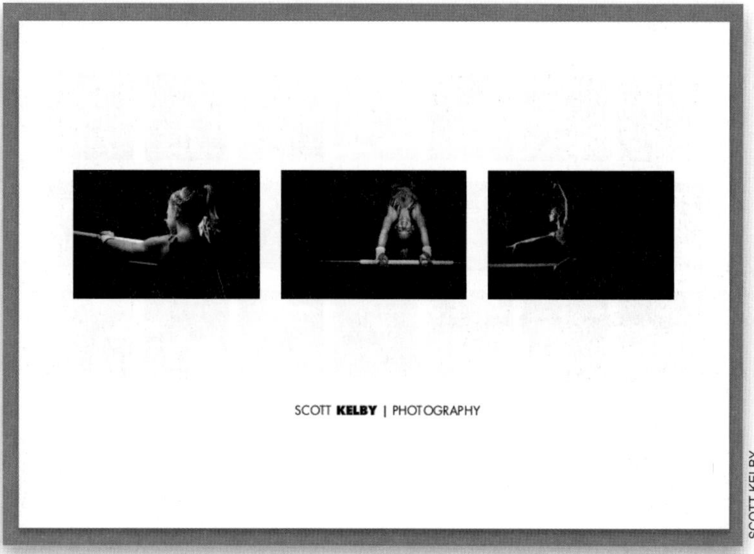


SCOTT KELBY

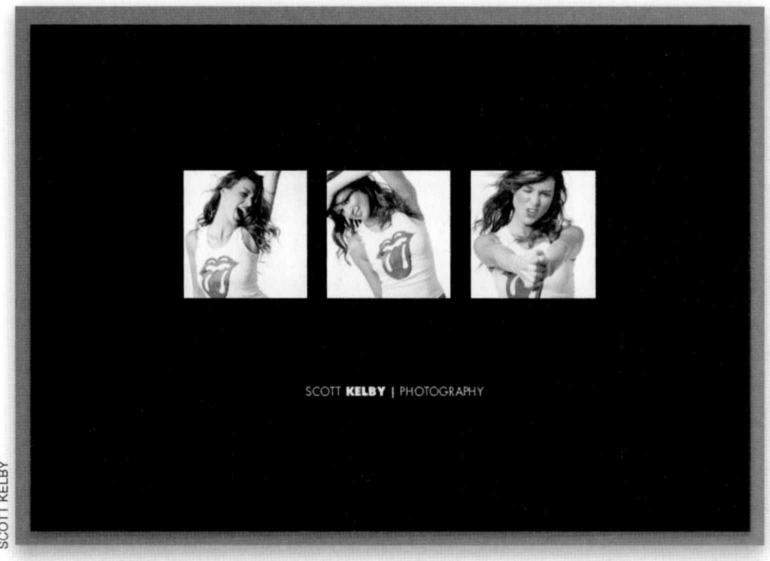


SCOTT KELBY

Style de disposition ▼

Une seule image / planche contact
Collection d'images
Collection personnalisée

Paramètres d'image ▼

✓ Zoom pour remplissage
Adaptation par rotation
Répétition de la photo sur chaque page

Contour du cadre
Épaisseur 1,0 pt

Disposition ▼

Unités de la règle : Pouces

Marges
Gauche 4,03 po
Droite 4,07 po
De tête 0,25 po
De pied 2,46 po

Quadrillage
Lignes 1
Colonnes 3

Espacement des cellules
Vertical 0,00 po
Horizontal 0,89 po

Taille des cellules
Hauteur 3,27 po
Largeur 3,27 po
Cellules carrées

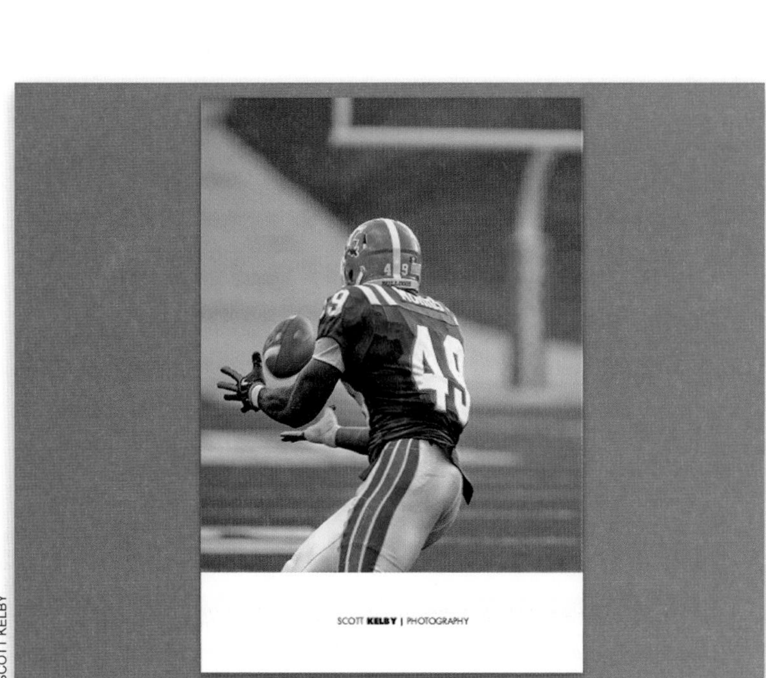


SCOTT KELBY

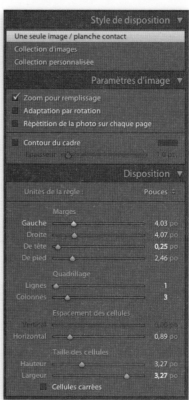

*Cliquez sur le bouton Mise en page pour fixer les marges à 0 pour tous les exemples de cette section.*

Style de disposition ▼

Une seule image / planche contact
Collection d'images
Collection personnalisée

Paramètres d'image ▼

✓ Zoom pour remplissage
Adaptation par rotation
Répétition de la photo sur chaque page

Contour du cadre
Épaisseur 1,0 pt

Disposition ▼

Unités de la règle : Pouces

Marges
Gauche 0,00 po
Droite 0,00 po
De tête 0,00 po
De pied 3,29 po

Quadrillage
Lignes 1
Colonnes 1

Espacement des cellules
Vertical 0,00 po
Horizontal 0,00 po

Taille des cellules
Hauteur 15,71 po
Largeur 12,99 po
Cellules carrées

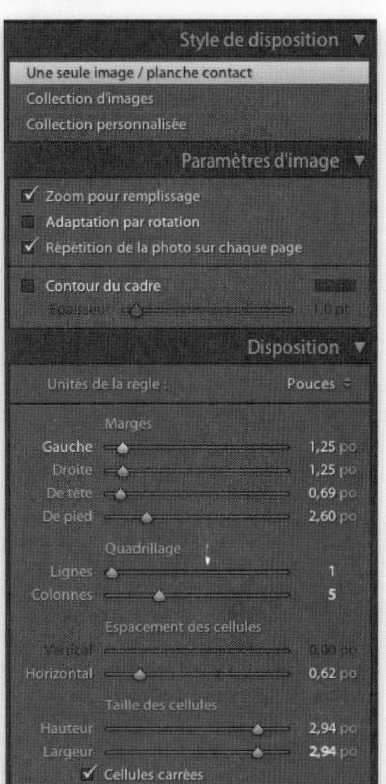

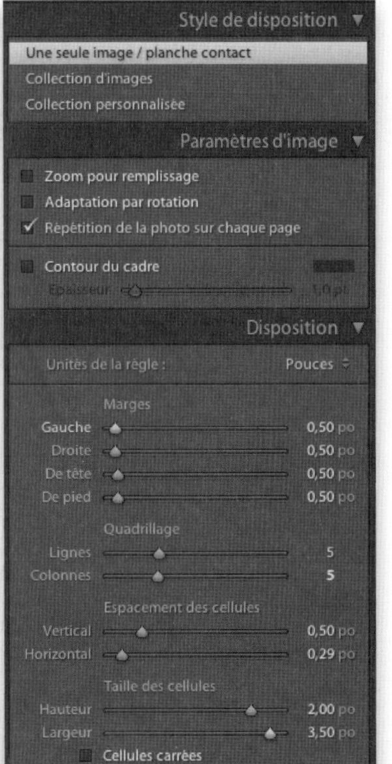

*Cette simple carte de visite créée dans Photoshop a été enregistrée en JPEG, importée dans Lightroom et mise en page sous forme de planche contact. Les traits de coupe du panneau Page sont activés.*

SCOTT KELBY

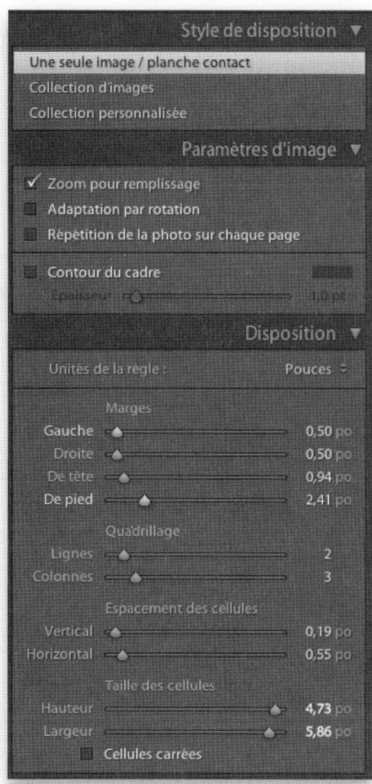

SCOTT KELBY

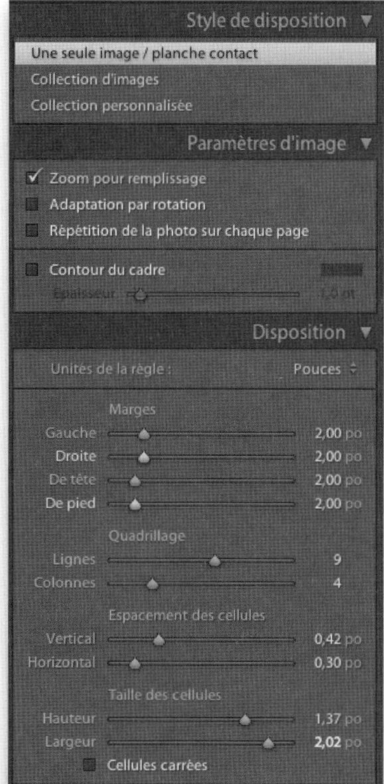

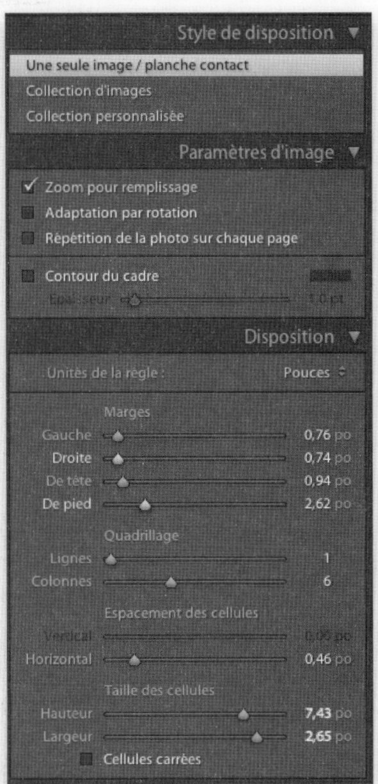


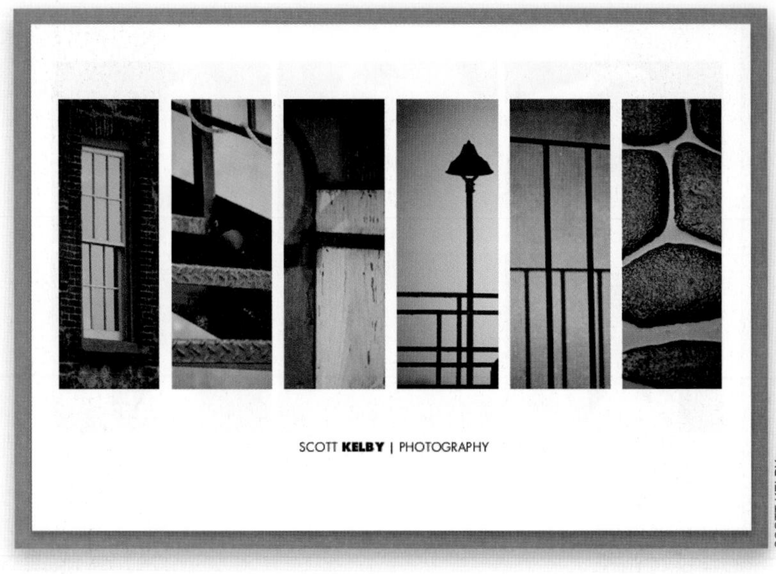


SCOTT KELBY

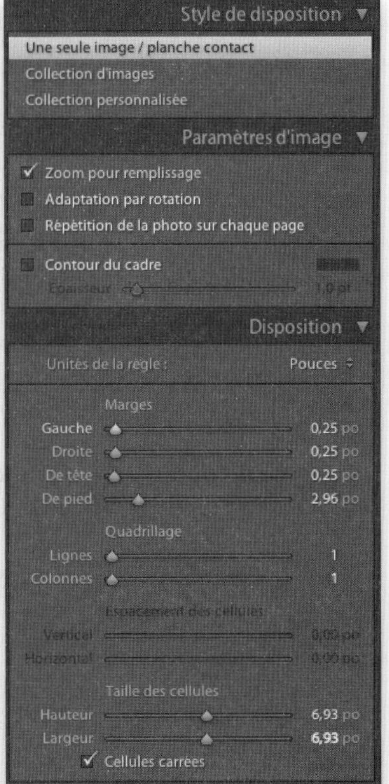

SCOTT KELBY

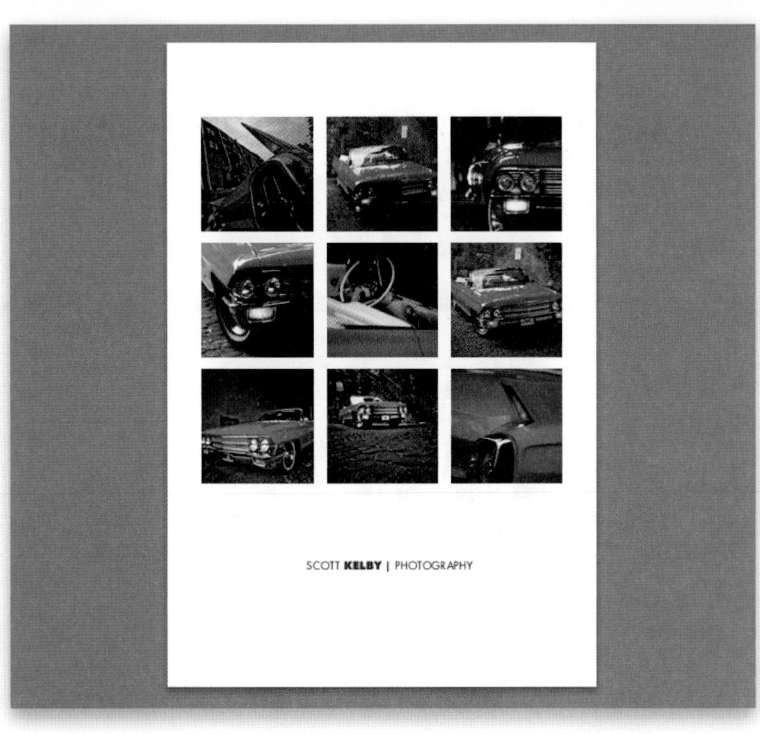
SCOTT KELBY | PHOTOGRAPHY
SCOTT KELBY

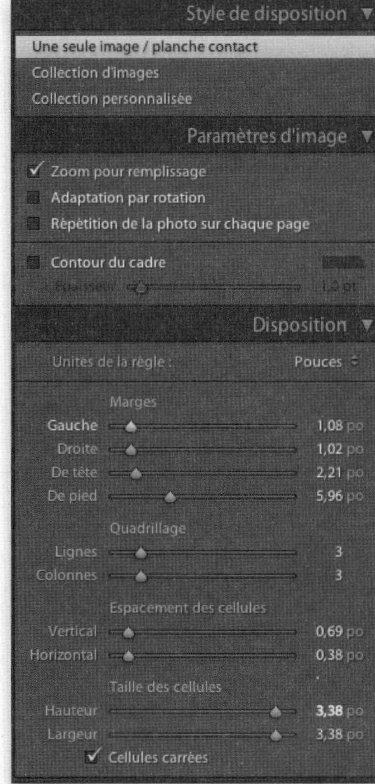
Style de disposition
Une seule image / planche contact
Collection d'images
Collection personnalisée
Paramètres d'image
Zoom pour remplissage
Adaptation par rotation
Répétition de la photo sur chaque page
Contour du cadre
Disposition
Unités de la règle :
Pouces
Marges
Gauche 1,08 po
Droite 1,02 po
De tête 2,21 po
De pied 5,96 po
Quadrillage
Lignes 3
Colonnes 3
Espacement des cellules
Vertical 0,69 po
Horizontal 0,38 po
Taille des cellules
Hauteur 3,38 po
Largeur 3,38 po
Cellules carrées

SCOTT KELBY | PHOTOGRAPHY
SCOTT KELBY

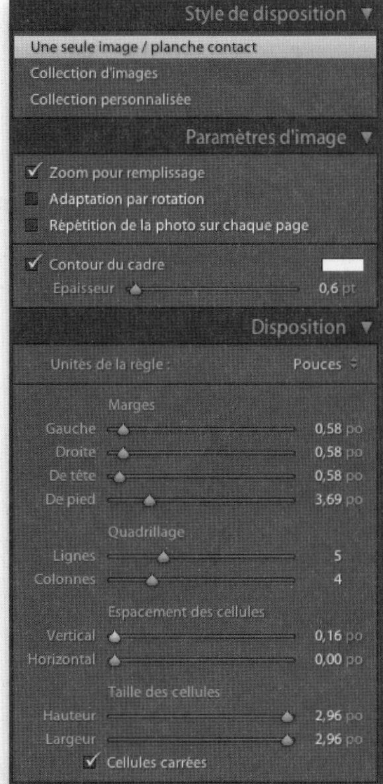
Style de disposition
Une seule image / planche contact
Collection d'images
Collection personnalisée
Paramètres d'image
Zoom pour remplissage
Adaptation par rotation
Répétition de la photo sur chaque page
Contour du cadre
Epaisseur 0,6 pt
Disposition
Unités de la règle :
Pouces
Marges
Gauche 0,58 po
Droite 0,58 po
De tête 0,58 po
De pied 3,69 po
Quadrillage
Lignes 5
Colonnes 4
Espacement des cellules
Vertical 0,16 po
Horizontal 0,00 po
Taille des cellules
Hauteur 2,96 po
Largeur 2,96 po
Cellules carrées

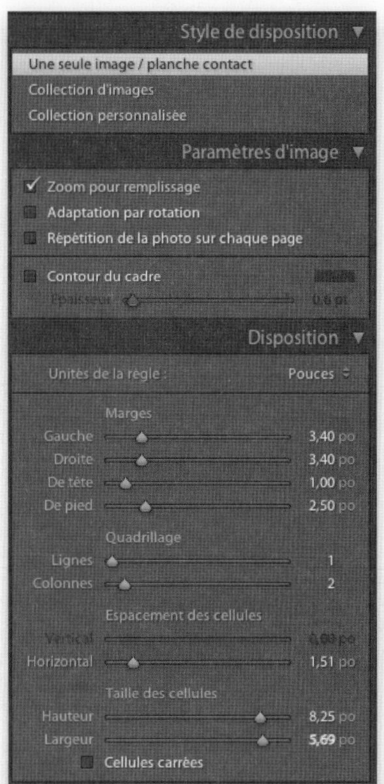
Style de disposition
Une seule image / planche contact
Collection d'images
Collection personnalisée
Paramètres d'image
Zoom pour remplissage
Adaptation par rotation
Répétition de la photo sur chaque page
Contour du cadre
Épaisseur
0,6 pt
Disposition
Unités de la règle :
Pouces
Marges
Gauche
3,40 po
Droite
3,40 po
De tête
1,00 po
De pied
2,50 po
Quadrillage
Lignes
1
Colonnes
2
Espacement des cellules
Vertical
0,00 po
Horizontal
1,51 po
Taille des cellules
Hauteur
8,25 po
Largeur
5,69 po
Cellules carrées

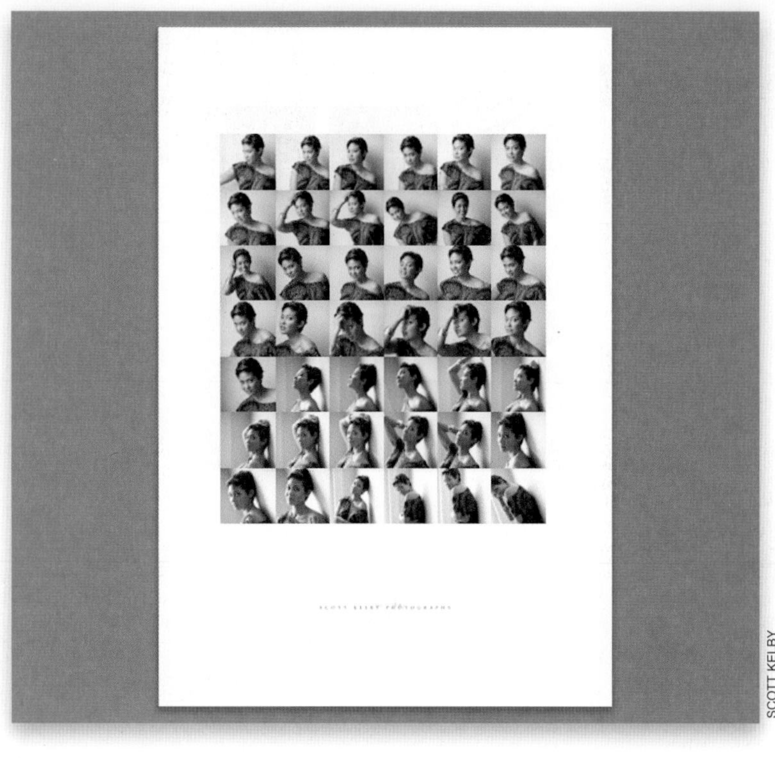
SCOTT KELBY

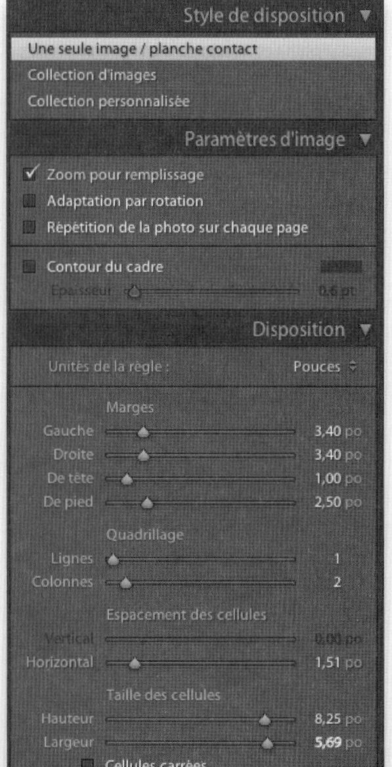
Style de disposition
Une seule image / planche contact
Collection d'images
Collection personnalisée
Paramètres d'image
Zoom pour remplissage
Adaptation par rotation
Répétition de la photo sur chaque page
Contour du cadre
Épaisseur
0,6 pt
Disposition
Unités de la règle :
Pouces
Marges
Gauche
3,40 po
Droite
3,40 po
De tête
1,00 po
De pied
2,50 po
Quadrillage
Lignes
1
Colonnes
2
Espacement des cellules
Vertical
0,00 po
Horizontal
1,51 po
Taille des cellules
Hauteur
8,25 po
Largeur
5,69 po
Cellules carrées

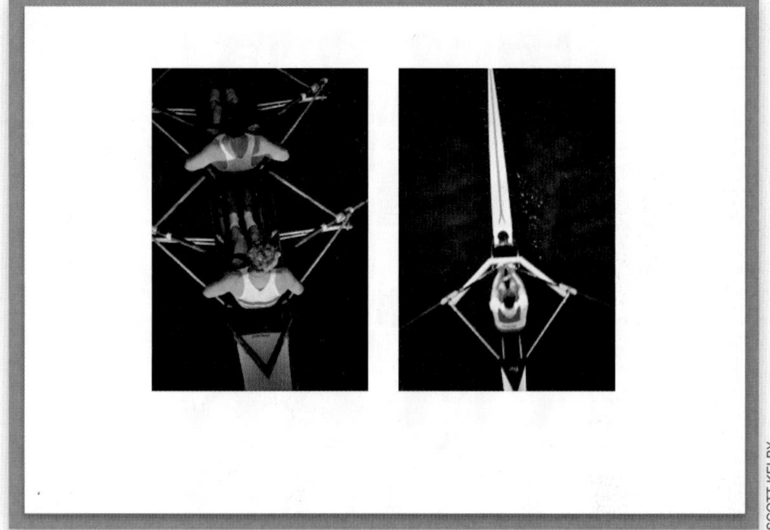
SCOTT KELBY

# Les petits trucs de Lightroom > >

## ▼Vous ne voyez pas les règles ?

Appuyez sur Cmd+R (Ctrl+R). Si les règles restent invisibles, cela tient au fait que vous avez désactivé la fonction Afficher les repères. Pour la réactiver, et ainsi afficher vos règles, appuyez sur Cmd+Maj+H (PC : Ctrl+Maj+H). Vous pouvez également ouvrir le menu Affichage de Lightroom et cliquer sur Afficher les repères et/ou Afficher les règles.

## ▼Changer l'unité de mesure des règles

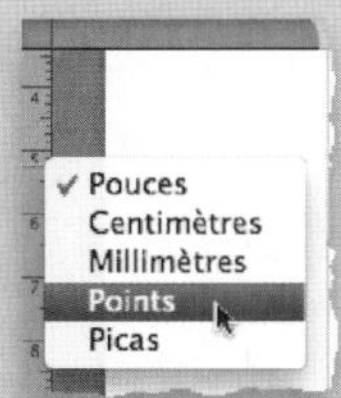


Pour changer rapidement l'unité de mesure des règles, faites un Ctrl+clic (clic-droit) sur l'une des deux règles. Dans le menu contextuel qui apparaît, choisissez l'unité de mesure qui vous convient le mieux : pouces, centimètres, millimètres, points ou picas.

## ▼Modifier la couleur d'arrière-plan de la zone d'aperçu

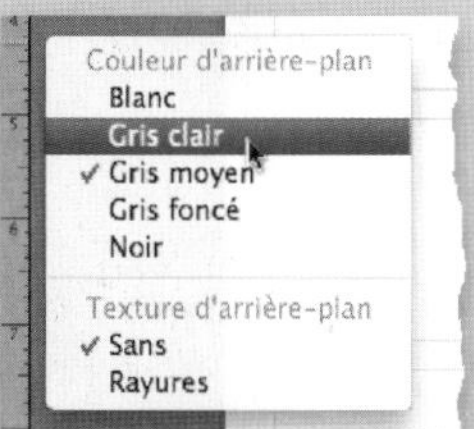


Vous pouvez modifier la couleur de la zone grise sur laquelle repose la page. Pour cela, faites un clic-droit sur la zone en question. Dans le menu contextuel, choisissez une des couleurs proposées.

## ▼Ajouter des photos à vos travaux d'impression

Ouvrez le film fixe, et appuyez sur la touche Cmd (Ctrl). Cliquez sur chaque image que vous souhaitez imprimer. Elles seront ainsi ajoutées à la file d'attente d'impression. Pour enlever une photographie de la file d'attente en question, accédez de nouveau au film fixe, et répétez la même opération. Chaque image sur laquelle vous cliquez est retirée des travaux d'impression.

## ▼Positionner rapidement les marges

Vous savez qu'il est possible de redéfinir les marges en agissant sur les curseurs correspondants des panneaux Disposition et Cellules. Toutefois, si vos repères sont visibles, il est plus rapide et plus dynamique de modifier les marges en faisant glisser directement ces petits traits gris dans l'aperçu.

## ▼Envoyer vos travaux d'impression à un labo

Vous pouvez imprimer vos photos dans un fichier JPEG. Il sera alors très facile de l'envoyer à un laboratoire de développement. Voici une astuce géniale : créez un nouveau modèle à partir d'une taille de page que vous utilisez habituellement pour imprimer vos photos. Définissez la disposition de

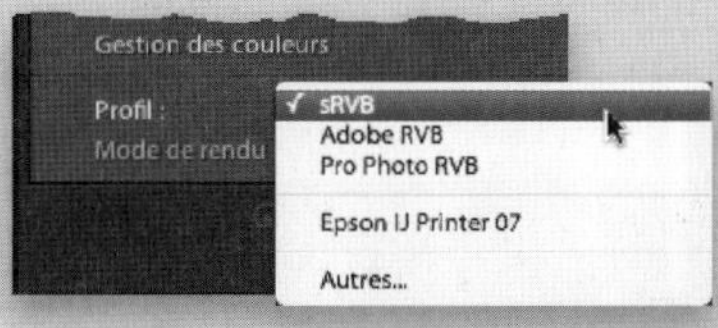


l'image sur la page, et veillez à utiliser le profil de couleurs recommandé par le laboratoire de tirage. Il s'agit généralement de sRVB. Cependant, pour les très grands formats, le labo emploie souvent un profil correspondant à l'imprimante ou à l'imageur qu'il utilise pour sortir les images. Ainsi, lorsque vous créerez le fichier JPEG, il contiendra le profil approprié.

## ▼Activer l'impression 16 bits

Si votre imprimante jet d'encre est relativement récente, elle prend probablement en charge l'impression 16 bits. Pour profiter de cette fonctionnalité, vérifiez que vous disposez des derniers pilotes d'impression de votre matériel. Il suffit de les télécharger gratuitement sur le site du fabricant de votre imprimante.

**INFO** L'impression 16 bits ne fonctionne actuellement que sur Mac OS X Leopard ou supérieur.

## ▼Choisir la méthode d'impression de la plaque d'identité

Il existe deux autres options pour utiliser la plaque d'identité sur une mise en page contenant plusieurs photos. Si vous optez pour Rendu sur chaque image, Lightroom place la plaque au centre de chaque photo, et ceci dans chaque cellule. Cela est idéal si la plaque d'identité est utilisée pour afficher votre logo en filigrane. Il suffit alors de diminuer l'opacité de la plaque. Si vous cochez l'option Rendu derrière l'image, la plaque est imprimée sur l'arrière-plan. Cette fois, elle joue le rôle de filigrane du papier lui-même, mais pas de la photo. Vous devrez augmenter la valeur du paramètre Échelle pour qu'une partie de cette plaque soit visible sur les zones vierges du papier.

## ▼Ajuster la position de la plaque d'identité

Dans le module Impression, vous pouvez déplacer la plaque d'identité par petites incrémentations en appuyant sur les touches du pavé directionnel de votre clavier.

Photo Scott Kelby Exposition : 1/640 Focale : 160 mm Ouverture : $f$/2.8

# Galeries web

## Publier vos photos sur Internet

Nous sommes des photographes tout ce qu'il y a de sérieux. De facto, nous passons notre temps à photographier. Lors de ces sessions de prises de vue, il nous arrive de temps à autre de prendre la photo que jamais nous n'aurions imaginer réussir à prendre un jour. Alors, la première chose qui nous vient à l'esprit est de partager immédiatement ce chef-d'œuvre avec les membres de notre famille en leur expédiant la photo par e-mail, ou bien encore en la publiant sur Facebook. Tout ceci est très bien, mais reste à nos yeux insuffisant. Pourquoi ? Parce que vous savez que cette photo est la photo, l'élue parmi les élues. Une petite voix intérieure vient vous susurrer ces quelques mots : « Cette image doit toucher un public beaucoup plus large. » et vous voici parti dans le plus merveilleux des délires, qui consiste à imaginer que cette photo sera achetée à prix d'or par les plus grands magazines de la planète. Car, bien entendu, vous n'avez guère confiance dans le jugement de votre famille et de vos amis, qui aiment vos photographies au même titre qu'ils aimeraient vos napperons si vous saviez manier un crochet et du fil blanc. Mais voilà, la renommée et la richesse ne font guère partie d'un monde où les décideurs et les actionnaires se moquent bien plus du talent des artistes que des dividendes qu'ils peuvent recevoir en fin d'exercice annuel. Résultat, ils minimisent votre talent pour s'offrir une photo qui leur rapportera des millions de dollars. Ah, monde cruel du libéralisme forcené ! Alors, il reste une solution autosatisfaisante qui consiste à publier vos photos sur une galerie web. Elle sera alors susceptible de toucher un auditoire mondial sans grands efforts de votre part, et sans essuyer l'humiliation d'éditeurs qui, sans vergogne, vous font comprendre que vous ne serez jamais le grand photographe que vous prétendez être. Avec Lightroom, soyez pragmatique et heureux de vos photos car ce logiciel est sans jugement. Il publiera ce que vous lui demandez de publier. Trop belle, la vie, non ?

# Créer rapidement une galerie de photo pour le Web

Vous souhaitez publier vos photos de vacances ou des épreuves test en ligne ? C'est beaucoup plus facile que vous ne l'imaginez. Commencez avec un modèle prédéfini. Ajoutez quelques petits trucs pour le personnaliser. Le plus formidable ici est que la plupart des opérations d'édition se déroulent directement sur la page elle-même. Les modifications sont dynamiques, et en temps réel. Cette possibilité transforme la procédure de création d'une galerie web en un véritable jeu d'enfant. En cinq minutes, vous disposez d'une galerie au design surprenant. Voyons comment cela est possible.

## Étape 1

Dans le module Web, ouvrez le panneau Collections du volet gauche. Cliquez sur une collection de photos que vous désirez publier sur le Web. Ensuite, cliquez sur le module Web de Photoshop Lightroom. Les images sont instantanément placées dans la Galerie HTML (par défaut). Lorsque vous cliquez sur une des vignettes affichées au centre de l'interface, elle s'affiche dans une version agrandie, comme si vous consultiez le contenu de cette galerie sur Internet. L'ordre des photos dans la galerie correspond à leur ordre dans le film fixe. Pour modifier cet ordre, glissez-déposez les vignettes directement à un autre emplacement du film fixe.

SCOTT KELBY

## Étape 2

Par défaut, ce modèle affiche les vignettes sur 3 colonnes et 3 rangées. Il est très facile de changer cette disposition. Dans le volet droit du module Web, ouvrez le panneau Aspect. Dans la section Pages de grille, vous remarquez la présence d'un tableau composé d'une multitude de cellules. Cette matrice particulière est dynamique ! Pour ajouter, retirer, modifier les dispositions, il vous suffit de placer le curseur sur la cellule qui permet de définir une nouvelle disposition de la galerie. Par exemple, sur l'illustration ci-contre j'ai directement cliqué sur la quatrième cellule de la troisième ligne et de la quatrième colonne. C'est une technique très intuitive de sélection de vos colonnes et de vos lignes.

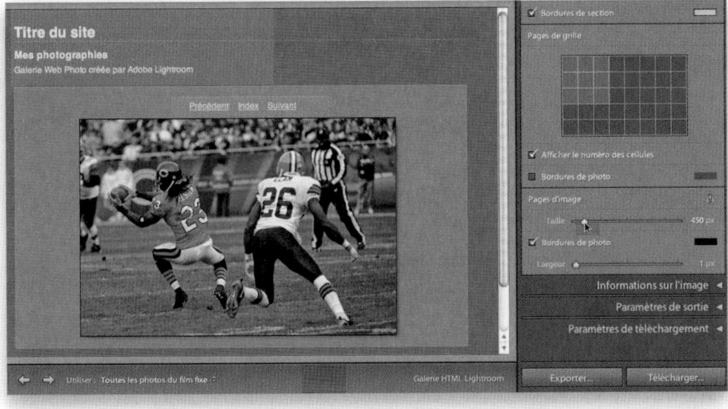


## Étape 3

Pour le moment, nous n'avons travaillé qu'avec des vignettes. Mais, lorsque vous ou votre client cliquez sur une vignette, elle s'affiche dans une dimension supérieure. Mais quelle est cette dimension ? Tout dépend de vous. Par défaut, l'image s'affiche dans une taille de 450 pixels de large. Vous pouvez faire varier cette taille dans le panneau Aspect. Dans la section Pages d'image, faites glisser le curseur Taille. en dessous de ce paramètre, l'option Bordure de photo permet d'ajouter un contour à l'image. En agissant sur le curseur Largeur, vous déterminez l'épaisseur de cette bordure.

**Info** Vous ne trouverez aucun paramètre qui modifie la taille des vignettes dans le modèle HTML.

L'option Bordure de photos définit un cadre autour de l'image et affiche un trait horizontal sous le titre du site et un autre sous la zone d'affichage de l'image. Dans la section Paramètres communs, située en haut du panneau Aspect, une case à cocher permet d'activer et de désactiver l'ombre portée visible derrière votre photo. La bordure de section trace un trait horizontal sous le titre du site et sous la photo pour séparer l'image des informations que vous souhaitez afficher dans la galerie web. Vous pouvez modifier la couleur de ces traits en cliquant sur l'indicateur situé à droite du paramètre en question. Enfin, la section Pages de grille intéresse la définition du nombre de vignettes sur chaque page, mais pas la taille desdites vignettes.

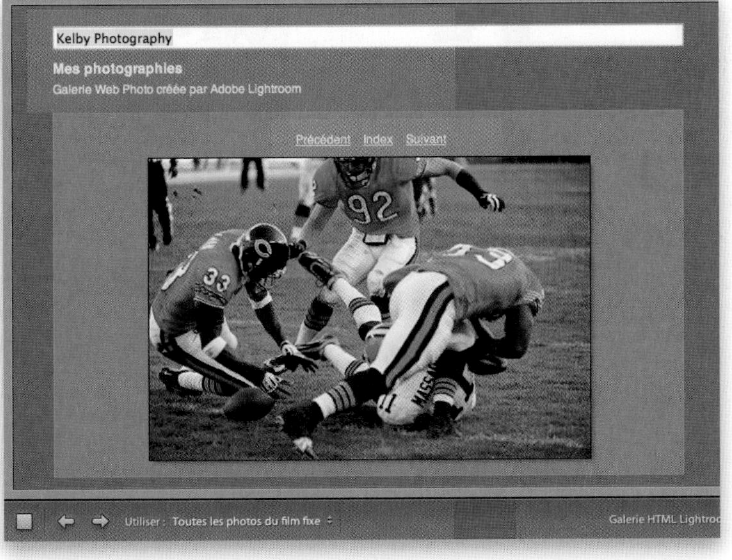


## Étape 4

Vous modifiez les textes de votre page web directement dans la zone d'aperçu. Cette possibilité accélère la procédure de création de votre galerie. Cliquez directement sur le texte affiché. Il passe en surbrillance. Tapez le nouveau texte. Validez vos modifications en appuyant sur la touche Entrée. Sur l'illustration ci-contre, j'ai changé le titre du site.

## Étape 5

Pour modifier n'importe quel texte affiché à l'écran, cliquez dessus. Il passe en surbrillance. Remplacez par un texte personnalisé. Donc, dans la page actuellement affichée, entrez vos informations personnelles en cliquant sur les différents textes proposés par défaut. Validez chacune de vos modifications en appuyant sur la touche Entrée de votre clavier. Ici, j'ai remplacé les informations par défaut par mes propres données. Il s'agit d'une galerie constituée d'épreuves devant être ou non approuvées par un de mes clients. Une fois que vous avez déterminé vos informations, choisissez le nombre de lignes et de colonnes qui vont constituer l'affichage des vignettes de vos photographies sur la page principale. Définissez également la taille des images qui vont s'afficher à chaque fois que le client cliquera sur une de ces vignettes. Bien entendu, vous pouvez utiliser la page HTML par défaut. Cependant, Lightroom propose un certain nombre de modèles prédéfinis tout à fait remarquables. Certains ont été créés avec le programme d'animation vectorielle Flash.

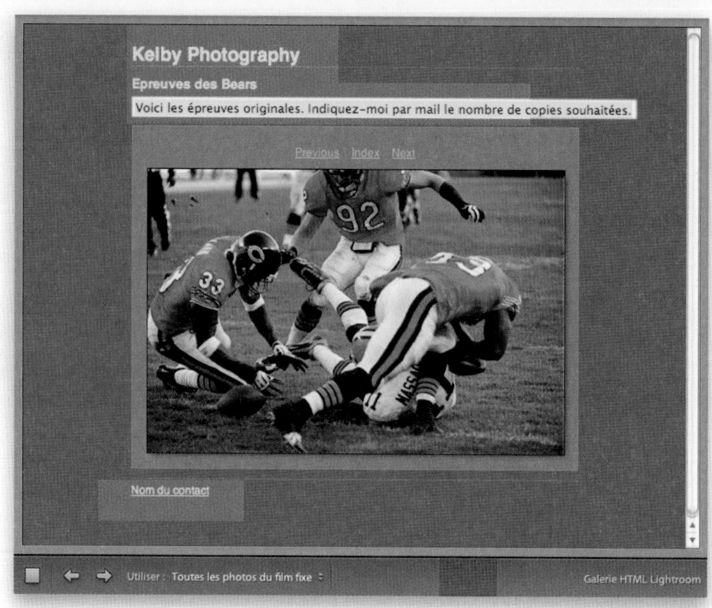


## Étape 6

Pour prévisualiser les modèles prédéfinis de Lightroom, affichez le panneau Explorateur de modèles, situé dans le volet gauche du module Web. Placez le pointeur de la souris sur un des modèles. Un aperçu apparaît dans le panneau éponyme. Si vous choisissez un modèle de type Flash, un petit « f » est incrusté dans le coin inférieur gauche de l'aperçu. En l'absence de cette lettre, vous êtes en présence d'un modèle de type HTML. Pour appliquer un des modèles, il suffit de cliquer sur son nom. (Ici, j'ai choisi le modèle Blanc papier. Il s'agit d'un modèle Flash qui affiche les photographies sur un fond blanc. Vous remarquez qu'une barre de défilement apparaît à droite de la zone réservée aux vignettes. Il suffit de faire glisser le curseur de défilement pour accéder aux photographies qui ne sont pas visibles mais qui sont bel et bien disponibles dans la galerie. Pour afficher une image au centre de la galerie, il suffit de cliquer sur sa vignette.)

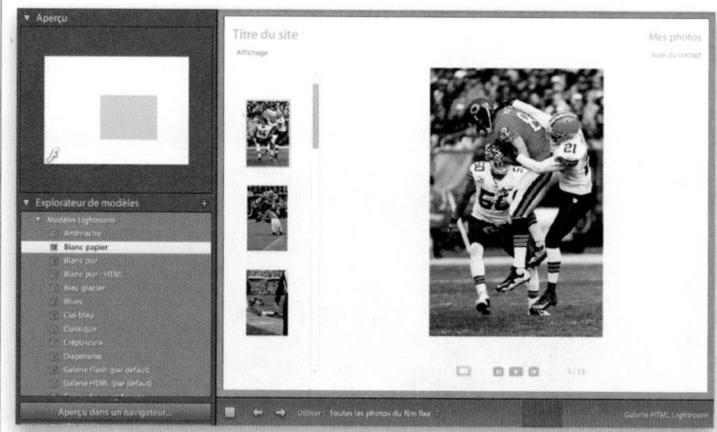


**INFO** Un des gros avantages des modèles Flash est de proposer une fonction de diffusion de la galerie sous la forme d'un diaporama. Les transitions entre chaque image sont particulièrement fluides. Avec ce type de galerie, l'utilisateur peut consulter la totalité des images sans être obligé de cliquer à chaque fois sur une vignette, comme c'est le cas avec les modèles HTML.

### Étape 7

Bien que vous ne puissiez pas contrôler le nombre de lignes et de colonnes d'un modèle Flash, de nombreuses dispositions sont proposées par Lightroom. Ouvrez le panneau Aspect. Cliquez sur le menu local, situé à droite du paramètre Disposition. Choisissez Défilement. Cette option reconfigure instantanément la galerie. Cette fois, les vignettes sont affichées horizontalement sous l'image principale. Une barre de défilement horizontal permet d'afficher les vignettes qui ne sont pas visibles dans la zone d'aperçu. Dans le panneau Aspect, vous trouverez des menus locaux dont deux d'entre eux permettent de choisir la taille des vignettes et des grandes images.

### Étape 8

Une fois que vous avez choisi votre modèle, défini ses différentes dimensions, sélectionné votre disposition et ajouté du texte personnalisé, vous devez tester la page web qui va en résulter. Pour cela, cliquez sur le bouton Aperçu dans un navigateur situé dans le volet gauche du module Web. Lightroom compile la galerie puis ouvre votre navigateur web, qui affiche la galerie. Vous pouvez alors la tester. Vérifiez que tout fonctionne correctement. Si vous avez déjà téléchargé votre galerie sur le Web, passez directement à la page 396. Pourtant, avant d'en arriver à cette publication, il y a un certain nombre d'autres choses que vous pouvez effectuer pour personnaliser l'aspect de votre page et en améliorer la convivialité. Il existe également des modèles Flash époustouflants que vous ne trouverez pas dans l'Explorateur de modèles, et dont nous traiterons un peu plus loin dans ce chapitre.

# Ajouter un lien de messagerie ou de site web à votre galerie

Si vous créez une galerie web Lightroom à des fins de validation de votre travail par un client, vous souhaiterez probablement lui donner la possibilité de vous contacter par e-mail en insérant directement un lien sur la page. Ou bien vous souhaiterez insérer un lien vers la page d'accueil de votre site. Voici comment insérer ces deux types de liens.

### Étape 1

L'insertion d'un lien de messagerie électronique à votre page s'effectue dans le volet droit du module Web. Là, ouvrez le panneau Informations sur le site. Vous constatez que la partie supérieure de ce panneau contient tous les champs textuels destinés au texte personnalisé que vous ajoutez directement sur la page elle-même. Techniquement, vous comprenez qu'il est possible de saisir ces textes dans le panneau Informations sur le site. Ce panneau présente un avantage supplémentaire. Lightroom mémorise les informations que vous avez dernièrement ajoutées dans chacun des champs de texte. Il ajoute ces informations dans un menu local. Donc, vous pouvez très rapidement inclure la même information dans une autre galerie. Il suffit de cliquer sur le triangle d'une des informations sur le site et de sélectionner celle que vous souhaitez insérer.

### Étape 2

Dans la section Lien Internet ou adresse électronique, vous pouvez lire la mention suivante : « mailto:user@domain ». Pour insérer un lien vers votre messagerie électronique, il suffit de remplacer « user@domain » par votre adresse e-mail. Ici, vous constatez que j'ai saisi mon adresse, c'est-à-dire skelby@Photoshopuser.com. Appuyez sur Entrée pour valider cette adresse électronique.

**INFO** Si vous souhaitez ajouter un lien vers une autre page web, il suffit de taper son URL complète dans ce champ, comme http://www.scottkelby.com.

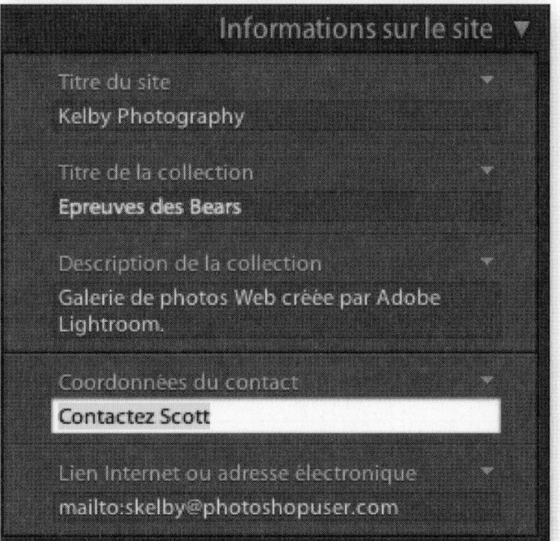


### Étape 3

Le texte du lien vers votre adresse e-mail ou la page d'un site web est : Nom du contact. Vous pouvez le modifier. Cliquez dans le champ situé sous l'information Coordonnées du contact, et tapez un nom adapté à ce lien. Ici, j'ai saisi « Contactez Scott ».

SCOTT KELBY

### Étape 4

Voici l'aspect d'une galerie personnalisée dans un navigateur web. Dans le coin supérieur droit de la page, vous voyez le lien Contactez Scott. Si votre client clique dessus, son programme de messagerie électronique s'ouvrira avec un nouveau message dont il n'y aura plus qu'à saisir l'objet de l'e-mail et son texte et à cliquer sur le bouton Envoyer.

# Personnaliser l'aspect de votre galerie

Pour le moment, nous n'avons fait que des choses très basiques. En effet, nous sommes partis d'un modèle prédéfini dont nous avons personnalisé les textes, modifié la taille des vignettes et des grandes images et ajouté un lien de messagerie ou de site web. Il est possible de pousser plus loin la procédure de personnalisation en utilisant les contrôles adéquats du volet droit.

## Étape 1

La première chose que vous pouvez personnaliser est le texte du site en le remplaçant par votre plaque d'identité. Précédemment, nous avions simplement saisi un autre texte. Cette fois, vous allez insérer un graphique. (Dans l'Explorateur de modèles, j'ai choisi le modèle Ivoire.)

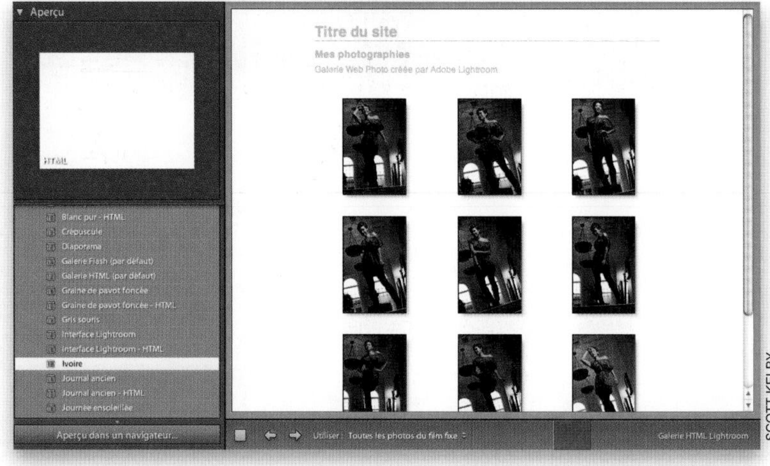


## Étape 2

Ouvrez le panneau Informations sur le site, et cochez l'option Plaque d'identité. Cliquez sur le triangle affiché dans le coin inférieur droit de la plaque. Dans le menu local, choisissez Modifier. Activez le bouton radio Utiliser une plaque d'identité graphique. Ensuite, cliquez sur le bouton Rechercher le fichier. Dans la boîte de dialogue éponyme, localisez le fichier graphique à utiliser comme plaque d'identité, et cliquez sur Choisir. Une fois le fichier affiché dans l'éditeur, cliquez sur OK.

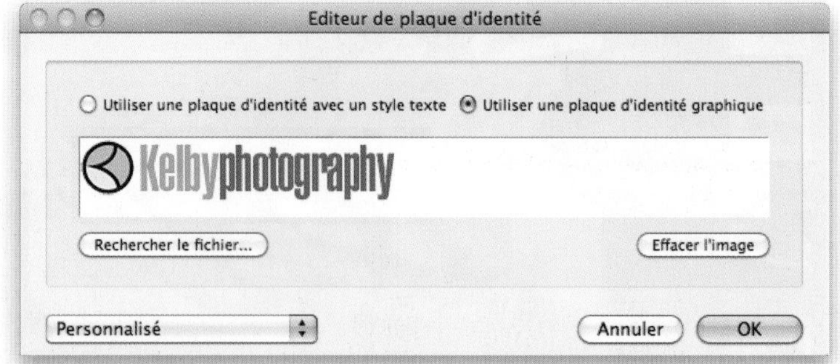

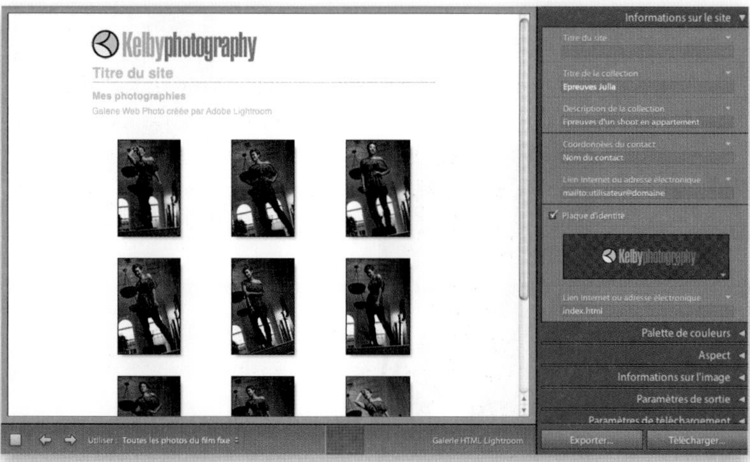


## Étape 3

Voici la galerie avec la plaque d'identité en place.

**INFO** Vous ne pouvez pas redimensionner la plaque d'identité dans le module Web. Donc, vous devez créer un graphique d'une dimension adaptée à celle de votre page.

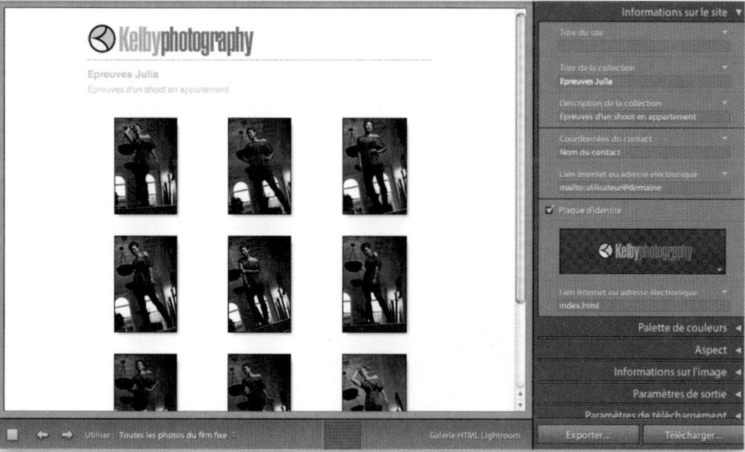


## Étape 4

Si vous regardez la page, il y a un problème. Bien que nous ayons remplacé le titre du site par défaut, il reste visible sur la page. Cela tient au fait que le texte n'est pas réellement remplacé. Il faut donc le supprimer. Ouvrez le panneau Informations sur le site. Sélectionnez le texte affiché dans le champ Titre du site, et appuyez sur Suppr. Validez votre modification en appuyant sur Entrée. Pour personnaliser cet en-tête de page web, j'ai remplacé les deux autres textes.

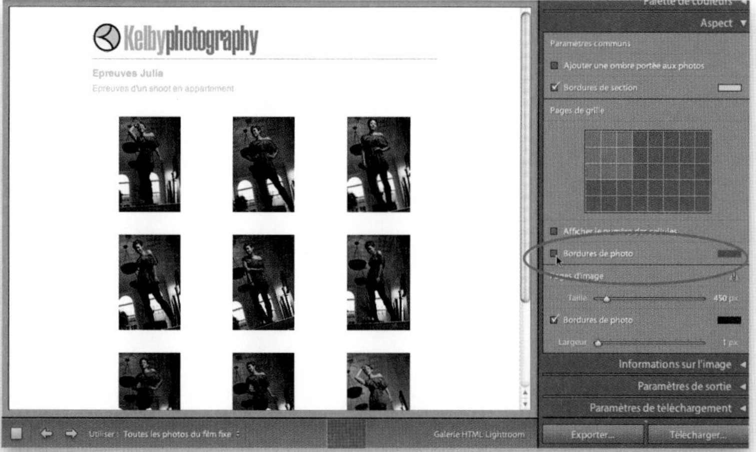


## Étape 5

Vous pouvez également personnaliser l'aspect des vignettes. Dans le panneau Aspect, décochez l'option Bordures de photo de la section Pages de grille.
En revanche, si vous aimez ces bordures n'hésitez pas à en changer la couleur par un clic sur l'indicateur de couleur, situé à droite de cette option. En haut de ce panneau, vous pouvez activer ou désactiver l'ajout d'une ombre portée derrière les vignettes. Ci-contre, vous avez une page sans bordure ni ombre portée.

**Étape 6**

Comme dans le module Impression, vous pouvez afficher un filigrane à vos images web. Si vous ne savez pas créer un filigrane, consultez le Chapitre 7. Ensuite, pour l'appliquer à la galerie, ouvrez le panneau Paramètres de sortie. Activez l'option Application d'un filigrane. Enfin, sélectionnez-le dans le menu local adjacent.

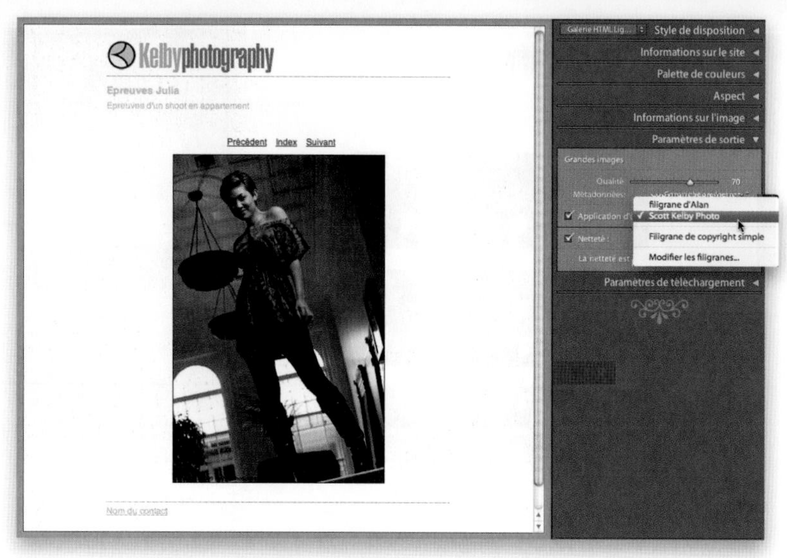


Si votre filigrane est trop grand, ouvrez de nouveau le menu local et exécutez la commande Modifier les filigranes. Vous accédez à l'Éditeur des filigranes. Vous pouvez modifier sa police, sa taille, sa couleur, etc. Ensuite, comme ci-contre, enregistrez-le en tant que paramètre prédéfini.

**INFO** Pour masquer la barre d'outils affichée sous l'aperçu de votre page, appuyez sur T.

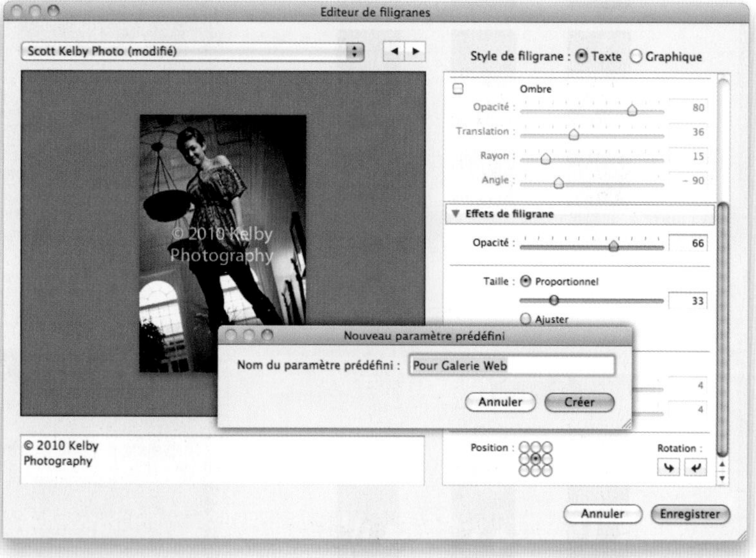

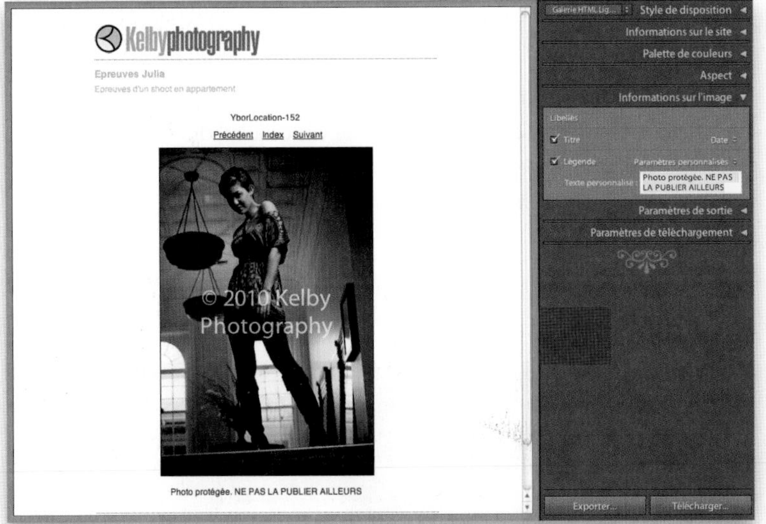


## Étape 7

Si vous utilisez cette galerie pour faire approuver vos images par votre client, les deux prochaines fonctions que nous allons découvrir vont vous être très utiles. Vous pouvez afficher le nom du fichier au-dessus de la photo et ajouter une légende sous l'image. Vous y procédez dans le panneau Informations sur l'image. Cochez la case Titre. Ensuite, dans son menu local, choisissez Nom du fichier. (Vous pouvez choisir d'autres informations, comme l'exposition, la date, etc.) L'option Légende fonctionne de la même manière. Cochez sa case, et choisissez la nature de cette légende dans le menu local.

## Étape 8

D'autres réglages sont possibles. Dans le panneau Aspect, vous pouvez supprimer le trait qui sépare la plaque d'identité du reste de la page. Pour cela, décochez l'option Bordures de section. Vous pouvez aussi afficher le numéro des cellules en cochant l'option éponyme de la section Pages de grille. Ainsi, votre client pourra facilement vous dire qu'il valide les images 5, 8, 14, 22, etc. Dès que vous avez fini de configurer votre galerie, enregistrez-la sous la forme d'un modèle. Ouvrez le panneau Explorateur de modèles, et cliquez sur son signe +.

# Modifier les couleurs de votre galerie

Vous pouvez modifier une couleur de votre galerie web. Il peut s'agir de la couleur d'arrière-plan, de celle de vos cellules, du texte, des bordures, et ceci aussi bien pour des modèles HTML que Flash. Voici comment procéder.

**Étape 1**

Dans le panneau Palette de couleurs, vous remarquez qu'il est possible de contrôler la couleur de tous les éléments de votre galerie. Le modèle Flash utilisé ci-contre est le modèle par défaut. Il utilise un arrière-plan gris foncé, une mise en évidence des éléments ainsi que des boutons de contrôle et du texte en gris clair.

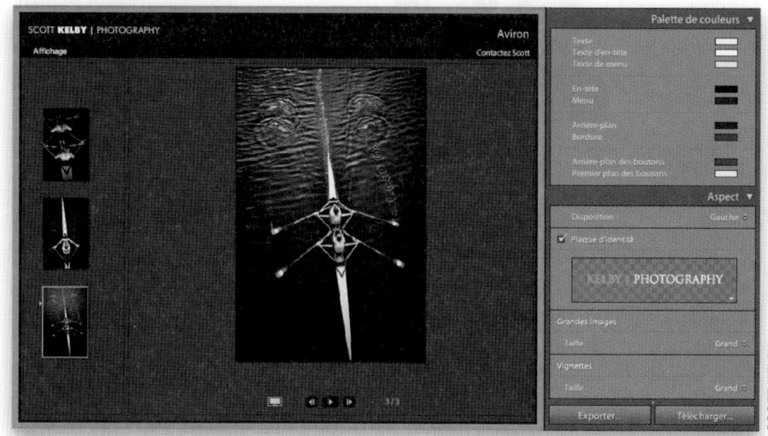


**Étape 2**

Commençons par modifier la couleur de l'en-tête, situé en haut de la page. Pour cela, cliquez sur l'indicateur de couleur, situé à droite du paramètre En-tête du panneau Palette de couleurs. Dans le sélecteur de couleurs qui apparaît, cliquez sur un indicateur gris clair, ou bien définissez la teinte dans le vaste nuancier de ce sélecteur. L'en-tête de la galerie devient instantanément gris clair.

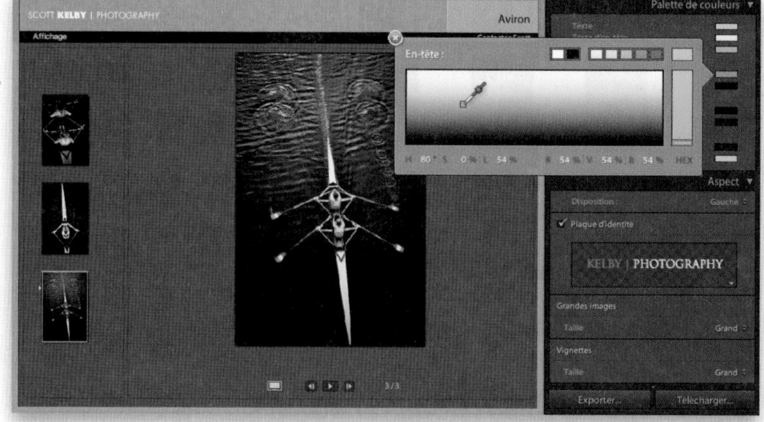

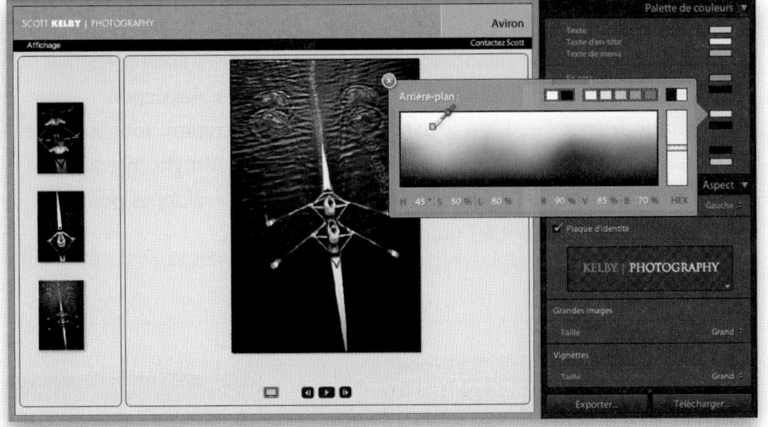


## Étape 3

Il est tout aussi facile de changer la couleur d'arrière-plan. Cliquez sur l'indicateur de couleur, situé à droite du paramètre Arrière-plan du panneau Palette de couleurs. Dans le sélecteur qui apparaît, définissez la couleur de votre choix dans la vaste zone du nuancier. Si le nuancier en question affiche uniquement des nuances de gris, faites glisser le curseur de la barre verticale située à droite pour afficher des couleurs. Plus vous montez ce curseur vers le haut, plus les couleurs sont vives et saturées. Dans cet exemple, je définis une sorte de beige.

## Étape 4

Notre dernier réglage de couleurs concerne le texte de l'en-tête et de la barre de menu. Le mot Aviron, situé complètement à droite de l'en-tête, est trop clair. Dans la Palette de couleurs, cliquez sur l'indicateur situé à droite du paramètre Texte d'en-tête. Dans le sélecteur de couleurs qui apparaît, cliquez sur l'indicateur noir. Répétez cette opération pour le paramètre Texte de menu. (J'ai choisi pour ce texte une couleur plus foncée. Il devient beaucoup plus facile à lire sur la barre de menu gris clair.) Vous pouvez également changer la couleur d'arrière-plan des boutons de contrôle. Ici, j'ai appliqué un gris moyen. En revanche, pour la couleur de premier plan des boutons, c'est-à-dire celle des icônes affichées sur les boutons Flash, j'ai défini un gris très clair. Vous constatez que modifier la couleur de tous les éléments de la galerie est un jeu d'enfant.

# Utiliser des modèles Flash encore plus cool

Au début de ce chapitre, j'ai indiqué l'existence de modèles Flash prédéfinis particulièrement intéressants mais qui ne sont pas accessibles depuis l'Explorateur de modèles. Dans le panneau Style de disposition, vous trouverez ces trois modèles. Ils sont l'œuvre d'une société appelée Airtight Interactive (www.simpleviewer.com). J'adore les modèles qu'elle a développés pour Lightroom. Voici comment les utiliser.

### Étape 1

Pour utiliser un de ces modèles Flash, ouvrez le panneau Style de disposition, situé en haut du module Web. Cliquez sur le premier d'entre eux, c'est-à-dire Airtight AutoViewer. Ce modèle crée une galerie affichée sous la forme d'un diaporama. Dans le panneau Palette de couleurs, vous pouvez définir la couleur d'arrière-plan et de la bordure. Dans le panneau Aspect, vous contrôlez la largeur des bordures des photos et, avec le paramètre Remplissage, vous spécifiez l'espace séparant chaque diapositive. Vous pouvez cliquer sur les flèches qui apparaissent à gauche et à droite du diaporama pour avancer ou reculer d'une image. Si vous souhaitez une lecture automatique du diaporama, cliquez simplement sur le bouton Lecture, qui apparaît en bas et au centre de la galerie dès que vous placez le pointeur de la souris sur la diapo.

### Étape 2

Cliquez maintenant sur le modèle Airtight PostcardViewer. Vos images apparaissent sous la forme de petites cartes postales. Dans le panneau Aspect, vous pouvez définir le nombre de colonnes, l'épaisseur des bordures de photos et l'espace qui sépare chacune des vignettes.

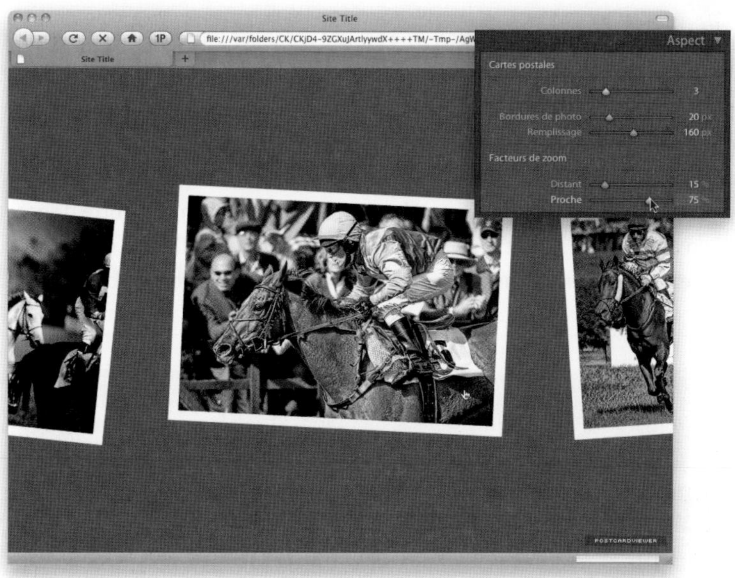


### Étape 3

Lorsque vous cliquez sur l'une des vignettes, elle effectue un zoom avant pour s'afficher dans une dimension supérieure. Dans la section Facteurs de zoom du panneau Aspect, le curseur Distant permet de contrôler la taille des vignettes des petites cartes postales. (Par défaut, la valeur de ce paramètre est fixée à 15 %. Cela signifie que chaque vignette est affichée à 15 % de la taille réelle de l'image.) le paramètre Proche détermine la taille que prendra l'image lorsque vous cliquerez sur une des vignettes. Par défaut, cette valeur est fixée à 100 %. Ainsi, la photo s'affiche au maximum des possibilités de la fenêtre du navigateur web. Si vous fixez cette valeur à 75 %, la taille de l'image serait égale à 75 % de sa taille réelle, mais toujours ajustée à la résolution d'affichage de votre moniteur, donc aux dimensions de la fenêtre du navigateur web. Dans ce navigateur, il vous suffit de cliquer directement sur l'image affichée en taille réelle pour revenir à l'ensemble des petites cartes postales. Pour naviguer parmi les photos affichées dans leur taille maximale, utilisez les touches de votre pavé directionnel.

### Étape 4

Enfin, testez le modèle Airtight SimpleViewer (c'est celui que j'utilise le plus souvent). Il crée une grille de vignettes très simples affichée sur le côté gauche de la page. Lorsque vous cliquez sur une vignette, une version agrandie de la photo s'affiche sur le côté droit. Dans les panneaux Palette de couleurs et Aspect, vous pouvez définir la couleur de la page, ainsi que le nombre de lignes et de colonnes de votre grille. Vous pouvez également en spécifier la position. Dans le panneau Informations sur le site, tapez le titre de la galerie. Il s'agit du texte qui apparaît dans la barre de titre du navigateur web. Il remplace le texte par défaut « Titre du site ». Vous voyez à quel point les trois modèles Flash les plus originaux sont fallacieusement cachés dans le panneau Style de disposition.

## Publier votre nouvelle galerie sur le Web

La dernière partie de cette procédure consiste à publier votre nouvelle galerie sur le Web. Elle sera ainsi accessible à tous les internautes de la planète. Vous pouvez exporter votre galerie vers un dossier, puis la télécharger vous-même sur votre serveur. Ou bien utilisez les fonctionnalités FTP intégrées du module Web. Pour pouvoir publier votre galerie, vous devez disposer d'un compte auprès de votre fournisseur d'accès à Internet. En règle générale, ce compte met à votre disposition un espace de publication web. Si vous ne disposez pas d'un tel espace, effectuez une recherche sur Google en tapant ceci : « hébergeur web gratuit ».

### Étape 1

Maintenant que votre galerie web est terminée, vous pouvez la publier sur le Web en utilisant une des deux méthodes suivantes : (1) exporter les fichiers vers un dossier, puis en télécharger le contenu sur votre site web (c'est la méthode recommandée par la plupart des hébergeurs web gratuits) ; ou bien (2) utiliser les fonctions de téléchargement FTP de Lightroom pour envoyer votre galerie directement depuis ce programme vers votre serveur web (si vous ne savez pas ce que signifie FTP, optez pour la première option). Testons la publication dans un dossier. Pour cela, cliquez sur le bouton Exporter, situé dans la partie inférieure droite du module Web.

SCOTT KELBY

### Étape 2

Ce clic ouvre la boîte de dialogue Enregistrer la galerie web. Donnez un nom à votre galerie, et sélectionnez son dossier de stockage. Cliquez sur le bouton Enregistrer.

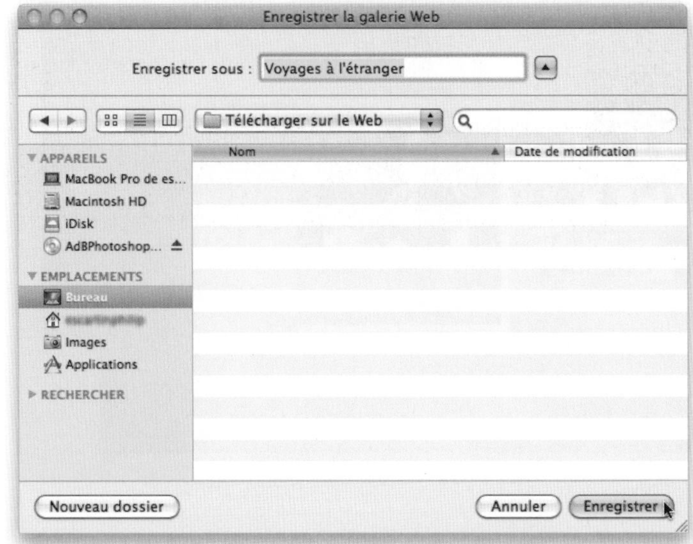

### Étape 3

Dès que vous cliquez sur le bouton Enregistrer, Lightroom génère la ou les pages web. Il optimise les photos pour Internet. Une fois l'exportation terminée, ouvrez le dossier dans lequel vous avez procédé à cette exportation. Vous y trouvez les dossiers et les fichiers indispensables au fonctionnement de votre galerie sur le Web. Le fichier index.html est celui de votre page d'accueil.
Le dossier Images contient toutes les photos optimisées ainsi que les autres pages et ressources nécessaires au site. Vous devez donc publier sur votre serveur l'intégralité de ces éléments. En revanche, si vous préférez l'option de publication FTP directe, vous devez préalablement configurer un accès FTP. Pour cela, accédez au panneau Paramètres de téléchargement, situé en bas du module Web. Dans le menu local Serveur FTP, choisissez Modifier.

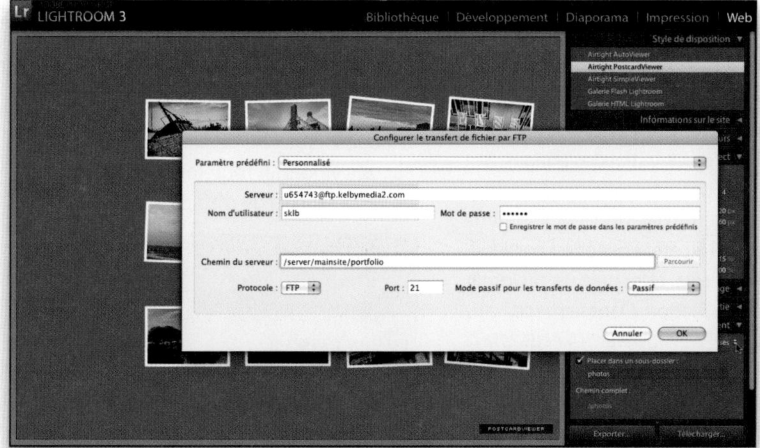


### Étape 4

Ceci ouvre la boîte de dialogue Configurer le transfert de fichier par FTP. Vous devez y saisir le nom de votre serveur, votre nom d'utilisateur, votre mot de passe et le chemin d'accès au serveur. Une fois ces informations communiquées, je vous invite à les enregistrer sous la forme d'un modèle prédéfini. Cela vous évitera de les retaper lors d'une prochaine publication. Dans la boîte de dialogue, ouvrez le menu local Paramètre prédéfini, et cliquez sur Enregistrer les paramètres actuels en tant que nouveau paramètre prédéfini. Si, lors de la configuration du transfert FTP, vous n'avez pas coché l'option Enregistrer le mot de passe dans les paramètres prédéfinis, il vous sera demandé de le saisir à chaque publication d'une galerie. Enfin, cliquez sur OK puis sur Télécharger. Lightroom génère la ou les pages web, optimise les photos pour Internet et les télécharge vers votre serveur. Très rapidement, la nouvelle galerie peut être consultée sur le Net.

# Les petits trucs de Lightroom > >

## ▼Masquer les contours des cellules

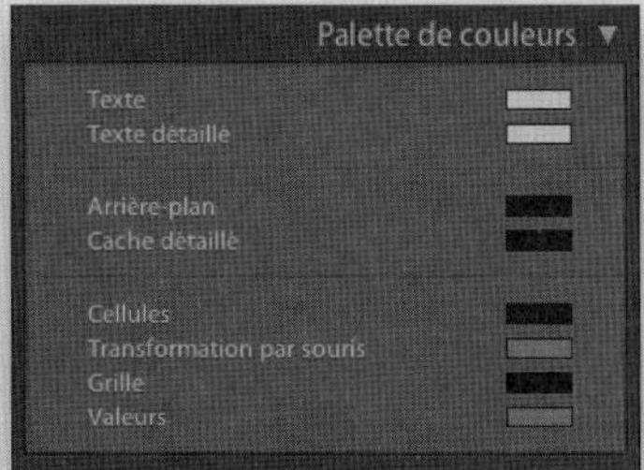


De nombreux modèles HTML de Lightroom affichent une bordure autour des cellules des grilles de vignettes. Pour masquer ces bordures de cellules, vous ne disposez malheureusement pas d'options d'activation et de désactivation. Il faut utiliser l'astuce suivante : affichez le panneau Palette de couleurs. Cliquez sur l'indicateur de couleur Grille, et définissez une teinte identique à celle de l'arrière-plan des cellules. La grille se fond alors dans cet arrière-plan, devenant *de facto* invisible. Vous pouvez en faire de même avec la couleur des cellules. Cliquez sur l'indicateur de couleur Cellules, et définissez une couleur identique à celle de l'arrière-plan de la page. Vous obtenez une interface bien plus aérée.

## ▼Échantillonner les couleurs d'une autre page web

Si vous consultez une page web dont le modèle de couleurs vous intéresse, il est très facile de l'utiliser dans votre galerie. Ouvrez le panneau Palette de couleurs. Cliquez sur l'indicateur dont vous désirez modifier la couleur. Par exemple, cliquez sur l'indicateur Arrière-plan. Lorsque le sélecteur de couleurs apparaît, votre curseur prend la forme d'une pipette. Normalement, vous sélectionnez une couleur dans le vaste nuancier de ce sélecteur. Mais, si vous maintenez le bouton de la souris enfoncé, vous pouvez faire glisser cette pipette sur la page affichée dans votre navigateur web. Dès que vous obtenez la couleur qui vous convient, relâchez le bouton de la souris. Bien entendu, vous devez disposer les fenêtres de Lightroom et du navigateur web de manière à les avoir toutes les deux simultanément à l'écran.

## ▼Enregistrer l'aspect d'une galerie avec ses photos

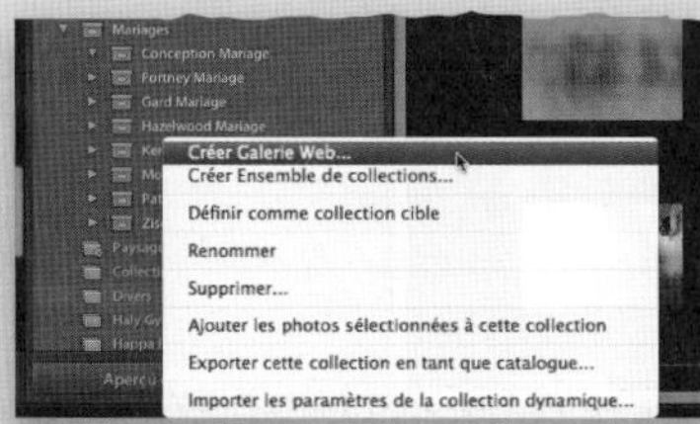


À l'instar des modules Impression et Diaporama, le panneau Collections du module Web permet d'enregistrer une galerie sous forme d'une collection. Cette collection conserve toute la mise en page et les photos de la galerie. Elle respecte l'ordre initial des images. Si vous avez besoin de retrouver exactement la même galerie, il vous suffit de faire appel à cette collection particulière. Pour cela, effectuez un clic-droit sur une collection. Dans le menu contextuel qui apparaît, exécutez la commande Créer Galerie Web. Dans la boîte de dialogue qui s'ouvre, vérifiez que l'option Inclure toutes les photos du film fixe est cochée. Ainsi, la collection sera créée à partir des photos contenues dans votre galerie.

## ▼Gagner du temps avec les menus locaux du panneau Informations sur le site

Lightroom garde une trace de tout texte que vous avez ajouté dans les différents champs de titre, de contact, de lien de messagerie et de descriptions. Donc, au lieu de retaper ces éléments chaque fois que vous créez une galerie, ouvrez les menus locaux du panneau Informations sur le site, et choisissez-y l'information qui vous intéresse.

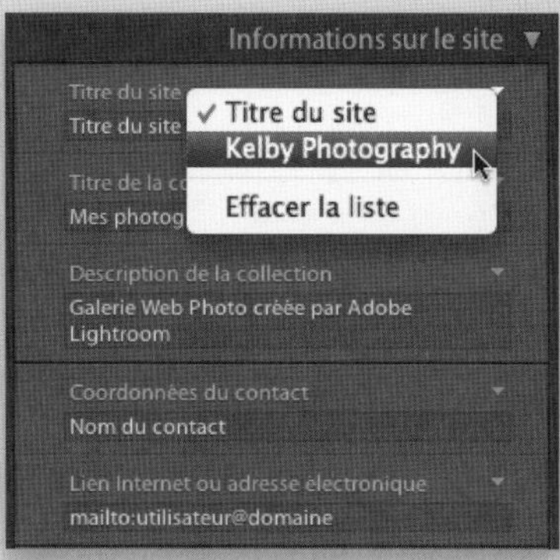


## ▼Que faire si vous voyez une icône d'avertissement dans la section Pages d'image ?

La section Pages d'image se situe en bas du panneau Aspect. Elle permet de définir la taille d'affichage de l'image lorsqu'une personne clique sur une vignette. Toutefois, quand vous êtes en mode d'affichage des

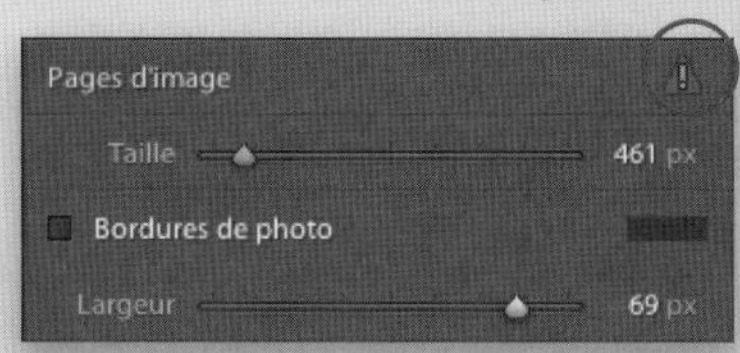


vignettes, une icône d'avertissement est toujours affichée dans cette section du panneau Aspect. Elle indique qu'avant d'utiliser le curseur Taille vous devez cliquer sur une vignette de l'aperçu. Dès lors que l'image s'affiche en grande dimension, le curseur Taille de la section Pages d'image peut être utilisé sans problème.

# Les petits trucs de Lightroom > >

## ▼Vous ne pouvez pas modifier la taille de vos vignettes

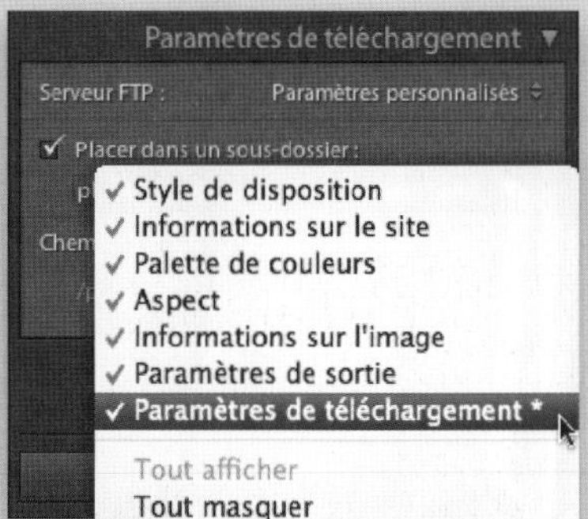


Vous pouvez choisir une taille de vignette prédéfinie, mais vous ne pouvez pas définir une dimension précise personnalisée. Je mentionne cette impossibilité pour éviter que vous ne perdiez du temps à chercher un réglage qui n'existe pas.

## ▼Gagner de l'espace en masquant le panneau Paramètres de téléchargement

Si vous n'utilisez pas la fonction de transfert FTP de Lightroom, masquez le panneau Paramètres de téléchargement afin de libérer de l'espace dans le

volet droit du module Web. Vous ne perdrez pas de temps à faire défiler le contenu de ce volet pour afficher les options de tel ou tel panneau. Pour masquer le panneau Paramètres de téléchargement, cliquez sur le petit triangle situé à droite de son libellé.

## ▼Vous ne pouvez pas toujours modifier la taille des vignettes

Les modèles HTML ne permettent jamais de modifier la taille des vignettes. Ils n'ont aucun paramètre manuel ou prédéfini. En revanche, avec les modèles Flash vous disposez d'une option Vignettes dans le panneau Aspect. Cliquez sur le menu local Taille et choisissez une des tailles prédéfinies de vignette.

## ▼Supprimer une photo

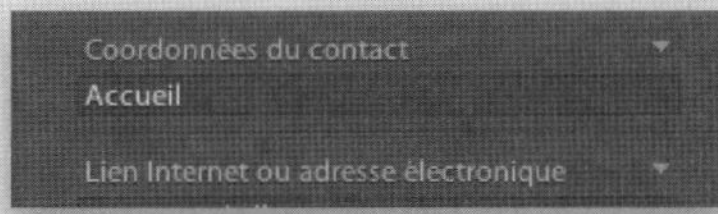


Par défaut, une galerie web inclut toutes les photos de la collection sélectionnée. Pour retirer une image de la galerie, supprimez-la de la collection. Une autre méthode consiste à afficher la barre d'outils située sous l'aperçu (T). Dans le menu local Utiliser, choisissez photos sélectionnées. Ainsi, seules les photos sélectionnées dans le film fixe appartiendront à la galerie.

## ▼Liens web

Lorsque vous soumettez des épreuves à un client, il y a de grandes chances pour qu'une seule page de votre site web ait un intérêt pour lui. Toutefois, vous aurez peut-être envie qu'il puisse accéder à la totalité de votre site. Pour cela, affichez le panneau Informations sur le site. Dans le champ Coordonnées du contact, tapez simplement « Accueil », et dans le champ Lien Internet ou adresse électronique tapez l'adresse URL de la page d'accueil de votre site web.

## ▼Encore plus de galeries Flash

Si vous souhaitez encore plus de modèles de galeries basés sur la technologie Flash, visitez le site **LightroomGalleries.com**. Vous y trouverez un certain nombre de modèles gratuits qui seront disponibles dans le panneau Style de disposition. Si vous avez un peu d'argent à dépenser, connectez-vous au site SlideShowPro (http://slideshowpro.net). Vous y trouverez des galeries très sophistiquées.

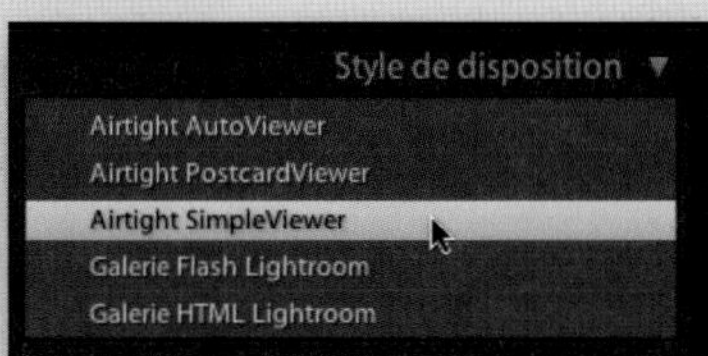


INFO Nous ne saurions garantir la totale sécurité de ces sites. Donc, vous téléchargez à vos risques et périls.

Photo Scott Kelby | Exposition : 1/50 | Focale : 70 mm | Ouverture : *f*/3,5

# Mon flux de production dans le domaine du portrait

## De la prise de vue à l'impression

Quasiment arrivé au terme de ce livre, vous faites partie soit des lecteurs qui ont lu cet ouvrage depuis le premier chapitre, soit de ceux qui se sont contentés de tourner rapidement les pages pour arriver jusqu'ici. Je vais supposer que vous ne faites pas partie de ces « escrocs » de la photographie et que vous avez implacablement suivi la chronologie de mes diverses démonstrations. Dans le présent chapitre, je vais vous dévoiler mon flux de production en matière de travail sur les portraits afin de bien résumer l'ensemble des techniques que nous avons étudiées ensemble tout au long de ce livre. Pourquoi vous infliger cela ? Car mon éditeur m'a demandé d'écrire des pages supplémentaires et que je ne veux surtout pas le contrarier. Vous savez, il est du genre à regarder la maquette de l'ouvrage et à me demander pourquoi cette page est blanche. Il n'aime pas payer des feuillets inutilisés. Donc, je me force à trouver des sujets à traiter. Et, pour ce Chapitre 13, j'ai eu la géniale idée de réunir l'ensemble des étapes qui conduisent une photo de sa prise de vue à son impression en passant par son développement dans Lightroom 3.

# Première phase : ils se prennent tous pour des vedettes !

La procédure, c'est-à-dire le flux de production décrit ici, envisage les portraits réalisés sur site. J'utilise deux projecteurs, et je prends ma photo en mode connecté de manière à mieux contrôler les images que sur le petit écran LCD de mon appareil.

**Étape 1**

Avant de régler la lumière, je connecte le câble USB de mon Nikon directement sur un port USB de mon ordinateur portable. Ensuite, je lance Lightroom 3. J'ouvre le menu Fichier, je clique sur Capture en mode connecté et j'exécute la commande Démarrer la capture en mode connecté. (Tous les détails de cette opération sont donnés aux Chapitres 1 et 4.)

BRAD MOORE

**Étape 2**

J'utilise deux sources de lumière. La source principale est installée sur un pied au-dessus de la tête du sujet à photographier. Elle est dirigée vers lui avec un angle de 45°. Le projecteur est dans un bol beauté qui agit comme un grand réflecteur. Ce dispositif est parfait pour le portrait car la lumière obtenue est plus dure que celle d'une boîte à lumière. En effet, un petit réflecteur métallique rond se trouve devant l'ampoule du flash. La lumière percute ce réflecteur et est alors renvoyée vers l'intérieur du bol. Elle se diffuse et s'adoucit considérablement quand elle atteint le visage du sujet.

**Info** Lorsque vous photographiez un portrait, pensez aux deux choses suivantes : (1) le sujet doit porter un haut qui permet de dégager facilement ses épaules ; (2) ayez sous la main de quoi lui faire une queue de cheval.

BRAD MOORE

BRAD MOORE

### Étape 3

Le second éclairage sert à déboucher les ombres. Pour cela, je le mets en position basse et le dirige en contre-plongée de 45° vers le modèle. Cette lumière d'appoint doit être moins puissante que l'éclairage principal. Pour ce faire, j'utilise une petite boîte à lumière carrée d'environ 60 cm. Avec ce genre de dispositif d'éclairage, vous devez vous placer entre les deux sources de lumière.

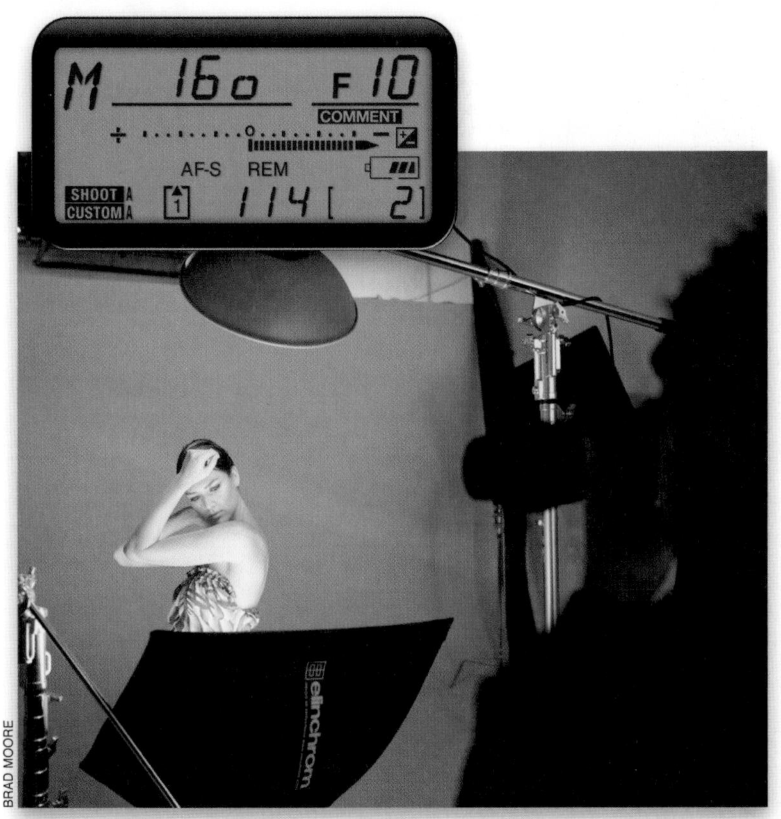


BRAD MOORE

### Étape 4

Mon matériel de prise de vue est un Nikon D3 équipé d'un objectif 70-200 mm f/2.8. En général, je photographie en position 200 mm. J'opte pour des réglages en mode Manuel lorsque je maîtrise l'éclairage. Mes réglages de départ sont généralement f/5.6 à 1/160 de seconde. Pour obtenir une image aussi propre que possible, je choisis une sensibilité de 200 ISO. Les flashs sont déclenchés sans fil grâce à des télécommandes Elinchrom Skyport.

## Deuxième phase : la première chose à faire après avoir photographié

Une fois que la prise de vue est réalisée, vous devez effectuer une sauvegarde de vos photos. C'est une opération salutaire, croyez-moi ! Je sauvegarde toujours mes clichés sur le site de mes prises de vue. Pour cela, j'utilise deux disques durs portables OWC Mercury On-The-Go High-Speed de 80 Go. Voici la procédure de sauvegarde.

### Étape 1

Lorsque vous photographiez selon la technique de la capture en mode connecté, vos photos sont stockées sur son disque dur et importées dans Lightroom. En revanche, aucune copie de sauvegarde n'est automatiquement réalisée. Donc, si jamais votre machine rencontre un problème, vous prenez le risque de perdre tout votre travail. Pour éviter cela, immédiatement après la prise de vue j'effectue une sauvegarde des fichiers. Pour localiser ces fichiers sur le disque dur de mon portable, je fais un clic-droit sur une des photos du catalogue. Dans le menu contextuel, je choisis Afficher dans le Finder (Afficher dans l'Explorateur).

### Étape 2

Vous accédez ainsi au dossier dans lequel les photos sont stockées. Glissez-déposez-le directement sur l'icône de votre disque dur externe. Si vous ne possédez pas ce type de disque, effectuez une sauvegarde sur un CD ou un DVD avant de quitter le lieu de vos prises de vue.

# Troisième phase : identifier les bonnes photos et créer une collection

Bien, vos images sont dans Lightroom. De plus, vous venez de les sauvegarder sur un support amovible. Il est temps de créer une collection réservée aux clichés que vous jugez utiles de conserver. Vous éliminez ainsi les photos ratées. Commencez par créer une collection dans laquelle vous allez répertorier les images Retenues de votre session de prise de vue. Dans cette collection, créez-en une autre qui contiendra vos meilleurs clichés. Enfin, vous en déterminerez une dernière pour les photos que vous jugez aptes à être présentées à votre client.

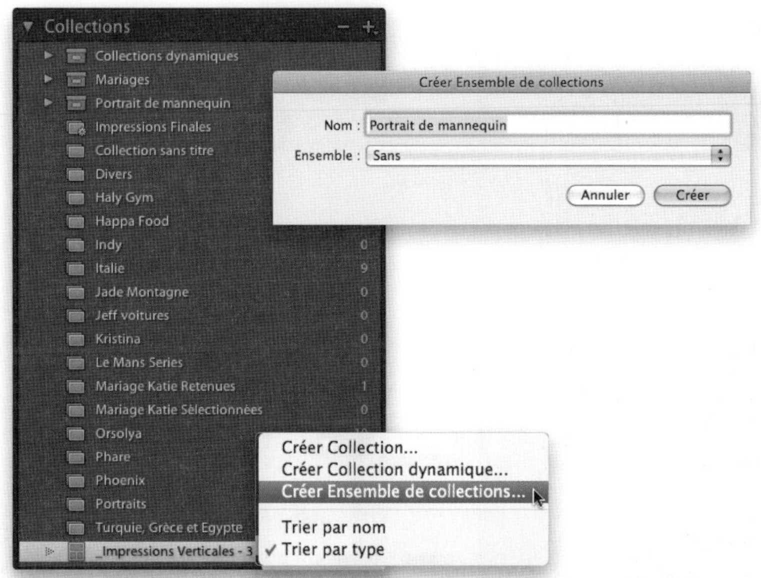


## Étape 1

Dans le module Bibliothèque, affichez le panneau Collections. Cliquez sur son signe +. Dans le menu local qui apparaît, choisissez Créer ensemble de collections. Donnez un nom à cet ensemble (par exemple « Claviers »), et cliquez sur le bouton Créer. Vous disposez d'un ensemble de collections dans lequel vous pouvez placer les photos retenues et les images finales de cette session de prise de vue. Lorsque je photographie en mode connecté, mon flux de production est sensiblement différent. En effet, cliquer sur Importation précédente pour afficher les images précédemment importées ne sert à rien puisque toutes mes photos sont directement stockées dans Lightroom sans la moindre importation. Je dois donc me conformer à une étape supplémentaire. Elle va m'envoyer vers le dossier où ces photos sont enregistrées.

## Étape 2

Dans le panneau Dossiers, cliquez sur le dossier contenant les photos que vous venez de prendre. Le contenu de ce dossier s'affiche en mode Grille. Appuyez sur Cmd+A (Ctrl+A) pour sélectionner toutes les photos prises en studio. Ensuite, appuyez sur Cmd+N (Ctrl+N) pour créer une collection avec ces images. Ici, je lui donne le nom de « Photos OK ». Ensuite, dans le menu local choisissez Portrait Mannequin.

### Étape 3

Maintenant, vous devez procéder à la sélection de vos images. Ouvrez le panneau Collections et affichez le contenu de l'ensemble Portraits Mannequin. Vous y trouvez la collection photos OK. Cliquez dessus puis double-cliquez sur la première photo. Commencez la procédure de sélection. Dès qu'une image vous convient, appuyez sur P. Pour la rejeter, appuyez sur X. Passez à la photo suivante ou précédente en appuyant sur les touches idoines du pavé directionnel. Pour en savoir plus sur les photos Retenues et Rejetées, consultez la page 53 du Chapitre 2.

### Étape 4

Une fois que vous avez sélectionné les images Retenues et supprimé les Rejetées en exécutant la commande Supprimer les photos rejetées du menu Photo, affichez le Filtre de bibliothèque, et cliquez sur Attribut. Ensuite, cliquez sur le drapeau Blanc pour n'afficher que les photos Retenues. Maintenant, appuyez sur Cmd+A (Ctrl+A) pour sélectionner toutes ces photos. Alors, appuyez sur Cmd+N (Ctrl+N) pour ouvrir la boîte de dialogue Créer collection. Dans le champ Nom, tapez Retenues. Veillez à cocher l'option Inclure les photos sélectionnées. Enfin, cliquez sur Créer. Les photos ainsi marquées sont directement répertoriées dans la collection Retenues de l'ensemble Portraits Mannequin.

**Étape 5**

J'aime être bien organisé. Donc, parmi les photos retenues, je me dois d'identifier les meilleures d'entre elles. Pour cela, je sélectionne toutes les images d'une pose particulière. Ici, j'en ai trouvé neuf. Je passe alors en mode Ensemble en appuyant sur la touche N. Je place le pointeur de la souris sur chaque vignette. Si une photo me déplaît, je clique sur le bouton X, qui s'incruste dans son coin inférieur droit. Elle disparaît de l'ensemble.

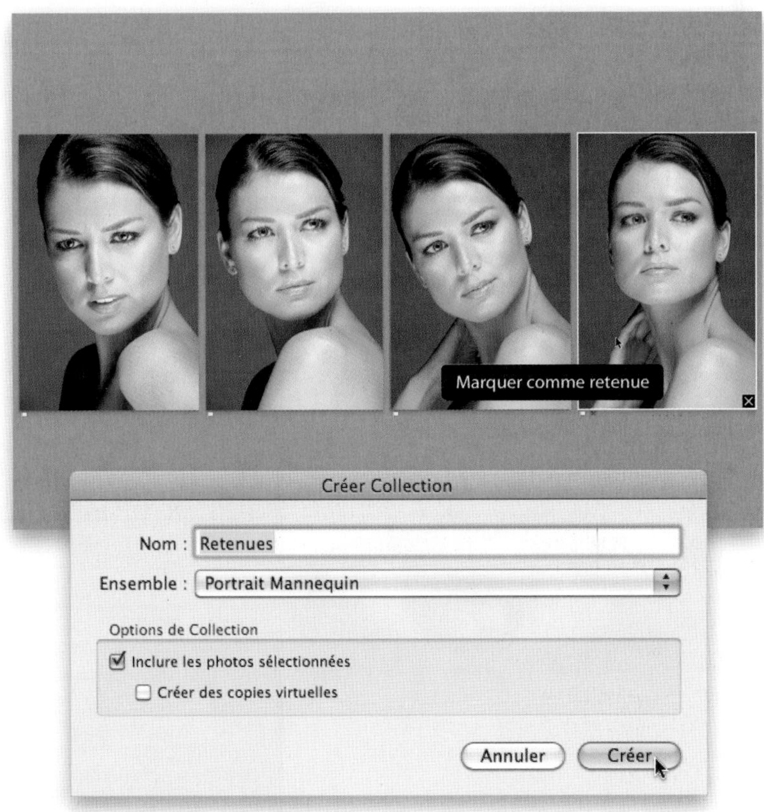


**Étape 6**

Finalement, je me retrouve avec quatre photos qui me plaisent beaucoup. Je clique sur chacune d'elles et j'appuie sur la touche P pour les marquer comme Retenues. Ensuite, appuyez sur G pour basculer en mode Grille. Passez à un autre groupe de poses, et répétez cette procédure. Une fois que vous avez marqué les meilleurs portraits parmi les meilleurs, cliquez sur le drapeau blanc du filtre Attribut. Créez une autre collection que vous nommez « Sélectionnées ». Placez-la dans l'ensemble Portrait Beauté. Voilà, vous disposez désormais de photos que vous pouvez raisonnablement montrer à votre client.

# Quatrième phase : régler les Retenues

Il faut maintenant décider des images que vous allez montrer à votre client. Mais voilà : allez-vous laisser votre client regarder les photos telles qu'elles sont, ou bien allez-vous d'abord les améliorer dans le module Développement de Lightroom ? si vous ne souhaitez pas intervenir sur vos photos, passez à la page 410. En revanche, si vous désirez régler la balance des blancs, l'exposition et effectuer d'autres ajustements élémentaires, lisez cette nouvelle section. Nous allons procéder à des réglages simples pour faciliter le choix du client.

### Étape 1

Ces photos ont besoin d'un réglage de la balance des blancs. Nous avons déjà corrigé une de ces photos au Chapitre 4 page 124. J'ai photographié ce modèle sur un fond gris. Or vous constatez qu'il ressort marron sur mes photos. Comme les photos présentent toutes le même défaut, j'appuie sur Cmd+A (Ctrl+A) pour les sélectionner sans exception. Activez l'outil Sélecteur Balance des blancs, et cliquez sur le fond de l'image. Voilà ! en une seule opération, toutes les photos disposent de la bonne balance des blancs. Ici, j'ai même rendu les images un peu plus froides. Si jamais vous sélectionnez toutes les photos et qu'une seule soit affectée par votre réglage, le bouton Synch. auto n'est pas actif (voir page 157).

### Étape 2

L'exposition de la plupart de ces photos est correcte. (Une seule d'entre elles nécessite une légère augmentation du paramètre Exposition.) en revanche, je dois éclaircir les yeux du modèle sur toutes les images, comme cela est expliqué à la page 180 du Chapitre 5. Je vous présente ici une nouvelle manière d'effectuer cette correction : activez l'outil Pinceau Réglage (K), optez pour Exposition et appliquez-le sur le blanc des yeux. En fonction de la photo, vous serez peut-être contraint de cliquer sur le bouton Nouveau. Dans le menu local Effet, choisissez Contraste. Augmentez la valeur du paramètre éponyme, et peignez sur la pupille. Faites de même sur les huit autres photos.

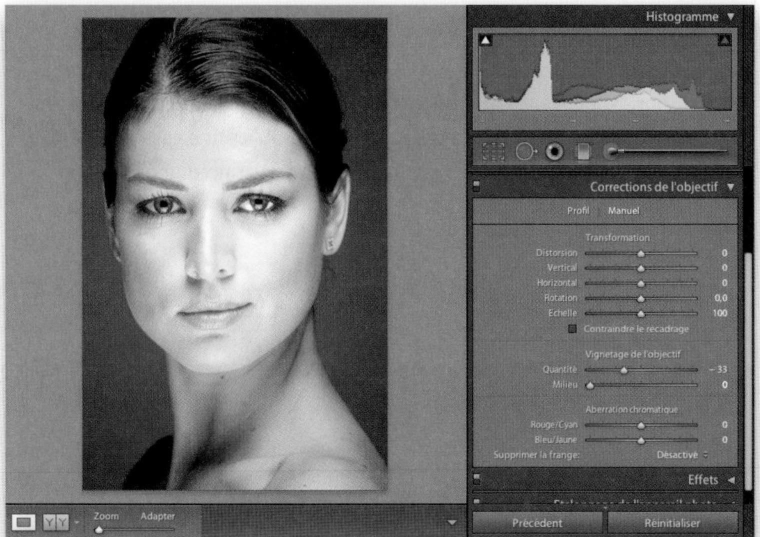


### Étape 3

Nous allons maintenant ajouter un vignettage pour assombrir les angles des photos et ainsi focaliser l'attention sur le visage. Faites défiler le contenu du volet droit jusqu'à ce que vous atteigniez le panneau Corrections de l'objectif. En haut de ce panneau, activez l'option Manuel. Dans la section Vignettage de l'objectif, fixez le paramètre Quantité sur -33 et Milieu sur 0. L'effet obtenu est très subtil. Vous pouvez arrêter vos corrections ici. Bien entendu, quand le client aura fait son choix, je peaufinerai les photos sélectionnées en améliorant davantage le regard et en éliminant toutes les petites imperfections de la peau.

**Bonus vidéo** À l'URL suivante, www.kelbytraining.com/books/LR3, vous trouverez une vidéo expliquant ces retouches supplémentaires bien qu'elles ne fassent pas partie des phases préliminaires de mon flux de production.

## Phase 5 : permettre au client d'approuver sur le Web

Nous disposons de toutes les photos que nous désirons adresser à notre client. Pour faciliter nos échanges, je suggère de publier une galerie photos sur le Web. Cela ne prendra que quelques minutes car nous allons utiliser un modèle prédéfini de Lightroom 3.

### Étape 1

Accédez au module Web. Veillez à sélectionner toutes vos photos dans le film fixe. Puis, dans le menu local Utiliser la barre d'outils situé sous l'aperçu, choisissez photos sélectionnées. Ensuite, dans le volet gauche, ouvrez le panneau Explorateur de modèles. Dans les Modèles Lightroom, choisissez Galerie HTML (par défaut). Si j'utilise ce modèle spécifique, c'est parce qu'il permet d'identifier très aisément les images grâce aux numéros des cellules. Cela facilite l'évaluation, donc l'approbation, réalisée par le client.

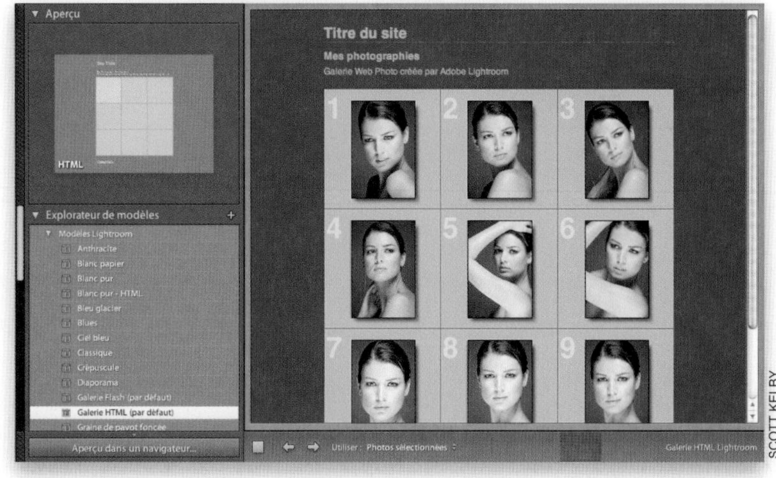


SCOTT KELBY

### Étape 2

Passons quelques minutes à personnaliser ce modèle. Tout d'abord, insérez la plaque d'identité de votre studio. Cochez la case Plaque d'identité du panneau Informations sur le site. Si vous n'avez pas de plaque d'identité, cliquez dans le champ Titre du site, et saisissez le nom de votre studio. Personnalisez ensuite les autres textes. Il suffit de cliquer dans les différents champs et de taper le texte de votre choix. Vous pouvez également ajouter un lien web ou de messagerie dans ce panneau. (Toutes ces techniques sont expliquées au Chapitre 12.)

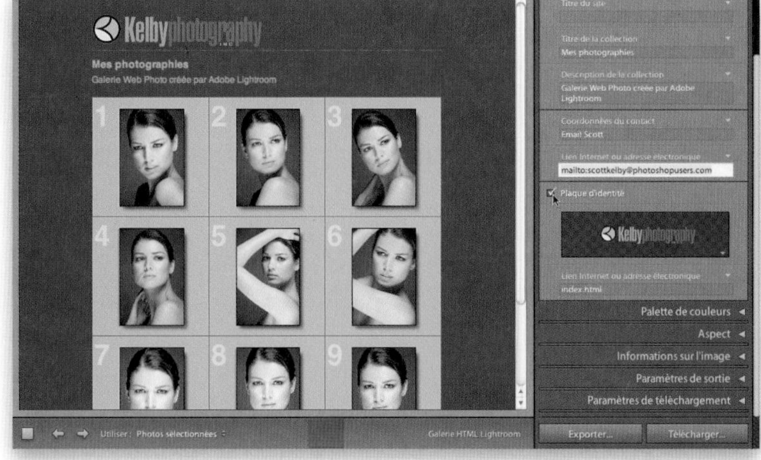

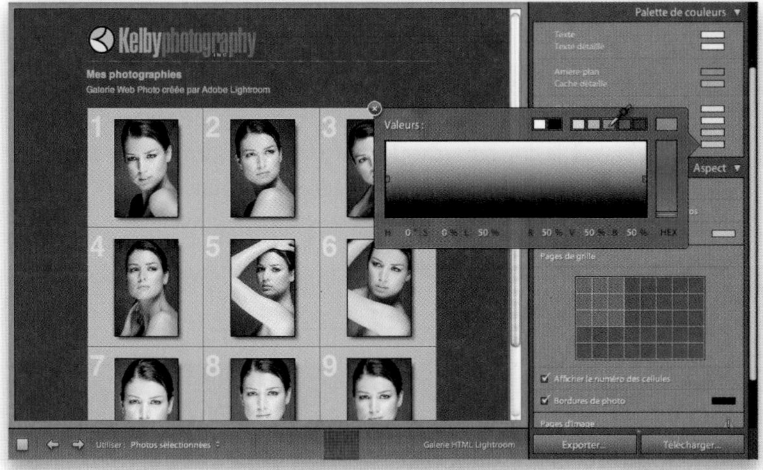


## Étape 3

Une dernière chose que je modifie sur ce modèle par défaut est la couleur des chiffres afin de les rendre plus sombres, donc plus lisibles pour le client. Affichez le panneau Palette de couleurs. Cliquez sur l'indicateur de couleur Valeurs. Dans le sélecteur qui apparaît, cliquez sur un des indicateurs gris foncé. Les numéros des cellules deviennent instantanément plus visibles. Fermez le sélecteur par un clic sur son bouton X.

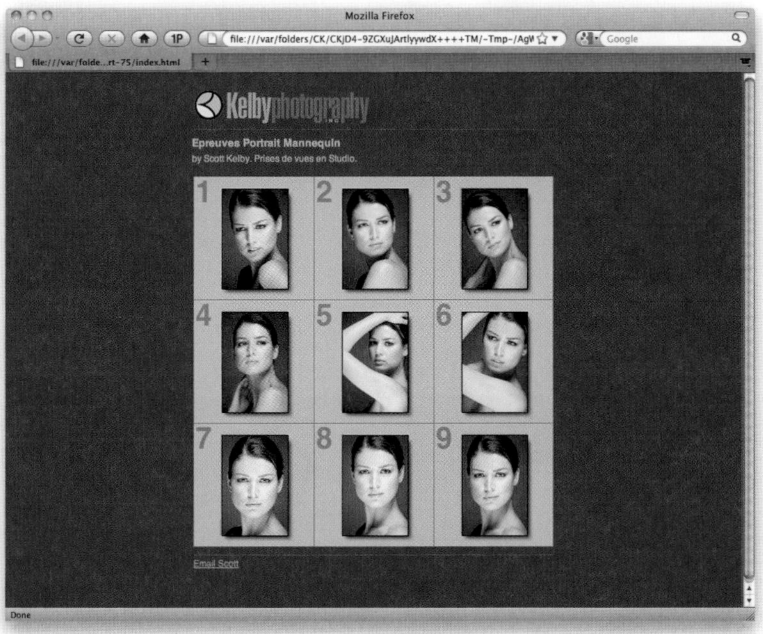


## Étape 4

Avant de publier la page, j'en lance un aperçu. Pour cela, j'affiche le volet gauche du module Web, et je clique sur le bouton Aperçu dans un navigateur. Le navigateur web par défaut de votre ordinateur affiche la galerie une fois que Lightroom a fini d'optimiser les images pour le Web. Cliquez sur la vignette que vous souhaitez afficher en grande taille. (Vous pouvez modifier la taille de l'image dans le panneau Aspect.) Bien entendu, je teste également le lien de messagerie. En d'autres termes, je m'envoie des observations. Si tout fonctionne bien, j'ouvre le volet droit soit pour exporter la galerie dans un dossier, soit pour la publier immédiatement en utilisant les fonctionnalités FTP de Lightroom. (Pour plus d'informations sur la publication des galeries web, reportez-vous au Chapitre 12.)

# Sixième phase : les réglages définitifs et l'intervention dans Photoshop

Une fois que je connais les photos approuvées par mon client, j'en affine les réglages d'abord dans Lightroom, puis dans Photoshop (si cela est indispensable). Dans ce travail, je dois retoucher les portraits. Je vais y procéder dans Photoshop car ce logiciel dispose des outils adéquats. Toutefois, tout commence dans Lightroom.

### Étape 1

Une fois que le client m'a renvoyé par e-mail ses photos approuvées, je retourne dans le module Bibliothèque pour marquer ces images comme sélectionnées définitivement par le client. Ici, j'applique une étiquette rouge en appuyant sur la touche 6. Dans notre exemple, le client n'a retenu que deux clichés. Avant de les retoucher dans Photoshop, je dois procéder à deux petites modifications. La première consiste à augmenter l'Exposition pour que les images soient belles et lumineuses. Pour cela, ouvrez le panneau Réglages de base du module Développement, et faites glisser le curseur Exposition vers la droite (ici, la valeur appliquée est +0,40).

### Étape 2

La seconde chose que je souhaite faire est d'assombrir les épaules et l'arrière du cou. En effet, ces deux parties du corps détournent l'attention du visage. Pour ce faire, activez l'outil Pinceau Réglage (K). Dans le menu local Effet, choisissez Exposition. Cela réinitialise les valeurs à zéro. Faites glisser le curseur légèrement vers la gauche pour assombrir l'image, puis peignez sur l'épaule et l'arrière du cou. N'oubliez pas qu'après avoir peint sur ces zones vous pouvez modifier la valeur du paramètre Exposition. L'effet de cette modification sera immédiat sur ces deux parties du corps.

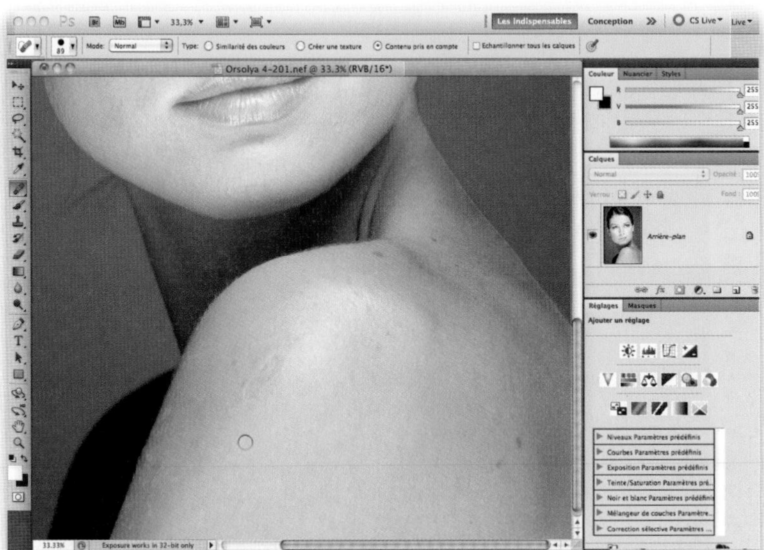

### Étape 3

Appuyez sur Cmd+E (Ctrl+E) pour que Lightroom envoie l'image en cours de modification dans Photoshop. Nous allons utiliser l'outil Correcteur localisé pour éliminer les petites imperfections de la peau. Pour les zones plus larges, vous utiliserez l'outil Pièces. Donc, activez l'outil Correcteur localisé (Maj+J), et définissez une forme d'outils légèrement plus larges que le défaut à éliminer. Placez le curseur sur le défaut, et cliquez. C'est fait ! (Ne peignez pas ; cliquez, tout simplement !)

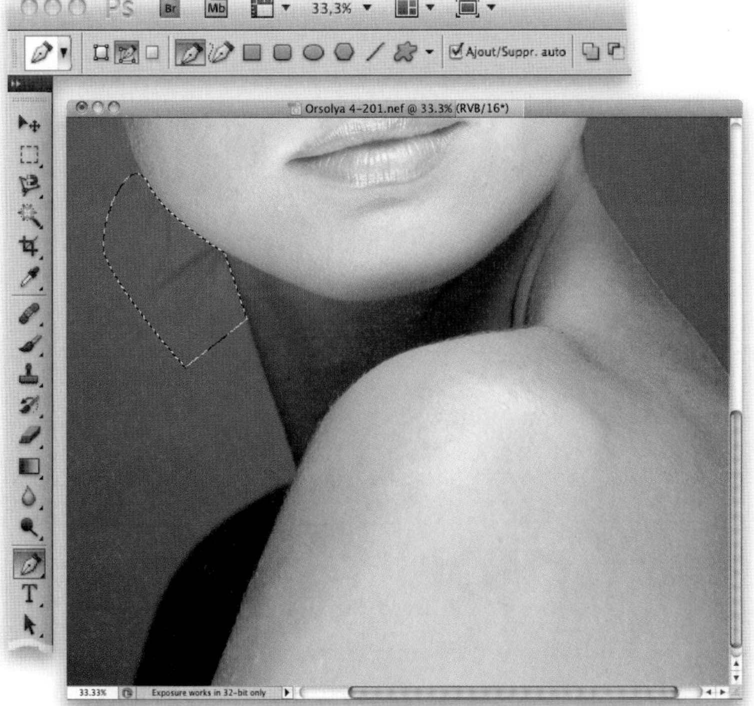


### Étape 4

Pour éliminer une imperfection de grande dimension comme des cicatrices, utilisez l'outil Pièces. Activez-le en appuyant plusieurs fois sur Maj+J. Tracez une sélection autour de la zone abîmée. Ensuite, cliquez dans cette sélection et glissez-déposez-la sur une zone saine de la peau. Relâchez le bouton de la souris. Il n'a pas fallu plus d'une minute pour nettoyer la peau de ce modèle. Si vous regardez attentivement l'image, vous constatez que des cheveux sont visibles sur l'arrière-plan. Pour ne pas effacer accidentellement une partie de la joue du modèle, tracez une sélection à l'aide de l'outil Plume. Ensuite, convertissez le tracé en véritable sélection *via* le bouton adéquat du panneau Tracés.

### Étape 5

Une fois la sélection définie, activez l'outil Tampon de duplication (S). Appuyez sur la touche Option (Alt) et cliquez sur une zone propre de l'image dont le contenu va s'appliquer sur les cheveux afin de les effacer. Une fois la zone définie, peignez sur les cheveux. Comme vous intervenez dans la sélection, vous ne déborderez pas sur le visage du mannequin. Une fois la retouche terminée, appuyez sur Cmd+D (Ctrl+D) pour désélectionner.

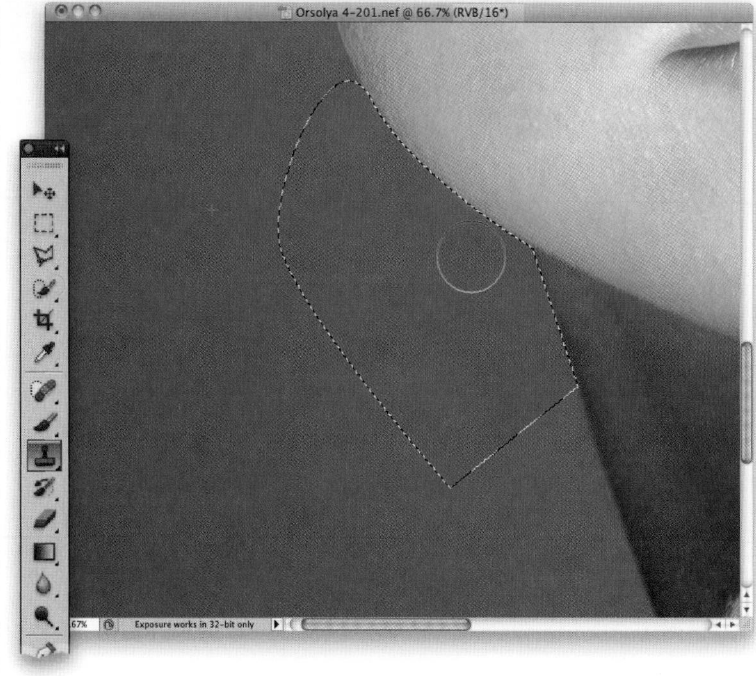


### Étape 6

Lorsque vous faites des portraits comme celui-ci, vous êtes souvent obligé de retoucher les cheveux. Sur cette photo, vous observez un effet de cran sur le côté droit de la tête, juste au-dessus de l'oreille. Ouvrez le menu Filtre, et cliquez sur Fluidité. Dans la fenêtre Fluidité, utilisez les outils visibles sur le côté gauche de l'interface pour intervenir sur les cheveux.

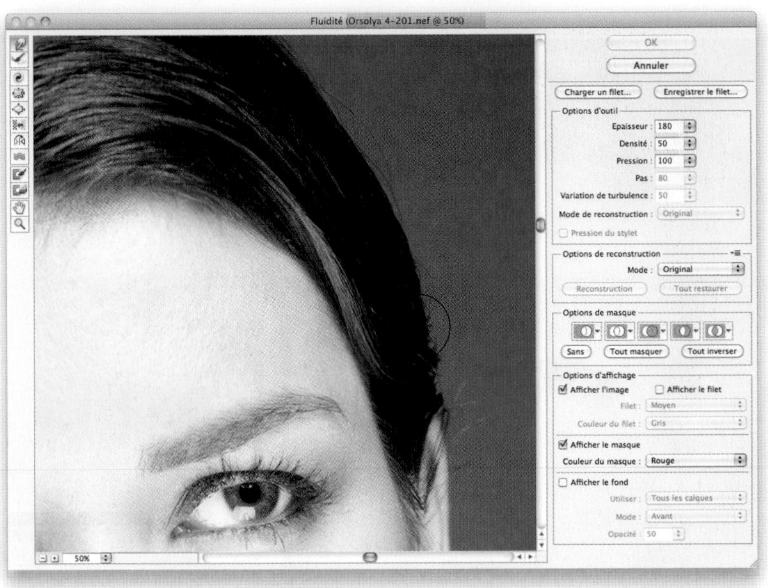


## Étape 7

Cliquez sur l'outil Déformation avant. Variez son épaisseur en agissant sur le paramètre éponyme, situé dans la partie droite de l'interface. Cliquez en bas du dégradé de cheveux, et remontez. Vous poussez littéralement les cheveux vers l'intérieur. En quelques coups de cet outil, vous corrigez ce problème. Une fois que vous en avez terminé avec cette partie des cheveux, intéressez-vous à celle qui se trouve de l'autre côté du visage. Une fois cette retouche menée à bien, cliquez sur OK pour la valider.

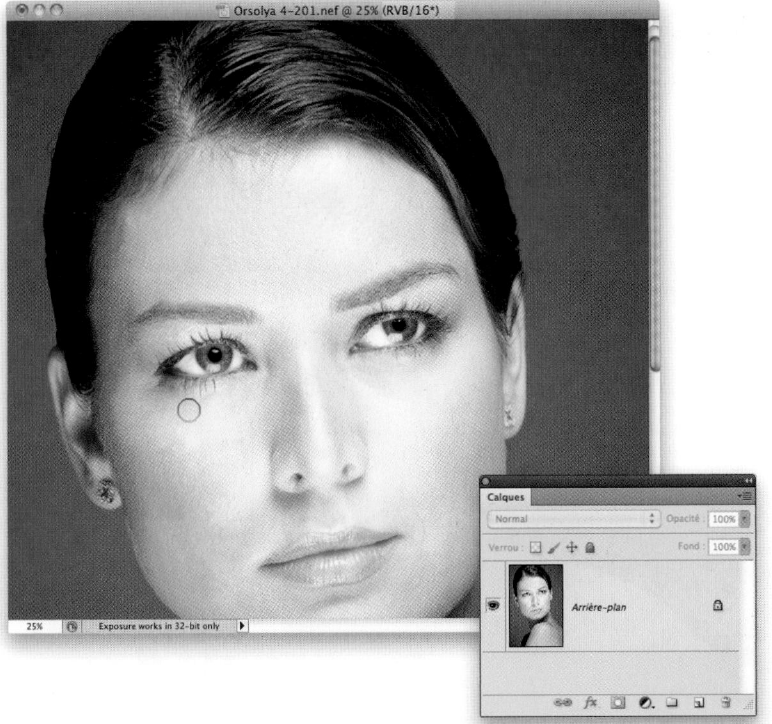


## Étape 8

Sur cette image, les cheveux sont beaucoup mieux. Pour améliorer davantage ce visage, activez de nouveau l'outil Correcteur localisé. Supprimez les quelques rides sous les yeux. Il y en a deux sous chaque œil. Passez minutieusement l'outil dessus pour bien les faire disparaître. Si cela ne fonctionne pas, utilisez l'outil Correcteur. Dans ce cas, appuyez sur Option (Alt) pour échantillonner une zone lisse de la peau située à proximité des yeux, et passez ensuite l'outil sur les rides.

**Étape 9**

Maintenant, ajoutez des reflets aux cheveux. Dupliquez le calque Arrière-plan en appuyant sur Cmd+J (Ctrl+J). Appliquez au Calque 1 le mode de fusion Superposition. La photo devient très claire. Maintenez la touche Option (Alt) enfoncée et cliquez sur l'icône Ajouter un masque de fusion du panneau Calques. Cette action crée un masque noir qui, *de facto*, dissimule tout le contenu de Calque 1. L'image reprend son apparence d'origine. Activez l'outil Pinceau (B). Définissez une forme de pointe au contour progressif (Dureté = 0 %). Ensuite, faites du blanc la couleur de premier plan en appuyant sur la touche D (et éventuellement X). Peignez sur les reflets déjà présents dans les cheveux du modèle. Pour contrôler l'intensité de ces reflets ainsi accentués, variez la valeur d'Opacité du calque. À 60 %, les reflets semblent beaucoup plus naturels.

**Étape 10**

Si vous regardez le cou du mannequin, vous remarquez la présence de deux plis sur le cou provoqués par le fait que la jeune femme tourne la tête vers l'appareil. Zoomez sur le cou de manière à bien voir ces plis. Appuyez sur Cmd+Option+Maj+E (Ctrl+Alt+Maj+E) pour créer un nouveau calque contenant une version fusionnée de votre image. Ceci permet de conserver vos calques de travail intacts tout en « aplatissant » leur contenu en un seul calque qui apparaît alors en haut du panneau Calques. Activez l'outil Pièces et tracez une sélection autour du premier pli. Cliquez dans cette sélection et glissez-déplacez-la sur la droite. Relâchez le bouton de la souris. Voilà, le premier pli a disparu. Faites de même avec l'autre. Si des traces de pli sont encore visibles, éliminez-les avec l'outil Correcteur localisé ou Correcteur.

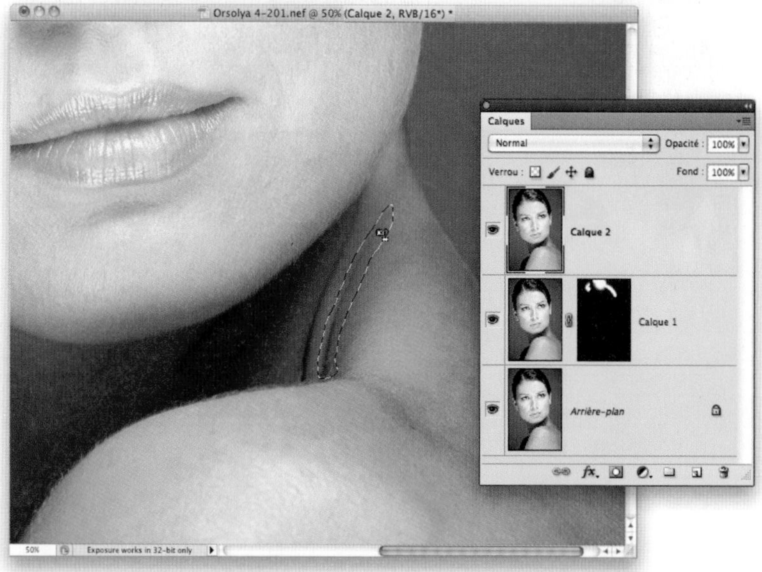

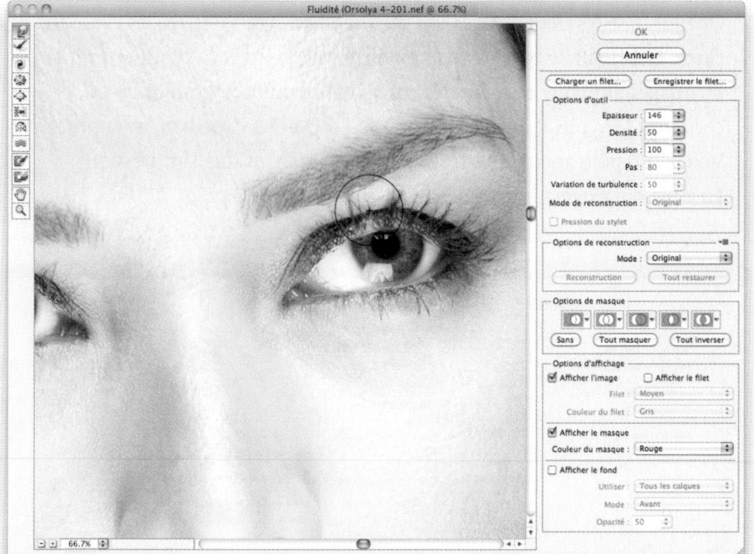


## Étape 11

Finalisons davantage cette photo. La paupière de l'œil droit est légèrement affaissée. Corrigez cela avec le filtre Fluidité. Activez l'outil Déformation avant. Placez le curseur juste sous la paupière. Cliquez et faites glisser l'outil vers le haut sans jamais le décaler vers la droite ou la gauche. Prenez soin de ne pas tirer l'iris. Procédez par petits paliers afin de ne pas déformer l'œil. Une fois la retouche effectuée, cliquez sur OK.

## Étape 12

Lorsque les modifications apportées dans Photoshop sont terminées, il vous reste deux étapes essentielles : (1) enregistrez l'image en appuyant sur Cmd+S (Ctrl+S). Ne la renommez pas ! Ne modifiez pas l'emplacement de son enregistrement. Ne choisissez jamais Enregistrer sous. et (2) fermez l'image. L'image ainsi modifiée s'affichera dans Lightroom juste à côté de sa version originale. Son nom de fichier porte le suffixe « -Modifié ». Ci-dessous, vous disposez de la même image avant et après modification dans Photoshop. L'original est à gauche (Sélectionner) et la version modifiée, à droite (Candidat). Voyons maintenant comment délivrer à votre client les fichiers finalisés.

# Septième phase : livrer l'image finale

Une fois que les deux images ont été modifiées, vous pouvez les livrer au client. Cela peut se faire de trois manières différentes : (1) vous imprimez les images, (2) vous envoyez des copies haute ou basse résolution au client, ou (3) vous les gravez sur un CD/DVD et les expédiez par la poste. Voici un rapide aperçu des trois méthodes, sachant que l'impression est celle qui exigera le plus d'investissement de votre part.

## Étape 1

Pour enregistrer vos images sur un CD/DVD, appuyez sur Cmd+Maj+E (Ctrl+Maj+E). Vous ouvrez la boîte de dialogue Exporter. Dans la liste des Paramètres prédéfinis Lightroom, cliquez sur Graver des images JPEG en taille réelle. Dans le menu local Modèle de la section Dénomination de fichier, choisissez Nom personnalisé. Assignez un nom aux images. Dans la section Paramètres de fichier, fixez la Qualité sur 80. Dans la section Netteté de sortie, cochez l'option Netteté pour. (Ici, j'ai opté pour un papier brillant et un Gain Standard.) Cochez la case Réduire les métadonnées incorporées de la section Métadonnées. Ainsi, vous éliminez les informations de votre appareil photo numérique tout en conservant celles de copyright. Cliquez sur Exporter. Insérez un CD/DVD vierge à la demande du programme.

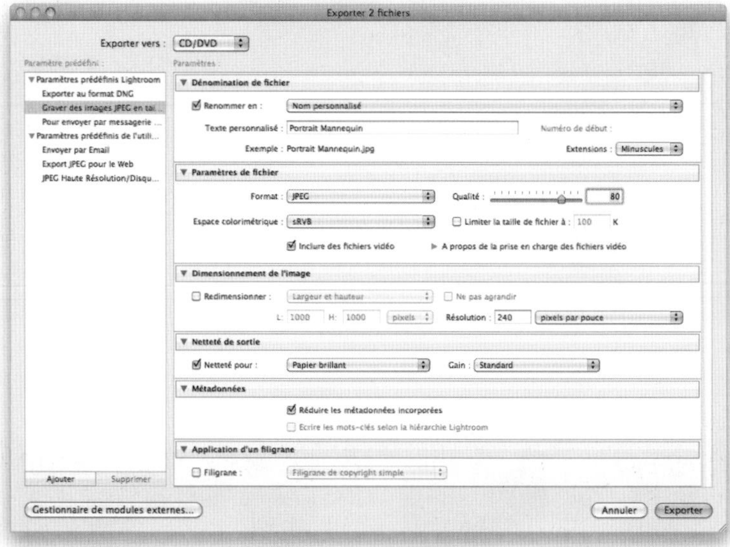


## Étape 2

Pour expédier les images par e-mail, choisissez le paramètre prédéfini Pour envoyer par messagerie électronique. (Vous pouvez aussi utiliser le paramètre prédéfini que nous avons créé au Chapitre 7.) Ouvrez le menu local, situé dans la partie supérieure droite de la boîte de dialogue. Choisissez Disque dur afin d'enregistrer sur votre disque dur les fichiers ainsi exportés. Ensuite, dans la section Paramètres de fichier, fixez la Qualité sur 80. Toutefois, lorsque vos fichiers sont très volumineux, n'hésitez pas à porter la valeur de ce paramètre à 50. Décochez l'option Redimensionner pour que vos images arrivent au destinataire en taille réelle.

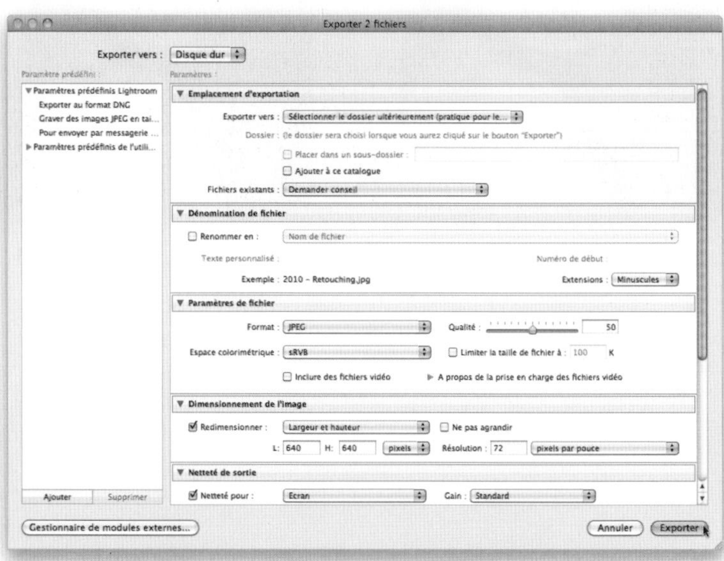

## Étape 3

Si vous décidez d'imprimer les photos, ouvrez le module Impression. Dans l'Explorateur de modèles, choisissez Bordure artistique. Lightroom fait automatiquement pivoter l'image pour l'imprimer sur la surface maximale de la page. En règle générale, j'imprime mon image sur un format encore plus grand. Pour modifier ce format par défaut, cliquez sur le bouton Mise en page. Dans le menu local Taille du papier, choisissez une dimension plus importante ou définissez la vôtre en sélectionnant Gérer les tailles personnalisées. Choisissez aussi l'orientation de la page, et cliquez sur OK.

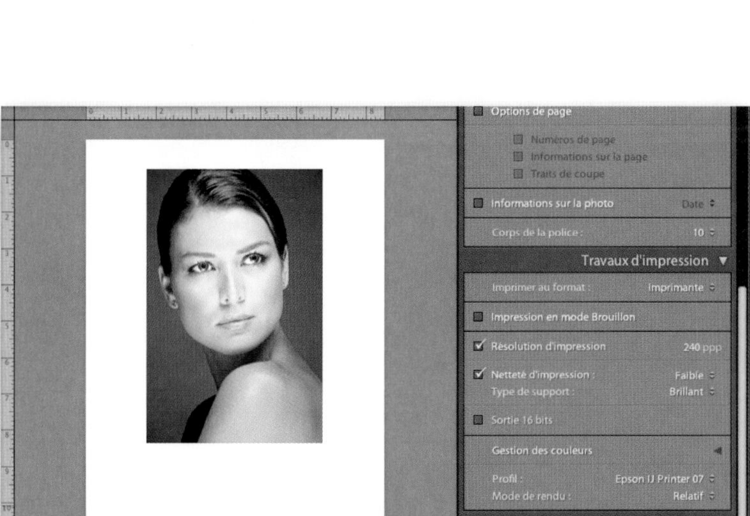


## Étape 4

Le moment est venu d'imprimer l'image (selon les descriptions de la page 356 du Chapitre 11). Faites défiler le contenu du volet droit afin d'afficher le panneau Travaux d'impression. Dans le menu local Imprimer au format, choisissez Imprimante. Comme j'imprime sur un périphérique jet d'encre, je laisse la Résolution d'impression sur 240 ppp. Cochez la case Netteté d'impression, et choisissez le niveau de netteté dans le menu local adjacent. (Ici, je sélectionne Élevée car j'utilise un papier brillant.) si votre imprimante prend en charge les impressions 16 bits, cochez la case Sortie 16 bits (cette option n'est pour le moment disponible que sous Mac OS X Leopard et supérieure). Ensuite, dans le menu local Profil, choisissez le profil du papier et/ou de votre imprimante. Enfin, sélectionnez le Mode de rendu qui donne le meilleur résultat avec votre matériel (voir Chapitre 11). Ici, j'ai opté pour Relatif.

### Étape 5

Cliquez sur le bouton Imprimer. La boîte de dialogue éponyme apparaît. Dans le menu local central, sélectionnez Configuration Imprimante. Dans le menu local Couleur, activez l'option Désactivé (Pas de calibrage couleur) puisque c'est Lightroom qui prend en charge la gestion des couleurs. Il ne faut surtout pas que deux gestions entrent en conflit ! Dans le menu local Support, sélectionnez le papier utilisé. Dans le menu local Qualité, choisissez la meilleure qualité possible. Activez l'option Vitesse rapide.

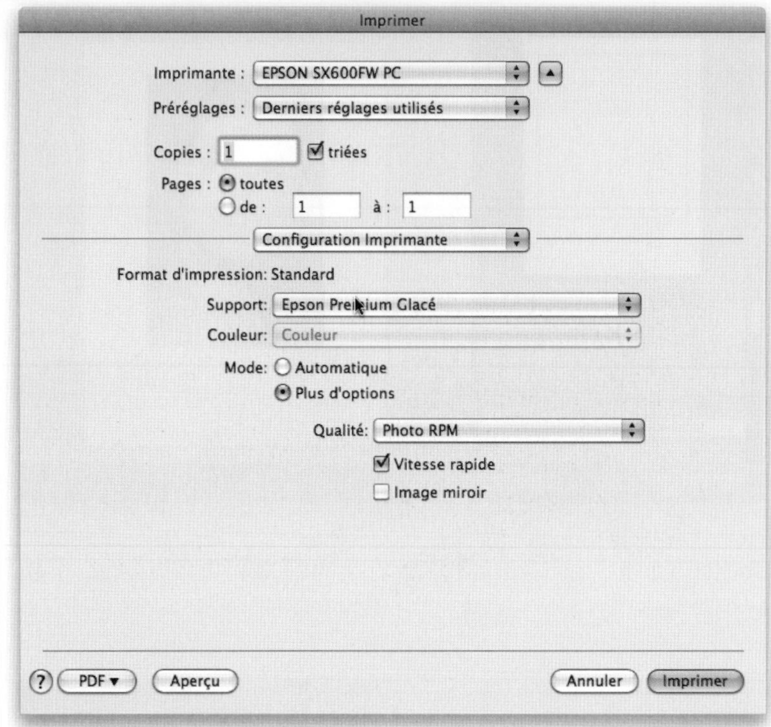

**Étape 6**

Cliquez sur Imprimer. Installez-vous tranquillement dans votre fauteuil et attendez que l'impression se termine. Si l'image imprimée est plus claire que celle affichée dans Lightroom, réduisez la valeur du paramètre Luminosité dans le panneau Réglages de base. Plusieurs tests sont souvent nécessaires pour calibrer empiriquement Lightroom et votre imprimante. Si vous connaissez des problèmes de teinte, par exemple si la photo est trop rouge, accédez au panneau TSL du module Développement. Là, réduisez la Saturation de la couleur qui pose problème. Sachez que toute bonne impression commence par des tests. Comparez l'écran et la photo imprimée, et recommencez jusqu'à ce qu'il n'y ait quasiment plus de différence entre les deux. Voilà ! Vous connaissez maintenant la chronologie de mon travail pour les photos de portraits. Si je fais état de ce flux de production à la fin de ce livre, c'est parce que toute cette procédure n'a de sens que si vous avez lu les précédents chapitres. Donc, si vous ne comprenez pas quelque chose, consultez les pages du chapitre qui en traite.

Photo Scott Kelby | Exposition : 1/320 | Focale : 17 mm | Ouverture : f/8

# Ma méthode en sept points

## Les sept points capitaux de Lightroom

« Ma méthode en sept points » est une idée qui me vient de mon frère. Il adore me voir partir d'une image de mauvaise qualité pour en faire une photo que l'on peut imprimer et encadrer. Fort de son constat, j'ai commencé à collecter des photos à problème, comme des balances des blancs insupportables, des expositions hasardeuses ou encore toutes sortes de maux qui, sans mon intervention, auraient destiné cette photo à la poubelle. Après quelques mois, je me suis retrouvé à la tête de nombreuses images détériorées et retouchées. J'ai donc commencé à écrire un livre. Chaque chapitre partait d'une photo originale problématique et se terminait par une image parfaitement retouchée. Mais, après huit ou neuf chapitres, j'ai soudainement réalisé que, même si ces photos présentaient des problèmes très différents, j'utilisais toujours les mêmes outils de Photoshop pour les retoucher. J'ai compris alors qu'il suffisait que j'enseigne ces sept points particuliers pour que les utilisateurs parviennent à tout retoucher sans aucune difficulté. Donc, ce principe fut mis en œuvre dans Photoshop CS3. Depuis ce temps-là, j'applique ces sept points capitaux au module Développement de Lightroom. En gardant ces sept points à l'esprit, vous sortirez la plupart de vos photos de bien des difficultés. Et, dès qu'il faudra aller plus loin dans l'exploitation des outils et des techniques de Lightroom, il vous suffira de vous reporter au chapitre qui en traite de manière très approfondie.

# Méthode en sept points : projet 1

Après des années d'utilisation de Lightroom, j'ai pu dégager sept points spécifiques qui s'appliquent à la majorité des images. Ainsi, quelle que soit la photo à retoucher, vous saurez toujours par où commencer.

## Point 1

### Choisir le profil de l'appareil

Cette photo sort tout droit d'un appareil photo numérique. Le premier point de ma méthode consiste à aller dans le module Développement. Ici, j'ouvre le panneau Étalonnage de l'appareil photo. Testez les propositions du menu local Profil. Il ne contient que des profils pour les fichiers Raw car les fichiers JPEG contiennent déjà un profil. En règle générale, j'opte pour Camera Landscape, Camera Vivid ou Camera Standard.

SCOTT KELBY

Voici l'image après application du profil Camera Vivid. Difficile de voir une différence car l'erreur de balance des blancs est telle que la photo ne varie pas beaucoup malgré le changement de profil. Toutefois, regardez les bords de l'horloge. Ils sont plus contrastés, donc plus nets. Toutes les couleurs sont également plus vives. La photo est très proche de l'aperçu que vous avez sur l'écran LCD de votre appareil. Maintenant, pour bien apprécier notre nouvel étalonnage, corrigeons cette balance des blancs désastreuse.

## Point 2

### Régler la balance des blancs

Cette photo a été prise un jour nuageux. J'avais réglé ma balance des blancs sur Nuageux. Normal. Quand il commença à pleuvoir, je me suis réfugié dans un café. C'était à Bruges. et j'ai vu cette horloge. Je l'ai prise en photo mais avec la mauvaise balance des blancs. Il fut très facile de corriger l'image *via* le panneau Réglages de base (page 124) en appliquant une des méthodes suivantes : (1) essayez une balance des blancs prédéfinie comme Tungstène, (2) glissez le curseur Température vers la gauche pour refroidir l'image, ou (3) faites comme moi, activez l'outil Pinceau Réglage et cliquez sur une zone de l'image qui devrait être gris clair.

## Point 3

### Régler l'exposition globale

Pour cela, vous devez intervenir sur les paramètres Exposition, Récupération, Lumière d'appoint et Noirs du panneau Réglages de base. La photo est trop sombre. Faites glisser le curseur Exposition vers la droite. Toute l'image s'éclaircit. Si vous regardez le coin supérieur droit de l'histogramme, vous remarquez la présence d'un triangle blanc. Cliquez dessus. Les zones écrêtées de l'image s'affichent en rouge. Ici, le néon situé derrière l'horloge est écrêté. Comme il fait partie de l'arrière-plan, qui est flou, je ne perds pas de temps à corriger ce problème. (Vous pourriez agir sur le curseur Récupération en le faisant légèrement glisser vers la droite.) Comme l'éclairage de la pièce se situe derrière l'horloge, vous pourriez l'éclaircir en agissant sur le curseur Lumière d'appoint. Le problème est qu'il vous faudra alors agir sur le curseur Noirs pour éviter que les couleurs soient trop délavées.

Pour éviter que les couleurs soient estompées, réintroduisez de la saturation dans les couleurs et de la profondeur dans les tons foncés. Pour cela, glissez le curseur Noirs vers la droite jusqu'à ce que l'image soit riche et dense. Ici, une valeur de 30 est parfaite.

**Point 4**

**Ajouter du contraste**

Les photos Raw ont besoin de contraste. Pour cela, ouvrez le panneau Courbes des tonalités. Dans le menu local Courbe à points, choisissez Contraste fort. Si le contraste est insuffisant, agissez sur les points de la courbe. Cliquez sur le second point supérieur et déplacez-le vers le haut pour augmenter la présence des tons clairs. Cliquez sur le second point, situé en bas de la courbe. Glissez-le vers le bas pour amplifier les noirs. Ici, je conserve la courbe telle quelle.

## Point 5
### Ajustements locaux

Les réglages locaux n'affectent qu'une zone spécifique de l'image. Par exemple, pour que l'horloge paraisse plus lumineuse, activez le Pinceau Réglage. Dans le menu local Effet, choisissez Exposition. Double-cliquez sur le mot Exposition afin de réinitialiser sa valeur. Faites glisser ce curseur légèrement vers la droite. Peignez sur le bord droit de la pendule. Si vous commettez une erreur, appuyez sur Cmd+Z (Ctrl+Z) pour annuler l'application de l'outil, et recommencez. Veillez aussi à cocher l'option Masquage automatique pour ne pas déborder accidentellement de l'horloge. Ensuite, peignez sur toute la surface intérieure de l'objet. À tout moment vous pouvez varier l'exposition en glissant son curseur.

Maintenant, utilisez le même outil mais pour assombrir l'arrière-plan. Ainsi, l'horloge ressortira de l'image. En haut du panneau, cliquez sur Nouveau. Fixez la valeur d'Exposition sur -0,75. Commencez à peindre sur la barre diagonale située derrière l'horloge. Si, après avoir corrigé cette zone, elle vous semble trop sombre, contentez-vous de fixer le paramètre Exposition sur -61.

**Point 6**

**Dynamiser et amplifier la couleur**

Nous allons maintenant finaliser notre photo en lui donnant plus d'impact. Pour cela, agissez sur le paramètre Clarté. Portez sa valeur à +70. Cela amplifie les tons moyens. (Vous en saurez davantage sur la Clarté page 140). Pour faire éclater les couleurs, fixez le paramètre Vibrance sur +10. (La Vibrance est présentée page 141.)

**Point 7**

**Finaliser avec quelques effets**

Ces effets dépendent du type d'image sur lequel vous travaillez. Ici, je vais appliquer un vignettage pour focaliser l'attention sur le sujet principal de la photo. (Le vignettage est expliqué page 149.) Ouvrez le panneau Corrections de l'objectif. Cliquez sur Manuel. Dans la section Vignettage de l'objectif, glissez le curseur Quantité vers la gauche jusqu'à la valeur -56. Placez le curseur Milieu totalement à gauche. La comparaison avant et après ci-dessous montre le résultat obtenu avec ma méthode en sept points. Passons à un autre exercice.

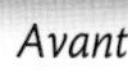

*Avant*

*Après*

Voici une photo de mode que je peux améliorer en appliquant les sept mêmes points que précédemment. N'oubliez pas que c'est une méthode ! Dans ce cas, pourquoi vous soumettre une autre photo ? Pour les raisons suivantes : (a) pour que vous vous imprégniez bien de la méthode, (b) pour vous la faire pratiquer à outrance afin qu'elle devienne une seconde nature. Vous verrez alors que, un jour, vous n'aurez plus besoin d'ouvrir ce livre.

# Méthode en sept points : projet 2

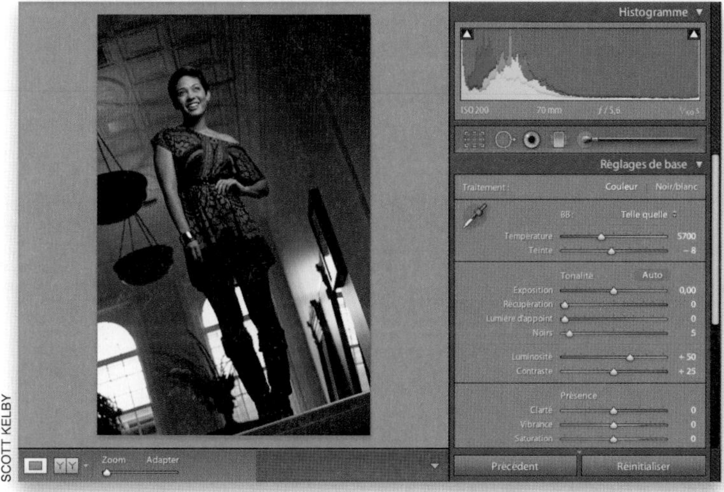


SCOTT KELBY

## Point 1

### Choisir le profil de votre appareil

Voici une photo Raw directement sortie de l'appareil. Elle est tout à fait correcte même si je la trouve un peu sombre et chaude. La première étape consiste à ouvrir le module Développement et à afficher le panneau Étalonnage de l'appareil photo. Testez différents profils.

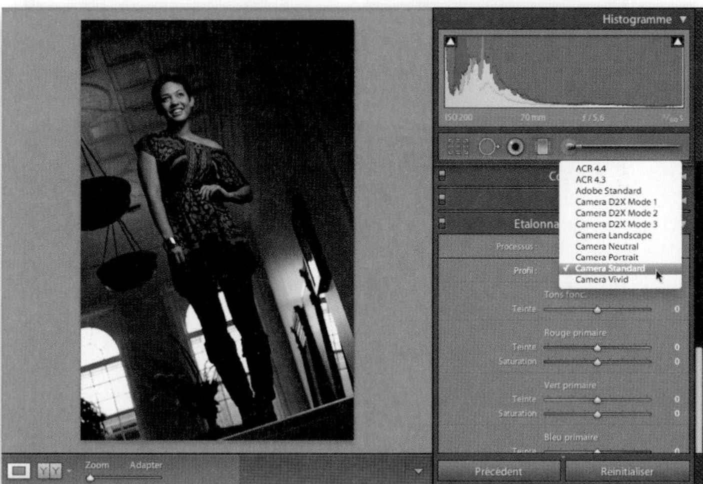


Ici, je teste Camera Landscape et Camera Vivid. Mais, finalement, je trouve que Camera Standard est parfait pour les tons de la peau.

**Point 2**

**Régler la balance des blancs**

Ouvrez le panneau Réglages de base. Dans le menu local BB, choisissez Auto. Joli résultat ! Inutile de tester d'autres balances. Cette balance des blancs sera un excellent point de départ au réglage de la température des couleurs. À partir de là, je vais agir sur le curseur Température et Teinte, ou, mieux encore, je vais utiliser l'outil Sélecteur Balance des blancs (W). Pour cette photo, Auto est parfait.

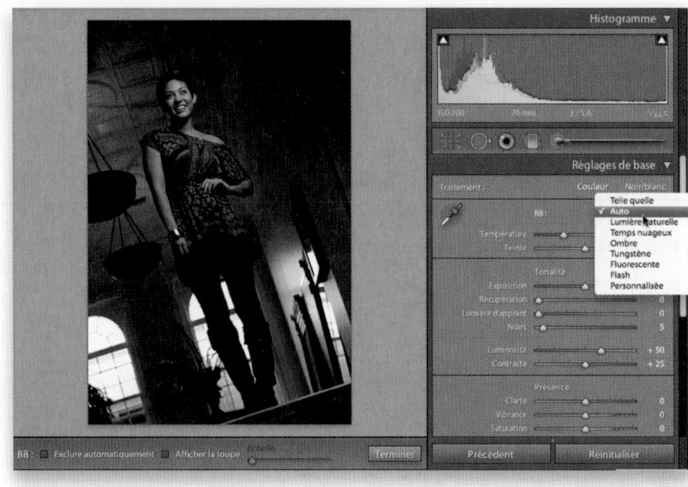


**Point 3**

**Ajuster l'exposition globale**

La photo est globalement sombre. Pourcorriger cela, faites glisser le curseur Exposition vers la droite jusqu'à la valeur +0,75. L'histogramme affiche alors un triangle d'avertissement blanc. En cliquant dessus vous identifiez toutes les zones qui sont écrêtées. Elles se situent à l'extérieur de la maison, visibles *via* les fenêtres. Comme ces zones ne sont pas importantes, laissez tel quel.

J'ai placé la lumière pour que les épaules et le visage soient bien exposés. Ainsi, le modèle s'assombrit au fur et à mesure que l'on descend vers ses bottes. Cependant, pour garder davantage de détails dans ces zones, fixez le paramètre Lumière d'appoint sur 17. Si vous appliquez une valeur plus élevée, vous devrez la compenser avec le curseur Noirs.

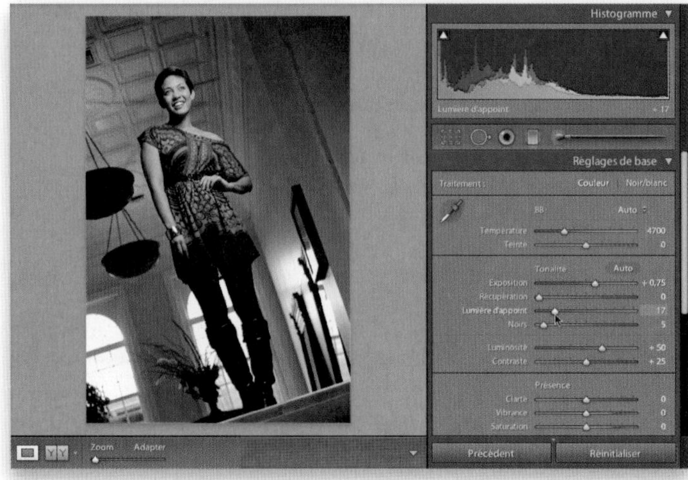

**Point 4**

**Ajouter du contraste**

Pour amplifier le contraste, affichez le panneau Courbes des tonalités. Attention car sur cette image trop de contraste risque d'assombrir complètement les tons foncés. Mais, normalement, vous savez comment procéder puisque nous avons déjà vu cela dans le premier projet avec l'horloge.

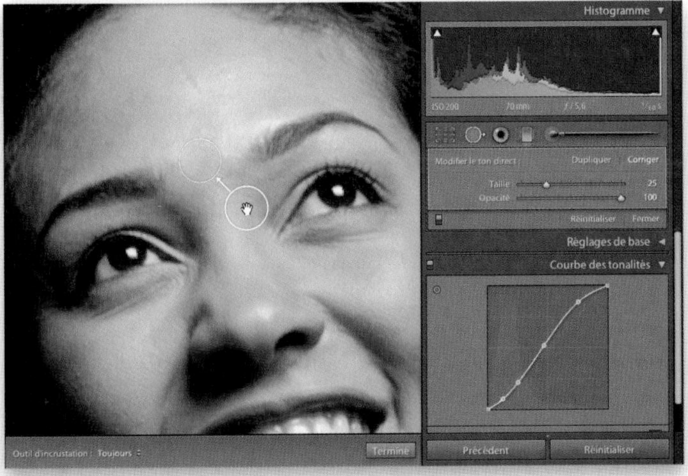


**Point 5**

**Ajustements locaux**

Nous allons retoucher le visage, qui contient quelques petites imperfections. Effectuez un zoom sur le visage en cliquant sur 2:1 dans le panneau Navigation. Ensuite, activez l'outil Retouche des tons directs (Q). Redimensionnez la taille de la forme de telle sorte qu'elle soit légèrement supérieure aux défauts à corriger. Cliquez directement sur le défaut. Lightroom échantillonne automatiquement une zone propre de l'image. Elle est contenue dans le second cercle qui apparaît. Si la correction est mauvaise, cliquez et glissez le second cercle sur une autre partie de la photo.

Activez le Pinceau Réglage (K) et choisissez Clarté dans le menu local Effet. Fixez sa valeur à -75. Ceci génère une valeur négative qui va permettre de corriger la peau du visage. Peignez sur toutes les zones qui, selon vous, doivent être adoucies. Évitez de peindre sur les yeux, les sourcils, les cils, les narines, les lèvres, les cheveux et le contour du visage. Si la peau vous semble trop lisse, fixez Clarté sur -50.

Cliquez sur Nouveau afin d'intervenir sur une autre zone sans altérer celle que vous venez de modifier. Dans le menu local Effet, choisissez Exposition. Fixez le curseur éponyme à +1,18. Ensuite, réduisez la taille du pinceau, et peignez sur le blanc des yeux. Faites un zoom arrière pour voir si les yeux ne sont pas trop clairs. S'ils le sont, réduisez l'exposition à +0,50.

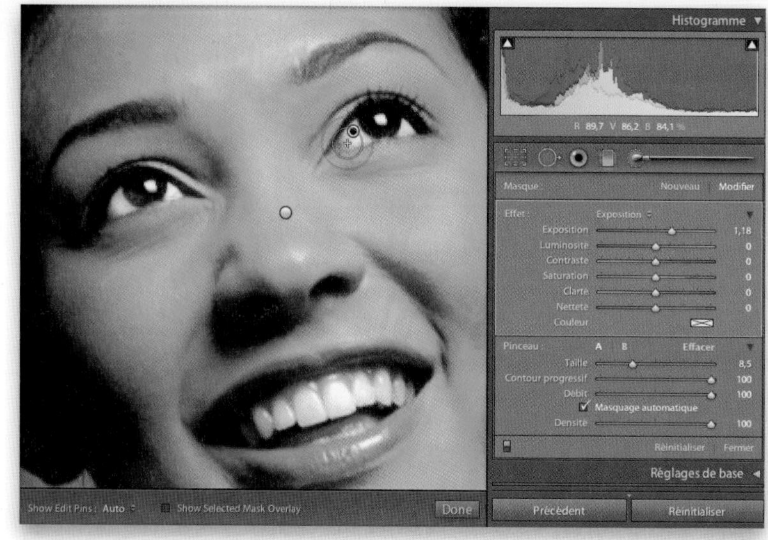


Bien que j'ajoute généralement de la Clarté à hauteur de +25, je vais ici en limiter la portée à la peau du mannequin, qui est trop texturée et détaillée. Ainsi, je vais adoucir son épiderme. Nous allons donc appliquer une « vraie » clarté à la tunique, aux bottes et aux cheveux. Pour cela, fixez la valeur Clarté à +50. Ensuite, peignez sur les éléments que je viens de citer.

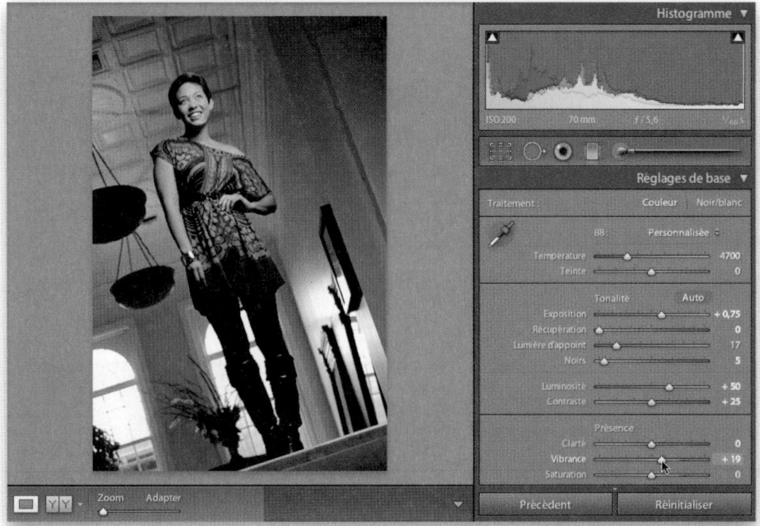


## Point 6

### Dynamiser et amplifier la couleur

Nous avons déjà donné de l'intensité à l'image avec le paramètre Clarté du Pinceau Réglage. Cette fois, nous allons amplifier la couleur en agissant sur le paramètre Vibrance. Fixez-le à +19 dans le panneau Réglages de base. Les couleurs de l'arrière-plan sont plus intenses. Par exemple, le mur de droite est bien plus jaune que sur l'originale.

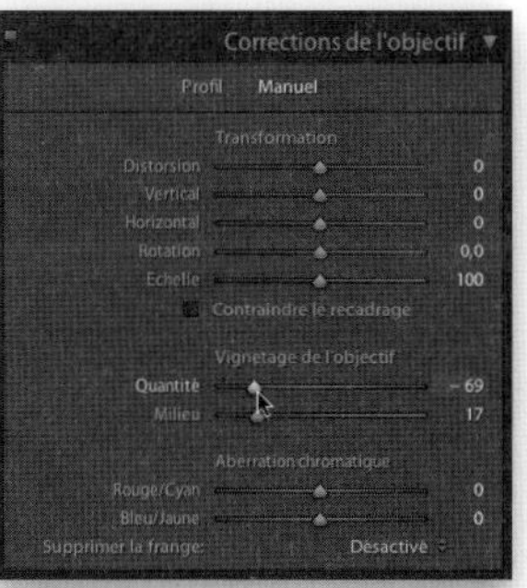


## Point 7

### Finaliser avec quelques effets

L'image ayant été très éclaircie, le vignettage naturel de la photo a quasiment disparu. Donc, pour le récupérer, vous devez en ajouter un. Pour cela, ouvrez le panneau Corrections de l'objectif. Cliquez sur Manuel, puis faites glisser le curseur Quantité sur -69. Fixez la valeur du paramètre Milieu sur 17. Ci-dessous, une comparaison avant/après montre le résultat obtenu suite à l'application de ces sept points. Les corrections apportées sont subtiles par rapport à celles réalisées sur l'horloge. Sachez qu'une majorité de corrections doivent être exécutées comme celles-ci. Poursuivons avec un autre projet.

*Avant* *Après*

# Méthode en sept points : projet 3

Dans ce nouveau projet, vous allez utiliser différemment ma méthode. Le paysage que je vous soumets est si sombre que beaucoup d'entre vous le jetteriez à la poubelle. Le soleil semble correctement exposé, mais tout le reste est plongé dans l'obscurité. Ma méthode va, en sept points, redonner vie au sable et à la dune. Elle va permettre d'amplifier la couleur, d'ajouter du contraste et donc de récupérer cette image.

## Point 1

### Choisir un profil d'appareil

Voici la photo Raw. Pas terrible, j'en conviens ! Allons immédiatement dans le module Développement. Là, ouvrez le panneau Étalonnage de l'appareil photo.

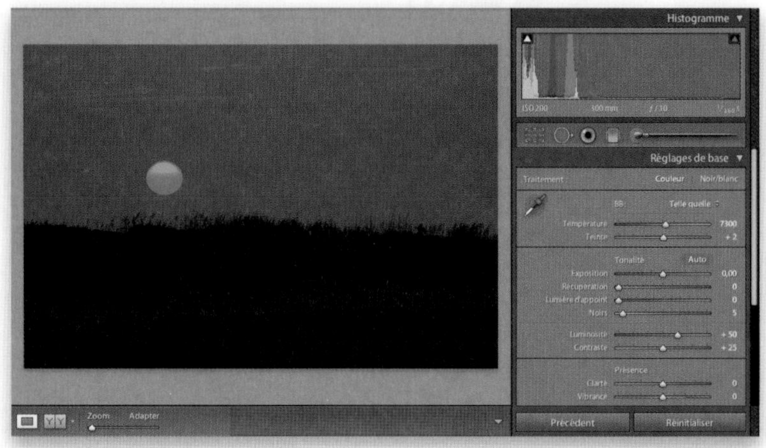


SCOTT KELBY

Ici, j'applique le profil Camera Landscape. L'image est un peu mieux, mais mon Dieu qu'elle est sombre !

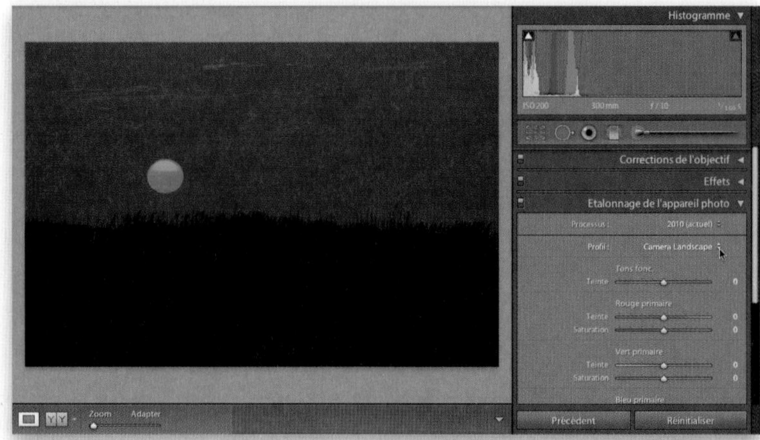

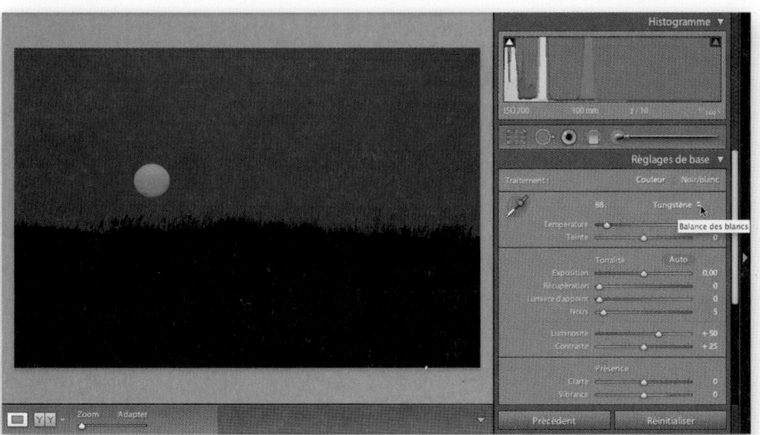


**Point 2**

**Régler la balance des blancs**

La balance des blancs semble correcte. Toutefois, amusez-vous à tester d'autres balances. Par exemple, choisissez Tungstène dans le menu local BB. L'image devient bleue avec un gros soleil orange. OK ! assez joué ! Choisissez le type de balance Telle quelle.

**Point 3**

**Ajuster l'exposition globale**

Maintenant que la balance des blancs a été réinitialisée sur Telle quelle, vous pouvez intervenir sur l'exposition. Pour éclaircir la plage, je fixe la valeur d'Exposition à +2,10. J'assombrirai le ciel un peu plus tard.

**Point 4**

**Ajouter du contraste**

Pour ajouter du contraste, j'interviens dans le panneau Courbes des tonalités. Après avoir testé les trois courbes à points, j'opte pour Linéaire, qui, en réalité, signifie que nous n'ajoutons aucun contraste. Paradoxal, non ? Désactiver le contraste d'une image est une chose qui m'arrive très rarement.

INFO Bien que ma méthode compte sept points, moins vous en utiliserez et mieux ce sera. Donc, ne vous inquiétez pas si un des points ne nécessite, au final, aucun réglage spécifique. Par exemple, toutes les photos ne requièrent pas un ajustement local. Donc, inutile de chercher à en appliquer si cela ne s'impose pas.

**Point 5**

**Ajustements locaux**

Nous allons utiliser un ajustement local assez différent pour assombrir le ciel – le Filtre Gradué (M). Cliquez dessus dans la barre d'outils située sous l'histogramme. Fixez le paramètre Exposition sur -2,31 et Luminosité sur -92. Appuyez sur Maj pour tracer un dégradé bien droit partant en haut et au centre de l'image, et descendez jusqu'à la plage. (Ce filtre est détaillé page 182.) Ensuite, activez l'outil Pinceau Réglage (K). Il va permettre d'éclaircir l'herbe. Dans le menu local Effet, choisissez Luminosité. Glissez le curseur éponyme jusqu'à +78. Ensuite, appliquez l'outil sur la végétation. Nous voulons également supprimer quelques petits poteaux partiellement immergés. Une fois que vous avez terminé, cliquez sur Fermer en bas à droite du panneau.

**Point 6**

**Dynamiser et amplifier la couleur**

Maintenant que tout est en place, amplifions cette plage et ces rochers. Dans le panneau Réglages de base, glissez le curseur Clarté vers la droite jusqu'à la valeur +58. Pour amplifier la couleur, fixez Vibrance sur +33.

**Point 7**

**Finaliser avec quelques effets**

Cette image semble terminée. Mais voici ce que vous pouvez faire uniquement pour le plaisir : (1) fixez la balance des blancs sur Fluorescent ; (2) appuyez sur V pour afficher l'image en noir et blanc ; ensuite, appuyez sur Cmd+Z (Ctrl+Z) pour retrouver l'image corrigée. Une comparaison avant/après est reproduite ci-dessous.

*Avant*

*Après*

# Méthode en sept points : projet 4

Pour notre dernier projet, nous allons traiter une photo de football du début à la fin. Ce projet est représentatif de ce que vous exécuterez sur la majorité de vos photos. Il s'agit d'améliorations subtiles mais qui font toute la différence.

**Point 1**

**Choisir le profil de l'appareil**

Voici la photo JPEG d'origine. Vous constatez qu'un joueur est coupé en deux sur le bord droit de l'image. Donc, avant d'investir rna méthode, recadrons cette image. Sous l'histogramme, activez l'outil Cadre de recadrage. Faites glisser la poignée droite vers la droite jusqu'à disparition du joueur. Validez le recadrage en appuyant sur Entrée. Comme un fichier JPEG contient déjà le profil de l'appareil, inutile d'en appliquer un dans Lightroom.

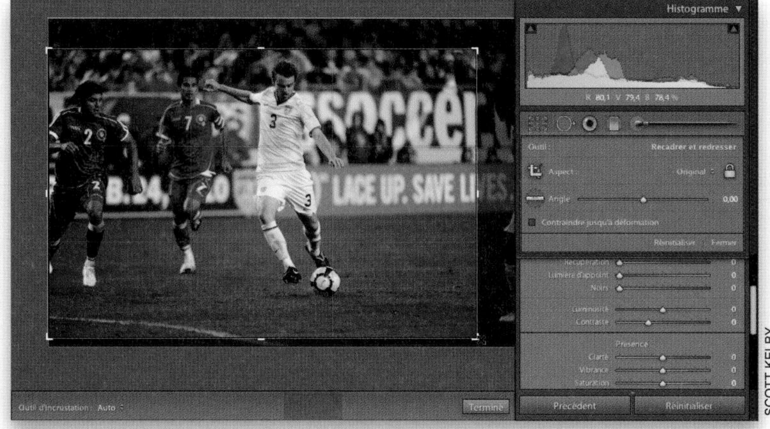


SCOTT KELBY

**Point 2**

**Régler la balance des blancs**

Avec les images JPEG vous disposez d'une seule balance des blancs. Elle se nomme auto. J'utilise alors l'outil Sélecteur Balance des blancs pour régler manuellement la température des couleurs. Activez-le (W) et cliquez sur une partie gris clair du maillot. Ceci réchauffe l'image et supprime la couleur dominante qu'il y avait sur les maillots bleus.

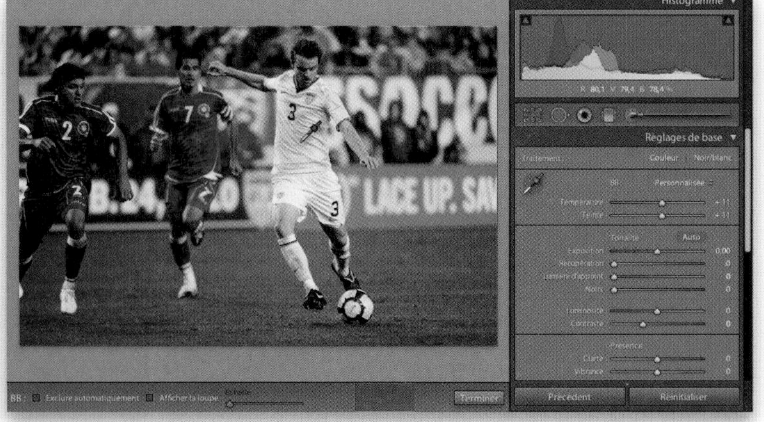

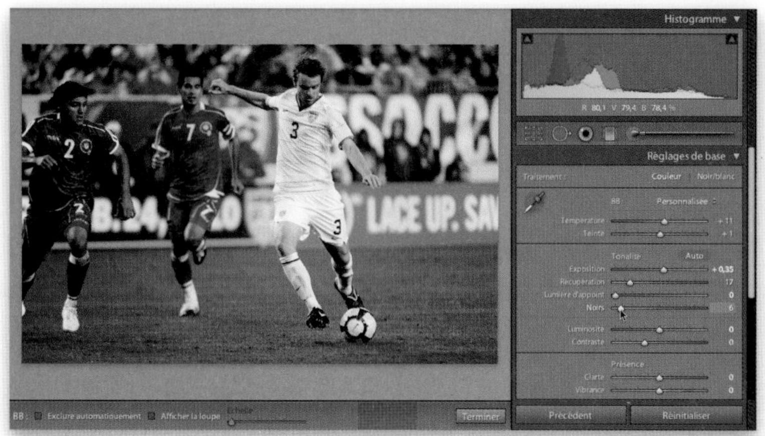

**Point 3**

### Ajuster l'exposition globale

L'image est globalement trop sombre. Compensez cela en glissant le curseur Exposition jusqu'à +0,35. Une icône d'avertissement apparaît dans le coin supérieur gauche de l'histogramme. Si vous cliquez dessus, vous identifiez les éléments de l'image dont les tons foncés sont écrêtés. Faites glisser le curseur Récupération jusqu'à ce que ce triangle vire au noir. Augmentez sensiblement la valeur du paramètre Noirs. Sur cette photo, 6 semble idéal.

**Point 4**

### Ajouter du contraste

Lorsque vous modifiez des images JPEG, Lightroom n'applique pas automatiquement une valeur de contraste car cela a déjà été effectué par l'appareil photo numérique. Donc, pour en ajouter davantage, ouvrez le panneau Courbes des tonalités. Dans le menu local Courbes à points, choisissez Contraste moyen (pas Contraste).

**Point 5**

**Ajustements locaux**

Vous allez considérablement accentuer les détails des tenues. Activez l'outil Pinceau Réglage (K). Dans le menu local Effet, choisissez Clarté. Fixez sa valeur à 100. Peignez sur les tenues. Évitez simplement les chaussettes et les chaussures. Une fois que vous avez terminé, cliquez sur Fermer dans le coin inférieur droit du panneau.

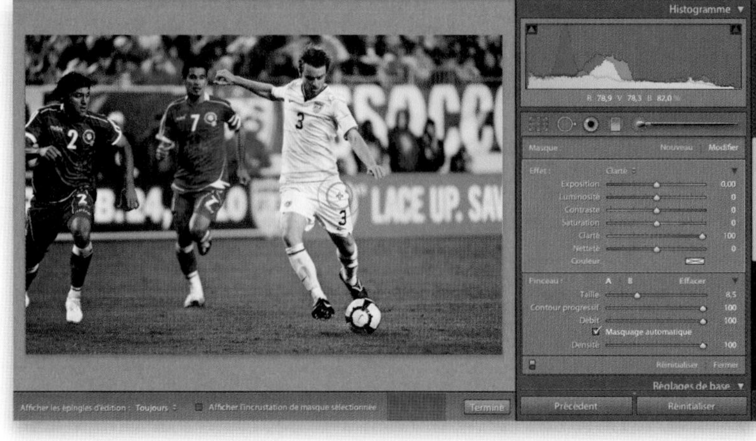


**Point 6**

**Dynamiser et accentuer la couleur**

Pour dynamiser cette photo, ouvrez le panneau Réglages de base. Fixez la valeur du paramètre Clarté sur +31, puis Vibrance sur +29.

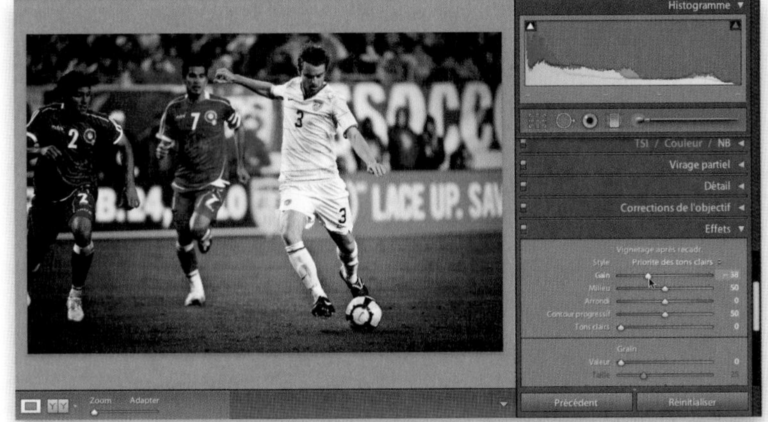


**Point 7**

**Finaliser avec quelques effets**

Ajoutons un effet de vignettage pour focaliser l'attention sur les joueurs. Nous avons recadré cette photo. Par conséquent, nous devons utiliser la fonction Vignettage après recadrage du panneau Effets. Dans le menu local Style, choisissez Priorité des tons clairs. (Consultez la page 150 pour plus d'informations sur le vignettage.) Fixez Gain sur -38 et Milieu sur 50. Une comparaison avant/après permet d'apprécier la différence entre les deux versions de l'image. Bien entendu, le but est que vous appliquiez cette méthode à vos photos. Il se peut alors que vous ayez besoin d'explorer d'autres panneaux du module Développement comme TSL/Couleur/NB. L'expérience vous prouvera que vos travaux quotidiens s'effectueront le plus souvent avec cette méthode à sept points.

*Avant*

*Après*

# Où en apprendre plus sur Lightroom

Voilà ! Vous avez terminé votre étude de Lightroom avec ce flux de production digne des meilleurs spécialistes de ce logiciel. Si vous êtes assoiffé de connaissances, et si vous comprenez l'anglais, les deux pages qui suivent regroupent des ressources dans lesquelles je suis très investi personnellement. Croyez-moi, vous n'en avez pas encore fini avec Lightroom.

**Le Magazine Photoshop User (« Le faites-le vous-même » des utilisateurs de Photoshop)**

Je suis rédacteur et éditeur du magazine Photoshop User. Nous avons développé une rubrique qui traite des dernières techniques de Lightroom. Ce magazine est envoyé gratuitement à tous les membres de la NAPP (National Association of Photoshop Professionnals). Vous le trouverez aussi en kiosque aux États-Unis et au Canada. Pour en savoir plus sur cette publication, rendez-vous à l'adresse www.Photoshopuser.com.

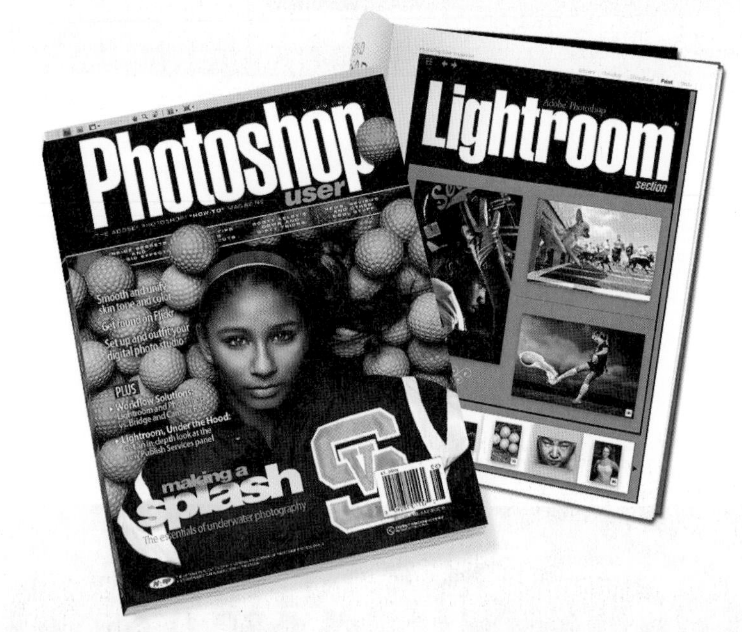


**Les trucs et astuces de Lightroom en videocast et sur un blog**

Chaque semaine, mon ami Matt Kloskowski, également coanimateur de Photoshop User TV, présente l'Adobe Photoshop Lightroom Killer Tips. Il y distille des techniques et des astuces sous la forme d'un videocast. Consultez-le sur le site www.kelbytv.com. Vous pouvez vous y abonner gratuitement *via* l'Apple Store d'iTunes. Ensuite, regardez les vidéos directement depuis iTunes. Matt gère également un blog où vous trouverez de nombreux posts, des didacticiels, des informations, des astuces, des raccourcis clavier, des paramètres prédéfinis téléchargeables et plein de choses qui ne sont pas documentées ailleurs. Vous trouverez ces merveilles à l'adresse www.lightroomkillertips.com.

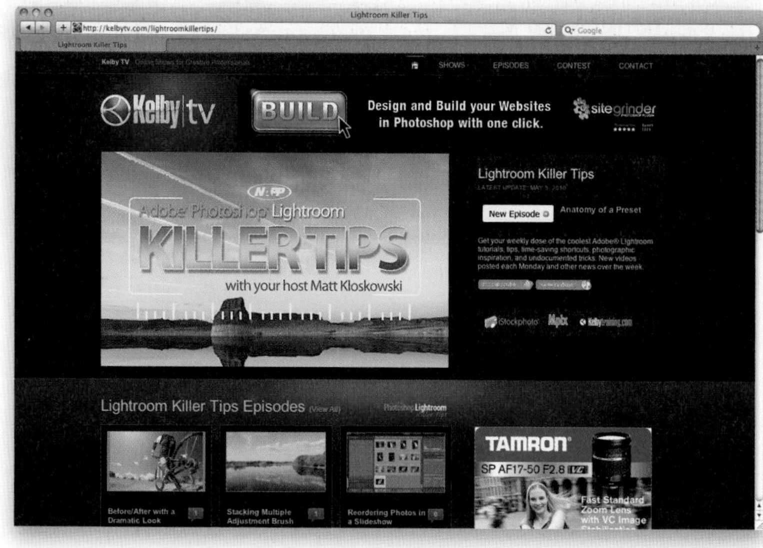

### Mon séminaire Adobe Photoshop Lightroom Tour !

Lorsque Lightroom 1 est sorti, j'ai lancé un vaste séminaire qui s'est déroulé dans les villes majeures des États-Unis. Soutenu par Adobe et la NAPP, ce séminaire commence par expliquer la prise de vue sur site. Le public comprend alors les tenants et les aboutissants de l'éclairage en studio. Il apprécie également l'ensemble des équipements que j'utilise. Ensuite, ces photos sont importées et traitées dans Lightroom. J'explique mon flux de production, c'est-à-dire que je présente une version live de tout ce qui est exposé dans ce livre. Si vous passez par les États-Unis et que vous désiriez assister à un des séminaires, enregistrez-vous sur le site www.kelbytraining.com.

### The National Association of Photoshop Professionals : l'autorité Photoshop Lightroom !

Voici le plus vaste réseau de photographes, de graphistes et de professionnels de l'imagerie numérique. Cette association compte près de 60 000 membres répartis dans 221 pays à travers le monde. J'ai lancé cette association il y a onze ans car il n'existait aucune ressource centrale sur l'apprentissage de Photoshop. L'association a étendu sa formation au logiciel Lightroom. Dans le même ordre d'idée, le magazine Photoshop User y consacre une section entière. Nous avons également créé le plus grand événement Photoshop du monde avec The Photoshop World Conference & Expo. Désormais, des conférences sur Lightroom y sont organisées.
Vous en saurez davantage sur le site www.Photoshopworld.com.

[illegible] Adobe Photoshop [illegible]
Illustrator Tool [illegible]

# Index

## A



## B



## C

## D



## E

## F



## G



## H



## I

## J - L



## M



## N



## O

## R



## S



## T



## V

## W



## X - Y



## Z

IMPRIMÉ EN ESPAGNE

Imprimé par **GraphyCems**
31132 Villatuerta (Espagne)

Suivant sa politique de développement,
amélioration continue, qualité et gestion de l'environnement,
GraphyCems possède les certifications **ISO 9001**,
**ISO 14001** et **FSC** (Forecast Stewardship Council).

# CARTE DE RÉGLAGE DE LA BALANCE DES BLANCS

Extrait de *Le livre Adobe Photoshop Lightroom 3 pour les photographes du numérique* de Scott Kelby